KB088214

한방 미용학

韓方美容學

윤병한 지음

군자출판사

한방미용학

첫째판 1쇄 인쇄 | 2017월 10월 10일
첫째판 1쇄 발행 | 2017년 10월 16일

지 은 이 윤병한
발 행 인 장주연
표지디자인 이상희
편집디자인 군자편집부
발 행 처 군자출판사(주)
등록 제 4-139호(1991. 6. 24)
본사 (10881) 경기도 파주시 회동길 338(서패동 474-1)
Tel. (031) 943-1888 Fax. (031) 955-9545
홈페이지 | www.koonja.co.kr

ISBN 979-11-5955-236-6

정가 40,000원

한방미용학

윤병한

저자 약력

윤 병 한

학력 및 경력

중국 북경경제무역대학 중문과 수료

중국 북경중의약대학 중의과 졸업

중국 북경 해정주독대학교 기공대학 의료기공과정 수료

고신대학교 보건대학원 보건학 석사

고신대학교 대학원 의학과 의학박사

중국 상해중의약대학 객좌교수

중국 상해중의약대학 한국연수원장

한중추나미용학회 회장

국제보건미용학회 명예회장

경남정보대학교 미용계열 외래교수

영산대학교, 선린대학교, 동주대학교, 대경대학교, 동부산대학교, 대동대학교,

동명대학교, 창신대학교, 마산대학교, 동의과학대학교 겸임교수 및 외래교수 역임

고신대학교 보건대학원, 영산대학교 동양학대학원 외래교수 역임

저서 및 논문

〈인체해부학〉 1991년 한국생기기공도협회

〈仙 武〉 1991년 한국생기기공도협회

〈경락과 한방 전신미용〉 2006년 군자출판사

〈추나학 개론〉 2007년 군자출판사

〈추나 미용학〉 2007년 한중추나미용학회 출판위

〈추나임상학〉 2013년 군자출판사

〈국제피부관리실무이론편〉 2017년 수문사

여대생의 주관적 피부건강과 스트레스와의 관련성, 2014년 국제보건미용학회 8(2)

중국 추나의학에 관한 연구, 2013년 국제보건미용학회 7(2)

추나미용 특성에 관한 연구, 2013년 국제보건미용학회 7(1)

남성의 미백화장품 구매행태와 만족도, 2012년 국제보건미용학회 6(2)

피부노화가 여성의 심리상태에 미치는 영향과 피부관리 선택형태, 2012년 국제보건미용학회 6(1)

20대 남성의 라이프스타일에 따른 미용관리태도, 2012년 국제보건미용학회 6(1)

Alaria Fistulosa uronan의 피부미백효능(의학박사)

간 질환 환자들의 대체의학 이용실태, 2002년 고신보건과학연구소보 12(12)

추나미용, 2005년 에스프로 4(2)

bi피부미용월간지 “추나”연재, 그 외 피부미용신문, 원미 등 다수 칼럼

머리말

인간(人間)은 시간의 흐름에 따라 나이가 들게 된다. 흰머리도 나고 얼굴과 눈가의 주름이 생기는 피부(皮膚) 노화는 사람들로 하여금 세월(歲月)의 흐름이 빠름을 느껴지게 한다. 사람들은 모두가 아름다운 젊은 육체(肉體)를 갖기를 원하고, 심신(心神)도 역시 건강하고 활력이 충만하기를 원한다. 이처럼 미(美)에 대한 사람들의 동경(憧憬)은 남녀노소 구별 없이 누구나 같다고 할 수 있다. 과학문명이 고도로 발전된 오늘날의 사람들은 잘 먹고 잘 살자는 이전의 사고와는 달리 건강이나 아름다움에 대한 욕망(慾望)이 더욱 강해졌다. 아름다워 지기 위한 많은 방법들 중에는 성형미인을 만들어내는 성형수술(成形手術)이나 화장(化粧), 식물(植物), 약물(藥物), 침구(針灸), 추나(推拿), 운동(運動), 심리요법 등 이 모두가 사람들의 아름다움을 추구하는 대표적인 방법들이다.

그 중 현대의학이 아닌 동양의학(東洋醫學)을 기초(基礎)로 한 많은 미용방법들을 이용하여 인체를 아름답게 하는 학문을 "한방미용학(韓方美容學)"이라고 할 수 있다. 유구한 역사(歷史)의 흐름 속에 한방미용의 각종 방법과 많은 의학가(醫學家)들의 경험과 반복적인 응용들을 바탕으로 발전 되어왔다. 수많은 한방미용의 문헌(文獻)들은 현대미용학(現代美容學)이 발전하는데 귀중한 근거가 되었고, 특히 약물미용(藥物美容)의 내용은 천연화장품(天然化粧品)을 개발하고 발전시키는데 풍부한 실전경험을 제공했다.

이러한 경험(經驗)과 이론(理論)을 토대로 여기서는 한약(韓藥)을 통한 미용방법, 기공(氣功) 및 침구(針灸)와 추나(推拿)를 이용한 미용방법 등을 위주로 하는 한방미용의 방법들을 자세하게 기술하였는데, 상편(上篇)은 기초 이론편으로 음양오행학설(陰陽五行學說)과 장부(臟腑)와 미용,

기혈진액(氣血津液)과 미용, 경락(經絡)과 미용, 병인(病因)과 미용, 병기(病機)와 미용 등 총 6장으로 구성되었고, 중편(中篇)은 한방미용변증으로 진단에 필요한 부분들로 구성을 하였으며, 하편(下篇)은 2장까지 미용본초(美容本草), 미용방제(美容方劑)를 통해 한약(韓藥)을 통한 미용치료내용을 다루었고, 경락미용(經絡美容)과 기공미용(氣功美容), 추나미용(推拿美容)까지 여러 가지 방법을 통해 손미성(損美性) 질병을 치료하는 내용을 기술하여 기존의 한방미용학 관련 교재에서는 다루기 힘들었던 부분들로 하여금 임상(臨床)에서 실제로 응용 할 수 있도록 하였다.

본 교재(教材)가 만들어지기까지 많은 수고를 해주신 군자출판사 사장님과 이하 모든 관계자 여러분들께 감사를 드린다. 또한 바쁘다는 핑계로 출판이 많이 늦었는데도 불구하고, 옆에서 묵묵히 지켜봐준 사랑하는 아내와 딸에게도 감사의 마음을 전한다. 끝으로 한중추나미용학회를 너무나도 잘 이끌어주고 있는 장은영, 정유영교수님 두 분과 학회에 소속된 많은 원장님들께 고개 숙여 무한한 감사를 드린다.

2017년 8월

저자 윤병한 배상 (拜上)

Contents

서론

상편 기초 이론(基礎理論)

Contents

Contents

Contents

Contents

하편 방법(方法)

Contents

Contents

Contents

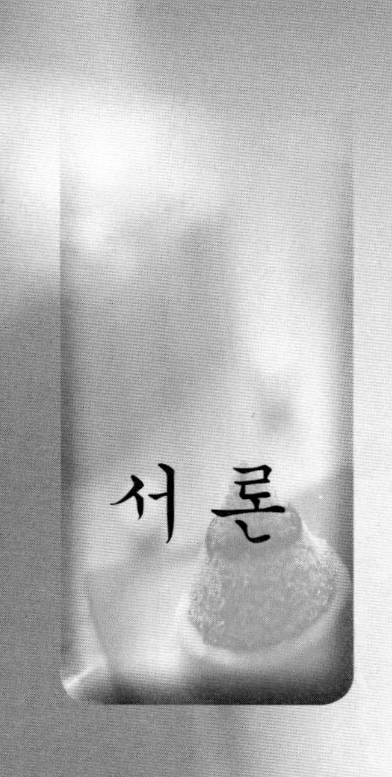

서론

1

서론

한방미용(韓方美容)의 개념(槪念)

한방미용학(韓方美容學)은 동양의학기초이론(東洋醫學基礎理論)과 여러 임상학과(臨床學科)에 기초를 두고 손미성질병(損美性疾病)을 방지하고 미(美)를 손상시키는 생리적인 결함을 연구하며 나아가서 신체질병을 예방하고 피부의 노화현상을 늦추고 인체와 정신의 아름다움을 유지하는데 목적을 둔 전문 학과이다.

미용(美容)이라 함은 일반적으로 용모를 아름답게 하는 것을 말한다. 미용은 좁은 의미의 개념과 넓은 의미의 개념으로 나눌 수가 있다. 좁은 의미의 미용은 얼굴과 오관(五官)을 아름답게 꾸미는 것을 말하고, 넓은 의미의 미용은 얼굴을 포함한 모발, 신체, 사지 및 정신상태 등 전신을 아름답게 하는 것을 말한다. 여기서 이야기하는 한방미용은 넓은 의미의 미용에 해당한다.

넓은 의미의 미용은 한마디로 건강미(健康美)라 할 수 있는데, 즉 건강과 미학(美學), 연령, 성별(性別)특징 등에 기준을 두고 인체의 얼굴과 오관(五官), 모발과 손 · 발톱, 피부상태, 신체자세와 동작정도, 정신면모 등을 종합적으로 평가를 한 결과라 할 수 있다. 건강상태는 신체건강과 심리건강 이 두 가지를 포함한다. 한 사람이 신체가 건강하고 장부기능이 정상적이면 피부가 윤택하고 신체동작이 활발하게 되어 다른 사람들에게 외형상으로 아름다움을 느끼게 하고, 심리가 건강하다면 정신이 유쾌하고 사고가 활발하여 다른 이들에게 일종의 기질상(氣質上)의 아름다움을 느끼게 한다.

한방미용(韓方美容)은 크게 치료미용(治療美容)과 보건미용(保健美容)으로 나눈다. 치료미용(治療美容)은 한방미용의 기초이론 하에 한방적 방법을 이용하여 인체의 손미성질병(損美性疾病)을 치료하고, 용모와 자태를 손상시키는 질병요인을 제거하여 인체의 아름다움을 유지하는데 목적이 있다. 손미성 질병은 인체의 외적 용모에 비교적 큰 영향을 주는 질병으로, 예를 들어 황갈반(黃褐斑), 좌창(痤瘡), 주조비(酒糟鼻), 상검하수(上瞼下垂), 수족선(手足癬), 비만증(肥滿症)등이 있다. 보건미용(保健美容)은 한방미용의 기초이론 하에 자기 자신의 보건을 통해 보건약품, 보건식품 및 운동, 양생(養生) 등 여러 가지의 방법을 이용하여 질병을 예방하고 노화를 늦추며 아름다움을 유지하는 데 목적이 있다. 그러나 한방화장품을 사용하거나 이미 손상된 생리적 결함을 화장기술을 통해 보완하여 용모의 아름다움을 증강시키기도 한다.

한방미용의 기본이론은 동양의학(東洋醫學) 기본이론과 동양전통미학(東洋傳統美學) 사상이 결합된 산물(産物)이다. 동양의학 기본이론은 음양오행(陰陽五行), 장부(臟腑), 경락(經絡), 기혈진액(氣血津液), 병인병기(病因病機), 진법(診法), 치칙(治則), 약성이론(藥性理論), 조방원칙(組方原則) 등의 기초이론을 포함하며, 천인합일(天人合一)의 정체관(整體觀) 및 인인(因人), 인시(因時), 인지(因地)와 변증논치(辨證論治)의 독특한 기본 특징을 가지고 있다. 동양전통미학에서는 자연미(自然美), 기품과 우아함을 강조한다. 즉 외적인 면과 내적인 면이 조화를 이루어야 함을 강조한다.

한방미용학은 독특한 심미관(審美觀)을 가지고 있고, 정신과 신체, 외모와 품격을 고루 추구하고 있다. 동양의학 이론과 동양전통미학 사상이 결합하여 특색 있는 한방미용학 이론을 만들어 냈다.

2 한방미용(韓方美容)과 생활미용(生活美容)의 관계

1. 생활미용과 의학미용

생활미용(生活美容)은 일반적으로 화장미용(化粧美容), 즉 각종 화장품을 이용해서 인체의 결함이 있는 부분이 잘 드러나지 않게 하는 것이다. 또한 적절한 의복의 변화를 통해 체형의 미(美)를 나타내고, 모발(毛髮)을 가꾸어 서로 다른 얼굴형을 표현하는 것도 생활미용에 포함된다. 그러나 생활미용이 발전된 오늘날에는 그 내용에 있어서 화장과 패션, 헤어분야 뿐만 아니라 피부관리, 체형관리도 여기에 해당된다. 따라서 생활미용은 당연히 보건미용의 의의를 함유하고 있다.

의학미용(醫學美容)은 현대의학의 일부분으로서 수술(手術), 약물(藥物)등 의학수단을 운용하여 인체의 미(美)를 유지하고 보호, 회복하는 것이다. 의학미용은 치료미용(治療美容)과 보건미용(保健美容)을 포함하고 있다. 또한 좁은 의미의 개념과 넓은 의미의 개념으로 나눌 수가 있는데, 좁은 의미의 의학미용은 현대의학을 가리키며 한방미용은 포함하지 않는다. 넓은 의미의 의학미용은 모든 현대와 전통의 의학미용, 한방미용이 여기에 속한다.

생활미용(生活美容)과 의학미용(醫學美容)은 서로가 공통적인 면을 가지고 있고 또한 다른 면도 가지고 있다. 공통적인 면이란 두 양자가 추구하는 근본적인 목적이 우리 인체의 아름다움을 증진시키는데 있다고 할 수 있다. 모두가 인체의 피부와 체형을 가꾸는데 중점을 두고 있고 어떤 의료기기의 응용 상에서도 비슷하다.

그러나 양자가 가지고 있는 다른 점은 뚜렷하다고 할 수 있다. 첫째, 의학미용은 치료미용을 포함하고 생활미용은 치료미용을 포함하지 않는다. 둘째, 의학미용은 수술, 약물 등의 기술이 어렵고 복잡한 의학적 치료 수단을 사용한다. 그러나 생활미용은 화장술이나 일반적인 피부관리, 체형관리 등의 상대적으로 난이도가 낮은 방법을 사용한다. 셋째, 의학미용의 실무자들은 의사들로서 그들의 학력과 기술 수준이 높고 양성해 내는 시간도 길다. 상대적으로 생활미용의 실무자들은 미용관리사로서 학력과 기술 수준, 양성 기간도 짧고 의사들에 비교하여 큰 차이가 있음을 알 수 있다.

2. 한방미용과 생활미용

한방미용(韓方美容)은 넓은 의미에서는 의학미용에 속하며, 의학미용이 갖고 있는 의의(意義)를 한방미용에서도 가지고 있다. 그러나 좁은 의미에서의 한방미용은 의학미용과 몇 가지 다른 점이 있다. 첫째, 기초이론이 다르다. 한방미용의 기초이론은 동양의학 이론이고 의학미용의 기초이론은 현대의학 기초이론으로서 서로 다른 의학 체계를 구성하고 있다. 둘째, 미용의 방법이 다르다. 한방미용은 전통적인 약재(藥材), 식이(食餌), 침구(鍼灸), 추나(推拿), 기공(氣功) 등의 방법을, 의학미용은 수술 방법을 사용한다. 셋째, 포함하고 있는 내용이 다르다. 한방미용은 역사 이래 생활미용과 맥을 같이 하므로 따로 떼어낼 수가 없을 뿐만 아니라 화장미용(化粧美容)의 내용을 포함하고 있다. 이에 반해 의학미용의 범주 안에는 화장미용이 포함되지 않는다.

상편

기초이론 (基礎理論)

제 1 장

음양오행학설 (陰陽五行學說)

1 음양오행학설(陰陽五行學說)

음양오행학설(陰陽五行學說)이란 음양학설과 오행학설을 합하여 칭(稱)한 것으로 옛 사람들이 자연을 인식하고 해석하는 고대의 유물론(唯物論)이며 변증법(辨證法)이다. 고대 의학자들은 긴 기간에 걸쳐 의료실천 방면에 기초로 하여 음양오행설을 의학 분야에 적용하여 인체의 생리와 병리 변화를 규명하고 임상 진단과 치료를 하는데 근거로 삼았다.

음양오행학설은 동양의학 이론의 중요한 구성요소로서 동양의학의 발전에 큰 영향을 주었다. 이 음양오행설이 갖고 있는 유물론적, 변증법적 사상은 어디까지나 고대철학의 범주에 속하는 것으로서 현대의 과학적 변증법과는 같다고 할 수 없다. 그래서 우리는 이 두 가지의 사고를 적절하게 운용함으로써 의학발전에 기여할 수 있도록 해야 할 것이다.

상편 제1절 음양학설(陰陽學說)

음양(陰陽)이라는 것은 고대철학(古代哲學)의 범주에 속하는 것으로, 햇빛의 방향에 기초를 둔 소박(素朴)한 관점에서 출발됐다. 즉 햇빛을 향한 것은 양(陽), 햇빛을 등진 것이 음(陰)인 것이다. 그 후에 점차적으로 그 뜻이 확대되어 모든 사물의 내부에는 상반(相反)된 두 가지의 속성이 있다는 것을 인식하게 되었다. 즉 서로 대립하는 두 가지가 존재한다는 것이다.

예를 들면 기후(氣候)의 냉난(冷暖), 방위(方位)의 상하(上下), 좌우(左右), 내외(內外), 운동 상태의 동(動)과 정(靜) 등이다. 일반적으로 격렬하게 운동(運動)하는 것, 외향(外向)적인 것, 상승(上昇)하는 것, 따뜻하거나 뜨거운 것(온열;溫熱), 밝은 것(명량;明亮) 등이 양(陽)에 속하며, 상대적으로 정(靜)적인 것, 내향(內向)적인 것, 하강(下降)하는 것, 차가운 것(한냉;寒冷), 어두운 것(회암;晦暗) 등이 모두 음(陰)에 속한다.

하늘과 땅을 두고 말하면 '하늘은 양(陽)이고 땅은 음(陰)이다.' 그것은 천기(天氣)는 가볍고 맑으므로 양(陽)에 속하고, 지기(地氣)는 무겁고 탁하므로 음(陰)에 속한다. 불(火)과 물(水)을 두고 말하면 '불은 양(陽)이고 물은 음(陰)이다.' 이것은 불은 성질이 덥고 위로 솟으므로 양(陽)에 속하고, 물은 차고 습(濕)하고 아래로 흐르므로 음(陰)에 속한다.

동(動)적인 것과 정(靜)적인 것을 두고 말하면 '동적인 것은 양(陽)이고 정적인 것은 음(陰)이다.' 양(陽)은 동적인 것을 뜻하므로 격렬한 운동 상태에 있는 사물은 양(陽)에 속하고, 음(陰)은 정적인 것을 뜻하므로 상대적으로 정지 상태에 있는 사물은 음(陰)에 속한다.

물질(物質)의 운동변화를 두고 말하면 '양(陽)은 기(氣)로 되고 음(陰)은 형체(形體)를 이룬다.' 다시 말해 어떤 물질이 기화(氣化)하는 운동 상태에 있을 경우에는 양(陽)에 속하고, 응결(凝結)하여 형체를 이루는 운동 상태에 있을 경우에는 음(陰)에 속한다.

음양(陰陽)의 상대적 속성을 의학 분야에 적용하면 인체에 대하여 추동(推動)·온난(溫暖)·흥분(興奮) 등의 작용을 하는 물질과 기능은 양(陽)에 속하고, 인체에 대하여 응결(凝結)·습윤(濕潤)·억제(抑制) 등의 작용을 하는 물질과 기능은 음(陰)에 속한다.

이와 같이 음양(陰陽)은 자연계에서 서로 관련되는 어떤 사물과 현상의 대립된 쌍방을 개괄한 것으로서 그것은 대립통일의 개념을 내포하고 있다. 음(陰)과 양(陽)은 서로 대립되는 사물을 대표할 뿐만 아니라 한 사물 내부에도 쌍방이 존재하여 서로 대립되는 두 방면을 대표하기도 한다. 그러므로 "음양은 이름은 있지만 형체는 없다.(陰陽者, 有名而無形)"《영추·음양계일월(靈樞·陰陽繫日月)》, "음양이란 하나가 둘로 나누어지는 것이다.(陰陽者,一分爲二)"《유경·음양류(類經·陰陽類)》라고 하였다.

어떤 사물이든 모두 음(陰)과 양(陽)으로 구분할 수 있지만 주의할 것은 음양(陰陽)에 의하여 사물의 속성을 개괄하거나 구분하는 것은 어디까지나 서로 연관된 한 쌍의 사물이거나 한 사물의 두 측면이어야만 그 실제적인 의의를 갖는다는 것이다. 만일 양자가 서로 관련되는 것이 아니고 통일체의 대립적인 쌍방이 아니라면 그 상대적 속성 및 상호 관계를 음양으로 구분할 수 없는 것이며 이것은 아무런 실제적 의의도 없는 것이다.

사물의 음양속성은 절대적(絶對的)인 것이 아니고 상대적(相對的)인 것이다. 이 상대성은 한편으로는 일정한 조건에서 음양(陰陽)간에 서로 전화(轉化)할 수 있다는 것, 즉 음(陰)이 양(陽)으로, 양(陽)이 음(陰)으로 전화(轉化)될 수 있다는 것이다. 다른 한편으로는 사물을 무한히 구분할 수 있다. 즉《類經 · 陰陽類》에서 말한 "음양이란 하나가 둘로 나눠어지는 것이다." 라는 것이다. 예컨대 낮은 양(陽)이고 밤은 음(陰)인데 오전과 오후에 대해 상대적으로 말하면 오전은 양(陽)속의 양(陽)이고 오후는 양(陽)속의 음(陰)인 것이다. 한 밤중의 전(前)과 후(後)를 두고 말하면 밤중 전은 음(陰)속의 음(陰)이고 밤중 후는 음(陰)속의 양(陽)이다. 이렇게 음양(陰陽)을 각기 다시 구분할 수가 있다.

이와 같이 우주의 어떤 사물이든 모두 음(陰)과 양(陽)의 두 분류로 개괄 할 수 있는데 한 사물 내부에서 다시 음양(陰陽)의 두 측면으로 구별할 수 있으며, 그 어떤 측면이든지 그것을 다시 음(陰)과 양(陽)으로 구별할 수 있는 것이다. 이렇게 자연계에서 사물이 서로 대립되기도 하고 서로 연계되기도 하는 현상은 무궁무진하다. 그러므로《소문 · 음양이합론(素問 · 陰陽離合論)》에서는 "음양은 열로 헤아리고 백으로 추단할 수도 있고, 천으로 헤아리고 만으로 추단할 수도 있는데 만이란 부지기수를 뜻하는바 그 도리는 하나인 것이다.(陰陽者, 數之可十, 推之可百, 數之可千, 推之可萬, 萬之大不可勝數, 然其要一也)"라고 하였다.

1. 음양학설의 기본내용

(1) 음양의 대립제약(對立制約)

자연계의 모든 사물과 현상에는 서로 대립되는 두 가지 속성이 있다. 예를 들면 상하(上下) · 좌우(左右) · 천지(天地) · 동정(動靜) · 출입(出入) · 승강(升降) · 주야(晝夜) · 명암(明暗) · 한열(寒熱) · 수화(水火) 등이 그러하다. 음양(陰陽)은 서로 대립되는 측면과 서로 배합되는 면도 가지고 있다. 음양(陰陽)의 상호대립은 주로 음양(陰陽)간의 상호제약(相互制約) ·

상호소장(相互消長)에서 표현된다. 음양(陰陽)의 상호제약(相互制約) · 상호소장(相互消長)의 결과 동태(動態)적인 균형이 이루어진다. 예를 들면 날씨가 따뜻하다가 덥고, 덥다가 서늘해지고, 서늘하다가 추워지는 기후의 변화가 있는데 봄 · 여름이 따뜻하고 더운 이유는 봄 · 여름에 양기(陽氣)가 상승하여 가을과 겨울의 서늘하고 찬 기운을 억제하기 때문이다. 상대적으로 가을 · 겨울이 서늘하고 추운 이유는 가을 · 겨울의 음기가 상승하여 봄 · 여름의 따뜻하고 더운 기운을 억제하기 때문이다. 이것은 자연계속에 있는 음양(陰陽)의 상호제약(相互制約) · 상호소장(相互消長)에서 비롯되는 것이다.

음양(陰陽)이 상호제약하는 과정은 상호소장하는 과정이기도 하며 소장(消長)이 없으면 제약(制約)도 없는 것이다. "동적인 것은 정적인 것을 눌러야 하고 음기가 성하면 양으로 이겨야 한다.(動極者 鎭之以靜, 陰亢者 勝之以陽)"《유경부익 · 의역(類經附翼 · 醫易)》라고 한 것은 동적인 것과 정적인 것, 음과 양의 상호제약, 상호소장의 관계를 말해주는 것이다.

인체가 정상적인 생리상태에서 서로 대립되는 음양(陰陽)의 두 측면은 아무런 관련도 없이 평온하게 하나의 통일체에 공존하고 있는 것이 아니라 상호제약, 상호소장하는 동적(動的)인 상태에 있는 것이다. 이른바 "음평양비(陰平陽秘)"《소문 · 생기통천론(素問 · 生氣通天論)》이라는 것도 대립제약(對立制約)과 소장(消長) 과정에 음양(陰陽)이 동(動)적 균형 상태를 이룬다는 것이다. 만일 이런 동적 균형 상태가 파괴되면 병(病)이 생기게 된다.

《소문 · 음양응상대론(素問 · 陰陽應象大論)》에 "음이 성하면 양이 병들고 양이 성하면 음이 병든다.(陰勝則陽病, 陽勝則陰病)"고 하였는데 이것은 음양(陰陽)의 제약 · 소장이 균형을 잃게 되면 질병이 생긴다는 것을 말하고 있다.

(2) 음양의 호근호용(互根互用)

음양(陰陽)은 대립 · 통일되어 있는데 양자는 서로 대립되면서도 서로 의존하고 있어 그 어느 한쪽도 다른 한쪽을 떠나 단독으로 존재할 수 가 없다. 예를 들면 상(上)은 양이고 하(下)는 음인데, 상이 없으면 하도 있을 수 없고 하가 없으면 상도 있을 수 없다. 좌(左)가 양이고 우(右)는 음인데 좌가 없으면 우도 있을 수 없다. 마찬가지로 우가 없으면 좌도 있을 수 없다. 열

(熱)은 양이고 한(寒)은 음인데, 열이 없으면 한이 없고 한이 없으면 열도 없다. 그러므로 양은 음에 의존하고 음은 양에 의존하며 그 어느 일방이든지 서로 상대방의 존재를 자기 존재의 조건으로 삼는 것이다.

《의관 · 음양론(醫貫 · 陰陽論)》에서 "음양은 서로 상대방을 자기의 뿌리로 삼고 음은 양을 뿌리로 하고 양은 음을 자기의 뿌리로 하고 있다. 이에 양이 없으면 음이 생존할 수 없고 음이 없으면 양이 화할 수 가 없다는 것이다.(陰陽又各互爲其根, 陽根于陰, 陰根于陽, 無陽則陰無以生, 無陰則陽無以化)"라고 하였다. 이런 상호의존관계를 음양의 호근호용(互根互用)이라고 한다.

물질(物質)은 음에 속하고 기능(機能)은 양에 속하며, 기능은 물질운동에서 비롯된 것으로서 세상에는 운동하지 않는 물질이란 없으며 따라서 기능이 없는 물질과 물질운동이 없는 기능이란 존재하지 않으므로 이 양자 간에도 호근호용(互根互用)의 관계가 있는 것이다.

《소문 · 음양응상대론(素問 · 陰陽應象大論)》에 "음은 안에서 양을 지켜주고 양은 밖에 서 음을 보호한다.(陰在內, 陽之守也, 陽在外, 陰之使也)"고 하였다. 이는 음양의 호근호용(互根互用)의 이론으로 유기체의 물질과 물질 · 기능과 기능 · 기능과 물질 간의 상호의존관계를 개괄한 것이다. 양은 음에 의해서 존재하고 음은 양에 의해서 존재하므로 음이 없으면 양도 없고 양이 없으면 음도 있을 수 가 없는 것이다. 어떤 원인으로 이 호근호용의 관계가 파괴가 되면 "음이 홀로 생존할 수 없고, 양 또한 홀로 성장 할 수 없다.(孤陰不生, 獨陽不長)"의 결과가 나타난다. 다시 말해 유기체의 물질과 물질 · 기능과 기능 · 기능과 물질 간의 호근호용 관계에 이상이 생김에 따라 끊임없이 생존하고 번식하는 유기체의 기틀이 파괴되어 심지어는 "음양이 떨어지면 정기가 끊어지는(陰陽離決, 精氣乃絶)" 현상이 나타나 사망에 이르게 된다.

이 밖에 음양의 호근호용은 음양전화(陰陽轉化)의 내적 근거로 된다. 이것은 음양은 상관되는 사물의 쌍방을 가리키거나 한 사물의 내부에 대립되는 쌍방을 말하므로 음양은 일정한 조건하에서 각기 자기와 상반되는 쪽으로 전화(轉化)할 수 있음을 뜻하는 것이다. 만일 음양 간에 호근호용의 관계가 존재하지 않는다면, 다시 말해서 음양이 한 통일체내에 존재하지 않는다면 상호전화(相互轉化)의 관계가 발생할 수 없다는 것을 말하는 것이다.

(3) 음양의 소장평형(消長平衡)

음양의 대립제약 · 호근호용은 정지하고 변화하지 않는 상태에 있는 것이 아니라 끊임없이 운동 변화하는 과정을 겪는다. 이를 소장평형(消長平衡)이라 한다. 소위 '소장평형'이라는 것은 음양 사이의 균형이 정지적 또는 절대적 균형이 아니라 일정한 한도, 일정한 시간 내에서 '음이 쇠(衰)하고 양이 성(盛)하며, 양이 쇠(衰)하고 음이 성(盛)하는(陰消陽長, 陽消陰長)' 가운데 상대적 균형을 유지하는 것이다. 예를 들면 사계절의 기후변화를 보면 겨울부터 봄을 거쳐 여름에 이르면서 날씨가 춥던 데로부터 점차 따뜻하다가 더워지는데 이것이 바로 '음이 쇠하고 양이 성하는(陰消陽長)' 과정이며, 여름으로부터 가을을 거쳐 겨울에 이르면서 날씨는 덥던 데로부터 점차 서늘해졌다가 추워지는데 이것은 '양이 쇠하고 음이 성하는(陽消陰長)' 과정인 것이다.

음양의 소장(消長)은 적대적인 것이고 음양의 평형(平衡)은 상대적인 것이지만 그렇다고 상대적 평형의 중요성과 필요성을 소홀히 해서는 안 된다. 그것은 끊임없이 소장(消長)하고 평형(平衡)을 이루어야만 사물이 정상적으로 발전할 수 있으며, 인체를 두고 말하면 정상적인 생명활동을 유지할 수 있기 때문이다. 만일 '음이 쇠하고 양이 성하는, 양이 성하고 음이 성하는' 과정이 없다면, 또는 '양이 쇠하고 음이 성하는, 음이 쇠하고 양이 성하는' 과정이 없다면 음양의 상대적 평형이 파괴되고 음양의 어느 한 쪽이 편성편쇠(偏盛偏衰)가 생겨서 음양소장의 상태가 깨지게 된다. 이것이 인체의 병리적 상태인 것이다.

그러므로《소문 · 음양응상대론(素問 · 陰陽應象大論)》에 "음기가 이기면 양기의 병이 나타나고, 양기가 이기면 음기의 병이 나타나며, 양이 음보다 왕성하면 열증이 나타나고, 음이 양보다 왕성하면 한증이 나타난다.(陰勝則陽病, 陽勝則陰病, 陽盛則熱, 陰盛則寒)"고 하였다.

(4) 음양의 상호전화(相互轉化)

서로 대립하고 있는 음양 쌍방이 일정한 조건에서 각기 자기의 반대 방향으로 전화할 수 있다는 것, 즉 음은 양으로 전화할 수 있고 양도 음으로 전화할 수 있다는 것을 말한다.

음양소장(陰陽消長)을 량(量)적 변화의 과정이라고 한다면 음양전화(陰陽轉化)는 양적 변화를 기초로 하여 질(質)적 변화를 하는 것이다. 음양의 상호전화는 일반적으로 사물변화의 극한단계에서 나타나는데, 즉 사물의 발전이 극에 달하면 반드시 변하기 마련 인 것이다.

음양이 전화하려면 일정한 여건을 갖추어야 한다. 《소문 · 음양응상대론(素問 · 陰陽應象大論)》에 "음이 극에 이르면 반드시 양으로 변하고 양이 극에 이르면 반드시 음으로 변한다(重陰必陽, 重陽必陰)", "한이 극에 이르면 열로 변하고 열이 극에 이르면 한으로 변한다(寒極生熱, 熱極生寒)"라고 했는데 여기서 극에 이른다는 것은 바로 전화(轉化)를 촉진하는 조건으로 된다. 사계절 기후변화를 보면 봄에 따뜻하던 것이 여름이 되어서 더위가 극에 달하는 것은 바로 한랭으로 전화하는 기점이 되는 것이다. 가을에 서늘하던 것이 겨울이 되어 추위의 극에 달하는 것은 점차 따뜻함과 더움으로 전화하는 기점이 된다. 낮과 밤의 교체와 자연계의 기후 변화도 마찬가지이다.

질병(疾病)의 변화 과정에서도 양이 음으로 전화되고 음이 양으로 전화되는 것을 흔히 볼 수 있다. 예를 들면 어떤 급성전염성 질환은 열독(熱毒)이 너무 심해서 인체의 원기가 크게 소모되고 계속되는 고열 속에서 갑자기 체온이 떨어지고 안색이 창백해지고 사지가 차고 맥이 가늘어지는 등의 위험한 징후를 나타내는데 이런 변화는 양증(陽證)이 음증(陰證)으로 전화한 것에 속한다. 이 경우에는 응급조치를 잘 취하면 다시 사지가 따뜻해지고 양기가 점차로 되살아나 병세가 호전될 수 있다. 이것이 양에서 음으로, 음에서 양으로 변한 것이다. 이렇게 음양이 서로 전화되는 경우는 임상(臨床)에서 흔히 볼 수 있는 것이다.

위와 같이 음양(陰陽)은 사물의 상대적 속성이므로 무한히 구분할 수 있으며 대립제약 · 상호전화 등은 음양의 상호관계가 고립적이고 불변적인 것이 아니라 서로 연계가 되어 있고 서로 영향을 미치고 상호보완적임을 말해준다. 가장 기본적인 이러한 관점들을 이해하면 한의학에서의 음양학설의 적용을 비교적 쉽게 익힐 수가 있을 것이다.

2. 동양의학에서의 음양학설응용

음양학설(陰陽學說)은 동양의학 이론의 여러 분야에 응용되어 인체의 조직(組織)구조, 생리기능(生理機能), 질병의 발생 변화 과정을 설명하며 임상(臨床)에서 진단(診斷)과 치료(治

療)에도 적용되고 있다.

(1) 인체의 조직구성

음양의 대립통일의 관점에 의하면 인체는 하나의 유기적인 정체로서 인체내부는 음양의 대립통일의 관계로 가득 차 있다. 인체의 모든 조직구조는 유기적으로 연계되어 있을 뿐만 아니라 서로 대립되는 음양 두 부분으로 나눌 수 있다.

"사람의 음양을 두고 말하면 겉은 양이고 안은 음이며, 등은 양이고 배는 음이다. 인체 장부(臟腑)의 음양을 말하면 장(臟)은 음이고 부(腑)는 양이다. 간, 심, 비, 폐, 신(肝, 心, 脾, 肺, 腎)의 오장(五臟)은 음이고 담, 위, 대장, 소장, 방광, 삼초(膽, 胃, 大腸, 小腸, 膀胱, 三焦)의 육부(六腑)는 양이다."《소문 · 금궤진언론(素問 · 金櫃眞言論)》라고 하였다.

인체의 장부조직의 음양속성을 대체적으로 말하면 상부(上部)는 양이고 하부(下部)는 음이며, 체표(體表)는 양이고 체내(體內)는 음이며, 외측(外側)은 양이고 내측(內側)은 음이다. 오장(五臟) 중에는 각기 음양의 속성을 가지고 있는데 심, 폐(心肺)는 상부(흉강;胸腔)에 있으므로 양에 속하고 간, 비, 신(肝脾腎)은 하부(복강;腹腔)에 있으므로 양에 속한다. 구체적인 장부에도 음양의 구별이 있다, 즉 심(心)은 심음(心陰)과 심양(心陽)으로, 신(腎)은 신음(腎陰)과 신양(腎陽) 등으로 구별된다. "안(內)에도 음양이 있고 밖(外)에도 음양이 있다. 안에 있는 것은 오장(五臟)이 음이고 육부(六腑)는 양이며, 밖에 있는 것은 근골(筋骨)이 음이고 피부(皮膚)가 양이다."《영추 · 수요강유(靈樞 · 壽夭剛柔)》

이같이 인체 조직 구조의 상하(上下) · 내외(內外) · 표리(表裏) · 전후(前後) 각 부분과 각 장기(臟器)간에 음양의 대립통일을 내포하지 않은 것이란 없다.

(2) 인체의 생리기능

인체의 생리기능에 관해서도 음양학설 설명하고 있는데, 인체의 정상적인 생명활동은 음양이 대립통일의 관계를 유지하고 있는 결과라고 인식한다. 기능과 물질을 두고 말한다면 기능은 양에 속하고 물질은 음에 속하며 양자 간의 관계는 이런 대립통일의 관계에 의한 것이다. 인체의 생리활동은 물질을 기초로 하고 있어서 물질운동이 없으면 생리기능이 없게 되며, 생리활동의 결과로 물질의 신진대사는 끊임없이 진행된다.

인체의 기능과 물질의 관계는 음양의 상호의존 · 상호소장의 관계이다. 만일 음양이 상호의존하지 않고 서로 분리된다면 생명도 끝이 난다. 그러므로 《소문 · 생기통천론(素問 · 生氣通天論)》에 "음양이 조화되어 평형을 이루면 정신이 건강하고 음양이 분리되면 정기가 끊어진다.(陰平陽秘, 精氣內治, 陰陽離決, 精氣內絶)"이라 하였다.

(3) 인체의 병리변화

질병의 발생 및 그 병리(病理) 과정은 어떤 원인으로 인해 음양의 균형이 잃게 되어 초래되는 것이다. 음양의 조화가 파괴되면 음양이 편파적으로 성(盛)하거나 쇠(衰)하는 현상이 생겨 질병이 발생한다. 이때 정기(正氣)와 사기(邪氣)가 질병의 발생과 변화에 관계하게 된다. 정기란 질병에 대한 저항력을 포함한 인체의 구조와 기능을 말하는 것이고 사기란 질병을 일으키는 각종 요소를 말한다. 질병의 과정은 일반적으로 정기와 사기가 싸우는 과정이며 그 결과는 인체의 음양이 편파적으로 성하거나 쇠하는 현상을 일으킨다.

1) 음양편성(陰陽偏盛) : 음양이 편파적으로 성(盛)하는 것, 즉 음이 성하고 양이 성하는 것은 음 또는 양의 어느 한쪽이 정상적인 수준보다 높은 병리변화에 속하는 것이다.
《소문 · 음양응상대론(素問 · 陰陽應象大論)》에 "음이 성하면 양이 병들고 양이 성하면 음이 병든다. 양이 성하면 열이 나고 음이 성하면 오한이 난다.(陰勝則陽病, 陽勝則陰病, 陽盛則熱, 陰盛則寒)"고 했다.
양(陽)이 성한다는 것은 일반적으로 양사(陽邪)가 병을 초래한다는 것인데 양의 절대적 항진(絶對的 亢進)을 말하는 것이다. 양이 성하면 음이 쇠하고 양이 편파적으로 성하면 당연히 음을 손상시키게 된다. 그래서 양이 성하면 음이 병든다고 하는 것이다. '양이 성하면 열이 난다'는 것은 양사(陽邪)로 인해 초래한 질병의 성질을 이야기하는 것이며 '양이 성하면 음이 병든다는 것'은 양이 성하는 병리변화가 필연적으로 인체의 음액(陰

液)을 해친다는 것을 말한다.

음(陰)이 성한다는 것은 일반적으로 음사(陰邪)에 의하여 병이 초래된다는 것인데 음이 절대적(絶對的)으로, 편파적으로 성하였음을 말하는 것이다. 음이 성하면 양이 쇠하고 음이 편파적으로 성하면 당연히 양을 손상시키게 마련이다. 그래서 음이 성하면 양이 병든다고 하는 것이다. '음이 성하면 오한이 난다'는 것은 음사(陰邪)로 인해 초래한 질병의 성질을 두고 말하는 것이며 '음이 성하면 양이 병든다는 것'은 음이 성하는 병리변화가 필연적으로 인체의 양기(陽氣)를 해친다는 것을 말한 것이다.

2) 음양편쇠(陰陽偏衰) : 음양의 편파적인 쇠진, 즉 음이 허(虛)하고 양이 허(虛)하다는 것은 음 또는 양의 그 어느 일방이 정상적인 수준보다 낮은 병리변화에 속하는 것이다. 《소문 · 조경론(素問 · 調經論)》에서는 "양이 허하면 외한이 오고 음이 허하면 내열이 생긴다.(陽虛則外寒, 陰虛則內熱)"고 하였다. 음양의 동태적 균형의 원리에 의하면 음과 양 그 어느 일방이 부족하면 필연적으로 다른 일방의 상대적 항진을 초래하게 된다.

양(陽)이 허하다는 것은 인체의 양기가 쇠약해졌다는 것인데 양이 허하면 음을 제약할 수 없으며 따라서 음이 편파적으로 성(盛)하여 오한(惡寒)이 나게 된다. 그래서 양이 허하면 오한이 난다고 하는 것이다.

음(陰)이 허하다는 것은 인체에 음액(陰液)이 부족하다는 것인데 음이 허하면 양을 제약할 수 없으며 따라서 양이 편파적으로 성(盛)하여 열이 나게 된다.

위와 같이 질병의 병리가 아무리 복잡하고 변화가 많다고 하더라도 음양의 균형이 파괴되는 편성편쇠(偏盛偏衰)의 현상에 의해 개괄적으로 설명할 수 있는 것이다. "양이 성하면 열이 나고 음이 성하면 오한이 나며, 양이 허하면 외한이 오고 음이 허하면 내열이 생긴다.(陽盛則熱, 陰盛則寒, 陽虛則寒, 陰虛則熱)"는 것은 동양의학 병리병기(病理病機)의 대강(大綱)인 것이다.

3) 음양전화(陰陽轉化) : 인체의 음양실조(陰陽失調)에 의해 나타나는 병리현상은 일정한 조건에서 각기 자기의 반대방향으로 전화할 수 있다. 즉 양증(陽證)은 음증(陰證)으로 음증은 양증으로 전화할 수 있다. "한(寒)이 극(極)에 이르면 열(熱)로 전화하고 열이 극에 이르면 한으로 전화하며, 음(陰)이 극에 이르면 반드시 양(陽)으로 전화하고 양이 극에 이르면 반드시 음으로 전화한다.(重寒則熱, 重熱則寒, 重陰必陽, 重陽必陰)" 《소문 · 음양응상대론(素問 · 陰陽應象大論)》라는 것이 이것을 두고 말한 것이다.

(4) 질병의 진단

질병의 발생과 원인의 내재적인 원인은 음양실조(陰陽失調)에 있으므로 질병의 임상표현은 매우 복잡하고 변화가 많지만 모두 음양으로 개괄하여 설명할 수가 있다. 그래서 옛사람들은 "진단을 잘하는 자는 안색과 맥을 보고나서 먼저 음양을 가린다(善診者, 察色按脈, 選別陰陽)"《소문 · 음양응상대론(素問 · 陰陽應象大論)》라고 강조했다.

1) 음양은 변증(辨證)의 총강(總綱) : 변증의 방법은 여러가지가 많지만 그중 제일 근본이 되는 것은 팔강변증(八綱辨證)이다. 팔강(八綱)은 음양(陰陽), 표리(表裏), 한열(寒熱), 허실(虛實)을 말하고 그 중에서도 음양은 모든 것의 총강(總綱)이다. 즉 표(表), 실(實), 열(熱)은 양(陽)에 속하고 리(裏), 허(虛), 한(寒)은 음(陰)에 속한다. 임상 변증 중에서 음양을 잘 분별해야만 질병의 본질을 파악할 수 있다. 이것이 바로 강거목장(綱擧目張)인 것이다.

2) 손미성질병(損美性疾病)의 음양속성(陰陽屬性) : 여러가지 증상(症狀)들의 음양의 속성을 구분하는데 있어서 일반적으로 전신적인 증상(症狀)과 국부적인 증상의 두 부분으로 나누어 볼 수 있다. 손미성병변(損美性病變)은 대다수가 국부적(局部的)인 질환이 많은데 이 병증(病症)은 거의가 전신장부(全身臟腑), 경락(經絡), 기혈진액(氣血津液) 등 기능실조(機能失調)의 일종 반응이다.

표 1 국부손상정도의 변증요점

속성 구분	발병완급 (發病緩急)	피부색깔 (皮膚色度)	피부온도 (皮膚溫度)	종창높이 (腫脹高度)	종창범위 (腫脹範圍)	동통감각 (疼痛感覺)	병정장단 (病程長短)
양(陽)	급성(急性)	홍적(紅赤)	작열(灼熱)	돌출(突出)	국한(局限)	격렬(激烈)	단기(短期)
음(陰)	만성(慢性)	자암(紫暗) 불변(不變)	불열(不熱) 미열(微熱)	함몰(陷沒)	산만(散漫)	은통(隱痛) 산통(酸痛)	장기(長期)

그러므로 국부적으로 손상된 부위의 음양속성의 판별이 중요하다(표1).

(5) 질병의 치료

질병이 발생하고 변화하는 근본적인 원인은 음양실조(陰陽失調)에 있는데 음양(陰陽)을 조절하여 부족한 것은 보(補)하고 남은 것은 사(瀉)하여 음양의 균형을 유지하게 하고 정상적인 상태로 회복하게 하는 것이 치료원칙의 근본이다.

1) 치료원칙(治療原則) : 치료원칙을 정하는 데는 두 가지가 있다.

① 음양편성(陰陽偏盛) : 음양이 편파적으로 성(盛)하는 것, 즉 음 또는 양의 어느 일방이 편파적으로 성하는 것은 과잉이 있다는 징후이다. 예를 들어 양이 성하면 열이 나는데 이것은 실열증(實熱症)에 속하는 것이므로 한냉약(寒冷藥)으로 양을 제압해야 한다. 이는 한(寒)으로 열(熱)을 다스려야 한다는 것인데 즉, "열이 나면 그것을 차게 한다.(熱者寒之)"는 것이다. 음이 성하면 오한이 나는데 이것은 한실증(寒實症)에 속하므로 온열약(溫熱藥)으로 음을 제압해야 한다. 이는 열로 한을 다스려야 한다는 것인데 즉, "한이 나면 그것을 덥게 한다(한자열지(寒者熱之)"는 것이다. 이 두 경우는 모두 실증인 만큼 이런 치료원칙을 "과잉부분을 없애는 것(損其有余)", 즉 "실한 것을 없애는 것(實者瀉之)"이라 한다.

② 음양편쇠(陰陽偏衰) : 음양의 편파적인 쇠함은 음 또는 양의 그 어느 일방이 부족한 것 즉 음이 허(虛)하고 양이 허(虛)하다는 것을 말한다. 음이 허해 양을 제압하지 못

하여 양이 항진 된 것은 허열증(虛熱證)에 속하며 일반적으로 한냉약(寒冷藥)으로 열을 없애서는 안된다. 반드시 음을 돋아 양의 항진을 억제해야 한다. 《내경(內經)》에서는 이런 치료원칙을"양병치음(陽病治陰)"이라 하였다. 양이 허해 음을 제압하지 못하여 음이 성하게 된것은 허한증(虛寒證)에 속하며 일반적으로 신온발산약(辛溫發散藥)으로 음한(陰寒)을 발산시켜서는 안된다. 반드시 화(火)의 근원을 돋아 음의 성한 것을 제거해야 한다. 《내경(內經)》에서는 이런 치료원칙을"음병치양(陰病治陽)"이라 하였다.

2) 약물(藥物)의 성능(性能) : 약물의 성능은 일반적으로 그 기(氣), 미(味), 승강부침(乘降浮沈)에 의하여 결정되는데 이것 역시 음양으로 귀납하여 설명할 수 있다.

약물의 성질(性質)은 한(寒) · 열(熱) · 온(溫) · 양(凉) 등의 네 가지로 나뉘는데 그것을 "사기(四氣)"라고 한다. 그중에서 한(寒) · 양(凉)은 음에 속하고 온(溫) · 열(熱)은 양에 속한다. 한(寒) · 양(凉)의 성질을 갖고 있는 약(藥)들은 열증(熱症)을 경감하거나 제거할 수 있다. 이와는 상대적으로 한증(寒症)을 경감하거나 제거할 수 있는 약물(藥物)은 일반적으로 온성(溫性) · 열성(熱性)을 가진 것이다.

오미(五味)는 신(辛) · 감(甘) · 산(酸) · 고(苦) · 함(鹹) 등의 다섯 가지의 맛을 말한다. 어떤 약물은 담백한 맛(淡), 떫은 맛(澁)이 있는 것도 있는데 여기서는 대표적인 오미를 총칭한다. 그중에서 신(辛) · 감(甘) · 담(淡)은 양에 속하고 산(酸) · 고(苦) · 함(鹹)은 음에 속한다.

승강부침(乘降浮沈)은 상승(上乘) · 하강(下降) · 발산(發散) · 억제(抑制) 등의 작용을 말한다. 대체로 양기(陽氣)를 돋우고 독기(毒氣)를 발산시키며 풍(風)을 제거하고 한기(寒氣)를 없애며 구토(嘔吐)를 유발하고, 막힌 것을 트이게 하는 효력를 지닌 약은 대부분 상승 · 발산의 특성을 가졌으므로 양에 속한다. 설사(泄瀉) · 해열(解熱) · 이뇨(利尿) · 진정(鎭靜) · 경풍완화(驚風緩和) · 소화촉진(消化促進) · 수렴(收斂) 등의 효력을 지닌 약은 대부분 하강 · 억제의 특성을 가졌으므로 음에 속한다.

이와 같이 질병(疾病)을 치료함에 병증의 음양 편성편쇠(偏盛偏衰)의 상황에 근거하여 치료원칙을 확정지어야 한다. 그리고 약(藥)의 음양속성(陰陽屬性)을 잘 파악하여 그 질병에 맞는 약을 선택해야 음양의 실조(失調)를 바로 잡을 수 있으며 치병(治病)의 목적을 달성 할 수가 있는 것이다.

상편 제2절 오행학설(五行學設)

오행학설(五行學說)은 우주의 모든 물질은 목(木), 화(火), 토(土), 금(金), 수(水)의 다섯 가지 기본 물질 간의 운동변화에 의하여 생성된다고 인정하는 학설이다. 오(五)는 세계를 구성하는 복, 화, 토, 금, 수의 다섯 가지 기본물질을 말하며, 행(行)은 운동 변화를 말한다. 고로 오행(五行)은 목, 화, 토, 금, 수의 다섯 가지의 운동 변화를 말하는 것이다.

오행학설은 음양학설과 마찬가지로 동양의학의 독특한 이론체계의 구성부분이 되었으며 인체의 생리, 병리 및 진단과 치료의 지침이 되고 있다.

1. 오행학설의 기본내용

(1) 사물의 오행속설에 대한 분류

오행학설은 사물을 오행의 특성에 따라 분류하고 정리한 것이다. 오행속성은 목(木), 화(火), 토(土), 금(金), 수(水) 자체와 같은 것이 아니라 사물의 속성 및 작용이 오행의 특성을 가졌다고 생각하고 그 특성에 따라 분류한 것이다.

그 특성에 따라 살펴보면, 즉 나무는 굽고 곧게 뻗고 생장하고 위로 승발(升發)하는 특성이 있는 사물들은 목(木)에 속한다. 따뜻하거나 뜨겁고 솟아오르는 작용을 갖고 있는 사물은 모두 화(火)에 속하고, 흙으로서 자라게 하고 거두어들이는 작용을 가지고 있는 사물이 토(土)에 속한다. 금속으로서 청결하고 맑고 수렴(收斂) 등의 특성을 가진 것이 금(金)에 속하며, 물로서 차고 서늘하며 습(濕)하고 아래로 내려가는 작용을 지니고 있는 사물은 모두 수(水)에 속한다.

이와 같이 오행학설은 오행의 특성에 의하여 사물의 오행속성을 추단하고 분류한다. 사물이 목(木)의 특성과 비슷하면 목에 귀속(歸屬)시키고 사물이 화(火)의 특성과 비슷하면 화에 귀속시키는 것과 같은 것이다. 그래서 고대의 의학자들은 오행학설을 운용하여 인류의 생활과 관련되는 자연계의 사물을 종류에 따라 나누었고 사물의 각각 다른 성질, 작용과 형태에 따라 그들을 오행(五行)에 귀속시켜 인체의 장부, 조직 사이의 복잡한 관련성 및 외계 환경과의 상호관계를 밝혔다. 따라서 오행학설은 인간과 자연환경과의 통일적인 기초를 말해주는 것이라고도 할 수 있다.

자연계와 인체의 오행속성을 도표로 표시하면 (표2)와 같다.

(2) 오행의 생극승모(生克乘侮)

오행학설은 정지적 · 고립적으로 사물을 오행에 귀속시키는 것이 아니라 오행 사이의 상생(相生), 상극(相克)의 관계에 의해 사물 간의 연계와 평행의 정체성과 통일성을 연구하고 설명하고 있다. 동시에 오행간의 상승(上乘), 상모(相侮)에 의하여 사물 간의 조화와 평형이 파괴된 후의 상호영향에 대하여 연구하고 설명하고 있는데 이것이 오행의 생극승모(生克乘侮)의 중요한 의의(意義)인 것이다.

1) 생극(生克)과 제화(制化)

상생(相生)은 한 사물이 다른 사물에 대하여 촉진(促進), 조장(助長), 자생(資生)의 작용을 갖고 있는 것을 말한다. 상극(相克)은 한 사물이 다른 사물의 생장 및 그 기능에 대하여 억제(抑制), 제약(制約)의 작용이 있음을 말한다. 오행학설에서 상생(相生) · 상극(相克)은 자연계의 정상적인 현상이며 인체에 있어서도 정상적인 생리현상으로 여긴다. 그것은 사물 간의 상생(相生) · 상극(相克)으로 하여금 자연계는 생태평형을 유지할 수 있고 인체는 생리기능을 유지할 수 있는 것이기 때문이다.

오행의 상생 순서는 목생화(木生火), 화생토(火生土), 토생금(土生金), 금생수(金生水), 수생목(水生木)으로 차례로 상생하고 끊임없이 생성 변화한다. 오행의 상생관계 중에서 어느 행이나 모두 "생아(生我)"와 "아생(我生)" 두 방면이 있는데 "생아(生我)"는 어미(母)이고 "아생(我生)"은 자식(子)에 해당된다. 이 때문에 오행의 상생관계를 모자(母子)관계라고도 한다. 예를 들면 목생화(木生火)에서 목(木)은 화(火)의 모(母)가 되고 화(火)는 목(木)의 자(子)가 된다. 다른 것도 마찬가지로 유추할 수 있다.

오행의 상극 순서는 목극토(木克土), 토극수(土克水), 수극화(水克火), 화극금(火克金), 금극목(金克木)이다. 상극(相克)관계도 상생관계와 마찬가지로 끊임없이 순환한다. 오행의 상극관계 중에서 어느 행이나 모두 "아극(我克)"와 "극아(克我)" 두 방면이 있는데 "아극(我克)"은 자기가 이기는 것이고 "극아(克我)"는 자기가 이기지 못하는 것이다. 이 때문에 오행의 상극관계를 "소승(所勝)"과 "소불승(所不勝)"의 관계라고도 한다. 예를 들면 목(木)의 "극아(克我)"는 금(金)이고 "아극(我克)"은 토(土)이므로 토(土)는 목(木)의 "소승(所勝)"이 되고 금(金)은 목(木)의 "소불승(所不勝)"이 된다.

"제화(制化)"란 오행 상호간의 제약(制約)과 화생(化生)의 뜻이 있으며 상생상극(相生相克)을 연계하여 말하는 것이다. 오행(五行)이 상생(相生)만 있고 상극(相克)이 없다면 정상적인 균형이 유지될 수 없으며, 만일 상극(相克)만 있고 상생(相生)이 없다면 만물이 화생할 수 없을 것이다.

오행학설(五行學說)은 바로 오행간의 이런 복잡한 관계에 의하여 그 어떤 사물이나 전체의 조절을 받지 않는 것이 없으며, 지나침과 미치지 못하는 현상을 방지함으로써 상대적인 균형을 유지하고 있다는 것을 설명하고 있다. 이로써 자연계의 정상적인 기후변화와 인체의 정상적인 생리 평형을 설명할 수 있다.

2) 승모(乘侮)

오행간의 상승(相乘) · 상모(相侮)란 오행사이의 상생상극이 파괴된 후 나타나는 비정상적인 상극(相克)현상을 가리킨다.

상승(相乘)이란 강한 것이 약한 것을 침범한다는 뜻이다. 상승을 야기하는 원인은 두 가지가 있는데, 하나는 오행에서 어느 한 행(行)이 지나치게 강해 그 제어 당하는 행(行)에 대한 억제가 지나쳐, 제어 당하는 행(行)이 허약하게 되어 오행간의 상생상극에 이상을 일으키는 것이다. 예컨대 목(木)이 지나치게 강하면 토(土)에 대한 억제가 지나쳐서 토(土)의 부족을 초래하게 되는데 이것을 '목승토(木乘土)'라고 한다. 다른 하나는 오행에서 어느 한 행(行)자체가 허약하여 그것에 대하여 극아(克我)하는 행(行)이 상대적으로 강하게 되어 그 자체가 더욱 허

표 2 자연계와 인체의 오행 분류표

자연계						오행 (五行)	인체						
오미 (五味)	오색 (五色)	오화 (五化)	오기 (五氣)	오방 (五方)	오계 (五季)		오장 (五臟)	육부 (六腑)	오관 (五官)	오체 (五體)	오지 (五志)	오액 (五液)	오영 (五榮)
酸	靑	生	風	東	春	木	肝	膽	目	筋	努	泣	爪
苦	赤	長	暑	南	夏	火	心	小腸	舌	脈	喜	汗	面
甘	黃	化	濕	中	長夏	土	脾	胃	口	肉	思	涎	脣
辛	白	收	燥	西	秋	金	肺	大腸	鼻	皮	悲	涕	毛
鹹	黑	藏	寒	北	冬	水	腎	膀胱	耳	骨	恐	唾	髮

약해지는 것이다. 예컨대 목(木)자체는 토(土)를 제어하는 힘이 정상적일지라도 토(土)자체의 허약함으로 토(土)를 억제하는 목(木)의 힘이 상대적으로 강해져서 토(土)는 더욱 허약해지게 된다. 이것을 '토허목승(土虛木乘)'이라고 한다.

상모(相侮)란 역으로 억제를 한다는 뜻이다. 오행에서의 상모(相侮)란 오행 중의 어느 한 행(行)이 지나치게 강하여 극아(克我)하는 행(行)에 대해 역으로 억제를 하는 것이다. 그러므로 이것을 '반극(反克)'이라고도 한다. 예컨대 목(木)은 원래가 금(金)의 억제를 받는 것인데 목(木)이 지나치게 강할 경우에는 금(金)의 제제를 받지 않을 뿐만 아니라 오히려 금(金)에 대하여 역억제(반극)를 하게 되는데 이것을 '목모금(木侮金)'이라 한다. 이것은 역억제가 발생하는 한 가지 측면이다. 다른 한 면은 금(金)자체가 매우 허약하여 목(木)을 억제할 수 없을 뿐만 아니라 오히려 목(木)의 역억제를 받게 되는데 이것을 '금허목모(金虛木侮)'라고 한다.

오행의 상승상모관계는 사물 내부의 상호관계가 정상적인 협력관계를 상실했다는 뜻이다. 그래서 《소문 · 오운행대론(素問 · 五運行大論)》에 "기(氣)에 여유가 있으면 자기가 이기는 자와 이기지 못하는 자의 모욕을 억제할 수 있고, 기(氣)가 부족하면 자기가 이기지 못하는 자에게 까지도 가볍게 보이고 모욕을 받게 된다.(氣有餘, 則制已所勝而侮所不勝, 其不及, 則已所不勝, 侮而乘之, 已所勝, 輕而侮之)"고 하였다. 이것은 오행간의 상승상모 및 상호관계를 제대로 설명하는 것이다.

2. 동양의학에서의 오행학설응용

동양의학에서 오행학설의 응용은 주로 오행의 특성에 의하여 인체의 장부, 경락 등 조직기관의 오행속성을 분석하고 연구하며, 오행의 상생상극(相生相克)에 의하여 인체의 장부, 경락 등 여러 생리기능 간의 상호관계를 분석하고 연구하여 오행간의 상승상모(相乘相侮)에 의하여 병리상황의 상호영향을 설명하는 것이다. 그러므로 오행학설은 이론적인 설명과 더불어 임상을 지도하는 실제적인 의의도 가진다.

(1) 오장의 생리기능 및 상호관계

오행학설은 인체의 내장을 각기 오행에 귀속시키고 오행의 특성에 의하여 오장(五臟)의 생리기능을 설명한다. 예를 들면 간(肝)은 맺히는 것을 싫어하고 원활한 것을 좋아하며 소설(疏泄)기능이 있으므로 목(木)에 속한다. 심양(心陽)은 따뜻하게 하는 기능이 있으므로 화(火)에 속한다. 비(脾)는 음식물을 소화하고 기혈(氣血)의 생화(生化)의 근원이기에 토(土)에 속한다. 폐(肺)는 숙강(肅降)의 기능이 있으므로 금(金)에 속한다. 신(腎)은 정기(精氣)를 저장하고 물을 담당하고 있으므로 수(水)에 속한다.

오장(五臟)의 기능과 활동은 고립적인 것이 아니라 서로 연계되어 있다. 오장의 오행귀속은 오장의 기능과 특성을 말해줄 뿐만 아니라 오행생극의 이론을 적용하여 장부(臟腑)의 생리기능의 내재적 연계까지 설명하여 주고 있다. 즉 오장 간에는 상호자생(相互資生)의 관계가 있을 뿐만 아니라 또한 상호제약(相互制約)의 관계도 있다는 것을 말해 주고 있다.

예를 들면 간목(肝木)은 저장된 피로서 심(心)을 자양(滋養)하고, 심화(心火)는 양기(陽氣)로 비(脾)를 따뜻하게 하며, 비토(脾土)는 정기(精氣)를 위로 보내 폐(肺)에 채우고, 폐금(肺金)은 맑은 기운을 아래로 내려 신수(腎水)를 돕고, 신수(腎水)는 정기(精氣)를 저장하여 간(肝)의 음혈(陰血)을 자양(滋養)하는 것 등이 오행상생 이론으로 오장의 상호자생(相互資生)관계를 설명한 것이다.

《소문 · 오장생성론(素問 · 五臟生成論)》에 "심(心)은… 신(腎)을 맡고 있고", "폐(肺)는… 심(心)을 맡고 있고", "비(脾)는… 간(肝)을 맡고 있고", "신(腎)은… 비(脾)를 맡고 있다"고 하였다. 여기서 맡고 있다는 것은 제약, 즉 상극을 의미한다. 그래서 폐(肺)는 금(金)에 속하고 심화(心火)에 제약되는 바 심(心)은 폐(肺)를 맡고 있고, 비(脾)는 토(土)에 속하고 간목(肝木)에 제약되는 바 간(肝)은 비(脾)를 맡고 있으며, 신(腎)은 수(水)에 속하고 비토(脾土)에 제약되는 바 비(脾)는 신(腎)을 맡고 있는 것이다. 또 다른 예로 비토(脾土)의 운화(運化)는 신수(腎水)의 범람을 억제하고, 신수(腎水)의 자윤(滋潤)은 심화(心火)의 지나친 열을 방지하며, 심화(心火)의 열은 폐금(肺金)의 과도한 청숙(淸肅)을 제약한다. 이것이 오행상생 이론으로 오장의 상호제약(相互制約) 관계를 설명한 것이다.

이와 같이 오행학설을 생리에 응용하여 인체의 장부조직간, 인체와 외재적 환경간의 통일성을 설명하였다.

(2) 오장의 병리변화 및 상호영향

오행학설은 또 병리상태에서의 장부 간의 상호 영향에 대해서도 설명할 수 있다. 오장은 생리적으로 서로 연계되어 있으므로 병리적으로도 서로 영향을 주기 마련이다. 한 장부에 생긴 병이 다른 장부에 미칠 수 있고 다른 장부에 생긴 병이 이 장부에 미칠 수도 있는데 이런 병리적인 상호 영향을 전변(轉變)이라고 한다. 오장질병의 전변에 대한 오행학설의 설명은 상생관계의 전변 및 상극관계의 전변으로 나눌 수 있다. 상생관계의 전변(轉變)에는 “모병급자(母病及子)”와 “자병범모(子病犯母)”의 두 가지 측면 있다.

“모병급자(母病及子)”란 질병의 전변(轉變)이 모장(母臟)으로부터 자장(子臟)에 미쳤음을 말한다. 예컨대 “간신에 정혈이 부족한 것(肝腎精血不足)”과 “수가 목을 함양하지 못한 것(水不涵木)”은 임상에서 흔히 볼 수 있는데 이것은 먼저 신(腎)에 정기가 부족하여 그것이 간(肝)에 미쳐 간혈(肝血) 부족을 초래하고 따라서 간신(肝腎)의 정혈(精血) 부족을 일으킨 것이다. 그리고 신수(腎水)의 부족으로 간목(肝木)을 자양(滋養)할 수 없으므로 간신(肝腎)의 음허(陰虛)와 간양(肝陽)의 항진을 초래하기 때문에 “수불함목(水不涵木)”이라 하였다.

“자병범모(子病犯母)”는 “자도모기(子盜母氣)”라고도 하는데 이것은 질병의 전변(轉變)이 자장(子臟)으로부터 모장(母臟)에 미쳤음을 말한다. 예컨대 임상에서 흔히 볼 수 있는 “심간에 혈이 부족한 것(心肝血虛)"과 "심간에 화가 성한 것(心肝火旺)"은 먼저 심혈(心血)이 부족하여 그 것이 간(肝)에 미쳐 간혈(肝血)의 부족을 초래하고 심간(心肝)의 혈허(血虛)를 일으킨 것이다. 그리고 심화(心火)가 성하여 그것이 간(肝)에 미쳐 간화(肝火)를 일으킴으로써 심간(心肝)에 화(火)가 성하게 된 것이다.

상극관계의 전변(轉變)에는 "상승(相乘)"과 "상모(相侮)"의 두 가지 측면이 포함된다.

상승(相乘)이란 지나친 상극으로 인해 일어난 질병이다. 앞에서 설명한 바와 같이 지나친 제약에 의한 병리현상이 나타나게 되는데, 예를 들어 목(木)과 토(土)의 상극관계를 두고 말하면 '목승토(木乘土)'과 '토허목승(土虛木乘)'이라는 두 가지의 병리현상이 나타난다. 이 두 부류의 지나친 상극의 원인은 각기 다르지만 일방이 지나치거나 일방이 미치지 못하는 결과를 일으키게 된다. 임상에서 흔히 볼 수 있는 간기(肝氣)가 횡역(橫逆)하여 위(胃) 또는 비(脾)를 범하는 현상은 모두 상승(相乘)에 의해 병이 나타나게 되는 범위에 속하는 것이다.

상모(相侮)는 역방향으로 상극이 진행되어 일어난 질병이다. 앞에서 설명한 바와 같이 지나친 역억제에 의한 병리현상이 나타나게 되는 것을 말하는데, 예를 들어 금(金)이 목(木)을 억제하는 관계를 두고 말하면, 폐(肺)는 금에 속하고 간(肝)은 목에 속하는데 정상적인 생리상태에서 폐금(肺金)의 숙강(肅降)은 간기(肝氣)를 억제하고 간화(肝火)를 상승시키는 작용을 하여 금이 목을 이긴다고 한다. 그러나 폐금(肺金)이 부족하거나 간기(肝氣)가 상역(上逆)하면 간기(肝氣) · 간화(肝火)가 폐(肺)를 범하는 역억제의 병리현상이 나타난다.

상승(相乘)과 상모(相侮)는 다 상극(相克)의 이상으로 인하여 질병을 일으키는 것이다. 《소문 · 오운행대론(素問 · 五運行大論)》에 "기(氣)에 여유가 있으면 자기가 이기는 자와 이기지 못하는 자의 모욕을 억제할 수 있고, 기(氣)가 부족하면 자기가 이기지 못하는 자에게 까지도 가볍게 보이고 모욕을 받게 된다.(氣有餘, 則制已所勝而侮所不勝, 其不及, 則已所不勝, 侮而乘之, 已所勝, 輕而侮之)"고 하였다. 이것은 상승상모에 대한 개괄적인 설명이다.

(3) 질병의 진단 및 치료

인체는 유기적인 통일체이므로 내장에 병이 나면 그것이 체외에 반영된다. 내장에 병이 나면 인체의 내장기능과 그 상호관계에 변화가 일어나게 되는데 이런 변화들은 체표면의 상응한 조직기관에 반영되어 안색, 음성, 형태, 맥상(脈象) 등 여러 부문에 비정상적인 변화들이 나타나게 된다. 그런데 오장(五臟), 오색(五色), 오음(五音), 오미(五味) 등은 다 오행에 속하기 때문에 이것은 오행학설이 진단에 적용된 것이다.

《난경 · 육십일난(難經 · 六十一難)》에 "보고 안다는 것은 오색을 바라보고 그 병을 안다는 것이고, 듣고 안다는 것은 오음을 듣고 그 병을 분별한다는 것이고, 묻고 안다는 것은 오미에 대한 좋아하는 정도를 물어 그 병의 기인과 소재를 안다는 것이고, 촉진을 해서 안다는 것은 그의 촌구를 진찰하고 허실을 봐서 그 병이 어느 장부에 있다는 것을 안다는 것이다.(望而知之者, 望見其五色, 以知其病. 聞而知之者, 聞其五音, 以別其病. 問而知之者, 問其所欲五味, 以知其病所起所在也. 切脈而知之者, 診其寸口, 視其虛實, 以知其病, 病在何臟腑也)"라고 하였다. 예를 들면 얼굴색이 푸르고 신 음식을 좋아하며 맥이 현상(弦象)이면 간병(肝病)으로 진단할 수 있고, 얼굴이 붉고 입 안이 쓰고 맥이 홍삭(洪數)이면 심화항진(心火亢進)으로 진단한다. 그리고 비(脾)가 허(虛)한 환자는 목승토(木乘土)하여 얼굴색이 푸르다. 심장병 환자는 수극화(水克火)하므로 얼굴색이 검다.

질병의 전화(轉化)는 흔히 내장의 어느 한 기관에 발생된 병이 내장의 다른 한 기관에 전이됨에 따라 일어난다. 그러므로 치료할 때에는 병이 이미 발생된 내장을 치료하는 외에 또 오행의 상생상극(相生相克) 법칙과 상승상모(相乘相侮) 법칙에 따라 각 내장기관간의 상호관계도 조절하여야 한다. 즉 너무 성하면 하제(下劑)를 쓰고 약하면 보제(補劑)를 써서 그 전화(轉化)를 통제함으로써 정상적인 기능활동을 회복하도록 도와주어야 한다. 《난경 · 칠십일난(難經 · 七十七難)》에 "간에 병이 생기면 비에 퍼진다는 것을 아고 먼저 비기를 튼튼하게 하여야 한다.(見肝之病, 則知肝當傳之與脾, 故先實其脾氣)"라고 하였다. 이것은 오행의 생극(生克) 관계를 운용하여 치료하라는 표현이다. 후세의 의학자들도 오행의 생극승모(生克乘侮) 법칙에 따라 많은 치법(治法)을 만들었는데 그 중 많이 응용되는 방법들은 "배토생금(培土生金), 자수함목(滋水涵木), 부토억목(扶土抑木), 장수제화(壯水制火) 등이 있다.

제 2 장

장부(臟腑)와 미용(장상; 臟象)

2 장부(臟腑)와 미용(장상;臟象)

장상(藏象)이란 두 글자는 《소문 · 육절장상론(素問 · 六節藏象論)》에 처음 나왔다. 장(藏)이란 체내에 들어있는 장기(臟器)를 가리킨다. 상(象)이란 밖으로 나타나는 생리, 병리현상을 가리킨다. 예를 들면 장경악(長景岳)은 《류경(類經)》에서 다음과 같이 말하였다. "상이란 형상이다. 장은 안에 있고 형은 밖에 나타나는 것으로 장상이라고 한다.(象, 形象也, 臟居于內, 形見于外, 故曰藏象)"

장상학설(藏象學說)이란 인체의 생리, 병리 현상에 대한 관찰을 통해서 인체의 각 장부(臟腑)의 생리기능과 병리변화 및 그 상호관계를 연구하는 학문이다. 장상학설은 동양의학이론체계에서 극히 중요한 위치를 차지하고 있으며, 인체의 생리병리를 설명하고 임상지도에 있어서도 매우 큰 의의를 가지고 있다.

장부(臟腑)는 내장의 총칭이며 그 생리기능에 따라 장(臟), 부(腑), 기항지부(奇恒之腑)로 나눈다. 장(臟)은 심(心), 폐(肺), 비(脾), 간(肝), 신(腎)으로서 '오장(五臟)'이라 부르고, 부(腑)는 담(膽), 위(胃), 소장(小腸), 대장(大腸), 방광(膀胱), 삼초(三焦)로서 합하여 육부(六腑)라 부르며, 기항지부(奇恒之腑)는 뇌(腦), 수(髓), 골(骨), 맥(脈), 담(膽), 여자포(女子胞;자궁, 子宮)이다.

오장(五臟)의 생리적 특성은 정기(精氣)를 화생(化生)하고 저장(貯藏)하는 것이며, 육부(六腑)의 생리적 특성은 음식물을 수용하고 전화시키는 것이다. 기항지부(奇恒之腑)는 그 형태와 생리기능이 육부(六腑)와 다르며 음식물과 직접 접촉하지 않는 상대적으로 밀폐된 조직기관이다. 그런데 오장(五臟)과 비슷하게 정기를 저장하는 작용이 있으므로 기항지부라 부른다.

장상학설은 오장을 중심으로 하는데, 장(臟)과 부(腑)는 서로 짝을 이루고, 장은 음(陰)에 속하고 이(裏)에 속하며, 부는 양(陽)에 속하고 표(表)에 속한다. 서로 짝이 되는 장과 부는 경락(經絡)에 의해 상호 연계된다. 또한 오장은 각기 외적으로 표현되며 특정한 부위의 관규(官竅)와 연결되어 있으며, 오장의 생리활동의 상호 협조작용은 모두 정신 및 감정과 연관성이 있다. 그 밖에 오장은 서로간의 밀접한 관계가 있다. 이런 연관성을 통해 내외환경의 상대적인 균형을 유지하고 항상성(恒常性)을 유지하게 된다.

이와 같이 장상학설이 이루어 진 것은 비록 고대 해부학 지식을 기초로 하였다고는 하지만 그것이 발전된 것은 주로 '안에 들어 있는 것은 밖으로 나타나기 마련이다.'라는 방법으로 관찰하고 연구한 결과로서 나중에는 인체해부학에서의 장부의 범위를 크게 벗어나 독특한 생리 및 병리에 관한 이론체계를 형성하였다. 장상학설(藏象學說)에서의 장부(臟腑)의 명칭은 비록 현대 인체해부학(人體解剖學)의 장기 명칭(臟器名稱)과 동일하지만 생리, 병리현상이 가지고 있는 뜻은 완전히 같다고 볼 수 없다. 그래서 장상학설중의 장부는 단순히 하나의 해부학 개념이 아닌, 더 나아가 인체의 어느 한 계통의 생리, 병리학의 개념이라 할 수가 있다. 여기서는 미용과 밀접한 관계가 있는 오장부분만을 이야기하고자 한다.

상편 제1절 장부와 미용

1. 오장(五臟)과 미용

인체는 오장(五臟)을 중심으로 하여 생명활동을 유지한다. 오장(五臟)은 안으로 육부(六腑)와 혈맥(血脈)과 연계를 갖고, 밖으로 체규(體竅)와 통하며, 생명활동의 중심이 되며 기혈생화(氣血生化)의 근원이다. 미용(美容)과 직접적으로 상관이 있는 체형(體形)과 용모(容貌)도 오장의 기능이 그대로 체규(體竅)에 반영이 된 것이다. 오장 기능의 강약은 체규(體竅)의 융성과 쇠퇴에 직접적으로 영향을 미친다.

오행(五行)의 인체 분류 표에 있는 오관(五官 ; 目, 舌, 口,鼻, 耳), 오체(五體 ; 筋, 脈, 肉, 皮, 骨), 오영(五營 ; 爪, 面, 脣, 毛, 髮)을 살펴보면 오장과 체규와의 관계가 표본(標本) 관계임을 알 수 있다. 오장의 건강함은 장수(長壽)와 관련이 있을 뿐만 아니라 인체의 미용(美容)과도 밀접한 관계가 있다. 오장의 허약함은 사람을 쉽게 병들게 하고 단명(短命)하게 할 뿐 아니라 인체의 체형과 용모의 아름다움을 쉽게 잃게 할 수 있다. 그러므로 실제적인 미용문제(美容問題)는 건강과 질병, 오장간의 협조(協調)와 실조(失調)의 문제인 것이다.

'오장(五臟)은 모두가 안에 있다'라는 것을 본(本)으로 삼고 '체규(體竅)는 밖으로 표현된다'는 것을 표(標)로 삼는다. 일반적으로 한방미용(韓方美容)은 표(標)를 보양(保養)하는 것이지만 본(本)을 조리(調理) 해주는 것이 더욱 중요하다. 간단히 말하면 '안을 치료하여 밖의 미를 추구하는 것'이라고 할 수 있다.

따라서 오장(五臟)은 미용(美容)에 대해 매우 중요한 의의를 가지고 있다.

(1) 심(心)과 미용 〈부〉심포(心包)

심(心)과 미용(美容)의 관계는 주요하게 심주혈맥(心主血脈), 주신지(主神志)의 두 방면으로 표현되는데 이것은 심장의 중요한 기능이다. 심은 가슴에 있으며 심포(心包)에 싸여 있다. 심은 생명활동을 유지하는 역할을 하므로 《소문 · 영란비전론(素問 · 靈蘭秘典論)》에서는 심을 가리켜 "군주지관(君主之官)"이라 하였다. 심의 관규(官竅)는 설(舌)이고, 심의 표상은 얼굴(面)에 있고, 감정은 기쁨(희;喜)이고, 담당하는 액체는 땀(한;汗)이며, 소장(小腸)과 표리관계이다.

1) 혈맥(血脈)을 주관한다.(主血脈)

혈맥(血脈)을 주관한다는 것은 혈(血)과 맥(脈) 두 방면을 포괄한다. 온 몸의 혈은 다 맥에서 운행되는데 이 맥은 혈액이 수송되는 통로이다. 혈은 심장박동에 의해 온 몸에 수송되면서 전신을 적셔주는 역할을 한다. 맥이 잘 통하는지, 영기(營氣)와 혈액의 기능이 정상적인가는 혈액의 정상 운행에 직접적인 영향을 미친다. 때문에 정상적인 생리기능은 심장의 정상적인 박동에 의지하고 있으며, 혈액이 정상적으로 운행을 하자면 심기(心氣)가 충만해야 한다. 심기가 왕성하고 혈맥이 충만하면 얼굴색이 붉고 광택이 있으며 맥상이 고르고 힘이 있는 등의 외재적 표현을 볼 수 있는 것이다. 상대적으로 심기와 혈맥이 부족하면 허(虛)한 상태의 외재적 임상(臨床)표현이 나타나게 된다.

2) 신(神)을 주관한다.(主神志)

심은 신명(神明)을 주관한다. 또는 신을 저장한다고 한다. 광의적(廣義的) 표현의 신(神)은 인체생명활동의 외재적 표현을 가리킨다. 예를 들면 인체의 형상(形象), 얼굴색, 눈빛, 언어, 동작, 자세 등은 모두 신(神)의 범위에 속한다. 다시 말해서 유기체의 밖으로 드러난 형상특징은 모두 생명활동의 외재적 반영이다. 《소문 · 이정변기론(素問 · 移精變氣論)》에서는 "신을 얻으면 번성하고 신을 잃으면 망한다.(得神者昌, 失神者亡)"고 하였는데 바로 이 경우가 광의적 신을 가리켜 말한 것이다. 협의적(狹義的)인 신(神)이란 심이 주관하는 신지(神志), 즉 사람의 정신 · 의식과 사고활동을 가리킨다. 사람의 정신 · 의식과 사고활동이 인체 생리기능의 중요한 부분일 뿐만 아니라 또한 일정한 조건에서는 인체전반의 여러 면에서의 생리기능의 조화와 균형에 영향을 줄 수 있기에 《소문 · 영란비전론(素問 · 靈蘭秘典論)》에서는 "심은 군주지관이요, 신명이 생기는 곳(心者, 君主之官也, 神明出焉)"이라고 말하고 있다. 《영추 · 사객(靈樞 · 邪客)》에서는 "심은 오장육부의 임금이요, 정신이 들어 있는 집이다(心者, 五臟六腑

之大主也, 精神之所舍也)"라고 말한 것이다.

사람의 정신 · 의식과 사고활동은 대뇌의 생리적인 기능, 즉 외계의 사물에 대한 대뇌의 반영이다. 이 점은《내경(內經)》에 명확히 논술된 바가 있다. 그러나 동양의학의 장상(藏象)에서는 사람의 정신 · 의식 · 사고활동을 단지 오장(五臟)에만 귀속시키는 것이 아니라 주로 심(心)의 생리적기능에 귀속시킨다. 때문에 신명(神明)을 주관하는 심의 생리적기능이 정상적이면 정신이 맑고 신지(神志)가 뚜렷하며 사고가 민첩하고 외부로부터의 반응이 빠르고 정상적이 된다. 하지만 신명(神明)을 주관하는 심의 생리적기능이 비정상적이면 정신 · 의식 · 사고에도 이상이 생겨서 잠이 오지 않고(失眠), 꿈이 많고(多夢), 마음이 안정되지 않으며 심지어는 의식이 몽롱하거나 혹은 지각반응이 더디고 건망증(健忘症)이 생기며 정신이 위축되어 혼미상태에 빠지거나 인사불성(人事不省)이 되는 등의 임상표현이 나타난다.

심(心)의 정신(井神)을 주관하는 생리적 기능과 혈맥(血脈)을 주관하는 생리적 기능은 서로 밀접하게 연관되어 있다. 혈액(血液)은 정신활동의 물질적 기초이다. 바로 심(心)이 혈맥을 주관하는 생리적 기능이 있기 때문에 정신을 주관하는 기능을 가지게 되는 것이다. 그리하여 혈맥을 주관하는 기능에 이상이 생기면 그에 따라 정신에도 이상변화가 생긴다.

3) 심(心)과 미용(美容)과의 관계

《영추 · 사기장부병형(靈樞 · 邪氣臟腑病形)》에서는 "십이경맥과 365락의 혈맥과 기운은 모두 얼굴로 올라가 관규로 들어간다.(十二經脈, 三百六十五絡, 其血氣皆上于面走空竅)"고 하였다. 심(心)은 혈맥을 주관하는 생리적 기능이 있기 때문에 정상적으로 혈액운송이 이루어지고 있고 안면부에는 혈맥이 풍부하여 얼굴색의 좋고 나쁨이 바로 반영이 된다. 그래서 건강한 사람의 얼굴색은 당연히 홍윤(紅潤)의 색을 띠고 있다. 그러나 심혈부족(心血不足)일 경우의 얼굴은 광택이 없고, 심기부족(心氣不足)일 경우에는 창백(蒼白)얼굴을 띠며, 심혈어조(心血瘀阻)인 경우는 얼굴색이 어둡다. 또한 심화혈열(心火血熱)일 경우에는 얼굴이 매우 붉고 혹은 창양(瘡瘍)이 자주 생긴다.

《소문 · 영란비전론(素問 · 靈蘭秘典論)》에서는 "심은 군주지관이요, 신명이 생기는 곳이라.………명이 없으면 십이관이 손상되어, 길이 막혀 통하지 않게 함으로, 형체를 크게 손상하게 한다.(心者, 君主之官也, 神明出焉.………主不明則十二官危, 使道閉塞不通, 形乃大傷)" 라고 말하고 있다. 이것은 사람의 정신 · 의식과 사고활동이 심의 조절(調節) 아래서 오장육부의 생리기능과 협조하여 생명의 미(美)를 조화롭게 하는 것을 설명한다. 이것이 미용(美容)의 기초가 되는 것이다. 신(神)을 떠나서는 어떠한 미용방법(美容方法)이라 하더라도 그 의의가 없다 할 수 있다.

한방미용(韓方美容)은 신체와 정신을 함께 살펴 건강한 외모와 양호한 정신이 부족함이 없게 함을 강조한다. 즉 신체와 정신의 하나 됨은 한방미용의 최고의 경지인 것이다. 따라서 심(心)을 건강하게, 정신을 맑게 하는 것이 최고의 미용방법이라 하겠다.

〈부〉심포(心包)

심포는 심포락(心包絡)이라고도 하는데 심을 둘러 싼 막으로서 심을 보호하는 작용이 있다. 사기(邪氣)가 심에 침입할 때 심포가 먼저 상한다.《영추 · 사객(靈樞 · 邪客)》에 "심에 있는 여러가지 사기는 모두 심포락에 있다.(故諸邪之在於心者, 皆在於心之包絡)"고 하였다. 그러므로 온병학(溫病學)에서는 외감열병(外感熱病)에서 보게 되는 정신이 혼미하고 섬어(譫語) 등의 증상을 가리켜 '열입심포(熱入心包)'라고 하였다.

(2) 폐(肺)와 미용

폐는 흉강(胸腔)에 들어 있고 위치가 높기 때문에 "화개(華蓋)"라고 한다. 폐는 한(寒)과 열(熱)에 약하기에 쉽게 사기(邪氣)의 침입을 받게 되므로 "교장(嬌藏)"이라고도 한다. 폐의 주요한 생리기능은 기를 주관하고 호흡을 담당하며 선발숙강(宣發肅降)을 주관하고 수액대사를 조절한다. 또한 전신의 맥(脈)과 연결되어 있어서 심장의 기혈운행을 도와준다. 폐는 위로는 목구멍과 통하고 밖으로 피모(皮毛)를 담당하며, 관규(官竅)는 비(鼻)이고, 감정은 근심(비;悲)이고, 담당하는 액체는 콧물(체;涕)이며, 대장(大腸)과 표리관계이다.

1) 기(氣)를 주관하고 호흡(呼吸)을 담당한다.

기를 주관하는 폐의 기능에는 전신의 기와 호흡의 기, 이 두 가지가 포함된다.

폐(肺)가 전신의 기를 주관한다는 것은 전신의 기가 모두 폐에 모이기 때문에 이를 가리킨 것이다. 《소문 · 오장생성론(素問 · 五臟生成論)》에서는 "각종 기는 모두가 폐에 속해있다.(諸氣皆屬於肺)"고 하였다. 폐가 전신의 몸을 주관한다는 것은 두 가지 측면이 있는데 그 한 가지는 기를 만드는 것이다. 특히 종기(宗氣)를 만든다. 종기는 폐가 흡입한 맑은 공기와 비위(脾胃)에서 운화된 수곡(水穀)의 정기(精氣)가 서로 결합되어 생기는 기(氣)이다. 그러므로 폐의 호흡기능이 정상인가 아닌가에 따라 종기(宗氣)의 생성에 직접적인 영향을 주게 되며, 또한 전신의 기 생성에도 영향을 준다. 다른 한 가지는 전신의 기 운동(기기;氣機)을 조절한다. 폐의 호흡운동은 곧 기의 승강출입(昇降出入), 이 네 가지 운동이다. 폐의 율동적인 호흡은 온몸의 기의 승강출입 운동에 대해 매우 중요한 조절역할을 한다.

폐(肺)는 호흡하는 기를 주관한다. 폐가 호흡하는 기를 주관한다는 것은 바로 폐는 체내외의 기체를 바꾸는 곳이라는 것을 가리킨다. 폐의 호흡에 의하여 자연계의 맑은 공기를 받아들이고 체내의 탁한 공기를 배출함으로서 체내외의 기체 교환이 실현되며 끊임없는 호흡을 통해 기의 생성과 기의 승강출입 운동이 조절된다.

폐(肺)가 전신의 기와 호흡의 기를 주관한다는 것은 실제로는 모두 폐의 호흡기능에 포함되는 것이다. 폐(肺) 호흡의 부드러움과 조화로움은 기의 성쇠(盛衰)와 기기(氣機)가 원활하게 되는 근본조건이다. 그러하지 않으면 호흡기능이 정상적이지 못하여 종기(宗氣)의 생성과 기의 운동에 영향을 주게 되며 폐가 전신의 기와 호흡의 기를 주관하는 기능도 약해진다. 만약에 폐가 호흡기능을 잃게 된다면 맑은 공기를 들어오지 못하고 탁한 공기를 배출하지 못하여 사람의 생명활동이 끝나게 되는 것이다.

2) 선발(宣發)과 숙강(肅降)을 주관한다.

"선발(宣發)"이란 폐의 기운을 위로, 주위에로 고루 흩어지게 한다는 것이다. "숙강(肅降)"이란 맑게 하고 깨끗하게 하여 아래로 내려 보낸다는 것인데 즉 기도(氣道)를 깨끗하게 하고 폐기(肺氣)를 내려 보낸다는 것이다.

폐(肺)가 선발을 주관하는 생리작용은 주로 세 가지가 있다. 첫째, 폐의 기화작용으로 탁기(濁氣)를 배출한다. 둘째, 비(脾)에서 보내는 진액(津液)과 수곡(水穀)의 정기를 전신에 고루 보내며 밖으로는 피부(皮膚) · 모발(毛髮)에까지 이르게 하는 것이다. 셋째, 위기(衛氣)를 보내어 체표의 땀구멍을 조절하여 진액이 대사를 거쳐 땀으로 된 것을 체외로 배출하는 것이다. 이 때문에 폐(肺)가 선발하는 작용의 기능을 잃으면 호흡이 순조롭지 못하여 가슴이 답답하고 기침이 나고 코가 막히고 재채기가 나며 땀이 없는 등의 병리적 현상이 나타난다.

폐(肺)가 숙강을 주관하는 생리작용에도 세 가지가 있다. 첫째, 자연계의 맑은 기를 흡입한다. 둘째는 폐에서 흡입한 맑은 기와 비(脾)에서 보내는 진액(津液)과 수곡(水穀)의 정기를 아래로 고루 퍼지게 한다. 셋째, 폐와 기도의 이물을 제거하여 기도를 청결하게 유지한다. 그러므로 폐가 숙강기능을 제대로 하지를 못하면 숨이 차고 기침을 하며 피를 토하는 등의 병리적 현상이 나타난다.

폐(肺)의 선발과 숙강은 서로 상반되면서 서로 도와주는 작용을 하면서 생리적인 면에서는 상호협조 · 상호제약을 하면서 병리적인 면에서는 서로 영향을 준다. 폐의 선발숙강작용에 이상이 오면 폐기가 거슬러 올라 기침이 나고 숨이 차는 등의 증상이 나타난다. 그러므로 《소문 · 지진요대론(素問 · 至眞要大論)》에서는 "기가 쌓이고 막히는 것은 모두 폐에 속한다(諸氣膹鬱, 皆屬於肺)"라고 하였다.

3) 수액대사를 조절한다.(통조수도;通調水道)

'통(通)'이라는 것은 소통한다는 것이고, '조(調)'라는 것은 조절한다는 것이다. 수도(水道)는 수액이 운행하고 배설되는 통로이다. 수액대사의 기능이라는 것은 폐의 선발과 숙강이 체내 수액의 수송 · 분배 · 운행과 배설에 대한 소통과 조절 역할을 하는 것을 말한다. 폐는 선발(宣發)하는 작용이 있어서 진액과 수곡정기를 전신에 고루 보낼 뿐 만 아니라 체표의 땀구멍을 조절하여 땀의 배출을 조절한다. 숙강(肅降)하는 작용은 흡입한 맑은 기를 신장(腎臟)에 보내고 체내의 수액을 끊임없이 아래로 보내어 소변을 만드는 주요한 근원이 되며 신(腎)과 방광(膀胱)의 기화작용을 거쳐 생성된 소변을 체외로 배출한다. 이것이 바로 수액대사를 조절하는 폐의 역할이며 주요한 생리기능이다. 그러므로 "폐는 수액대사를 주관한다(肺主行水)", "폐는 물의 상원이다(肺爲水之上源)"고 말하는 것이다. 만일 이 기능이 제대로 수행이 되지를 않으면 수액이 체내에 쌓여 가래가 생기고 더 나아가 담음(痰飮)이 생기며 심지어는 수종(水

腫)이 생기는 병변이 나타난다.

4) 전신의 맥과 연계한다.(폐조백맥;肺朝百脈)

'조(朝)'는 모인다는 뜻으로서 폐(肺)가 전신의 맥(脈)과 연계된다는 것은 백맥(百脈)이 폐로 모인다는 것이다. 즉 전신의 혈맥이 모두 폐에 모이고 폐의 호흡을 통하여 기체교환을 진행하며, 이어서 심기(心氣)와 폐기(肺氣)의 공동작용에 의하여 전신에 운반되는 것이다. 혈(血)의 운행은 기(氣)의 추동(推動)작용이 있어야 한다. 심(心)은 혈맥을 주관하고 심기는 혈액을 운행하는 기본적 원동력이다. 폐(肺)는 기를 주관하고 호흡을 관할하며 전신의 기의 운동을 조절하여 심기를 도와서 혈맥의 운행을 촉진하고 조절한다. 《의학진전 · 기혈(醫學眞傳 · 氣血)》에서는 "사람의 몸에서는 기와 혈이 순행된다. 기는 혈이 아니면 조화되지 않고 혈은 기가 아니면 운행되지 않는다.(人之一身, 皆氣血之所循行. 氣非血不和, 血非氣不運)"고 하였다.

5) 폐(肺)와 미용(美容)과의 관계

폐(肺)는 피부(皮膚)와 모발(毛髮)을 주관하는데, 이 피모(皮毛)의 영양관리도 폐에서 담당한다. 폐의 선발(宣發)작용 중의 하나인 위기(衛氣)는 체표의 땀구멍을 조절하고 땀을 배출하여 외사(外邪)를 방어하고 신진대사를 촉진하게 함으로서 피모(皮毛)의 윤택함을 유지 시킨다. 그러므로 대부분 동양의학에서 피부의 기능은 위기의 기능인 것이다. 이 기능의 완결성은 피부미용의 선결조건이다. 만일 폐기가 부족하거나 폐기가 정체되어 막히면 폐의 선발기능이 제 역할을 못하게 된다. 그래서 위기가 허약해지거나 위기가 정체되어 피부기능이 실상(失常)이 된다. 위기가 허약해진다는 것은 곧 피모의 영양을 잃게 하고 차갑게 하여 쉽게 동상이 걸리게 되며, 땀 배출에 이상이 오며, 피부의 저항력이 떨어져 감염이 반복되며, 피부가 건조해지거나 가렵고, 과민성피부로 변하게 한다. 위기가 정체되면 쉽게 열(熱)로 변하여 반(斑), 진(疹), 창(瘡), 양(瘍) 등의 피부질환이 발생하게 된다.

폐(肺)의 수액대사기능은 피부의 수분함량을 충분히 유지하는데 중요한 의의가 있다. 피부의 수분 부족은 피부건조증, 피부노화, 주름 발생의 중요한 원인이 된다. 피부의 수분 부족으로 버짐, 잔주름, 피부가 터서 갈라지는 등의 증상이 있을 시에는 반드시 청열윤폐(淸熱潤肺), 양음생진(養陰生津)의 방법을 염두에 두어야 한다.

(3) 비(脾)와 미용

비(脾)는 중초(中焦)에 위치하며, 주요한 생리기능은 운화(運化)를 주관하고 승청(升淸)하며 혈액을 통섭(統攝)하는 것이다. 위(胃)와 표리관계에 있으며, 비위(脾胃)는 소화계통의 중요한 장기이며 인간의 생명활동과 기혈진액(氣血津液)의 생화(生化)는 모두 비위(脾胃)에서 운화(運化)되는 수곡정기에서 비롯된다. 따라서 비위(脾胃)를 기혈(氣血)의 생화지원(生化之源)이라고, "후천지본(後天之本)"이라고 부른다.《소문 · 영란비전론(素問 · 靈蘭秘典論)》에서는 "비위는 창름지관이며, 오미가 여기에서 나온다.(脾胃者, 倉廩之官, 五味出焉)"고 하였다. 관규(官竅)는 입(구;口)이고 입술에서 나타나며, 감정은 생각(사;思)이고, 담당하는 액체는 침(연;涎)이며, 기육(肌肉)과 사지(四肢)를 주관한다.

1) 운화(運化)를 주관한다.

'운(運)'이란 수송의 뜻이고, '화(化)'란 소화, 흡수한다는 것이다. 비(脾)가 운화를 주관한다는 것은 음식물을 정미(精微)로 변화시켜 전신에 수송을 하는 것을 말하는데 다음과 같이 둘로 나눌 수 있다.

① 수곡(水穀)을 운화한다 : 음식물을 소화, 흡수하는 것을 말한다. 사실상의 소화흡수는 위(胃)와 소장(小腸)에서 이루어진다. 그러나 반드시 비의 운화기능에 의해서만 수곡이 정미로 변화할 수 있고, 다시 비의 운반과 분해기능을 통하여 수곡정미를 온 몸에 분산하여 오장육부와 각 조직 기관에 영양을 공급한다. 그러므로 운화기능이 왕성해야만 소화흡수의 기능이 정상적으로 되고 기혈진액(氣血津液)을 화생하는데 문제가 없고 장부(臟腑) · 경락(經絡) · 사지와 근육 · 피모 등 조직이 영양을 충분하게 공급받아 정상적인 생리활동이 진행된다. 이와는 반대로 운화기능이 감퇴되면 소화흡수 기능이 같이 상실되게 되므로 복창(腹脹), 변당(便溏), 식욕부진(食慾不振) 또는 권태(倦怠), 소수

(消瘦), 기혈생화부족(氣血生化不足) 등이 나타난다. 그러므로 "비위는 후천지본이고, 기혈의 생화의 근원이다(脾胃爲後天之本, 氣血生化之源)"라고 하였다.

② 수액(水液)을 운화한다 : 수액을 흡수, 수송, 고루 분포하는 역할을 말하는 것이다. 수액의 운화기능이란 흡수된 수곡정미(水穀精微)를 전신에 고루 분포한 후에, 남는 수분과 탁한 것을 함유한 수분을 폐(肺)나 신(腎)의 기화기능을 통하여 땀과 소변으로 배출하는 것을 말한다. 비(脾)의 수액운화기능이 왕성하면 수액이 체내에 비정상적으로 축적되는 것을 방지할 수 있고 더 나아가 습(濕), 담(痰), 음(飮) 등 병의 요인이 나타나는 것을 막는다. 그러므로 《소문 · 지진요대론(素問 · 至眞要大論)》에서는 "모든 습, 종, 만은 모두 비에 속한다.(諸濕腫滿, 皆屬于脾)"라고 하였다. 이것은 비(脾)가 허(虛)하면 습(濕)이 생기고 비가 담(痰)이 생기는 근원이며 비가 허하면 수종(水腫)이 생긴다는 이론이다.

수곡과 수액운화를 주관하는 비(脾)의 두 작용은 서로 연관되며 서로 떨어질 수 없다.

비의 운화기능은 비의 중요한 생리기능일 뿐 아니라 전반적으로 인체의 생명활동에 극히 중요한 것이기에 비위를 "후천지본(後天之本)" "기혈생화지원(氣血生化之源)"이라고 부른다.

비위(脾胃)는 "후천지본(後天之本)"으로서 질병의 예방과 양생(養生)적인 면에서도 중요한 의의가 있다. 이동원(李東垣)은 《비위론 · 비위쇠론(脾胃論 · 脾胃衰論)》에서 "백병은 비와 위가 약해지면서 생긴다.(百病皆由脾胃衰而生也)"라고 하였다. 그러므로 일상생활 중에서도 비위를 잘 보호해야 하고, 질병 시에도 금기(禁忌)해야 할 음식은 금기하고, 약을 쓸 때도 비위를 고려해야 한다는 것이다.

2) 승청(昇淸)을 주관한다.

'승(昇)'이란 비기(脾氣)의 상승을 위주로 하는 운동특징을 가리키기 때문에 "비기는 승(昇)을 주관한다."고도 말한다. '청(淸)'이란 운화된 수곡정미 등의 영양물질을 말한다. 수곡정미 등의 영양물질을 위에 있는 심 · 폐 · 머리 · 눈에 수송하며 심 · 폐의 작용에 의하여 기혈(氣血)로 화생하여 온 몸에 영양을 공급하는 것을 "승청(昇淸)"이라 한다. 그러므로 비(脾)의 승청기능이 정상적이어야 수곡정미 등의 영양물질이 흡수되고 고루 수송될 수 있다. 동시에 비기가 승청하기 때문에 인체의 내장이 제 위치에 있게 된다. 만약 비기가 승청하지 못하면 피로, 무력, 두운(頭暈), 목현(目眩), 복창(腹脹), 설사(泄瀉) 등의 증상이 나타난다. 그래서 《소문 · 음양응상대론(素問 · 陰陽應象大論)》에서는 "청기가 아래로 내려가면 설사증상이 생긴다.(淸氣在下, 則生飱泄)"고 말했다. 비기가 아래로 빠지게 되면 설사를 오래하여 탈항(脫肛)이 되며 심지어는 내장하수(內臟下垂) 등의 병변이 나타난다.

3) 통혈(統血)을 주관한다.

'통(統)'은 거느리다, 통제하다라는 뜻이다. 비(脾)는 혈액이 경맥(經脈) 안에서 흐르는 것을 통제하여 맥 밖으로 유출되는 것을 방지한다. 비가 통혈하는 기능은 사실상 기(氣)의 고섭(固攝)작용과 기혈생화의 근원이기 때문이다. 심목남(瀋目南)이 《금궤요략주(金匱要略注)》에서 "오장육부의 혈은 모두 비기의 통섭에 의지한다.(五臟六腑之血, 全賴脾氣統攝)"고 말한 것처럼, 만약 비기의 운화기능이 정상이면 기혈이 충만하고, 기의 고섭작용이 정상이면 혈액이 밖으로 넘쳐나지 않는다. 그러나 비의 운화기능이 감퇴되면 기혈생화의 근원이 없게 되므로 기가 허해지고 기의 고섭기능이 감퇴되어 출혈(出血)을 초래하게 된다. 비가 승청을 주관하고 비기가 승을 주관하기 때문에 비가 혈을 통섭하지 못할 때에는 피하출혈(皮下出血), 변혈(便血), 뇨혈(尿血), 붕루(崩漏) 등이 많이 나타난다. 이것을 "비가 혈을 통섭하지 못했다(脾不統血)"라고 말한다.

4) 비(脾)와 미용(美容)과의 관계

비(脾)를 한방미용에서 말하자면 먼저 후천지본(後天之本)으로서 오장육부(五臟六腑)의 생화지원(生化之源)이고 전신건강에 많은 영향을 미친다. 다음으로는 비는 신체의 비만과 여윔, 근육의 허약과 건장함, 피부의 탄력성, 얼굴과 입술의 색깔 등에 직접적으로 관계가 있다.

비기(脾氣)의 운화기능이 정상적이어야 기혈(氣血)이 충만하고 장부(臟腑)가 건장하게 된다. 이것은 신체와 용모의 아름다움의 기초가 되는데, 즉 체중(體重)이 적당하고 사지(四肢)에 힘이 있고 근육(筋肉)이 건실하며 피부(皮膚)에 윤기가 있고 얼굴에 광택이 있으며 입술에 홍윤(紅潤)을 띠게 되는 것이다. 장기간에 걸쳐 비위의 기능이 실조(失調)가 되면 손미성질병(損

美性疾病)이 오게 되는데, 예를 들면 비위에 열(熱)이 있으면 피부에 기름기가 많고, 비만(肥滿), 변비(便秘), 구취(口臭), 체취(體臭), 좌창(痤瘡), 주조비(酒糟鼻), 과민성 피부 등이 나타나며, 비위가 허약하면 피부건조(皮膚乾燥), 얼굴색이 미황(微黃)이며, 사지무력(四肢無力), 근육과 피부에 힘이 없고 아래로 처지며, 입술이 창백하다.

비(脾)의 수액운화기능이 왕성하면 수액이 체내에 비정상적으로 축적되는 것을 방지한다.

피부는 수분부족과 수액정체에 아주 민감하다. 비의 운화기능이 실조(失調)가 되면 수습(水濕)이 정체되고 담습(痰濕)이 성하게 되어 비만(肥滿), 흉민(胸悶), 얼굴에 쉽게 부종이 오고, 광택이 없으며, 정신이 맑지 못하고 잠이 많아지는 증상이 온다. 만일 평소에 기름진 음식을 좋아하거나 찬 음식을 좋아하게 되면 비위(脾胃)가 상(傷)하여 습열(濕熱)이 안에 쌓이게 되어 각종 피부병의 원인이 되기도 한다. 예를 들면 반독(斑禿), 지루성 탈모(脂漏性脫毛), 지루성 피부염(脂漏性皮膚炎), 피부소양증(皮膚瘙痒症), 모낭염(毛囊炎), 습진(濕疹) 등이다.

(4) 간(肝)과 미용

간(肝)은 복부(腹部)의 오른쪽 옆구리에 위치한다. 간은 혼(魂)이 들어있고, 혈(血)을 저장하며, 근(筋)의 근본이다. 그리하여《소문 · 영란비전론(素問 · 靈蘭秘典論)》에서는 "간은 파극지본이고, 혼이 들어있는 곳이다.(肝者, 罷極之本, 魂之居也)"고 하였다. 간(肝)의 주요 기능은 소통과 배설을 주관하고 혈액의 저장을 주관하는 것이다. 간은 눈에 개규하며 근(筋)을 주관하고 그 변화는 조갑(爪甲)에 나타나며, 지(志)는 노(努)에 있고 그 액(液)은 눈물이다. 담(膽)과 표리관계이다.

1) 소설(疏泄)을 주관한다.

'소(疏)'란 소통을 의미하고 '설(泄)'이란 발설(發泄), 승발(升發)을 말한다. 간의 소설기능은 승발과 운동을 주관하는 생리특성을 반영한다. 이러한 간의 생리적 특성은 전신의 기기(氣機)를 원활하게 조절하고 혈(血)과 진액(津液)을 추동(推動)하는데 중요한 역할을 한다. 간의 소설기능은 주로 아래와 같은 여러 가지 면에서 작용을 하고 있다.

① 기기(氣機)를 원활하게 조절한다(기기조창;氣機調暢):기기(氣機)란 기의 승강출입(昇降出入)운동이다. 인체의 장부(臟腑), 경락(經絡), 기관(器官) 등의 활동은 모두 기(氣)의 운동에 의지한다. 간(肝)이 갖고 있는 승발과 운동을 주관하는 기능은 기기의 소통(疏通), 창달(暢達), 승발(升發)에 대하여 중요한 요인이 된다. 간의 소설기능이 정상적이면 기기가 원활하게 조절되고 기혈(氣血)이 조화되어 경락(經絡)이 잘 통하고 장부, 기관 등의 활동도 정상적으로 된다. 만일 간의 소설기능이 이상이 생기면 두 가지 측면의 병리현상이 나타나게 된다. 그 하나는 간의 소설기능이 상실하게 되면 기(氣)의 승발(升發)이 부족하게 되며 기기의 소통(疏通)과 창달(暢達)이 장애를 받게 된다. 기기(氣機)의 장애가 오고 울결이 되어 흉협(胸脇), 유방(乳房)과 아랫배가 더부룩하며 아픈 병증이 나타난다. 다른 하나는 간의 승발이 지나쳐 간기(肝氣)가 위로 거슬러 올라가면 면홍목적(面紅目赤), 두목창통(頭目脹痛), 쉽게 화를 내게 되고 혈이 기를 따라 올라가면 토혈(吐血), 각혈(咯血) 등의 병리적 변화가 생긴다. 심지어 졸도를 하여 인사불성이 되기도 하는데 이것을 기궐(氣厥)이라 한다. 《소문 · 생기통천론(素問 · 生氣通天論)》에서는 "양기는 대노하면 기가 끊어지면서 사람을 졸도하게 하는 것이다.(陽氣者, 大努則形氣絶, 而菀于上, 使人薄厥)"라고 하였다.

혈의 운행과 진액의 수송 · 분포 · 대사도 기의 승강출입의 운동에 의존한다. 따라서 기기(氣機)가 울결(鬱結)되면 혈액의 운행에 장애가 생겨 혈어(血瘀), 징적(癥積), 종괴(腫塊) 등이 생긴다. 부녀자인 경우에는 생리통이나 폐경(閉經) 등이 나타난다. 또한 진액(津液)의 수송 · 분포 · 대사에 장애가 생겨 담(痰), 수(水) 등 병리적 산물을 만들거나 담(痰)이 경락(經絡)을 막아 담핵(痰核)이 되거나, 수(水)가 정지되어 고창(臌脹)이 된다.

② 비위(脾胃)의 운화(運化)기능을 촉진한다 : 간의 소설기능은 비위 승강과 밀접한 관계를 가지고 있으며 협조를 이루는 중요한 조건이 된다. 간의 소설기능이 이상이 생기면 비의 승청기능에도 영향을 미쳐 현운(眩暈), 설사(泄瀉)를 하며 위의 강탁기능에도 영향을 주어 구토(嘔吐), 트림이 나고 완복창만(脘腹脹滿), 동통(疼痛), 변비(便秘)가 생기게 된다. 또한 간의 소설기능은 담즙(膽汁)의 분비와 배설을 조절하여 비위를 도와 음실물의 소화와 흡수를 돕는다. 간기(肝氣)가 울결되면 담즙의 분비와 배설에 영향을

주게 되어 협늑창통(脇肋脹痛), 구고(口苦), 심하면 황달(黃疸)이 생긴다.

③ 정지(情志)를 조절한다 : 정신의 활동은 심(心)의 생리기능에 속하면서도 간의 소설기능과도 밀접한 관계가 있다. 인체의 정신활동은 기혈의 정상적인 운행에 의존하기 때문이다. 간의 소설기능이 정상적이면 기기(氣機)가 원활하고 기혈이 조화롭게 되어 마음이 편안하고 유쾌하다. 간의 소설기능이 감퇴되면 간기(肝氣)가 울결되어 쉽게 우울해지고 감상적이 된다. 간의 소설과 승발(升發)이 지나치면 양기가 위로 올라가 쉽게 불안해하고 쉽게 화를 내게 되는데 이것이 정지(情志)에 대한 간의 소설기능의 영향이다. 이와는 반대로 정지(情志)의 이상이 반복적으로 오래 지속되면 간의 소설기능에도 영향을 주어 기의 울결을 초래하거나 승발(升發) · 소설(疏泄)의 과도함으로 인한 병리적인 변화를 나타낸다. 그밖에 부녀자의 배란(排卵)과 월경(月經), 남성의 정자배출도 간의 소설기능과 밀접한 관계가 있다.

2) 혈(血)의 저장을 주관한다.

혈액을 저장하고 혈량(血量)을 조절하는 생리기능을 말한다. 간에 일정한 양의 혈액을 저장하면 간의 양기가 솟아오르는 것을 제약하여 너무 항진하지 않게 할 수 있을 뿐만 아니라, 출혈 또한 방지할 수 있다. 간은 인체의 각 부분의 혈량 분배를 조절할 수 있다. 유기체의 활동이 격렬하거나 정서가 격동되었을 때에 간은 적당한 양의 혈액을 말초로 보내고, 생체가 안정되고 휴식하여 정서가 안정될 때에는 말초의 혈액 수요량이 상대적으로 감소되고 일부분의 혈액이 간으로 돌아와서 저장된다. 《소문 · 오장생성편(素問 · 五臟生成篇)》에서 왕빙(王氷)은 주석을 달아 "간은 혈을 저장하고 심은 혈을 운행하며, 사람이 움직이면 혈은 경을 운행하고 사람이 안정하면 혈은 간장에 저장된다.(肝藏血, 心行之, 人動則血運于諸經, 人靜則血歸于肝臟)"라고 하였다.

간이 혈액을 저장하는 기능이 비정상이면 혈액이 부족하거나 각종 출혈성 병변이 나타난다. 간에 혈액이 부족하면 눈을 유양(濡養)하지 못하여 눈이 건조해지고 침침하거나 야맹(夜盲)증이 오며, 근(筋)을 유양(濡養)하지 못하면 사지에 경련이 일어나고 운동장애가 오며 손발이 저리거나 마비증상이 나타난다. 부녀자에 있어서는 월경 량이 적어지거나 폐경(閉經)이 나타나며 상대적으로 월경 량이 많아지거나 붕루(崩漏) 등의 증세가 나타난다.

간이 혈량을 조절하는 기능은 혈량이 충족해야만 효과적으로 진행될 수 있는데 이 것 역시 간의 소설기능이 정상적이어야 한다. 간이 소설을 주관하는 것과 혈을 주관하는 것은 서로 밀접한 관계가 있다. 만일 승발과 소설기능이 지나치거나 혈 저장기능이 저하되면 여러 가지 출혈을 초래할 수 있으며 소설이 미치지 못하고 간기가 울결이 되면 혈어(血瘀)를 초래할 수 있다. 그밖에 장상학설(藏象學說)중에는 "간은 혼을 저장하고 있다.(肝藏魂)"는 말도 있다. 혼(魂)은 신(神)의 변화이고 신(神)에서 파생된 것이다. 이것은 모두 혈(血)을 중요한 기초물질로 삼는다. 심(心)은 혈을 주관하기 때문에 신(神)을 간직하고 있다고 하며 간(肝)은 혈을 저장하기 때문에 혼(魂)을 간직하고 있다고 말한다. 그래서 《영추 · 본신(靈樞 · 本神)》에서는 "간은 혈을 저장하고 혈에는 혼이 들어있다.(肝藏血, 血舍魂)"라고 하였다. 간의 혈저장 기능이 정상적이면 혼(魂)은 혈에 들어 있다. 그러나 간에 혈이 부족하고 심에 혈이 부족하면 혼(魂)은 제자리를 지키지 못하여 깜작 놀라거나 꿈이 많아지고, 잠자리가 불안하거나 몽유병(夢遊病), 잠꼬대를 하거나 환각(幻覺)이 나타나기도 한다.

3) 간(肝)과 미용(美容)과의 관계

간은 칠정(七情), 월경(月經), 조갑(爪甲), 눈동자, 근육 등과 밀접한 관계가 있는데, 이는 미용(美容)에 아주 큰 영향을 준다. 사람의 감정(정지;情志)을 조절하는 것은 간의 소설기능이 주관을 하는데 정상적일 때는 기기(氣機)가 원활하고 기혈이 조화롭게 되어 마음이 편안하고 유쾌하여 얼굴이 밝고 양미간의 모습도 평화롭다. 비정상적일 때는 간기(肝氣)가 울결되어 쉽게 우울해지고 양미간을 찌푸리고 쉽게 화를 내는 모습을 보이게 되는 것이다.

혈액을 저장하고 혈량(血量)을 조절하는 기능은 눈(目), 조갑(爪甲), 근육, 월경(月經)과 관계가 있다. 간의 혈량이 충족하면 두 눈이 맑고 밝으며 사물이 환히 보이고, 손발톱이 붉고 윤기가 흐르며, 관절의 활동이 유연하고, 동작이 민첩하다. 간에 혈액이 부족하면 얼굴이 창백하고, 눈이 건조해지고 침침하거나 사물이 뚜렷이 안보이고, 손발톱이 건조해지고 얇아지며, 관절의 활동에 장애가 오며, 동작이 둔해진다. 또한 간의 소설기능이 비정상적이면 일반적으로 불안하고 초조하며 쉽게 화를 내고, 월경진(月經疹), 여드름, 기미 등의 월경전후에 발생하는 손미성질병이 나타난다.

간은 혈을 저장하고 신은 정을 저장하여, 정과 혈은 서로 화생한다(肝臟血, 腎臟精, 精血互化互生). 그러므로 "간과 신은 그 근원이 같다.(肝腎同源)"고 하였다. 간신(肝腎)의 정혈(精血)은 음양평형을 유지하며, 인체의 피부와 모발을 윤택하게 하는 작용을 한다. 간신부족(肝腎不足)은 인체의 노화현상에 중요한 원인이 되는데, 나이에 맞지 않게 늙어 보이고, 안색이 어두우며, 탈모(脫毛)와 청력이 감퇴되고, 사물이 뚜렷이 안보이고, 허리와 무릎이 시큰거리고 힘이 없으며, 행동이 둔해지는 등의 증상이 나타난다. 간신(肝腎)의 음이 부족하고 간의 양기가 위로 올라가면(肝腎陰虛, 肝陽上亢), 신체가 마르고, 피부가 건조해지고 색이 어두우며, 모발이 갈라지고 빠지며, 불면(不眠), 기미 등의 중노년기(中老年期)에나 볼 수 있는 증상들이 나타난다.

간담(肝膽)에 습열(濕熱)이 있으면 대상포진(帶狀疱疹), 황달(黃疸) 등이 나타나며, 습열(濕熱)이 아래로 내려가면 부인과(婦人科)에서 대하(帶下) 등의 모든 질병이 일어날 수 있다.

(5) 신(腎)과 미용

신은 허리부분에 있다. 그래서 《소문 · 맥요정미론(素問 · 脈要精微論)》에서는 "허리는 신이 깃들어 있는 집이다.(腰者, 腎之府)"라고 하였다. 신은 장부음양(臟腑陰陽)의 근원이며, 생명의 근원이다. 그러므로 신(腎)은 "태어날 때부터 근본이 되는 장기이다.(先天之本)"라고 하였다. 신(腎)의 주요 기능은 정기를 저장하고 생장(生長) · 발육(發育) · 생식(生殖)과 수액의 대사, 납기(納氣)를 주관하는 것이다. 또한 신은 뼈의 골수의 생성을 주관하며, 그 영화(榮華)는 두발(頭髮)에 있으며, 귀와 이음(二陰;생식기와 항문)에 개규하고, 지(志)는 공(恐)에 있고 그 액(液)은 타액(唾液)이다. 방광(膀胱)과 표리관계이다.

1) 정(精)을 저장하고 생장 · 발육 및 생식을 주관한다.

정기(精氣)는 인체를 이루는 기본물질로서 인체의 생장 · 발육 · 생식 및 각 기관의 활동의 물질적 기초이다. 신(腎)이 저장하고 있는 정기(精氣)는 "선천적 정기(先天之精)"와 "후천적 정기(後天之精)”로 나뉘는데, “선천적 정기(先天之精)”는 태어날 때부터 부모에게서 물려받은 생식의 정기로서 배태(胚胎), 발육(發育)을 구성하는 원시물질이다. 그래서 《영추 · 본신(靈樞 · 本神)》에서는 “생명의 내원을 정이라 한다(生之來, 謂之精)”하였다. 그래서 “신은 선천적으로 근본이 된다(先天之本)”고 하였다. “후천적 정기(後天之精)”라는 것은 태어난 후에 이루어지며 섭취한 음식물을 비위(脾胃)의 운화기능에 의하여 생성된 수곡(水穀)의 정기와 장부의 생리 활동 중에 화생한 정기가 대사를 통해 소모된 후의 나머지 부분이 신(腎)에 저장이 되는데 이것을 말하는 것이다. 그래서 《소문 · 상고천진론(素問 · 上古天眞論)》에서는 “신은 수를 주관하고 오장육부의 정기를 저장하는 곳이다.(腎者主水, 受五臟六腑之精而藏之)”라고 하였다.

“선천적 정기(先天之精)”와 “후천적 정기(後天之精)”의 내원(來源)은 비록 다르나 이 모두 신(腎)에 저장되고 상호의존하며 상호작용을 한다. “선천적 정기(先天之精)”은 “후천적 정기(後天之精)”의 끊임없는 배양을 받아야 그 생리기능을 충분히 발휘할 수 있으며, “후천적 정기(後天之精)”의 화생(化生)은 또 “선천적 정기(先天之精)”의 활력의 도움에 의존한다. 이들은 상호 보완하고 밀접히 결합하여 신중정기(腎中精氣)를 구성한다.

신(腎)이 저장하는 정기(腎中精氣)의 주요 기능은 인체의 생장 · 발육을 촉진하면서 점차 생식능력을 갖추게 하는 것이다. 《소문 · 상고천진론(素問 · 上古天眞論)》에서 “여자가 7세가 되면 신기(腎氣)가 왕성해져 이가 다시 나고 모발이 길게 자란다. 14세가 되면 천계(天癸;성호르몬)가 오고 임맥(任脈)이 통하며, 태충맥(太衝脈)이 왕성해져서 월경(月經)이 주기에 맞춰 시작되어 아이를 가질 수 있게 된다. 21세가 되면 신기(腎氣)가 충만하여 이가 다 자란다. 28세가 되면 근골이 단단해지고 두발이 다 자라며 신체가 튼튼해진다. 35세가 되면 양명맥(陽明脈)이 쇠약해지며 얼굴이 초췌해지고 두발이 빠지기 시작한다. 42세가 되면 상부의 삼양맥(三陽脈) 기운이 쇠약해지고 얼굴에 화기가 없어지고 두발이 희어진다. 49세가 되면 임맥(任脈)이 허약해지고 태충맥(太衝脈)이 쇠약해지며 천계(天癸)가 고갈되어 월경이 멈추고 생식능력이 없어진다. 남자가 8세가 되면 신기(腎氣)가 충실해져 모발이 길게 자라고 이가 다시 난다. 16세가 되면 신기(腎氣)가 왕성해져 천계(天癸)가 오고 정기(精氣)를 배설하여 음양(陰陽)이 조화되면 아이를 가질 수 있다. 24세가 되면 신기(腎氣)가 충만해져 근골이 튼튼해지며 이가 다 자라고 성장이 극에 다다른다. 32세가 되면 근골이 장대해지고 근육이 튼튼해진다. 40세가 되면 신기(腎氣)가 점점 쇠약해져 두발이 빠지고 이가 약해진다. 48세가 되면 상부의 양기(陽氣)가 고갈되어 얼굴이 초췌해지고 두발이 희어진다. 56세가 되면 간기(肝氣)가 쇠약해지고 근육이 제대로 움직이지 못하며 천계(天癸)가 고갈되어 정기(精氣)가 약해지며 신장(腎臟)이 약해져 그 영향이 온 몸에 고루 미친다."라고 하였다.

《소문 · 상고천진론(素問 · 上古天眞論)》에서의 이 논술은 신의 정기가 인체의 생장 · 발육 및 생식기능에 대한 주요한 작용을 갖는다는 사실을 알 수 있다. 여기서 천계(天癸)는 신장 내에서 생장 · 발육 및 생식을 담당하는 일종의 성(性) 호르몬을 가리키는 물질이다. 그리고 치아, 골격, 두발의 변화를 신의 정기의 성쇠를 관찰하고, 인체의 생장 · 발육 및 노화를 판단하는 표지로 삼는다는 것을 명확히 알려 주었다. 신의 정기가 성(盛)하고 쇠(衰)함이 인체의 발생, 생장, 장대, 노쇠, 종결을 결정하기 때문에 어떤 종류의 선천성 질병, 생장발육부진, 생식기능 감퇴 및 노화의 방지 등에 대하여 다 보편적인 의의를 가지고 있다.

이와 같이 신(腎)의 정기(精氣)는 인체 생명활동의 근본으로서 각 기관의 생리활동에 대하여 중요한 역할을 한다. 신의 정기를 다시 음양(陰陽)의 속성으로 신음(腎陰)과 신양(腎陽)의 두 방면으로 나눌 수 있다. 인체 각 장부조직 기관에 대해 자양(滋養)을 하고 부드럽게 작용을 일으키는 것을 신음(腎陰)이라 하고, 인체 각 장부조직 기관에 대해 추동(推動), 온후(溫煦) 작용을 일으키는 것을 신양(腎陽)이라 한다. 신음(腎陰)과 신양(腎陽)은 또 원음(元陰)과 원양(元陽) · 진음(眞陰)과 진양(眞陽)이라고도 부르는데 인체 각 장부에 대한 음양의 근본이다. 신음과 신양은 상호제약, 상호의존하면서 신장뿐만 아니라 각 기관에 대한 음양의 상대적 평형을 유지한다. 만일 어떤 원인으로 이 균형이 파괴되고 스스로 회복되지 못할 때에는 신음허(腎陰虛)와 신양허(腎陽虛)의 병리상태가 나타난다. 음허내열(陰虛內熱), 현운(眩暈), 이명(耳鳴), 요슬산연(腰膝酸軟), 유정(遺精), 설홍소진(舌紅少津) 등의 신음허(腎陰虛)의 증후(證候)가 나타나며, 혹은 핍력(乏力), 형한지냉(形寒肢冷), 요슬냉통(腰膝冷痛), 무력(無力), 소변불리(小便不利) 또는 유뇨실금(遺尿失禁), 설담(舌淡), 수종(水腫), 성기능 감퇴 등의 신양허(腎陽虛)의 증후가 나타난다.

신음(腎陰)과 신양(腎陽)은 각 장부에 대한 음양의 근본이기 때문에 신(腎)의 음양이 균형을 잃게 되면 기타 각 장부의 음양의 균형도 잃게 된다. 예를 들면 간(肝)이 신양(腎陽)의 자양(滋養)을 잃으면 즉, "수불함목(水不涵木)"이 되기 때문에 간의 양기가 지나치게 위로 올라가거나(肝陽上亢) 간에서 풍이 일어난다(肝風內動). 심(心)이 신음(腎陰)의 상승(上承)을 잃으면 심화상염(心火上炎)을 일으키거나 심신음허(心腎陰虛)를 초래한다. 폐(肺)가 신음(腎陰)의 자양(滋養)을 잃으면 목안이 마르고 마른 기침을 하며 조열(潮熱), 승화(升火) 등의 폐신음허(肺腎陰虛)의 증후가 나타난다. 비(脾)가 신양(腎陽)의 온후(溫煦)를 잃게 되면 오경설사(五更泄瀉), 하리청곡(下利淸谷) 등 비신음허(脾腎陰虛)의 증후가 나타나며, 심(心)이 신양(腎陽)의 온후(溫煦)를 잃으면 가슴이 두근거리고 땀이 나며 사지가 차가운 심신양허(心腎陽虛)의 증후가 나타난다. 상대적으로 기타 장부(臟腑)의 음양이 조화를 잃으면 시간이 오래 지남에 따라서 신(腎)에 영향을 미치게 마련이므로 신중정기(腎中精氣)가 소모되어 신(腎)의 음양조화가 파괴된다. 이것은 "오랜 병은 신에 미친다(久病及腎)"는 이론의 근거이다.

신음(腎陰)과 신양(腎陽)이 모두 신중정기(腎中精氣)의 물질적 기초이기 때문에 신의 음허, 양허는 사실 신중정기(腎中精氣)가 부족한 표현방식이다. 그러므로 신음허(腎陰虛)가 일정한 정도에 이르면 신양(腎陽)에 영향을 주어 음양(陰陽) 둘 다 허하게 되므로 "음손급양(陰損及陽)"이라 부른다. 또한 신양허(腎陽虛)가 일정한 정도에 이르면 신음(腎陰)에 영향를 주어 음양(陰陽) 둘 다 허한 것으로 발전하는데 이를 "양손급음(陽損及陰)"이라 부른다.

그밖에 설명할 수 있는 것은 신중정기(腎中精氣)가 부족한 표현방식은 여러 가지 형태인데 일정한 조건하에서 이미 부족한 상태이지만 음양실조(陰陽失調)의 상황이 뚜렷하지가 않다. 이에 신중정기부족(腎中精氣不足)이라거나 혹 신정부족(腎精不足)과 신기허(腎氣虛)라 부른다.

2) 수액을 주관한다.

주로 신중정기(腎中精氣)의 기화(氣化)기능을 가리키는데 이것은 인체 내에 진액의 수포와 배설, 진액대사의 균형유지에 대하여 중요한 역할을 하며 체내의 수액대사 기능을 조절하는 것을 말한다. 《소문 · 역조론(素問 · 逆調論)》에 "신은 수장으로 진액을 주관한다.(腎者水臟,

主津液)"라고 하였다. 정상적인 진액대사는 비위(脾胃)의 운화와 폐(肺)의 선발(宣發)과 숙강(肅降)작용, 신(腎)의 기화(氣化)작용을 통하여 삼초(三焦)의 작용을 거쳐 전신에 수송된다. 대사를 거친 진액은 땀과 소변, 기(氣)로 변화하여 체외로 배출된다. 인체의 수액대사 과정 중에서 폐 · 비 · 신의 작용이 가장 중요한데 그 중에서 폐의 통조(通調), 비의 운화(運化)는 모두 신의 기화에 의존하고, 뇨의 생성과 배설은 신의 기화와 보다 직접적인 관계가 있다. 그래서 신이 수액을 주관한다. 만일 신의 기화작용이 비정상적이면 관문불리(關門不利), 수액대사에 장애가 일어나면 요소(尿少), 부종이 일어나는 등의 병리현상이 나타난다. 또한 기불화수(氣不化水)를 초래하게 되면 소변청장(小便淸長), 다뇨(多尿), 빈뇨(頻尿) 등의 병리현상이 나타난다.

3) 납기(納氣)를 주관한다.

납(納)이란 고섭수납(固攝受納)한다는 뜻이다. 이것은 신(腎)이 폐에서 흡입한 청기(淸氣)를 섭취하여 호흡을 조정하는 기능을 말한다. 호흡은 비록 폐가 주관하지만, 반드시 신의 납기작용에 의지해야 한다. 《유증치재 · 천증(類證治裁 · 喘症)》에 "폐는 기의 주인이고 신은 기의 근본이며, 폐는 기를 내보내고 신은 납기를 주관함으로써 음양이 서로 어울어져서 호흡이 순조롭게 된다.(肺爲氣之主, 腎爲氣之根, 肺主出氣, 腎主納氣, 陰陽相交, 呼吸乃和)"라고 하였다. 이론적으로는 폐가 호흡한 청기는 반드시 신장까지 내려가야 한다. 《난경 · 사난(難經 · 四難)》에서 "심과 폐에서 내보내고 신과 간에서 들여온다.(呼出心与肺, 吸入腎与肝)"라고 말한 바와 같다. 그러나 실제적으로는 폐의 호흡이 일정한 균형을 이루려면 신의 납기작용에 의지해야 한다는 것을 설명한 것이다. 그러므로 신의 납기(納氣)기능이 정상적이면 호흡이 고르고 조화롭다. 만약 신의 납기기능이 감퇴하면 납기가 고르지 못하여 호흡이 불균형해지며, 호기가 많아지고 흡기가 적어지는 병리현상이 나타난다. 이것을 신불납기(腎不納氣)라고 한다.

4) 신(腎)과 미용(美容)과의 관계

신(腎)은 정(精)을 저장하고 선천지본(先天之本)이며, 생명의 뿌리이다. 신(腎)이 가지고 있는 정기(精氣)의 생리적인 소장성쇠(消長盛衰)는 인간이 생장하고 살아가는데 아주 중요한 근거가 된다. 소아기는 천진난만하고, 청소년기에는 열정이 넘치고, 장년기에는 원숙함이 있고, 노년기에는 평온함과 안정감이 있다. 이것은 각 연령별로 나타나는 생명의 아름다움인데 이 아름다움의 근원은 바로 신장에 있다. 그러나 생명활동 중에서 노쇠(老衰)는 손미성질병(損美性疾病)의 한 부분으로 일어날 수가 있는데, 이것이 미용분야에서 해결해야 하는 주요한 과제인 것이다. 신장(腎臟)의 정기(精氣)가 자연히 쇠퇴함에 따라 오장의 기능도 떨어져 일련의 생리적인 노화현상이 나타난다. 예를 들어 허리가 굽고 활동이 둔해지며, 피부가 탄력이 없어지고 주름이 생기며, 피부색이 어두워지고 광택이 없어지며, 백발이 되거나 탈모가 되고, 치아도 빠지고 시력이 감퇴되며, 청력과 기억력이 떨어지게 되어 인체의 외적인 아름다움을 잃게 된다. 이러한 생명과 노화의 근본은 신장(腎臟)에 있다.

심(心), 비(脾), 간(肝), 폐(肺) 등 장부의 질병은 손미성병변(損美性病變)을 일으키기도 하는데, 이는 적절한 시기에 정확한 치료와 요양을 통해서 회복이 가능하다. 그러나 노화는 자연의 규율로 저항을 할 수가 없으며, 일단 발생하면 되돌리기가 힘들다. 이러한 이유 때문에 보건양생을 통해서 관리를 해야 하는데, 예를 들면 좋은 생활습관, 합리적인 음식조절, 적당한 몸과 마음관리 등으로 신정(腎精)의 쇠퇴하는 속도를 완만하게 함으로써 근본적인 노화현상을 늦춰 얼굴이나 용모가 늙지 않도록 하는 것이다.

2. 육부(六腑)와 미용

(1) 담(膽)

담(膽)은 육부(六腑)의 하나이고, 또한 기항지부(奇恒之腑)에도 속한다. 주머니의 형태를 띄고 간(肝)에 딸려 있고 간(肝)과 서로 이어져 있으면서 음식물의 소화를 촉진시키고 정신활동에서는 결단(決斷)을 주관하는 작용을 하며 간을 도와 그 기능을 완전하게 하기 때문에 중의학에서는 간과 담은 표리관계에 있다고 한다. 장경악(長景岳)은 "담은 중정(中正) 직책(대법관)이며 맑은 즙(汁)을 저장하고 있어서, 중심(中心)을 지키는 깨끗한 부(腑)라고 한다"고 했고, 《난경(難經)》에서는 "간의 남은 기운이 담으로 들어가 모여서 맑은 즙이 된다"고 했는데, 여기에서 말하는 맑은 즙이란 곧 담즙(膽汁)을 가리키는 것이다. 담(膽)은 비록 육부의 하나이긴 하지만 바깥과 직접 닿는 것도 아니고, 음식물이나 음식물 삭혀진 것을 받아들이는 것도 아니며, 단지 담즙을 저장했다가 내보내는 기능만 하기 때문에, 이를 가리켜 '기항지부(奇恒之腑)'라고 한다. 그런데 만약 담즙 배설이 조화롭지 못한 경우에는 소화에 영양을 미치거나 황달(黃疸) 현상을 일으키게 되고, 담즙은 본래 쓴 맛에 누런색이므로, 담이 병들면 담화(痰火)가 치밀어 올라 입이 쓰고 쓴물을 토하며, 담즙이 밖으로 흘러넘쳐서 얼굴과 눈, 온몸에 누런색이 보이는 증상이 나타나게 된다. 또한 담의 병리상 특징은 열(熱)이 발생하기 매우 쉽고, 이에 따라서 구고(口苦), 구건(口乾), 두운(頭暈), 협통(脇痛) 등이 많이 나타나는데, 이는 족소양담경의 순행과 관계가 있는 것이기도 하다.

《소문 · 영란비전론(素問 · 靈蘭秘典論)》에서는 "담은 중정의 관으로 결단이 여기에서 나온다.(膽者, 中正之官, 決斷出焉)"고 했는데, 여기에서 말하는 담(膽)은 사물을 판단(判斷)하고 결단을 내리는 능력을 가진 정신의식을 가리키는 것으로서, 이런 결단기능은 정신에 자극을 주는 불량한 요소들을 방어하거나 제거하여 기혈(氣血)의 정상적인 운행을 유지함으로써, 장기들 사이의 상호협동 관계를 보호하는 작용을 한다. 그러므로 담기(膽氣)가 호탕 씩씩하고 과단적인 사람은 정신에 미치는 자극이 격렬하다고 해도 그렇게 큰 영향을 받지 않으며 회복도 비교적 빠르지만, 담기가 허약한 사람은 이 때문에 병에 걸리는 일이 많다. 임상에서 볼 수 있는 잘 놀라고 두려워하는 증상, 불면(不眠), 다몽(多夢) 등은 바로 담기(膽氣)가 허해서 나타나는 것임을 알 수 있다.

(2) 위(胃)

위는 횡격막 아래에 있으면서 위로는 식도(食道)와 만나고 아래로는 소장(小腸)과 통하는데, 위의 위쪽 구멍을 분문(噴門) 또는 상완(上脘)이라고 하며, 아래쪽 구멍을 유문(幽門) 또는 하완(下脘)이라고 한다. 그리고 상완과 하완의 사이를 중완(中脘)이라고 하며 상중하 삼완을 통틀어서 위완(胃脘)이라고 한다. 위의 주요한 기능은 음식물을 받아들여 소화시키는 것이며, 위기(胃氣)는 하강을 주로 하며 습한 것을 좋아하고 건조한 것을 싫어하는 특성을 가지고 있다.

입으로 들어온 음식물은 식도를 지나 위로 들어가기 때문에 위를 가리켜 "태창(太倉)" 또는 "수곡지해(水穀之海)"라고 한다. 또한 위는 입으로 들어온 음식물을 받아서 소화시키는 작용을 한다. 이에 대해《난경 · 삼십일난(난경(難經) · 三十一難)》에서 "중초는 중완에 위치하여 위로나 아래로 치우쳐 있지 않으며 음식물을 소화시키고 영양을 흡수한다(中焦者, 在胃中脘, 不上不下, 主腐熟水穀)"고 했는데, 여기에서 말하는 '중초'란 곧 비위를 가리킨다. 위 속으로 들어온 음식물은 위기(胃氣)에 의해 잘 삭혀져 죽 같은 상태로 변한 다음 소장으로 보내지며, 그 가운데에서 영양분은 비의 운화 기능을 통해서 온몸을 영양하게 된다. 그렇기 때문에 만약 위 기능이 없다고 하면 음식물 소화작용이 일어나지 않게 되며 영양분이 비(脾)로 보내지는 일도 일어나지 않는다.

만약 위가 음식물을 받아들이지 못할 경우에는 납차(納差) 등의 증상이 나타나며, 위의 소화기능이 떨어질 경우에는 소화불량(消化不良), 복통(腹痛), 식체(食滯) 등의 증상이 나타난다.

(3) 소장(小腸)

소장은 위로 위(胃), 아래로 대장(大腸)과 서로 이어져 있으면서 음식물을 소화하고 진액(津液)을 퍼뜨리며 노폐물을 배설(排泄)하는 등의 작용을 한다.《소문 · 영란비전론(素問 · 靈蘭秘典論)》에서는 '소장은 수성의 관이니 화물이 여기에서 나온다.(小腸者, 受盛之官, 化物出焉)'고 하여, 소장의 주된 기능이 위(胃)에서 내려온 소화된 음식물을 받아서 그것을 다시 소화시키고 청탁(淸濁)으로 나누는 것임을 밝히고 있다. 그래서 음식물 중 영양분인 맑은 것(청;淸)은 소장으로 흡수된 후 비의 작용에 의하여 온몸 각 기관과 조직에 전해져 그곳에서 나름대로 쓰이고, 더러운 것(탁;濁)은 소화되고 남은 찌꺼기로서 난문(闌門:소장과 대장의 경계)을 지나 대장(大腸)으로 가는데, 그 중에서도 수분은 소변(小便)으로 방광(膀胱)을 통해 배설되며, 고체 성분은 대변(大便)으로 항문(肛門)을 통해 배설된다.

이와 같이 소장의 기능은 잘 통하게 하고 아래로 가게 하는 것이 순리이므로, 치료(治療)에서도 소통(疏通)시키는 것을 기본으로 삼는다. 그래서 만약 실증(實證)에 속하는 한기(寒氣)

가 맺혀있는 상태, 열기(熱氣)가 맺혀있는 상태, 기(氣)가 맺혀있는 상태, 혈액(血液)이 맺혀있는 상태, 음식물이 맺혀있는 상태 등에 의해 소장 기능이 조화를 잃으면 기 순환이 좋지 않아, 배에 여러 증상이 나타나게 되고 이를 병리적으로 '불통즉통(不通則痛)'이라고 한다. 또한 허증(虛證)에 속할 경우에는 오랜 통증(痛症), 희온희안(喜溫喜按), 맥침지무력(脈沈遲無力) 등의 증상으로 나타나게 된다. 그리고 소장의 화물(化物)기능이 조화를 잃으면 음식물의 소화 흡수가 장애를 받아 창만(脹滿), 설사(泄瀉) 등의 증상이 나타나고, 청탁(淸濁)을 나누는 기능이 조화를 잃으면 소화 흡수 기능에 영향을 미치는 것은 물론이고 소변 이상도 나타나게 된다. 즉 소장에 화(火)가 있거나, 수소음심경의 열(熱)이 소장으로 번진 경우에는 소변이 색적량소(色赤量少), 소변불상(小便不爽) 등이 나타나게 된다.

(4) 대장(大腸)

대장은 결장과 직장으로 되어 있는데 결장은 위로 난문(闌門), 아래로 직장에 이어지며 직장 아래는 항문(肛門)이다. 대장 경맥은 폐(肺)에 이어져 있다. 대장은 음식물 찌꺼기를 나르는 작용을 한다. 즉 소장에서 온 소화된 음식물을 받아서 나머지 수분을 흡수하는 동시에 찌꺼기는 대변으로 배출하므로, 대장을 '전달하는 부(傳道之官)'라고도 한다. 또한 대장은 대부분의 수분을 흡수하기에 '대장은 진액을 주관한다.(大腸主津)'고 한다.

대장 기능에 이상이 생기면 전달 기능이 조화를 잃어 변비(便秘), 설사(泄瀉), 복통(腹痛), 장명(腸鳴) 등의 증상이 나타나고, 수분의 재흡수가 이루어지지 않을 경우에도 역시 설사가 나온다. 변비는 대장이 허(虛)하면 전달 기능이 무력해져서 허증(虛症) 변비가 되고 대장에 실열(實熱)이 있으면 진액이 메말라 대장의 진액이 다해서 변이 굳게 되니, 허증 변비에는 촉촉히 적시는 방법을 쓰고, 실열 변비에는 강하게 설사시키는 방법을 써야 한다.

(5) 방광(膀胱)

방광은 아랫배의 중앙에 있으며 신(腎)에서 내려온 수분을 받아 소변을 저장하거나 배설하는 작용을 한다. 방광은 수분대사를 맡은 기관 중 하나로서, 이에 관하여《소문 · 영란비전론(素問 · 靈蘭秘典論)》에서는 "방광은 주도의 관이니 진액을 저장하고, 기화를 통해 배출한다.(膀胱者, 州都之官, 津液藏焉, 氣化則能出矣)"고 했다.

방광은 신(腎)과 표리(表裏)관계를 이루고 있어서, 신에 원양(元陽)이 있는 것처럼 방광에도 양기가 있다. 방광 안의 수분은 기화작용을 거쳐서 맑은 것은 위로 증발시켜 기가 되거나 몸 겉으로 보내져서 땀이 되며, 더러운 것은 아래로 흘러 오줌이 되는데, 이런 진액기화작용은 신양(腎陽)이 주관하는 것이지만, 동시에 방광 기능이기도 하다. 만약 방광 기화작용이 조화를 잃으면 소변불리(小便不利) 융폐(癃閉)가 나타나고, 저장작용이 조화를 잃으면 빈뇨(頻尿), 소변실금(小便失禁) 등의 증상이 나타난다.

(6) 삼초(三焦)

삼초는 상초(上焦), 중초(中焦), 하초(下焦)를 함께 이르는 말이며, 장상학설에서 육부 중 하나다. 지금까지 삼초에 대해서 여러 관점과 논쟁이 있었으나 크게 다음과 같이 세 가지로 요약할 수 있다.

① 인체 부위

이 개념에 따르면 인체와 체내 장기를 상초, 중초, 하초, 세 부분으로 나눈다. 즉 상초는 가슴과 머리, 심폐(心肺)를 포괄하고, 중초는 윗배와 비위(脾胃)를 포괄하며, 하초는 아랫배와 성기, 간신(肝腎)을 포괄한다.

② 진액 통로

《소문 · 영란비전론(素問 · 靈蘭秘典論)》에서 "삼초는 결독의 관이니 수도가 나온다.(三焦者, 決瀆之官, 水道出焉)"고 하여, 삼초의 기능이 주로 진액을 기화시키는 것과 물길을 잘 통하게 하는 것임을 설명했다. 그리고 폐(肺) · 비(脾) · 신(腎) · 위(胃) · 대장(大腸) · 소장(小腸) · 방광(膀胱) 등의 내장은 인체 수분대사를 조절하는데, 이를 총칭하여 '삼초기화(三焦氣化)'라고 한다. 삼초 각각의 기능을 살펴보면 다음과 같다. 《영추 · 결기(靈樞 · 決氣)》에서 "상초에서 시작하여 영양분을 흩뿌려서 피부를 따뜻하게 하고 몸을 충실하게 하며 머리카락을 윤택하게 하여 마치 안개나 이슬이 만물을 적시는 것과 같이 한다.(上焦開發, 宣五穀味, 熏膚, 充身, 澤毛, 若霧露之漑)"라고 했다. 여기서 상초가 안개와 같다는 것은, 폐(肺)가 위기(衛氣)와 진액(津液)을 흩뿌리는 것을 말한다.

《영추 · 영위생회(靈樞 · 營衛生會)》에서 "소화된 음식물을 청탁으로 나누고 진액을 증발시키며 영양분을 변화시켜, 상부의 폐맥으로 보낸 다음 혈액을 만들어 온몸을 영양하는데, 이보다 귀한 것이 없다.(泌糟粕, 蒸津液, 化其精微, 上注于肺脈, 乃化而爲血, 以奉全身, 莫貴于此)"고 했다. 여기서 중초가 거품과 같다는 것은, 비위(脾胃)가 영양분을 소화, 흡수, 운반하여 기혈을 만드는 근원이 됨을 가리킨다.

《영추 · 영위생회(靈樞 · 營衛生會)》에서 "그러므로 음식물은 항상 위에서 소화되고, 그 찌꺼기는 대장으로 보내지며, 수분은 청탁으로 나누는 과정을 거친 후 하초를 따라 방광에 스며든다(故水穀者, 常并居于胃中, 成糟粕而俱下于大腸, 而成下焦, 滲而俱下, 濟泌別汁, 循下焦而滲入膀胱焉)"고 했다. 여기서 하초가 도랑과 같다는 것은, 소장이 액(液;진액 중에서 액)을 주관하고, 대장이 진(津)을 주관하며, 신(腎)과 방광(膀胱)이 수분을 조절하고 오줌을 배설시키는 기화기능을 모두 가리킨다.

③ 변증 개념

삼초변증(三焦辨證)은 외감열병(外感熱病)의 증후(證候)를 구별하는 방법의 하나이다. 즉 상초병(上焦病)은 외사(外邪)가 폐를 침범하고 사기(邪氣)가 위분(衛分)에 있으며 외사가 심포(心包)에 거꾸로 전해지는 등의 증후를 포괄하고, 대개 외감열병 초기(初期)에 속한다. 중초병(中焦病)은 열(熱)이 위(胃)와 장(腸)에 맺힌 것과 비위습열(脾胃濕熱) 등의 증후를 포괄하고, 대개 외감열병 중기(中期)에 속한다. 하초병(下焦病)은 사기가 깊이 들어가고 신음(腎陰)이 소모되며 간혈부족(肝血不足), 음허(陰虛) 때문에 풍증(風症)이 나타나는 것 등의 증후를 포괄하며, 외감열병 말기(末期)에 속한다. 이와 같이 삼초변증의 삼초 개념은 병의 위치를 판단하고 병의 기전을 구분하는 데 기준이 된다.

제 3 장

기, 혈, 진액과 미용

3 기, 혈, 진액과 미용

기혈진액은 인체를 구성하는 기본물질이며, 또한 미용의 물질적 기초이기도 하다.

상편 제1절 기(氣)와 미용

1. 기의 개념

기(氣)는 세계를 구성하고 있는 가장 기본적인 물질이며 우주의 모든 사물은 전부가 기의 운동변화에 의하여 생성되는 것이라고 옛 사람들은 생각했다. 이런 소박한 유물론적 견해가 의학(醫學)분야에 들어오게 되어 동양의학에서 점차적으로 기에 대한 기본개념이 형성되게 되었다.

기(氣)는 인체를 구성하고 있는 가장 기본적인 물질이다. 《소문 · 보명전형론(素問 · 寶命全形論)》에서 다음과 같이 말하고 있다. "인간은 천지의 기를 타고나서 사시의 법칙에 따라 성장한다.(人以天地之氣生, 四時之法成)", "천지의 기가 합해서 이루어진 것을 인간이라고 한다(天地合氣, 命之日人)". 바꾸어 말하면 인간은 자연의 산물, 즉 "천지의 기"의 산물이라는 것이다. 인간 형체(形體)의 구성도 사실상 기(氣)를 가장 기본적인 물질적 기초로 하고 있다. 《의문법률(醫門法律)》에서는 "기가 모이면 형체가 이루어지고 기가 흩어지면 형체가 없어진다.(氣聚則形成, 氣散則形亡)"고 했다.

기(氣)는 또한 사람의 생명활동을 유지해 나가는 가장 기본적인 물질이기도 하다. 《소문 · 육절장상론(素問 · 六節藏象論)》에서는 다음과 같이 서술했다. "하늘은 사람에게 오기를 주고 땅은 오미를 주었다. 오기는 코로 들어가 폐에 머물면서 오색을 환히 보게 하고 음성을 똑똑히 듣게 하며, 오미는 입으로 들어가 장과 위에 머무르면서 그 생성물로 오기를 기른다. 기가 화하고 성하면 진액이 생겨나고 신도 자생한다.(天食人以五氣, 地食人以五味. 五氣入鼻, 藏于心肺, 上使五色修明, 音聲能彰; 五味入口, 藏于腸胃, 味有所生, 以養五氣. 氣和而生, 津液相成, 神乃自生)" 사람이 생명을 유지하자면 "천지의 기"로부터 영양분을 섭취하여 오장의 기를 길러줌으로써 유기체의 생리활동을 유지하도록 해야 한다. 그러므로 기는 인체의 생명활동을 유지하게 하는 가장 기본적인 물질이다.

기(氣)는 인체를 구성하고 인체의 생명활동을 유지하는 가장 기본물질이다. 기(氣)가 활동력이 강하고 부단히 운동하는 특징을 가지고 있고 인체의 생명활동을 추동(推動) · 온후(溫煦)하는 역할 때문에 동양의학에서는 기의 운동변화를 가지고 인체의 생명활동을 해석한다.

2. 기의 생성

인체의 기(氣)의 원천은 부모에게서 받은 선천적인 정기(精氣), 수곡(水穀)의 정기(精氣; 음식물 중의 영양물질), 자연에 존재하는 청기(淸氣)이다. 기(氣)는 폐(肺), 비위(脾胃), 신(腎) 등 장기(臟器)의 종합적인 생리작용을 통하여 이 세 가지가 결합되어 생성된다. 기의 생성은 선천적 유전, 후천적 영양 및 비위(脾胃)와 폐(肺)의 기능과 밀접한 관계가 있으며, 비위(脾胃)의 기능이 매우 중요하다는 것을 알 수가 있다. 선천적 정기(精氣)도 수곡의 정기에 의해 보양되어야 그 생리적 효능을 발휘할 수가 있다. 그러므로 《영추 · 영위생회(靈樞 · 營衛生會)》에서는 "사람은 곡에서 기를 얻는다.(人受氣于穀)"고 했고, 《영추 · 오미(靈樞 · 五味)》에서는 "그렇기 때문에 반날만 곡식을 먹지 않으면 기가 쇠하고 하루 곡물을 먹지 않으면 기가 적어진다(故穀不入半日則氣衰, 一日則氣少矣)"고 했다.

3. 기의 생리기능과 미용

인체의 생명활동을 유지하는 가장 기본물질로서의 기(氣)는 여러 가지 중요한 생리적 기능을 가지고 있다. 그래서 《난경 · 팔난(難經 · 八難)》에서는 “기는 사람에게 있어서 근본이 된다.(氣者, 人之根本也)”고 했고 장경악(長景岳)은 《유경 · 섭생유(類經 · 攝生類)》에서 “사람이 살아 있는 것은 전적으로 기의 힘이다.(人之有生, 全賴此氣)”라고 했다.

기(氣)의 주요한 생리적 기능은 다음 다섯 가지가 있는데 미용과의 관계도 함께 알아본다.

(1) 추동 작용(推動作用)

기(氣)는 활력(活力)이 대단히 강한 정미(精微)물질로서 인체의 생장과 발육, 각 장부(臟腑) · 경락(經絡) 등 조직기관의 생리활동, 혈(血)의 생성과 운행, 진액(津液)의 생성 · 수포와 배설 등에 대하여 추동 작용 및 그 운동을 격활(激活)시키는 작용을 한다. 만약 이 작용이 약화되면 생장발육의 지연, 조쇠(早衰), 장부(臟腑) · 경락 기능의 감퇴, 혈행 장애, 수액 정체 등의 병리적 현상이 나타난다.

기(氣)는 혈(血)을 통솔하고, 기가 가는 곳에 혈액이 가기 때문에 이것은 심장으로부터 먼 곳에 있는 피부, 모발, 오관, 조갑 등에 매우 중요하게 작용한다. 기혈(氣血)의 영양이 충분하고 신진대사가 원활할 때 피부와 모발이 윤기가 있고 광택이 나며, 눈빛이 총기가 있고, 오관의 기능이 정상적이 된다. 만일 기체(氣滯), 기허(氣虛)로 인해 추동(推動) 작용의 기능이 저하되면 혈액의 운행이 정체되어 얼굴색이 어두워지고 피부가 건조해지며, 색소침착(色素沈着), 만성습진(慢性濕疹), 탈발(脫髮) 등의 손미성(損美性) 병변이 나타난다.

(2) 온후 작용(溫煦作用)

《난경 · 이십이난(難經 · 二十二難)》에서는 “기는 주로 덥혀주는 작용을 한다.(氣主煦之)”고 했다. 즉 기는 인체의 열량의 근원이다. 인체의 체온은 기의 온후(溫煦) 작용에 의하여 유지하고 있으며, 각 조직 기관들이나 혈액 · 진액 등 액체상태의 물질도 기의 온후 작용에 의해서 정상적인 생리활동과 순환운동을 진행한다.

기(氣)의 온후 작용은 겨울철에 밖으로 노출되어 있는 두면부와 오관, 사지를 차가운 한사(寒邪)에 견딜 수 있게 한다. 즉, 한냉(寒冷)한 환경 속에서도 기혈진액의 순행을 원활하게 하여 피부가 따뜻하고 윤기가 흐르며, 활기가 있고 사지를 따뜻하게 한다. 만약 기허(氣虛)로 인해 온후(溫煦) 작용의 기능이 저하되면 귀, 손, 얼굴, 코, 피부가 한냉(寒冷)에 견디기가 힘들어져 동상(凍傷), 한냉성 심마진(寒冷性蕁麻疹), 한냉성 다형성 홍반(寒冷性多形性紅斑), 수족불온(手足不溫), 피부창백(皮膚蒼白), 신경쇠약(神經衰弱) 등이 쉽게 생긴다. 만일 기가 응집되어 발산을 못하고 울결되어 열(熱)로 변화하는데, 이때 창양절종(瘡瘍癤腫), 구설생창(口舌生瘡), 구기열취(口氣熱臭), 불면(不眠) 등이 나타난다.

(3) 방어 작용(防禦作用)

기(氣)의 방어 작용은 주로 인체 체표면에 위치하여 외부로부터의 사기(邪氣) 침입을 막는 것을 말한다. 《소문 · 평열병론(素問 · 評熱病論)》에서는 "사기가 들어오는 것은 틀림없이 기가 허하기 때문이다.(邪之所湊, 其氣必虛)"라고 했고, "틀림없이 기가 허하다(其氣必虛)"는 것은 기의 방어 작용이 감퇴되어 외부의 사기(邪氣)가 인체에 침입하여 병증(病症)을 유발한다는 말이다.

대부분의 손미성(損美性) 피부질환은 기(氣)의 저항력이 감퇴되어 외사(外邪)가 쉽게 침입하여 발생된다. 이러한 피부질환의 발병 여부와 발병후의 인체에 대한 반응과 예후(豫後)의 경중(輕重)은 기(氣)의 방어 작용의 강약(强弱)과 밀접한 관계가 있다. 반복적인 피부감염, 과민성 피부 질환 등이 여기에 속한다고 볼 수 있다.

(4) 고섭 작용(固攝作用)

기(氣)의 고섭 작용은 혈액 · 진액 등 액체상태의 물질이 밖으로 유실되지 않도록 하는 작용이다. 혈액(血液)이나 땀(한액;汗液), 소변(뇨액;尿液), 타액(唾液), 위액(胃液), 장액(腸液), 정액(精液) 등을 고섭(固攝)하여 그 분비량을 통제하여 헛되이 유실되지 않도록 방지하는 것이다. 기의 고섭 작용이 감퇴하면 체내의 액체물질을 대량 유실하는 위험이 초래될 수 있다. 각종 출혈성 병변이 나타나고, 자한(自汗)·다뇨(多尿) 혹은 소변실금(小便失禁)·류연(流涎)·구토(嘔吐)·설사(泄瀉) 등이 나타나며, 유정(遺精)·활정(滑精)·조설(早泄) 등을 초래하게 된다.

기(氣)의 고섭(固攝) 작용과 추동(推動) 작용은 서로 상반되면서 서로 보완하는데, 기(氣)는 혈액의 운행과 진액의 수포(輸布)와 배설(排泄)을 추동하는 한편 체내의 액체물질을 고섭하여 그것이 헛되이 유실되지 않도록 방지한다. 이 두 가지 작용이 잘 조화되어 체내의 액체물질의 정상적인 운행·분비·배설을 조절하고 통제하여 정상적인 혈액운행과 수액대사를 촉진하는 것이다.

피부구성 성분의 약 70%가 수분으로 이루어져 있다. 수분은 피부가 충만하고 주름이 생기는 것을 방지하는 역할을 하는 한 가지의 기초물질이기도 하다. 피부가 풍부한 혈액을 함유하고 있다는 것은 피부영양의 근원이기도 하다. 기(氣)의 고섭(固攝) 작용이 피부의 수분을 유지하고, 혈액이 헛되이 유실되는 것을 막는다. 만일 기허(氣虛)로 인해 기의 고섭 작용이 감퇴하면 땀 배출에 이상이 생겨 다한(多汗), 피부건조(皮膚乾燥) 혹은 피부감염(皮膚感染), 피하출혈(皮下出血) 등의 병변이 나타나게 된다.

(5) 기화 작용(氣化作用)

기화(氣化)란 기(氣)의 운동으로 생기는 각종 변화를 말하는데, 정(精)·기(氣)·혈(血)·진액(津液) 자체의 신진대사 및 그들 상호간의 전화(轉化)를 말한다. 예를 들어 기(氣)·혈(血)·진액(津液)을 생성시키자면 음식물을 수곡(水穀)의 정기(精氣)로 전화시킨 다음 다시 기(氣)·혈(血)·진액(津液)으로 화생(化生)시켜야 하며 진액(津液)이 신진대사를 거쳐 한액(땀;汗液)과 뇨액(소변;尿液)으로 전화되며, 음식물이 소화 흡수된 나머지의 찌꺼기는 조백(糟粕)으로 된다. 이러한 대사과정이 모두 기화(氣化) 작용의 구체적 표현이다. 기화 기능이 실조(失調)되면 그 즉시 기(氣)·혈(血)·진액(津液)의 영향을 주어 각종 대사과정에 이상이 생기게 된다. 그러므로 기화(氣化) 작용의 과정이 곧 체내물질의 신진대사 과정이고 물질의 전화나 에너지의 전화(轉化) 과정이다.

기허(氣虛)나 기체(氣滯)는 모두 기화(氣化) 작용의 실조(失調)를 가져와 대사(代射) 장애를 일으키는데 그 중에서 수액대사(水液代射) 장애가 가장 많이 일어난다. 기화(氣化) 작용의 실조(失調)가 생겨 수습(水濕)이 안에 머물게 되어 피부가 창백하고 광택이 없으며, 안면부에 부종이 오고, 모근(毛根)에 힘이 없어 쉽게 탈모가 되고, 신체가 비만해지며, 머리가 어지럽고 잠이 많아지고, 백대하(白帶下)가 많아지며, 월경부조(月經不調) 등의 병변이 나타난다.

이렇듯 기(氣)의 다섯 가지 기능은 서로 다르기는 하지만 인체의 생명활동에서 불가결의 요소들로서 서로 밀접한 관계를 가지고 있다.

4. 기의 운동과 형식

기(氣)는 여러 가지의 운동형식을 가지고 있지만 이론적으로 그것을 승(昇)·강(降)·출(出)·입(入)의 네 가지 기본 운동으로 귀납할 수 있다. 이 승강출입(昇降出入)의 기의 운동을 기기(氣機)라고 한다.

기(氣)의 승강출입(昇降出入)의 운동은 인체 생명 활동의 기본으로서 이 운동이 중지되면 생명활동의 끝남을 의미한다. 《소문·육미지대론(素問·六微旨大論)》에서는 "고로 출입이 없으면 생장장노가 있을 수 없고, 승강이 없으면 생장한 것이 저장될 수 없다. 승강출입이 없는 기관은 없다. 기관은 생화하는 곳으로 기관이 흩어지면 기가 갈라지고 생화도 끝난다.(故非出入, 則無以生長壯老已; 非昇降, 則無以生長化收藏. 是以昇降出入, 無器不有. 故器者, 生化之宇, 器散則分之, 生化息矣)"고 하였다.

기(氣)의 승강출입 운동은 인체의 각종 생리활동을 유발하며, 오직 장부(臟腑)·경락(經絡) 등 조직기관의 생리활동 중에서 구체적으로 나타날 수 있다. 말하자면 폐(肺)호흡기능에서 호기(呼氣)는 출(出)이고 흡기(吸氣)는 입(入)이며, 폐기(肺氣)의 선발(宣發)은 승(昇)이고 숙강(肅降)은 강(降)이다. 비위(脾胃)의 소화기능에서 비(脾)는 승청(昇淸)을 주관하고 위(胃)는 강탁(降濁)을 주관한다. 각 장부의 생리활동과 운동형식에는 비록 조금씩 차이가 있지만 모든 생체의 생리활동으로 보면 기의 승강출입(昇降出入)은 반드시 대립(對立), 통일(統一),

협조(協調), 평형(平衡)을 이루고 있다.

즉 기(氣)의 승강출입(昇降出入) 운동이 잘 조절되어 균형을 이룬 것이 "기기조창(氣機調暢)"이라 하고, 어떤 원인으로 인하여 승강출입(昇降出入) 운동이 실조되어 균형이 깨진 것을 "기기실조(氣機失調)"라 하며 이때 병변이 발생한다. 이는 여러 가지 다양한 형태로 나타나게 되는데, 기(氣)가 지체되어 통하지 않을 경우에 "기체(氣滯)"라 하고, 기(氣)가 과분하게 상승하거나 내려가지 못할 때를 "기역(氣逆)"이라 하며, 기(氣)가 제때에 상승하지 못하거나 과분하게 하강할 경우에는 "기함(氣陷)"이라 하고, 기(氣)가 안에 있지 못하고 밖으로 빠져 나올 경우에 "기탈(氣脫)"이라 하고, 기(氣)가 밖으로 통하지 못하고 안에 결집된 경우를 "기결(氣結)" 혹은 "기울(氣鬱)" 나아가서는 "기폐(氣閉)"라고 하는 병리적 상태이다.

《소문 · 육미지대론(素問 · 六微旨大論)》에서는 "고로 출입이 없을 수 없고, 승강이 없을 수 없다. 화에는 대소가 있고 기에는 원근이 있는데 이 네 가지가 정상이 아닌 반상일 경우에 재화가 미친다.(故無不出入, 無不昇降, 化有大小, 期有遠近, 四者之有, 而貴常守, 反常則災害至矣)"고 하였다. 이 말은 기(氣)의 승강출입(昇降出入) 운동은 일정한 법칙이 있으며 그것이 잘 조화되어 균형이 잡혀야 한다는 것을 잘 설명하고 있다.

5. 기의 분류

인체의 기는 전신의 어디에나 미치고 있고 내원(來源), 분포부위와 기능, 특징이 다르기 때문에 서로 다른 이름을 가지고 있다. 여기서는 몇 가지 중요한 기에 대해 알아보기로 한다.

(1) 원기(元氣)

원기는 또 원기(原氣), 진기(眞氣)라고도 하는데 인체의 가장 기본적이고 가장 중요한 기로서 생명활동의 원동력이다.

1) 구성과 분포 : 신(腎)에 저장된 정기(精氣)를 근원으로 하며 신의 정기로부터 화생한

것으로서 부모로부터 받은 정(精)을 기초로 하고 후천적으로 수곡정기(水穀精氣)에 의존하여 생성된다. 이를테면《경악전서(景岳全書)》에서는 "사람이 태어나서 늘어가는 것은 선천적으로 물려받은 것이 부족하기 때문이지만, 후세에 힘써 배양하면 천명을 더해주는 공이 반 이상이 될 수 있으므로 비위의 기가 사람의 생명에 크게 관계한다.(故人之自生至老, 凡先天之有不足者, 但得後天培養之功, 則補天之功, 亦可居其强半, 此脾胃之氣所關于人生者不小)"고 했다. 그러므로 원기(元氣)의 성쇠(盛衰)는 선천적인 품부(稟賦)에만 달려 있는 것이 아니라 후천적인 비위(脾胃)의 운화(運化)에 의한 수곡정기와 밀접한 관계가 있다.

2) 주요 기능 : 원기(元氣)는 인체의 생장 발육을 촉진하고 각 장부 · 경락 등 조직기관의 온후(溫煦), 유발하는 것으로서 인체 생명 활동의 원동력이자 가장 기본적인 물질이다. 원기가 왕성하면 장부 · 경락 등 조직기관의 기능이 왕성해지고 신체가 강건하며 질병에 적게 걸린다. 만약 선천적 품부(稟賦)의 부족, 후천적 실조(失調), 또는 오랜 질병으로 원기를 손상했거나 소모가 과분할 경우에는 원기가 허(虛)하고 쇠(衰)하여 여러 가지 병변이 나타난다.

(2) 종기(宗氣)

종기는 가슴에 모인 기(氣)인데 종기가 모이는 것을 "기해(氣海)" 또는 "단중(膻中)"이라고 한다. 그래서《영추 · 오미(靈樞 · 五味)》에서는 "박동하면서 흐르지 않는 대기가 모이는데 그곳을 기해라 한다.(其大氣之摶而不行者, 積于胸中, 命曰氣海)"고 했다.

1) 구성과 분포 : 폐(肺)가 자연계에서 흡입한 청기(淸氣)와 비위(脾胃)가 음식물 중에서 운화하여 생성한 수곡정기가 결합되어 생성된다. 종기의 성쇠(盛衰)는 폐(肺)와 비위(脾胃)의 기능과 밀접한 관계에 있다. 종기(宗氣)는 가슴 부위에 모여 심폐(心肺)로 들어가 위로는 "폐에서 나와 인후로 순환되어 호기 때 나가고 흡기 때 들어오며.(出于肺,

循喉咽, 故呼則出, 吸則入)"(《영추 · 오미(靈樞 · 五味)》), 아래로는 "단전에 모였다가 족양명의 기가에 들어가 다리로 내려간다.(蓄于丹田, 注足陽明之氣街而下行于足)"(《유경 · 침자류 · 해결추인(類經 · 針刺類 · 解結推引)》). 그래서 《영추 · 사객(靈樞 · 邪客)》에서는 "종기는 흉중에 모였다가 목으로 나와 심맥을 관통하면서 호흡을 지킨다.(宗氣積于胸中, 出于喉嚨, 以貫心脈而行呼吸焉)"고 했고, 또한《영추 · 자절진사(靈樞 · 刺節眞邪)》에서 "종기는 해에 모였다가 아래로는 기가에 들어가고 위로는 기도로 빠진다.(宗氣留于海, 其下者, 注于氣街; 其上者, 走于息道)"고 했다.

2) 주요 기능 : 종기(宗氣)는 두 가지의 기능을 가지고 있다. 하나는 기도로 가서 호흡을 돕고, 다른 하나는 심맥을 관통하면서 기혈을 돕는 것이다. 언어, 음성, 호흡의 강약 및 기혈의 운행, 몸과 사지 활동과 한온(寒溫), 시각 · 청각 등의 감각 능력, 맥박의 강약과 리듬 등은 모두 종기의 성쇠(盛衰)와 관련이 있다. 그래서 《소문 · 평인기상론(素問 · 平人氣象論)》에서는 "위의 대락을 허리라고 하는데 격막을 관통하여 폐에 이르며, 좌측 유방 아래에 옷이 움직이는 것이 맥의 종기이다. 호흡이 불안정하고 가끔 멎는 것은 중초에 병이 있고; ……… 그것이 멈추면 곧 죽음이다. 유방 아래에 옷이 움직이는 것은 종기가 빠지는 것이다.(胃之大絡, 名曰虛里, 貫膈絡肺. 出于左乳下, 其動應衣, 脈宗氣也. 盛喘數絶者, 其病在中;………絶不至, 曰死; 乳之下, 其動應衣, 宗氣泄也)"라고 했다. 이것은 종기가 심장의 기능을 조절하는 기능을 가지고 있다는 것을 설명하고 있다. 그래서 임상에서는 허리(虛里) 부분의 박동 상황과 맥상으로 종기의 성쇠를 판단한다.

(3) 영기(營氣)

영기(營氣)는 혈액과 함께 혈관을 운행하는 기(氣)를 말하며, 영양이 풍부하여 영기(榮氣)라고도 한다. 영(營)과 혈(血)은 매우 밀접하여 구분할 수는 있지만 나눌 수는 없기 때문에 영혈(榮血)이라 총칭한다. 영기는 위기(衛氣)와 상대적이어서 음(陰)에 속하기 때문에 "영음(營陰)"이라고도 한다.

1) 구성과 분포 : 주로 비위(脾胃)의 수곡정기에서 화생(化生)한 것이다. 맥(脈)에 고루 분포되어 있으며 혈액의 한 구성 성분으로서 혈맥을 따라 상하로 순환하면서 전신을 운행한다. 그래서 《소문 · 비론(素問 · 痺論)》에서는 "영이란 수곡정기이다. 영은 오장육부에 고루 퍼지고 또 맥에 들어가며 이를 따라서 상하로 순환하면서 오장과 육부를 연결한다.(營者, 水穀之精氣也. 和調于五臟, 酒陳于六腑, 乃能入于脈也. 故循脈上下, 貫五臟, 絡六腑也)"고 하였다.

2) 주요 기능 : 영기(營氣)는 영양을 돕고 혈액을 화생하는 두 가지의 생리기능을 가지고 있다. 수곡정미(水穀精微) 중에서 가장 영양이 많은 물질이 영기의 주요 성분이며, 장부(臟腑) · 경락(經絡) 등의 생리활동에 꼭 필요한 영양 물질인 동시에 혈액의 구성 성분이기도 하다.

(4) 위기(衛氣)

위기(衛氣)는 영기(營氣)와 상대적으로 양(陽)에 속하기 때문에 위양(衛陽)이라고도 하며, 맥(脈)밖을 운행하는 기(氣)이다.

1) 구성과 분포 : 위기(衛氣)는 주로 수곡정기(水穀精氣)에서 화생한 것인데 그 특징은 "표질활리(慓疾滑利)"한 것이다. 다시 말하면 위기는 활동력이 강하고 유동이 매우 빠르다. 이에 위기(衛氣)는 맥관(脈管)의 구속을 받지 않고 피부 사이를 운행하며 황막(肓膜)을 따뜻하게 하여 흉복(胸腹)에 흩어진다.

2) 주요 기능 : 위기(衛氣)의 주요 기능은 세 가지가 있는데, 첫째는 체표(體表)를 호위하여 외사(外邪)의 침입을 방어하는 것이고, 둘째는 장부(臟腑) · 외부 기관 등을 온양(溫養)하는 것이다. 셋째는 주리(腠理)의 개합(開合), 땀의 배설을 조절하고 통제하여 체온을 유지하는 것이다.

영기(營氣)와 위기(衛氣)의 주요한 생성 원천은 모두가 수곡정기이다. 영(營)은 맥 안에 있고 위(衛)는 맥 밖에 있으며, 영(營)은 내수(內守)를 주관하고 음(陰)에 속하며, 위(衛)는 외위(外衛)를 주관하고 양(陽)에 속한다. 양자 간에 협조가 이루어져야만 정상적 주리(腠理)의 개합(開合), 정상적인 체온과 외사(外邪)에 대한 방어능력을 유지할 수 있다. 만일 영위(營衛)가 불화(不和)하면 오한(惡寒), 발열(發熱), 무한(無汗) 혹은 다한(多汗), 낮에 힘이 없고 밤에 잠을 못 자고, 외사에 대한 저항 능력이 저하된다.

상편 제2절 혈(血)과 미용

1. 혈의 개념

혈(血)은 붉은 색의 액체상체 물질인데 인체를 구성하고 인체의 생명활동을 유지하는 기본 물질의 하나로서 높은 영양가와 자윤(滋潤) 작용을 가지고 있다. 혈은 맥 안에서 운행되어야만 정상적인 생리기능을 유지할 수가 있다. 어떤 원인으로 인해 혈액이 맥 밖으로 흘러나오는 것을 출혈(出血) 또는 "경을 떠난 혈(離經之血)"이라고 한다. 맥은 혈액의 유출을 막는 기능을 가지고 있기 때문에 "혈부(血府)"라고도 한다.

2. 혈의 생성

혈(血)은 주로 영기(營氣)와 진액(津液)으로 구성되어 있는데, 이것은 비위(脾胃)의 수곡정미(水穀精微)에서 기원한 것이다. 그러므로 비위(脾胃)는 기혈(氣血)을 생화(生化)시키는 원천이다. 《영추 · 결기(靈樞 · 決氣)》에서 "중초가 기를 받아 그 즙을 섭취하여 붉은 색으로 변화시킨 것이 혈이다.(中焦受氣取汁, 變化而赤, 是謂血)" 라고 했는데, 이는 혈액의 생화 과정에서 비위(脾胃)의 운화 기능의 중요성과 영기(營氣)와 폐의 작용을 통해서 혈(血)이 화생(化生)되는 것을 잘 설명하고 있다. 예를 들면《영추 · 사객(靈樞 · 邪客)》에서는 "영기가 분비한 진액이 맥에 들어가 피로 되고 그것이 오장육부와 전체로 고루 퍼진다…….(營氣者, 泌其津液, 注之于脈, 化以爲血; 以榮四末, 內注五臟六腑…….)"라고 영기의 기능을 서술했다. 《영추 · 영위생회(靈樞 · 營衛生會)》에서는 혈액 생화에 있어서 폐의 작용을 더욱 강조하면서 "중초 역시 위에 모였다가 상초로 나와서 기를 받아 조백을 배설하고 진액을 정미로 생화하는데 위로 폐에 들어가 피를 생화한다. 그래서 전신을 양생하는데 매우 귀한 것으로 경을 따라 운행을 하는 것이다.(中焦亦幷胃中, 出上焦之後, 此所受氣者, 泌糟粕, 蒸津液, 化其精微, 上注于肺脈, 乃化而爲血.)"

이와 같이 영기(營氣)와 진액(津液)은 모두 혈(血)을 생성하는데 주요한 물질이다. 둘 다 수곡정기에서 화생되기 때문에 음식과 비위(脾胃)의 운화(運化)기능이 직접 혈(血)의 생성에 영향을 끼친다. 장기간 음식영양의 섭취가 부족하거나 장기간 비위(脾胃)의 기능이 실조(失調)되면 혈액의 생성이 부족하여 혈허(血虛)의 병리적 변화가 일어난다.

3. 혈의 생리기능과 미용

혈은 맥 안으로 순행하면서 안으로는 장부에, 밖으로는 피부와 근골, 각 장부와 전신의 조직기관에 대해 영양 및 자윤(滋潤) 작용을 하므로써 정상적인 생리활동을 유지하게 한다. 《난경 · 이십이난(難經 · 二十二難)》에서는 "혈은 주로 적신다(血主潤之)." 이것은 혈의 자윤(滋潤)작용에 대한 개괄이다. 《소문 · 오장생성편(素問 · 五臟生成篇)》에서는 "간이 혈을 받아 눈이 보이고, 발이 혈을 받아 걸을 수 있으며, 손은 혈을 받아 쥘 수 있고, 손가락은 혈을 받아 집을 수 있다.(肝受血而能視, 足受血而能步, 掌受血而能握, 指受血能攝)"라고 하였다. 이것은 인체의 감각과 운동은 혈의 자양(資養)과 자윤(滋潤) 작용에 의해서 정상적인 기능 활동을 유지할 수 있다는 것을 설명하고 있다. 혈의 자양(資養)과 자윤(滋潤) 작용은 얼굴색, 근육, 피부, 모발, 감각과 운동 방면에서 표현될 수 있다. 만일 혈허(血虛)나 혈의 자양(資養)과 자윤(滋潤) 작용이 감퇴하면 혈허(血虛)증상과 함께 어지럽고, 모발이 마르고, 피부가 건조해지며, 팔다리가 저리고, 운동기능 감퇴 등의 증상이 나타난다.

혈액은 인체의 정신활동에 주요한 물질적 기초이다. 그래서《소문 · 팔정신명론(素問 · 八正神明論)》에서 "혈기는 사람의 정신이므로 성실하게 길러야 한다.(血氣者, 人之神, 不可不謹養)"고 했다. 혈기가 왕성하고 혈맥이 고르게 잘 흘러야 신지(神志)가 맑고, 감각이 예민하고 활동이 민첩하다. 그러므로 어떤 원인이든 혈허(血虛), 혈열(血熱) 혹은 운행이 실조되면 건망증(健忘症), 다몽(多夢), 불면(不眠), 번조(煩燥) 심지어는 심신이 불안(心神不安)하고 섬광(譫狂), 혼미(昏迷) 등의 비정상적인 병리 상태가 나타난다.

두면부(頭面部)의 피부에는 풍부한 혈관(血管)이 있고 비교적 얕은 곳에 있으며, 이것은 모발이 건강하고 얼굴색이 붉고 윤기나게 하는, 인체 용모에 있어서 매우 중요한 미적(美的)

특성이다. 두면부는 혈액의 흐름과 허실(虛實)에 대해 매우 민감한 곳이다. 예를 들면 혈허(血虛)일 때는 얼굴색이 노랗고(萎黃), 입술이 담백하며, 손발이 저리고(手足麻木), 모발에 힘이 없고, 피부가 건조하며 가려움 등의 증상이 나타날 수 있다. 혈어(血瘀)일 때는 피부색이 어둡고, 피부에 주름이 생기고, 색소침착(色素沈着), 탈모가 나타난다. 혈열(血熱)일 때는 피부색이 붉고 지성(脂性) 피부가 많으며, 피하출혈(皮下出血), 탈모나 흰머리가 나고, 마음이 불안하고 잠이 오지 않는 증상이 나타난다. 혈허(血虛) 혹은 열병(熱病)이나 병을 앓고 난 후에 음혈(陰血)이 손상되어 혈(血)이 고갈(枯渴)되면 피부가 가렵고 건조해지며, 각질이 일어나고 갈라지며 피부가 두꺼워진다.

한방미용(韓方美容)은 예컨대 방제(方劑), 기공(氣功), 추나(推拿), 침구(鍼灸) 등과 같은 것들 모두가 보혈(補血), 활혈(活血), 양혈(涼血)을 매우 중요시한다. 동시에 기혈(氣血)의 관계가 밀접하므로 행기(行氣), 보기(補氣) 역시 중요하지 않을 수 없다.

4. 혈의 운행

혈(血)은 맥 안에서 전신을 순환하며 운행을 하면서 각 장부와 조직기관에 수요되는 풍부한 영양을 공급한다.

혈(血)은 음(陰)에 속하고 주로 정(靜)적이다. 혈(血)의 운행은 주요하게 기(氣)의 추동(推動) 작용에 의해서 진행되며, 혈이 밖으로 새지 않는 것도 기(氣)의 고섭(固攝) 작용에 의한 것이다. 혈액의 정상적인 운행은 기(氣)의 추동 작용과 고섭 작용 간의 균형에 의해서 진행된다. 심장의 박동이 혈액의 운행을 추동한다. 《소문 · 위론(素問 · 痿論)》에서는 "심이 몸의 혈맥을 주관한다.(心主身之血脈)"고 했고, 《의학입문(醫學入門)》에서는 "사람의 심장이 움직이면 혈이 모든 경으로 운행한다.(人心動, 則血行諸經)"고 했다. 정상적인 혈액순환은 기타 장기(臟器)들의 생리적 기능의 조화와 기능과도 밀접한 관계를 가지고 있다. 예를 들면 폐(肺)의 선발(宣發)과 백맥(百脈)에 대한 조회(朝會), 간(肝)의 소설(疏泄) 등은 혈액의 운행을 추동하는 중요한 요소이며, 비(脾)의 통혈(統血)과 간(肝)의 장혈(藏血)은 혈액을 고섭(固攝)하는 중요한 요소이다. 이밖에 맥도(脈道)의 통창(通暢) 여부, 혈(血)의 한(寒) · 열(熱) 등은 혈액운행의 완(緩) · 급(急)에 직접적인 영향을 미친다. 《소문 · 조경론(素問 · 調經論)》에서는 "혈기는 따뜻한 것을 좋아하고 찬 것을 싫어한다. 차면 엉키어 흐르지 않고 따뜻하면 잘 흐른다.(血氣者, 喜溫而惡寒, 寒則泣不能流, 溫則消而去之)"고 했다. 그러므로 정상적인 혈액순환은 심장의 생리적 기능의 정상 여부에만 달려 있는 것이 아니라 폐(肺) · 간(肝) · 비(脾) 등 장기(臟器)의 생리적 기능의 조화와 균형 여부에도 관계가 있다. 만일 혈액의 운행을 촉진하는 요소가 증가되거나 혈액의 고섭 작용이 감퇴되면 혈액의 운행이 급속도로 빨라지고 심하면 맥 밖으로 나와 출혈(出血) 현상이 생기며 그 반대일 경우에는 혈액의 운행이 완만해지고 잘 운행이 되지 않아 어혈(瘀血) 등의 병리적 변화가 생긴다.

상편 제3절 진액(津液)과 미용

1. 진액의 개념

진액(津液)이란 인체의 모든 정상적인 수액(水液)의 총칭으로서 각 장부 조직기관 내에 있는 체액 및 정상적인 분비물을 말하다. 이를테면 위액(胃液), 장액(腸液), 콧물, 눈물 등을 포함한다. 진액(津液)은 기혈(氣血)과 마찬 가지로 인체를 구성하고 인체의 생명 활동을 유지하는 기본 물질이다. 진(津)과 액(液)은 모두 수액(水液)에 속하고 음식물에 의해 기원되며, 비위(脾胃)의 운화 기능을 통해서 생성되지만 성질, 상태, 기능 및 그 분포 부위에 따라 다르기 때문에 일정하게 구별된다. 일반적으로 성질이 맑고 유동성이 강하며 주로 체표의 피부, 근육과 공규(孔竅)에 분포하고 혈맥에 들어가 자윤(滋潤) 작용을 하는 것을 진(津)이라 하고, 성질이 걸쭉하고 유동성이 약하고 골절(骨節), 장부(臟腑), 뇌(腦), 수(髓) 등 조직에 들어 있으면서 유양(濡養) 작용을 하는 것을 액(液)이라 한다. 진(津)과 액(液)은 병칭을 하지만 "상진(傷津)" 혹은 "탈액(脫液)"의 병리적 변화가 일어났을 경우에 그 변증논치(辨證論治)에서는 양자를 구별해야 한다.

2. 진액의 생성, 수송, 분포와 배설

진액(津液)은 위(胃)가 음식물의 수곡에서 "정기를 유일(游溢精氣)"하고, 소장(小腸)이 그 "청탁을 분별(分淸別濁)"하여, "위로 비에 수포(上輸于脾)"하는 과정을 거쳐 생성한다. 진액의 수포(輸布)와 배설(排泄)은 주로 비(脾)의 수포, 폐(肺)의 선강(宣降)과 신(腎)의 증등(蒸騰), 기화(氣化)를 통하여, 삼초(三焦)를 통로로 전신에 수포된다.

다시 말하면 진액의 생성은 음식물에 대한 비위(脾胃)의 운화 기능에 의거하고, 폐(肺)의 "통조수도(通調水道)"기능에 의거하고, 진액의 배설은 주로 한액(汗液) · 뇨액(尿液)과 호흡에서 배출되는 수기(水氣)에 의거하고 체내에서 진액의 승강출입(昇降出入)은 신(腎)의 증등기화

(蒸騰氣化) 작용 하에서 삼초를 통로로 하여 기(氣)를 따라 승강출입(昇降出入)함으로써 전신에 뿌려져서 끝없이 순환한다. 그래서《소문 · 영란비전론(素問 · 靈蘭秘典論)》에서는 "삼초는 소통만으로 수도를 통하게 한다.(三焦者, 決瀆之官, 水道出焉)"고 했다. 이에 진액의 생성, 수포, 배설에 영향을 주고 진액 대사의 균형을 파괴하며, 따라서 상진(傷津) · 탈액(脫液) 등 진액 부족의 병리적 변화가 일어나거나, 수(水) · 습(濕) · 담(痰) · 음(飮) 등이 내생(內生)하는 진액 순환에 장애가 생기며, 수액(水液)이 정체되고 적취(積聚)되는 병리적 변화가 일어난다.

3. 진액의 생리기능과 미용

진액(津液)은 자윤(滋潤)과 유양(濡養)의 생리적 기능을 가지고 있다. 진액은 피모(皮毛)와 기부(肌膚)를 윤택하게 하고, 각 장부 조직 기관을 자윤(滋潤)하고 유양(濡養)하며, 눈, 코, 귀, 입 등 공규(孔竅)를 윤활하게 하고, 골수(骨髓), 척수(脊髓), 뇌수(腦髓)에 충분히 영양공급을 하고, 관절의 굴신(屈伸)을 원활하게 한다. 진액은 혈액의 중요한 조성 성분이며 동시에 자양하고 매끄럽게 하는 작용이 있다. 진액은 그 자신의 대사 과정 중에서 땀과 뇨의 배출을 통해서 인체 각 부위의 대사 노폐물을 끊임없이 체외로 배출한다.

진액(津液)은 피부(皮膚)를 윤택하게 하고, 탄력있게 하며, 주름이 생기는 것을 방지한다. 만일 진액이 손상되어 자윤 작용이 실조되면 피부건조(皮膚乾燥), 각질이 일어나며, 가려움, 갈라짐, 잔주름 등의 변화가 생긴다. 장기간의 수분 부족이 피부 노화의 중요한 원인이 된다. 진액의 대사 과정 또한 피부의 관점에서는 볼 때 매우 중요하다. 진액의 기화 작용이 일어나지 않으면 적취(積聚) 현상이 생겨서 결절성 홍반(結節性紅斑), 습진(濕疹), 좌창(痤瘡), 안면부 부종(顔面部浮腫) 등이 나타난다.

제 4 장

경락(經絡)과 미용

4 경락(經絡)과 미용

경락 학설(經絡學說)은 인체에 있는 경락의 생리적 기능, 병리적 변화와 장부와의 관계를 연구하는 학설로서 동양의학 이론체계의 중요한 구성 요소이다.

경락 학설은 옛 사람들이 장기적인 의료 실천 속에서 침구(鍼灸), 추나(推拿,) 기공(氣功) 등의 경험을 당시의 해부 지식과 결부시켜 승화시킨 이론을 토대로 한 학설이다. 경락 학설은 침구, 추나, 기공 등 학과의 이론적 기초일 뿐만 아니라 임상(臨床)에서도 매우 중요한 의의가 있다. 장상 학설(藏象學說) · 기혈진액 이론(氣血津液理論) · 병인학설(病因學說) 등의 기초 이론과 경락 학설을 결합시켜야만 인체의 생리적 기능 · 병리적 변화를 비교적 전면적으로 해석할 수 있으며 진단을 옳게 하고 치료법을 확정할 수 있다.

이 장(章)에서는 경락의 개념과 구성, 미용에서의 응용 등을 간단하게 살펴보기로 하고 하편의 방법론에서 각 경락과 경혈 및 경락미용의 전반적인 것에 대해 자세하게 알아보고자 한다.

상편 제1절 경락의 개념과 구성

1. 경락의 개념

경락(經絡)은 인체 내의 기혈(氣血)을 운행하고 장부(臟腑)와 사지(四肢)를 연계하며 상하(上下)와 내외(內外)를 소통하는 통로이다. 《의학입문(醫學入門)》에 이르기를 "경이란 경을 말하고 락이란 경에서 뻗은 지맥을 말한다.(經者, 徑也; 經之支脈旁出者爲絡)" 이는 경맥(經脈)은 경락계통의 원줄기이고 락맥(絡脈)은 갈라져 나온 갈래라는 것을 말하고 있다.

경맥(經脈)은 대부분이 깊은 부위에서 순행을 하고 락맥(絡脈)은 비교적 얕은 부위에서 순행을 하며 어떤 락맥(絡脈)은 인체 표면에 드러나 있다. 《영추 · 경맥(靈樞 · 經脈)》에서 말한 것처럼 "12경맥은 살 속 깊이 묻혀서 순행하며 눈에 띄는 맥들은 모두 락맥이다.(經脈十二者, 伏行分肉之間, 深而不見, ……諸脈之浮而常見者, 皆絡脈也)" 경맥은 일정한 순행경로가 있지만 락맥은 이리저리 그물처럼 뻗어 인체의 각 장부 · 기관 · 공규 및 근육 등의 조직을 하나로 연결시켜 상대적인 협조와 평형을 이루게 한다.

2. 경락계통의 구성

경락계통(經絡系統)은 경맥(經脈)과 락맥(絡脈)으로 구성되어 있다. 경맥(經脈)은 정경(正經)과 기경(奇經)으로 나누는데, 정경(正經)에는 수족삼음경(手足三陰經)과 수족삼양경(手足三陽經)을 합쳐서 12경맥(經脈)이라 하는데 이는 기혈운행의 중요한 통로이다. 12경맥(經脈)은 시작과 끝이 있고 일정한 순행부위와 교접(交接) 순서가 있으며 지체(肢體) 내에서 분포와 주향(走向)에도 일정한 규칙이 있어 인체 내의 장부와 직접적인 락속(絡屬)관계를 가지고 있다. 기경팔맥(奇經八脈)은 독맥(督脈), 임맥(任脈), 충맥(衝脈), 대맥(帶脈), 음교맥(陰蹺脈), 양교맥(陽蹺脈), 음유맥(陰維脈), 양유맥(陽維脈)의 총칭이며 12경맥을 통솔하고 연락, 조절하는 작용을 한다. 12경별(經別)은 12경맥에서 갈라져 나온 경맥으로서 각 사지(四肢)로부터 시작을 하여 체강(體腔)이나 장부의 깊은 부위에서 순행하다가 위로는 경항부(頸項部)의 얕은 부위까지 이르며, 주로 12경맥에서 표리(表裏)관계를 맺고 있는 두 경(經)간의 연계를 강화하고 정경(正經)이 다니지 않는 기관과 부위를 순행하여 정경의 부족함을 채워 주는 것이다.

락맥(絡脈)은 경맥의 분지(分支)로서 별락(別絡), 부락(浮絡), 손락(孫絡)으로 나누고 그 중에서 비교적 크고 중요한 것은 별락이다. 12경맥과 독맥(督脈), 임맥(任脈)에는 각기 하나의 별락(別絡)이 있고 '비지대락(脾之大絡)'을 포함하여 "15별락(別絡)"이라고 하며, 그 주요 기능은 표리(表裏) 관계에 있는 음양(陰陽) 두 경맥이 체표(體表)에서 연계를 밀접히 하는 것이다. 부락(浮絡)은 인체의 얕은 곳에서 순행하며 흔히 드러나 있는 락맥이다. 손락(孫絡)은 가장 가늘며 전신에 고루 분포되어 있고 헤아리기가 어렵다.

표 3 경락계통의 표

<table>
<tr><td rowspan="19">경락계통</td><td rowspan="14">경맥</td><td rowspan="12">십이경맥
(정경십이)</td><td rowspan="3">수삼음경</td><td>수태음폐경</td><td rowspan="12">기혈이 운행하는
주요한 통로, 장부와 직접적인 락속
관계가 있음.</td></tr>
<tr><td>수궐음심포경</td></tr>
<tr><td>수소음심경</td></tr>
<tr><td rowspan="3">수삼양경</td><td>수양명대장경</td></tr>
<tr><td>수소양삼초경</td></tr>
<tr><td>수태양소장경</td></tr>
<tr><td rowspan="3">족삼음경</td><td>족태음비경</td></tr>
<tr><td>족궐음간경</td></tr>
<tr><td>족소음신경</td></tr>
<tr><td rowspan="3">족삼양경</td><td>족양명위경</td></tr>
<tr><td>족소양담경</td></tr>
<tr><td>족태양방광경</td></tr>
<tr><td>기경팔맥</td><td colspan="3">독맥,임맥,충맥,대맥,음교맥,양교맥,음유맥,양유맥
십이경맥을 통솔, 연락, 조절하는 역할</td></tr>
<tr><td>십이경별</td><td colspan="3">12경맥에서 갈라져 나온 경맥</td></tr>
<tr><td rowspan="3">락맥</td><td>십오별락</td><td colspan="3">12경맥과 독맥, 임맥에서 갈라져 나온 별락과 '비지대락(脾之大絡)'을 포함</td></tr>
<tr><td>손락</td><td colspan="3">가는 락맥</td></tr>
<tr><td>부락</td><td colspan="3">체표에 들어난 락맥</td></tr>
<tr><td colspan="2">십이경근</td><td colspan="3">12경맥의 기(氣)를 근육 · 관절에 "결(結) · 취(聚) · 산(散) · 락(絡)"하는 체계</td></tr>
<tr><td colspan="2">십이피부</td><td colspan="3">십이경맥의 기능활동이 체표에 반영되는 부위</td></tr>
</table>

경근(經筋)과 피부(皮部)는 12경맥 및 근육과 체표의 연속 부분이다. 경락학설에 의하면 인체의 경근은 12경맥의 기(氣)를 근육 · 관절에 "결(結) · 취(聚) · 산(散) · 락(絡)"하는 체계로서 12경맥의 부속 부분에 속해서 "12경근(經筋)"이라고 한다. 경근은 사지(四肢)의 백해(百骸)를 연계하고 관절 운동을 주관하는 역할을 한다. 인체의 피부는 12개 부분으로 나뉘어 각기 12경맥에 속하며 이를 "12피부(皮部)"라고 한다(표 3).

상편 제2절 한방미용에서의 경락의 응용

경락(經絡)은 표리상하(表裏上下)를 소통하고, 장부 기관을 연계하며, 전신의 기혈을 운행하고, 장부 조직의 생리기능을 유양(濡養)하는 기능을 가지고 있다. 이러한 점이 경락이 한방미용학(韓方美容學) 중에서 광범위하게 응용이 되고 있는 이유이다.

1. 인체의 체표와 내장의 조직관계

《영추 · 해론(靈樞 · 海論)》에서 "경락은 안으로 장부에 속하고, 밖으로는 지절에 속한다.(經絡內屬于腑臟, 外絡于肢節)"고 했다. 이 때문에 인체의 체표 조직과 안에 있는 장부 사이에는 경락 계통의 어떤 특정한 연속 작용의 도움을 받아서 밀접한 관계가 형성된다. 앞에서 말한 경락과 장부, 두면부와 오관 등의 관계가 모두 인체의 체표와 내장(內臟)의 통일성을 설명하고 있다.

2. 인체 아름다움의 생리

인체(人體)는 오장육부(五臟六腑), 사지백해(四肢百骸), 피육근골(皮肉筋骨) 등으로 이루어 졌는데, 이들은 비록 각기 다른 생리기능을 가지고 있지만 또한 공통적으로 인체 활동을 진행하며 인체의 내외(內外), 상하(上下)의 협조, 평형을 유지하면서 하나의 인체를 구성한다. 이러한 상호적인 관계는 주요하게 경락계통(經絡系統)에 의존한다. 동시에 경락계통 또한 기혈(氣血)을 수송하고 각 조직기관을 유양(濡養)하는데 이것이 바로 인체의 아름다움을 정하는 물질의 기초인 것이다. 그러므로 인체의 아름다움은 경락계통의 소통과 연락작용 및 기혈의 운행작용과 아주 밀접한 상관관계에 있다.

3. 손미성 질병의 병리

정상적인 상황에서의 경락은 기혈을 운행하고 감응(感應)·전도(傳導)하는 작용을 가지고 있는데, 병변(病變)이 발생 시에 경락은 병사(病邪)의 전송과 병변(病變)을 반영하는 수단이 된다. 그러므로 손미성질병(損美性疾病)은 비록 표현이 밖으로 나타나지만 반드시 안에 있는 장부(臟腑), 경락(經絡)의 기혈부조화(氣血不調和)가 바탕이 된다. 예를 들어 얼굴에 있는 여드름(좌창;痤瘡)은 일반적으로 폐위(肺胃)의 열(熱)과 관계가 있다고 여기지만 폐위(肺胃)의 열은 바로 수태음폐경(手太陰肺經)과 족양명위경(足陽明胃經)의 경락을 통해서 직접 혹은 간접적으로 얼굴에 반영되는 것이다. 또 잇몸이 붓고 아프며 출혈이 있다면 이는 족양명위경(足陽明胃經)이 위쪽의 잇몸으로 들어가고, 수양명대장경(手陽明大腸經)은 잇몸의 아래쪽으로 들어가기 때문에 이러한 증상은 위(胃)와 대장(大腸)에 실열(實熱)이 있음을 반영하는 것이다.

4. 손미성질병의 진단과 치료

(1) 진단

인체의 경맥(經脈), 락맥(絡脈), 경근(經筋), 피부(皮部) 모두 각자의 순행노선이 있고 그곳에 관련된 장(臟)과 부(腑)가 있기 때문에, 임상(臨床)에서는 병증(病症)이 나타나는 부위와 경락(經絡)이 순행하는 곳을 결합하여 그 연계된 장부(臟腑)를 진단(診斷)의 근거로 삼는다. 예를 들면 주조비(딸기코;酒糟鼻)는 그 표현이 코로 나타나고 코는 비(脾)에 속하므로 비열(脾熱)과 관련이 있는데,《소문·자열론(素問·刺熱論)》에서는 "비열병이 있는 자는 코부터 빨개진다.(脾熱病者, 鼻先赤)"고 했다.

(2) 치료

경락학설은 한방미용치료에서의 응용은 매우 넓게 이루어지고 있는데, 침구미용(鍼灸美容), 추나미용(推拿美容), 기공미용(氣功美容)과 약물미용(藥物美容) 등의 방면에 보다 더 특수한 효과가 있는 것이 특별하다. 이 들은 모두 경락학설을 지도(指導) 사상으로 삼고 있다.

경락은 감응(感應) · 전도(傳導) 및 조절하여 평형을 유지하는 작용을 가지고 있다. 그래서 치료 전에는 반드시 병(病)이 어느 경락에 혹은 어느 장부에 있는지를 확실히 판별을 하고 난 후에 해당 경(經)에서 취혈(取血)을 하고, 추나(推拿)를 하고, 약(藥) 등을 써야 하는 것이다. 예를 들면 침구나 추나에서 족태음비경(足太陰脾經)의 혈위(血位)는 얼굴색이 노랗고(위황;萎黃), 정신이 맑지 못하며, 몸이 여위고(소수;消瘦), 피부에 탄력이 없는 등의 증상을 치료하는데 관련이 있다. 족궐음간경(足厥陰肝經)을 침으로 자극을 주면 간혈부족(肝血不足)으로 인해 눈이 마르고, 근시(近視), 혹은 간기울결(肝氣鬱結)로 인한 유방발육불량(乳房發育不良), 황갈반(기미;黃褐斑) 등을 치료할 수 있고, 폐경(肺經) · 위경(胃經) · 비경(脾經)에 침자극을 주게 되면 여드름(좌창;痤瘡), 주조비(딸기코;酒糟鼻) 등도 치료할 수 있는데, 이런 것들이 모두 경락학설(經絡學說)이 미용치료(美容治療) 중에서 나타나는 구체적인 표현이다.

제 5 장

병인(病因)과 미용

5 병인(病因)과 미용

인체(人體)의 상대적 균형상태가 파괴되어 질병이 생기는 원인을 병인(病因)이라고 한다. 병(病)을 일으키는 요소에는 여러가지가 있다. 예컨대 기후의 이상, 전염원의 전염, 정신자극, 음식, 타박상, 외상, 곤충이나 짐승에 의한 교상 등등 이 모두가 질병을 일으킨다. 그 외에 질병과정에서 그 원인과 결과가 서로 작용을 하게 되는데, 즉 어떤 한 병리(病理)단계에서 결과로 되는 것이 다른 한 단계에서는 원인으로 될 수 있다. 예를 들면 담음(痰飮)과 어혈(瘀血) 등은 장부기혈기능(臟腑氣血機能)이 균형을 잃어 생기는 병리적 산물(病理的産物)이지만 반대로 다른 어떤 병변(病變)의 병을 일으키는 인소(因素)도 될 수가 있다.

질병이 발생되는 원인은 여러가지다. 그것은 주로 육음(六淫), 역기(疫氣), 칠정(七情), 음식(飮食), 과로(過勞) 및 외상(外傷), 곤충이나 짐승에 의한 교상(咬傷) 등이다. 이러한 것들은 일정한 조건에서 모두 질병으로 발생할 수가 있다. 병(病)을 일으키는 인소(因素)들의 성격과 그 발병 특징을 설명하기 위하여 고대의 의학자들은 병인(病因)에 대하여 일정하게 분류하였다. 예를 들면 《내경(內經)》에서는 음양(陰陽) 두 가지로 나누었고, 장중경(張仲景)의 《금궤요략(金匱要略)》에서는 크게 세 가지의 경로를 통해서 발생한다고 지적하면서 다음과 같이 말하였다. "천만 가지의 병이라고 해도 세 가지의 범위를 벗어나지 못한다. 첫째로 나쁜 기를 받아 오장육부에 들어가는 것인데 이것을 내부적 인소라고 하며 둘째로 사지와 혈맥이 통하기로 되어 있지만 그것이 막혀 통하지 않는 것인데 이것은 밖의 피부에 고장이 난 것이라고 하며 셋째로 성생활, 타박상, 철기에 상한 것, 벌레나 야수에 의하여 상한 것이다. 이와 같이 상세히 분석하여 나간다면 모든 질병의 발생 원인을 다 밝힐 수 있는 것이다.(千般疢難, 不越三條, 一者, 經絡受邪入臟腑, 爲內所因也; 二者, 四肢九竅, 血脈相傳, 壅塞不通, 爲外皮膚所中也; 三者, 房室·金刃·虫獸所傷. 以此讓之, 病有都盡)"

동양의학에서는 임상적으로 원인이 없는 증상이 있을 수 없으며 모든 증상은 어떤 원인의 영향과 작용 하에서 병이 걸린 인체에 의하여 나타난 일종의 병의 반영이라고 한다. 그래서 정확하게 병의 원인을 인식하는 것이 한방임상에서 각과 모두에 있어서 중요한 의의를 가지고 있다.

병인(病因)을 알아냄에 있어서 병을 유발하는 인소(因素)의 객관적인 조건을 제외하고는 주로 병증(病證)의 임상표현(臨床表現)에 근거하여 질병의 증상(症狀)을 근거로 분석을 통해서 그 병인(病因)을 추리하며, 치료와 약을 쓰는데 근거를 제공해 준다. 이런 방법을 "변증구인(辨證求因)", 즉 각종 병증(病證)의 증상(症狀)을 근거로 분석을 통해서 그 병인(病因)을 찾아내는 것을 말한다. 그러므로 동양의학에서의 병인학(病因學)은 병인의 성질과 병을 일으키는 특징을 연구할 뿐만 아니라 동시에 여러 가지 병을 일으키는 인소(因素)들에 의하여 나타나는 병증(病證)의 임상표현을 연구함으로써 임상에서의 진단과 치료를 보다 훌륭하게 할 수 있다.

이와 같이 발병인소(發病因素)들은 매우 많고 다양하지만 미용적 결함을 조성하고 손미성질병(損美性疾病)을 일으키는 원인에는 다음의 몇 가지가 있다.

상편 제1절 육음(六淫)과 미용

육음(六淫)이란 풍(風)·한(寒)·서(暑)·습(濕)·조(燥)·화(火) 등 6가지 외감병사(外感病邪)의 총칭이다. 이것은 본래 정상적인 자연계의 6가지 다른 기후변화이며 '육기(六氣)'라 부른다. "육기(六氣)"는 만물이 생장(生長)하는 조건이며 인체에는 해롭지가 않다. 그러므로 《소문·보명전형론(素問·寶命全形論)》에서 "인이천지지기생, 사시지법성(人以天地之氣生, 四時之法成)"이라고 했는데 이 말은 사람은 하늘과 땅 사이의 기(氣)에 의하여 생존하며 또 사계절의 법칙에 따라 이루어진다는 것이다. 이와 동시에 사람들은 생활 속에서 그것들의 변화특성을 점차 인식하고 거기에서 일정한 적응력이 생겼기 때문에 정상적인 육기(六氣)는 사람에게 쉽사리 병을 일으키지 않는다. 기후변화가 비정상적이고 육기(六氣)가 지나치거나 정상에 못 미친다거나 그 계절과는 상반되는 기후가 있을 경우(예를 들면 봄이면 당연히 따뜻해야 하지만 오히려 춥거나, 가을에는 서늘하여야 하는데 오히려 더운 것 등)에, 그리고 기후변화가 지나치게 급격한 경우(갑작스럽게 지나치게 무덥거나 추운 것 등)에, 또 인체에 정기가 부족하고 저항력이 낮아질 때에 육기(六氣)는 병을 유발하는 인소(因素)로 되며 인체를 침범하여 질병이 생긴다. 이런 상황에서의 육기(六氣)를 "육음(六淫)"이라고 부른다. 음(淫)에는 지나치다는 뜻과 침음(浸淫)이라는 뜻이 들어 있다. 육음(六淫)은 부정(不正)한 기(氣)이기 때문에 "육사(六邪)"라고도 부르며, 이것은 일종의 모든 외감병(外感病)의 주요한 발병인소인 것이다.

육음(六淫)이 병을 일으킬 때는 아래와 같은 몇 가지 특징이 있다.

(1) 계절, 기후, 거처, 환경과 많은 관계를 가지고 있다. 예를 들면 봄에 풍병(風病)이 많고 여름에 서습(暑濕病)이 많고 가을에는 조병(燥病)이 많고 겨울에는 한병(寒病)이 많다. 그리고 습(濕)한 곳에 오랫동안 있으면 항상 습사(濕邪)가 병(病)이 되며 고온(高溫)환경에서 일을 하면 조열(燥熱)이나 화사(火邪)가 병으로 되는 등이다.

(2) 육음사기(六淫邪氣)는 단독으로 병을 일으킬 수도 있고 여러 가지가 동시에 침범하여 병을 일으키기도 한다. 예를 들어 풍한감모(風寒感冒), 습열설사(濕熱泄瀉), 풍한습비(風寒濕痺) 등이 있다.

(3) 육음(六淫)은 발병(發病)과정에서 상호 간에 서로 영향을 주고, 또 일정한 조건 하에서 서로 전화될 수 있다. 예를 들면 한사(寒邪)는 인체에 들어와서 열(熱)로 변하며 서습(暑濕)이 오래되면 조(燥)로 변하여 음(陰)을 상하게 된다.

(4) 육음(六淫)은 대부분 피부나 입과 코를 통해서 들어오거나 또는 두 가지를 동시에 통해 들어옴으로 외감병(外感病)이라 부르기도 한다.

육음(六淫)이 병을 일으키는 것을 현재의 임상에서 볼 때 기후적인 인소(因素)외에도 세균(細菌)이나 바이러스(병독;病毒), 물리, 화학 등 여러가지 병을 일으키는 인소들이 인체에 작용하여 일어나는 병리(病理)반응이 포함된다. 이런 육음(六淫)으로 병사(病邪)를 개괄하고 병을 일으키는 인소와 인체의 반응을 결합시켜 질병의 발생, 발전 법칙을 연구하는 비록 아주 상세하지는 않지만 그래도 비교적 정확한 경로인 것이다.

그 밖에 임상에서는 일부 육음(六淫)의 사(邪)에 의한 외감(外感)때문이 아니라 오장육부(五臟六腑)의 기능이 실조되어 생성되는 화풍(化風) · 화한(化寒) · 화서(化暑) · 화습(化濕) · 화조(化燥) · 화화(化火) 등의 병리적 반응들은 그 임상표현들이 풍(風) · 한(寒) · 서(暑) · 습(濕) · 조(燥) · 화(火) 등 육음이 병을 일으키는 특징과 증상이 비슷하지만 그 병을 일으키는 원인이 외부로부터 오는 사(邪)가 아니고 인체에 내재한 일부 병리상태를 외감육음(外感六淫)과 구별해야 하기 때문에 이것을 "내생오사(內生五邪)"라고 부르기도 한다. 여기에는 내풍(內風) · 내한(內寒) · 내서(內暑) · 내습(內濕) · 내조(內燥) · 내화(內火) 등이 있다.

육음(六淫)은 여러 가지 인체의 손미성변화를 일으키는데 주요하게 두면부(頭面部)와 피부(皮膚)에 발생한다. 두면부는 일 년 내내 밖에 노출되어 있어 온갖 시련과 한서(寒暑)을 다 겪기 때문에 이에 피부는 인체의 울타리로서 육음이 인체를 상하게 할 때 피부가 우선적으로 방어를 하게 된다. 피부에 육음(六淫)이 침입하면 두 가지의 방면으로 나타나는데 한 가지는 피부노화를 촉진시키는데 특히 혹한(酷寒), 혹서(酷暑), 건조(乾燥), 조습(潮濕), 자외선 노출 과다 등이 피부에 매우 불리하다. 피부의 생리성 노쇠의 필연성과 인류의 생존환경 중에서 육음

(六淫)은 피할 수 없는 밀접한 관계가 있으며, 피부노쇠(皮膚老衰)의 외인(外因)인 것이다. 다른 하나는 육음(六淫)이 각종 피부질환과 오관(五官)의 병변을 일으키거나 가중(加重)시킬 수 있다는 것이다.

1. 풍(風)

풍(風)은 주로 봄에 나타나는 주기(主氣)인데 일년 사계절에 모두 풍(風)이 있기 때문에 어느 때나 발생할 수 가 있다. 그래서 풍사(風邪)를 외감(外感)발병의 가장 중요한 인소(因素)의 하나로 여긴다. 풍사(風邪)는 피부와 주리(腠理)를 통해서 진행함으로 외감(外感)병증이 나타난다. 예컨대《소문 · 풍론(素問 · 風論)》에서 "풍기는 피부사이에 있으며 주리가 열리면 갑자기 추워지고 주리가 닫히면 열이 나고 답답하다.(風氣藏于皮膚之間, 腠理開則洒然寒, 閉則熱而悶)"고 하였다.

풍사의 성질과 발병 특징은 다음과 같다.

(1) 풍(風)은 양사(陽邪)이고 그 성질은 개설(開泄)하며 쉽게 양(陽)이 있는 부위를 공격한다. 풍이 개설한다는 것은 주리(腠理)를 열리게 하는 것이고, 승발(升發)하고 위쪽이나 바깥쪽으로 향하는 것을 좋아하기 때문에 풍사(風邪)가 침입하면 언제나 인체의 상부(머리와 얼굴), 양경(陽經) 및 기표(肌表)를 상하게 함으로써 피모(皮毛), 주리(腠理)가 열려 두통(頭痛), 발한(發汗), 오풍(惡風) 등의 증상이 나타난다. 그러므로《소문 · 태음양명론(素問 · 太陰陽明論)》에서 "나쁜 바람을 맞은 경우에 양이 그것을 받은 것이고(故犯賊風虛邪者, 陽受之)""바람에 상하는 경우에 위쪽이 먼저 받는다.(傷于風者, 上先受之)"고 하였다.

(2) 풍(風)의 성질은 움직이기 좋아하고 여러 번 변한다. '움직이기 좋아한다'는 것은 풍사로 인해 생긴 병의 위치가 고정되어 있지 않고 여기 저기 이동을 한다는 것이다. 예컨데 풍(風) · 한(寒) · 습(濕) 세 가지의 기(氣)가 합하여 일어나는 "비증(痺證)"에서 관절의 통증이 고정되어 있지 않고 여기 저기 돌아다니면서 아프다면 이것은 풍기(風氣)

가 편성(偏盛)한 것으로 "행비(行痺)" 혹은 "풍비(風痹)"라 한다. '여러 번 변한다'는 것은 풍사가 발병이 빠르고 변화무쌍(變化無雙) 하다는 것을 말한다. 예컨대 풍진괴(風疹塊;풍진, 두드러기, 심마진)는 피부가 가렵고 환부가 고정되어 있지 않고 여기저기서 일어났다 가라앉았다 하는 특징이 있다. 이와 동시에 풍사(風邪)을 전제로 하는 외감(外感)질병은 일반적으로 발병이 다양하고 급격하며 퍼지고 변하는 속도도 비교적 빠르다. 그러므로 《소문 · 풍론(素問 · 風論)》에서 "풍은 다니기를 좋아하면서도 여러 번 변한다.(風者, 善行而數變)"고 하였다.

(3) 풍(風)은 백가지 병(百病)의 으뜸이다. 풍사(風邪)는 육음병사(六淫病邪)의 주요한 발병인소이다. 한(寒) · 습(濕) · 조(燥) · 열(熱) 등 모든 사기는 대부분의 경우에 풍(風)에 의해서 인체에 침입한다. 예컨대 풍한(風寒) · 풍열(風熱) · 풍습(風濕) 등의 외감병은 풍사(風邪)는 언제나 외사(外邪)가 병을 일으킴에 있어서 안내 역할을 하고 있다. 그래서 옛 사람들은 심지어 풍사가 외감지병인소(外感致病因素)의 총칭으로 여겼다. 그러므로 《소문 · 골공론(素問 · 骨空論)》에서 "풍은 백병의 시작이다.(風者, 百病之始也)"라고 했으며 《소문 · 풍론(素問 · 風論)》에서는 "풍은 백병에서 가장 으뜸인 것이다.(風者, 百病之長也)"고 했다.

【풍(風)과 미용】

육음(六淫) 중에서 미용(美容)에 가장 많은 영향을 미치는 것은 풍사(風邪)이다. 풍(風)의 성질은 다니기를 좋아하고 승발(升發)하고 위쪽이나 바깥쪽으로 향하는 특성을 가지고 있기 때문에 피부(皮膚)와 두면부(頭面部)와 오관(五官)이 제일 손상받기가 쉬운데, 이는 영위의 실조(營衛失調), 기혈의 부조화(氣血不和), 진액의 불통(津液不行) 등으로 소양(瘙痒;가려움), 피부가 손상된 환부가 일정하지 않고, 쌀겨 모양의 각질이 떨어지고, 피부가 건조하고 색이 붉어지는 등의 피손(皮損)상태가 나타날 수 있다. 그래서 《의방유취(醫方類聚)》에서는 "두면부는 모든 양이 모이는 곳으로 혈기가 쇠퇴하면 풍사에 쉽게 손상되어 머리에 악성창양이나 독창이 생기고 얼굴에 기미, 사마귀, 여드름, 딸기코 등이 나타난다.(頭面者, 諸陽之會, 血

氣既衰, 則風邪易傷, 故頭面則或生惡瘡, 或生禿瘡, 面則有皯黯, 瘡痣, 酒渣之屬)"고 했다. 그러므로 풍사(風邪)는 여러가지 손미성 피부 손상(損美性皮膚損傷)을 일으킬 뿐만 아니라 발병이 매우 빠르고 소실(消失) 또한 빠르다.

내풍(內風)은 속으로부터 생겼다는 것인데, 대다수가 음허(陰虛), 혈허(血虛), 혈어(血瘀)로 인해 조(燥)로 화(化)하여 생성된다. 병이 비교적 길고, 가려움이 극심하며, 피부가 건조하고 두꺼우며, 어두운 색의 각질이 떨어지고, 모발이 갈라지고 쉽게 빠지는 등의 증상이 나타난다.

풍은 백병에서 가장 으뜸이기 때문에 기타의 외사(外邪)들은 인체에 침입할 때 대부분 풍사(風邪)에 의존해서 들어온다. 그래서 미용 방약(美容方藥) 중에서 천궁(川芎), 방풍(防風), 고본(藁本), 백강잠(白殭蠶), 만형자(蔓荊子) 등의 거풍약(祛風藥)을 보편적으로 사용하고 있다. 또한 거풍(祛風)은 한방미용(韓方美容)에서 피부를 보호하고 치료하는데 중요한 법칙이 된다.

2. 한(寒)

한(寒)은 겨울철의 주기(主氣)이다. 겨울철이나 기온이 갑자기 내려갔을 때 방한이나 보온조치가 잘 안되었다면 항상 한사(寒邪)를 받기가 쉽다. 이 외에 비를 맞거나 땀을 흘리고 난 후에 바람을 맞아도 역시 한사(寒邪)를 받게 되는 중요한 원인으로 된다.

한사(寒邪)는 내한(內寒)과 외한(外寒)으로 구별되는데 외한(外寒)이란 한사가 밖에서 침입하는 것을 말하며 이것이 병을 일으킬 때 상한(傷寒)과 중한(中寒)으로 구별한다. 한사가 기표(肌表)를 상하게 하면 위양(衛陽)을 억제하여 "상한(傷寒)"이라고 하며, 한사가 직접 안으로 들어가서 장부(臟腑)의 양기(陽氣)를 상하게 하면 "중한(中寒)"이라고 한다. 내한(內寒)이란 인체의 양기(陽氣)가 부족하여 온도를 상실한 병리적 반응이다. 외한과 내한은 비록 구분이 있지만 서로 연계가 되고 서로 영향을 준다. 양허내한(陽虛內寒)인 체질은 외한(外寒)을 쉽게 받으며 또 외부로부터 오는 한사(寒邪)가 인체에 침입하여 오래 되어도 풀리지 않아 인체의 양기를 해치고 내한을 일으킨다.

한사(寒邪)의 성질 및 발병 특징은 다음과 같다.

(1) 한(寒)은 음사(陰邪)에 속하며 양기(陽氣)를 상하게 한다. 한은 음기(陰氣)가 성(盛)한 표현이므로 그 성질은 음(陰)에 속한다. 즉 "음이 성하면 한이다.(陰盛則寒)"는 말이 이 것이다. 양기(陽氣)는 원래 음(陰)을 제압할 수 있지만 음한(陰寒)이 지나치게 성(盛)하면 양기가 음한의 사(邪)를 제거하기가 힘들뿐 만 아니라 오히려 음한(陰寒)에 의해 제압당한다. 그러므로 《소문 · 음양응상대론(素問 · 陰陽應象大論)》에서 "음이 이기면 양병에 걸린다.(陰盛則陽病)"고 말했다. 그러므로 한사(寒邪)를 받으면 인체의 양기가 가장 쉽게 손상을 받는다. 양기가 손상을 받으면 정상적인 온후기화(溫煦氣化)작용을 상실하기 때문에 한증(寒證)이 나타난다. 예컨대 외한이 기표(肌表)에 침입하면 위양(衛陽)이 억제되어 오한이 나타나며 한사가 비위(脾胃)에 직접 들어가면 비양(脾陽)이 손상받아 완복(脘腹)이 차고 아프며 구토(嘔吐), 설사(泄瀉) 등의 증상이 나타나며 심신(心腎)이 양허(陽虛)하여 한사가 소음(少陰)에 직접 들어가면 오한(惡寒)이 나타나며 몸을 웅크리고 수족이 차며 설사(泄瀉), 이질(痢疾), 빈뇨(頻尿), 정신이 흐리고 맥박이 가는 등의 증상이 나타난다.

(2) 한(寒)의 성질은 응체(凝滯)되는 것이다. '응체'란 응결(凝結) · 조체(阻滯)되어 통하지 않는다는 뜻이다. 사람의 기혈진액이 끊임없이 운행하고 있는 것은 모두 온몸에 있는 양기(陽氣)의 온후추동(溫煦推動)에 의한 것이다. 일단 음한(陰寒)의 사기(邪氣)가 편성(偏盛)하여 양기가 손상을 받으면《소문 · 거통론(素問 · 擧痛論)》에서 말한 바와 같이 "한기가 경락에 들어가 지체되면서 움직이지 않을 경우에 그것이 맥에 침입하면 피가 적어지고 맥 중에 침입하면 기가 통하지 않아 갑자기 아프다.(寒氣入經而稽遲, 泣而不行, 客于脈外則血少, 故卒然而痛)"고 하였다. 기혈(氣血)이 통하지 않으면 아프기 때문에 한사(寒邪)에 의해 상하면 통증이 나타난다. 이를 '한주동통(寒主疼痛)'이라 하며 한사가 표(表)를 침입하면 두통(頭痛), 전신통(全身痛)이 나타나며, 한사가 속을 침입하면 완복냉통(脘腹冷痛), 한사가 경락을 막으면 관절동통(關節疼痛)이 나타난다. 비증(痺證)에서 통비(痛痺)라고 하는 것은 동통(疼痛)을 주요 증상으로 나타나는 한사가 성하여 생기는 것이다.

(3) 한(寒)의 성질은 수인(收引)된다. '수인'이란 수축하고 끌어당긴다는 뜻인데 한사(寒邪)가 인체에 침입하면 기기(氣機)가 수렴(收斂)되고 주리(腠理), 경락(經絡), 근맥(筋脈)이 수축되고 경련된다. 예를 들면 한사(寒邪)가 기표(肌表)를 침입하면 모규(毛竅)와 주리(腠理)가 막히고 위양(衛陽)이 막혀 흐르지 못함으로 오한(惡寒)이 나고 열이 나지만 땀이 나지 않는다. 한기가 혈맥(血脈)을 침입하면 기혈이 응체(凝滯)되고 혈맥이 위축되므로 머리와 몸에 통증이 나고 맥이 빨리 뛴다. 한기가 경락과 관절에 침입하면 경맥(經脈)이 매우 빨리 수축되기 때문에 몸을 굴신(屈伸)하기 불편하거나 마비가 된다.

【한(寒)과 미용】

한(寒)은 음사(陰邪)에 속하고 성질은 수인(收引)하며 쉽게 양기(陽氣)를 상하게 한다. 두면부는 "모든 양의 집합처(諸陽之會)"이므로 한사에 의해 쉽게 상하게 된다. 겨울철에는 주리(腠理)가 닫히고 혈관이 수축하며 한선(汗腺)활동이 감소하여 양기가 안으로 들어가 피부의 진액이 상대적으로 감소하는데, 여기에 차가운 공기가 더해져 수분이 감소하여 피부색이 조금 어두워지고, 피부가 건조해지고 당기며, 차갑게 되는 피부의 정상적인 변화가 생긴다. 그러나 한냉(寒冷)이 과하거나 장기간에 걸쳐 한사(寒邪)를 받았을 때는 피부가 매우 불리한 상태로 되는데, 예를 들면 건냉(乾冷)할 때는 피부건조(皮膚乾燥), 탈설(脫屑;각질), 소양(瘙痒;가려움), 군열(皸裂;갈라짐) 등이 나타나고, 습냉(濕冷)할 때는 피부혈관의 운동에 장애가 일어나 혈액순환이 정체가 되어 동상(凍傷), 동창(凍瘡), 한냉성 홍반(寒冷性紅斑) 등이 나타나게 된다. 그러므로 겨울철에는 피부의 보온(保溫), 보수(保水), 보습(保濕)에 주의해야 할 뿐만 아니라 피부의 건조함과 상쾌함을 동시에 유지하도록 주의해야 한다.

내한(內寒)은 대부분이 비신양허(脾腎陽虛)로 인해 생기는데, 이는 신체의 보편적인 기능이 저하되고, 얼굴색이 창백해지며, 정신력이 감퇴하고, 부종(浮腫)이 생기며, 추위에 견디기 힘들고, 성기능이 저하되며, 모발이 쉽게 빠지는 등의 온후작용이 실조된 인체의 표현이다.

3. 서(署)

서(暑;더위)는 여름의 주기(主氣)이며 화열(火熱)이 변한 것이다. 서사(暑邪)가 병을 일으키는 데에는 뚜렷한 계절성이 있고 주로 하지(夏至) 후와 입추(立秋) 전에 발생한다. 그러므로 《소문 · 열론(素問 · 熱論)》에는 "하지 전의 해에 의해 얻은 병을 병온이라 하고 하지 후의 해에 의하여 얻은 병을 병서라고 한다.(先夏至日者爲病溫, 後夏至日者爲病暑)" 서사(暑邪)는 순전히 외사(外邪)에 속하기 때문에 내서(內暑)라는 말은 없다.

서사(暑邪)의 성질 및 발병 특징은 다음과 같다.

(1) 서(暑)는 양사(陽邪)이며 그 성질은 염열(炎熱)이다. 서(暑)는 여름철의 열기가 변화한 것으로 그 성질이 매우 더우므로 양(陽)에 속한다. 서사(暑邪)에 의해 생기는 병은 발열(發熱), 구갈(口渴), 심번(心煩), 면홍(面紅), 맥홍대(脈紅大) 등 일련의 양열(陽熱)증상이 나타난다.

(2) 서(暑)의 성질은 상승(上昇), 발산(發散)하고 기(氣)를 소모하고 진액(津液)을 손상시킨다. 서사(暑邪)가 침입하면 주리(腠理)가 열리고 땀이 많이 나게 되는데 이때 땀이 너무 많이 나면 진액(津液)이 소모되어 입안이 마르고 물을 많이 마시며, 소변이 적고 붉어지는 등의 증상이 나타난다. 서사(暑邪)는 심신(心神)을 교란하여 가슴이 답답하고 불안하게 하며, 땀이 많음과 동시에 기(氣)가 진액을 따라 나가므로 기(氣)가 허(虛)해져서 항상 기가 부족하고 힘이 없으며 갑자기 쓰러져서 인사불성(人事不省)이 된다.《소문 · 육원정기대론(素問 · 六元正紀大論)》에서 "염화가 움직이면 큰 더위가 오는데,……고로 사람들은 기가 적어지는 병에 걸리고,……심하면 어지럽고 답답하며 괴롭고 폭사할 수 있다.(炎火行, 大暑至,……故民病少氣,……甚則瞀悶懊憹, 善暴死)"고 하였다.

(3) 서병(暑病)은 대다수가 습사(濕邪)를 겸한다. 여름철에는 비가 많고 공기 속의 습도가 높기 때문에 서사(暑邪)와 습사(濕邪)가 함께 인체에 침입하여 병에 걸리게 된다. 발열(發熱), 번갈(煩渴)과 같은 더위 증상 외에 사지가 나른하고 피곤하며 가슴이 답답하고

그득하며 설사를 하는 등의 습조(濕阻) 증상이 동시에 나타난다.

【서(暑)와 미용】

서사(暑邪)가 인체를 상하게 하면 땀이 많아져서 진액과 기를 상하게 하는데, 만일 제때에 수분을 보충하지 못하면 피부는 탈수현상이 일어나 건조하게 된다. 그러나 만일 제때에 한액을 통하게 하지 못하고 여기에 한층 더 서습(暑濕)을 내포하게 되면 점점 더 피부의 부담을 가중시켜 땀 배출이 그치지 않고 피부의 함수량(含水量)이 증가하게 되어 수족(手足)이 물에 잠긴 듯이 촉촉하고, 비독(痱毒;땀띠), 모낭염(毛囊炎), 농포(膿疱), 각종 피부 선병(癬病;진균감염, 무좀) 등이 나타나게 된다.

여름철의 강열한 햇볕은 피부의 손상에 있어서 매우 엄중하게 작용을 하는데 특히 중년여성에게 더욱 그러하다. 이 강열한 햇볕은 피부의 멜라닌 색소를 자극해서 피부색이 어둡게 변하게 한다. 다른 하나는 일광 중의 자외선(紫外線)은 피부의 탄력섬유를 손상시켜 피부의 탄력성이 저하되고 피부조직이 느슨하게 되어 주름이 생긴다. 일광(日光)은 피부노쇠(皮膚老衰)에 있어서 제일 중요한 외부 요인이다.

그 밖에 여름철에 많이 사용하는 에어컨은 비록 서사(暑邪)의 상해(傷害)는 감소할지 몰라도 장기간 에어컨디셔너의 환경에서 일을 하거나 생활하게 되면 공기 중의 수분이 감소하여 피부가 자윤(滋潤)작용을 잃게 되어 건조해지는 경우도 있다.

4. 습(濕)

습(濕)은 늦은 여름의 주기(主氣)이다. 여름과 가을의 사이로 이때가 가장 습기가 많은 계절이다. 습사(濕邪)로 인해 나타나는 병은 외습(外濕)과 내습(內濕)으로 나눈다. 외습(外濕)은 장기간 물을 건너거나 비를 맞고 물에서 일을 한다거나 거처가 조습(潮濕)한 곳에서 사는 등 외부의 습사(濕邪)가 인체에 침입되어 일어나는 것이다. 내습(內濕)은 비장(脾臟)이 제 기능을 못해서 체내의 습기가 머물러 형성된 병리상태인 것이다. 외습과 내습은 상호 영향을 주기도 하는데, 외습(外濕)에 상하면 습사(濕邪)가 비(脾)를 상하게 하여 비의 운화기능이 감퇴되면 쉽게 탁한 습기가 안에 생기게 되며, 또 비양(脾陽)이 허(虛)하고 손상을 받으면 수습(水濕)이 변화하지 못하여도 외습(外濕)의 침입을 쉽게 받게 된다.

습사(濕邪)의 성질 및 발병 특징은 다음과 같다.

(1) 습(濕)의 성질은 중탁(重濁)이다. '중(重)'하다는 것은 침중(沈重)하고 중착(重着)된다는 뜻이다. 습사를 받으면 머리와 온몸이 무겁고 사지가 무거워 움직이기가 힘이 든다. 습사가 경락관절에 머무르면 근육과 피부가 마비되고 관절이 무겁고 아픈 증상이 나타나는데 이것을 "습비(濕痺)" 또는 "착비(着痺)"라고 한다. '탁(濁)'이란 더럽고 맑지 못하다는 뜻인데 습사(濕邪)가 병을 일으킬 때는 분비물과 배설물이 더럽고 맑지가 못하다. 예를 들면 소변이 혼탁하고 대변이 묽으며, 이질(痢疾)에서 농(膿)이 나오고 부녀자의 대하(帶下)가 점액질이고 나쁜 냄새가 나며, 습진이 퍼지는 등은 모두 습성(濕性)에 의한 분비물의 병리반응이다.

(2) 습(濕)은 음사(陰邪)이며 기기(氣機)를 저애(沮礙)하고 양기(陽氣)에 손상을 준다. 습(濕)은 음사이고 무겁고 탁한 성질이 있어 기기(氣機)를 저애하고 그 승강(昇降)을 방해하며 경락이 막혀 통하지 못하게 하기 때문에 항상 가슴이 답답하고 위(胃)가 병이 들며 소변과 대변에 장애가 온다. 습(濕)이 음사이고 음(陰)이 이기면 양병(陽病)에 걸리기 때문에 습사가 인체에 침입하면 가장 쉽게 양기가 손상 받는다. 비(脾)는 수습(水濕)을 운화하는 중요한 장기이며 건조한 것을 좋아하고 습한 것을 싫어한다. 그러므로 습사가 체내에 머무르면 가장 먼저 비(脾)를 상하게 하여 비양(脾陽)이 부진하게 되며 운화기능이 제대로 이루어 지지 않고 수습(水濕)이 정지되어 설사(泄瀉), 수종(水腫), 복수(腹水) 등의 증상이 생긴다.《소문 · 육원정기대론(素問 · 六元正紀大論)》에서 "습이 성하면 설사가 나타나고 심하면 물이 막혀 부종이 생긴다.(濕盛則濡泄, 甚則水閉浮腫)"고 하였다.

(3) 습의 성질은 점체(粘滯)이다. '점(粘)'이란 점액을 말하고 '체'란 정체되어 있음을 말한다. 이는 주로 두 가지 방면에서 나타나는데, 하나는 습병(濕病)의 증상이 점질과 정체라는 것을 말한다. 예컨대 배설물과 분비물이 정체되어 통하지가 않는다. 다른 하나는

습사에 의한 병은 병이 쉽게 낫지 않고 오래가며 반복적으로 발병한다. 예를 들면 습비(濕痺), 습진(濕疹), 습온병(濕溫病) 등이 그러하다.

(4) 습(濕)의 성질은 아래로 음위(陰位)를 쉽게 병들게 한다. 습사(濕邪)에 의한 병은 주로 하부에서 많이 보게 되는데, 예를 들면 수종(水腫)은 대부분 하지에 비교적 뚜렷하게 나타난다. 그 외에도 임질(淋疾), 대하(帶下), 이질(痢疾) 등의 병증이 습사로 인해 아래에서 많이 나타나는 것이다. 그러므로《소문 · 육원정기대론(素問 · 六元正紀大論)》에는 "습에 상한 사람은 먼저 인체의 하부가 병에 걸린다.(傷于濕者, 下先受之)"라고 하였다.

【습(濕)과 미용】

여름과 가을이 교차하는 시기인데 이때는 양기의 열이 아래로 내려가 물의 기운을 덥혀서 습열(濕熱)이 쌓이게 되는데 이는 점차적으로 피부에 부담을 줘서 더럽고 흐린 듯한 증상이 나타난다. 예를 들면 피부가 기름기가 많고 상쾌하지 못하며, 습진(濕疹), 대상포진(帶狀疱疹), 좌창(痤瘡;여드름), 농포창(膿疱瘡), 액취(腋臭), 각종 진균으로 인한 피부염 등이 나타나고 또한 병이 오랜 기간 잘 낫지 않고 쉽게 재발된다.

비(脾)의 운화기능이 저하되어 내습(內濕)이 생기면 담습(痰濕)이 정체되어 몸이 비대해지고, 정신이 맑지 못하고 잠이 많아지며, 피부색이 광택이 없고, 황갈반(黃褐斑;기미) 등이 나타나고 습(濕)이 울체하여 열(熱)로 화(化)해 위로 뜨게 되면 피부가 기름기가 많고, 황갈반(黃褐斑)이나 좌창(痤瘡;여드름)이 쉽게 발생하며, 입에서 열감(熱感)과 냄새가 나고, 치아가 깨끗하지 못하다.

내습(內濕)이든 외습(外濕)이든 간에 피부, 체형, 마음의 미용에 있어서는 모두가 매우 불리하게 작용한다. 왜냐하면 습사(濕邪)의 중탁(重濁)하고 점체(粘滯)하는 성질은 피부미용에 있어서는 가장 저해되는 요소이다.

5. 조(燥)

조(燥)는 가을의 주기(主氣)이다. 공기 중의 수분이 적은 건조한 가을에 나타난다. 조사(燥

邪)는 입과 코로 들어와 폐위(肺衛)에 침입하는 경우가 많다. 조사에 의해서 병에 걸리는 것은 온조(溫燥)와 량조(凉燥)로 구분한다. 즉 초가을에 여름의 더운 기운이 남아있어 건조한 것과 온열(溫熱)이 결합되어 인체에 침입하면 온조(溫燥) 병증이 많이 나타난다. 늦 가을에는 겨울에 가까운 한기도 포함되어 있어서 조(燥)와 한사(寒邪)가 결합되어 인체를 침입하기 때문에 때로는 량조(凉燥) 병증이 나타난다.

조사(燥邪)의 성질 및 발병 특징은 다음과 같다.

(1) 조(燥)는 성질이 건삽(乾澁;마르고 꺼칠꺼칠한 것)하여 진액(津液)을 상하기 쉽다. 조사는 건삽의 병사(病邪)이다. 그러므로 조사에 의해 병이 생기면 가장 쉽게 인체의 진액이 소모되고 상하여 음진(陰津)이 소모되고 허(虛)해지는 병변(病變)이 생긴다. 그래서 입과 코가 건조해지고, 목과 입안이 마르며, 피부가 거칠어지고 트며 심하면 갈라지고, 두발이 윤기가 없고, 소변이 적어지고, 변비가 생기는 등의 증상이 나타난다.

(2) 조(調)는 폐(肺)를 쉽게 상하게 한다. 폐는 민감한 장기로서 습윤(濕潤)한 것을 좋아하고 건조한 것을 싫어한다. 폐는 기와 호흡을 주관하고 밖으로 대기(大氣)와 통해 있는데 겉으로는 피모(皮毛), 콧구멍과 통하여 있기 때문에 조사(燥邪)가 사람을 해칠 경우에 입과 코를 통해서 들어가기 가장 쉽게 폐진(肺津)에 손상을 주어 윤활작용이 실조되면, 선발(宣發)과 숙강(肅降)기능에 영향을 주어서 마른 기침이 나고 가래가 적거나 혹은 가래가 잘 뱉어지지 않고, 목이 마르고 아프며 호흡이 순조롭지 못하고, 천식, 흉통 등 증상이 나타나며 심하면 비출혈(鼻出血)이 나타나거나 가래에 피가 섞여 나온다.

【조(燥)와 미용】

조(燥)는 가을의 주기이며 폐(肺)로 통한다. 조사(燥邪)를 다시 외조(外燥)와 내조(內燥)로 구분할 수 있다. 외조(外燥)는 구비건조(口鼻乾燥), 구갈(口渴), 피부건조(皮膚乾燥), 군열(皸裂), 각질이 많아지고 모발이 쉽게 갈라지고 부러지며 쉽게 빠지는 등의 증상이 나타난다. 내조(內燥)는 대부분이 폐위음허(肺胃陰虛) 혹은 간신음허(肝腎陰虛)로 인해 소수(消瘦;여윔),

구간인조(口干咽燥), 피부가 건조해지고 광택이 없으며, 모발이 건조해지고, 소변이 적고 대변이 마르는 등의 증상이 나타난다.

6. 화(火;熱)

화열(火熱)은 양(陽)이 성하여 생기므로 화(火)와 열(熱)은 늘 혼칭(混稱)하여 사용한다. 이렇게 성질은 같으면서도 다른 면이 있다. 열(熱)은 온(溫)이 발전한 것이고 화(火)는 열(熱)이 극도에 이른 것이다. 열은 대다수가 외사에 속하는데 풍열(風熱), 서열(暑熱), 습열(濕熱)과 같은 병사가 있다. 예를 들면 심화(心火)가 상염(上炎)하고, 간화(肝火)가 항성(亢盛)하며, 담화(膽火)가 횡역(橫逆)하는 등의 병변이 그러하다.

화열(火熱)에 의해서 병에 걸리는 것도 내외(內外)로 구분한다. 외부에 의한 것은 주로 온열사기(溫熱邪氣)의 침입을 받는다. 내부로 부터 생기는 것은 항상 오장육부의 음양기혈(陰陽氣血)이 실조되고 양기가 항성(亢盛)하여 생긴다. 그 외에 풍(風) · 한(寒) · 서(暑) · 습(濕) · 조(燥) 등 여러 가지 외사 또는 정신자극 즉 정지(情志)의 과격한 변화로 생기는데 이 오지(五志)는 일정한 조건 하에서 모두 화(火)로 변화할 수 있다.

화열(火熱)의 성질 및 발병 특징은 다음과 같다.

(1) 화열(火熱)은 양사(陽邪)이며 그 성질은 염상(炎上;위로 타오르는)하는 것이다. 《소문 · 음양응상대론(素問 · 陰陽應象大論)》에는 "양이 성하면 열이 생긴다.(陽盛則熱)"고 하였다. 화열은 양이 성하여 생긴 것이고, 태우고 위로 올라가는 성질이 있어서 화의 성질을 염상(炎上)이라고 한다. 그래서 화열에 상하면 장열(壯熱;고열), 오열(惡熱), 번갈(煩渴), 출한(出汗), 홍삭맥(洪數脈;넓고 빠른 맥) 등의 증상이 나타난다. 그 성질이 염상(炎上)하기 때문에 증후(證候)가 주로 머리와 얼굴 등의 상부에 나타난다. 위로 올라가 신명(神明)을 교란시켜 심번(心煩), 실면(失眠), 광조망동(狂躁妄動)이 나타나고 심하면 정신이 혼미하고 헛소리를 하는데 이른바 조동불안하고 발광하여 거동이 비정상적인 것은 모두 화(火)에 속한다는 것이다.

(2) 화(火)는 쉽게 기(氣)를 소모하고 진액(津液)을 상하게 한다. 화열의 사(邪)는 진(津)을 밖으로 내보내고 음액(陰液)을 소모하고 태우기 때문에 인체의 진액이 소모되며 손상된다. 그러므로 화열이 인체를 상하면 임상적으로 열상(熱象)이 나타나는 외에 입이 마르고 찬물을 많이 마시고, 혀가 건조하고 소변이 적고 붉어지며, 대변이 굳는 등 진액이 말라 적어지는 일련의 증상이 나타난다.

(3) 화(火)는 쉽게 풍(風)이 생기게 하고 혈(血)이 동(動)하게 한다. 진액이 상하면 결국 근맥이 영양을 받지 못하여 열이 극에 달하면 풍이 생기는데 이것을 '간풍내동(肝風內動)'이라 한다. 고열(高熱)이 있고 정신이 혼미(昏迷)해지고 헛소리를 하며, 목이 뻣뻣해지고 눈을 치켜뜨며 경련이 일어나는 등의 현상이 나타난다. 이와 동시에 화열의 사(邪)는 혈(血)의 움직임을 가속화할 수 있어서 맥락(脈絡)을 달구어서 상하게 하고 혈을 마구 흐르게 하여 여러 가지 출혈을 일으킨다. 예를 들면 토혈(吐血), 뉵혈(衄血;코피), 변혈(便血), 뇨혈(尿血), 피부반점(皮膚斑點) 및 여성의 월경과다(月經過多), 붕루(崩漏) 등의 병증이다.

(4) 화(火)는 종양(腫瘍)을 일으킨다. 화열의 사(邪)가 혈(血)에 들어가면 국부(局部)에 머물면서 혈(血)과 육(肉)을 부식하고 화농(化膿)을 일으켜 옹종창양(癰腫瘡瘍)이 생긴다.

【화(火)와 미용】

화(火)는 양(陽)이 성하여 생긴다. 각종 온열(溫熱)의 사기(邪氣)가 밖에서 들어 올 뿐만 아니라 장부기혈(臟腑氣血)의 실조, 칠정(七情)의 과다한 자극, 맵고 달고 기름기 많은 음식의 과다섭취 혹은 양(陽)이 성한 체질로 인해서 안에서 발생한다. 화사(火邪)는 염상(炎上;위로 타오르는)하는 특징을 가지고 있으므로 두면부에 손미성(損美性) 변화를 자주 볼 수가 있고 화농성 피부병(化膿性皮膚病)의 중요한 원인이 되기도 한다. 예를 들면 화사(火邪)가 얼굴에 올라가면 단독(丹毒), 구순포진(口脣疱疹)을 일으키고, 폐위(肺胃)의 열이 위로 올라오면 좌창(痤瘡), 주조비(酒糟鼻)가 생기고, 간신음허(肝腎陰虛)로 인해 화(火)가 왕성해져 화(火)와 조(燥)가 서로 결합하여 주근깨, 황갈반(黃褐斑)이 나타난다. 간기가 울결되어 화로 변해서 풍화(風火)가 서로 결합되면 피부에 편평우(扁平疣;물사마귀)가 생긴다. 비위(脾胃)에 열이 쌓이면 체형이 비만형이고 구취(口臭), 입안에 반복해서 궤양이 생기고 변비(便秘), 피부에 기름기가 많이 생기는 등의 증상이 나타난다. 화열(火熱)이 피부에 몰리게 되면 화농성 피부병(化膿性皮膚病), 홍종열통(紅腫熱痛;빨갛게 붓고 열이 나며 아픔), 염증(炎症)이 선명하게 나타난다.

상편 제2절 칠정내상(七情內傷)과 미용

칠정(七情)이란 희 · 노 · 우 · 사 · 비 · 공 · 경(喜 · 怒 · 憂 · 思 · 悲 · 恐 · 驚)의 7가지 정지(情志)의 변화를 말하며 인체의 정신상태를 말한다. 칠정은 객관적 사물에 대한 인체의 각기 다른 반응이며 정상적일 때는 일반적으로 병을 일으키지 않는다. 그러나 하나의 정지(情志)가 갑자기, 강렬하게, 혹은 장기적으로 계속해서 자극을 받아 인체의 정상적인 생리활동범위를 초과하면 인체의 기기(氣機)가 문란해지고 장부(臟腑)의 음양기혈(陰陽氣血)이 실조되어 질병이 발생된다. 칠정(七情)이 내상병(內傷病)을 조성하는 주요한 발병인소의 하나이기 때문에 "내상칠정(內傷七情)"이라고도 한다.

1. 칠정과 내장기혈(內臟氣血)의 관계

인체의 정지활동과 내장은 긴밀한 관계를 가지고 있으며 장부(臟腑)의 기능활동은 주로 기(氣)의 온도와 추동 및 혈(血)의 영양에 의존한다. 《소문 · 음양응상대론(素問 · 陰陽應象大論)》에는 "사람에게는 오장과 오기가 있어 그에 의하여 희 · 노 · 우 · 비 · 공이 생긴다.(人有五臟化五氣, 以生喜努悲憂恐)"고 하였다. 이처럼 정지(情志)의 활동은 반드시 오장(五臟)의 정기(精氣)를 기초로 한다. 희 · 노 · 우 · 사 · 비 · 공 · 경을 약칭으로 "오지(五志)"라 한다. 각기 다른 정지의 변화는 오장육부의 각기 다른 영향을 주며 장부기혈의 변화도 정지의 변화에 영향을 줄 수 있다. 예를 들면 《소문 · 조경론(素問 · 調經論)》에는 "혈은 여유가 있으면 노하고 부족하면 공포가 생긴다.(血有余則努, 不足則恐)"고 하였고, 《영추 · 본신(靈樞 · 本神)》에는 또 "간기가 허하면 공포가 생기고 심기가 허하면 비애감이 생기고 넘쳐나면 웃음이 그치지 않는다.(肝氣虛則恐, 實則努. 心氣虛則悲, 實則笑不休)" 그러므로 칠정(七情)과 내장기혈(內臟氣血)의 관계는 긴밀한 것이다.

2. 칠정이 병을 일으키는 특징

칠정(七情)은 병을 일으키는데 있어서 육음(六淫)과 다르다. 육음은 외사이기 때문에 발병 초기에 표정에 나타나지만 칠정은 내상이기 때문에 상응한 장기에 직접 영향을 주어 여러가지 병변이 생긴다.

(1) 직접 내장을 상하게 한다. 《소문 · 음양응상대론(素問 · 陰陽應象大論)》에는 "노하면 간을 상하고.(努傷肝)", "기뻐하면 심장을 상하고.(喜傷心)", "생각이 많으면 비장을 상하고.(思傷脾)", "슬픔이 많으면 폐를 상하고.(憂傷肺)", "공포를 느끼면 신장을 상한다.(恐傷腎)"고 하였다. 임상에서는 각기 다른 정지의 자극은 각 장기에 대하여 각기 다른 영향을 주는데 이것은 절대적인 것은 아니다.《영추 · 구문(靈樞 · 口問)》에는 "심장은 장부의 기둥이다.…그러므로 비, 애, 수, 우가 생기면 심장이 동하고 심장이 동하면 오장육부가 다 흔들린다.(心者, 五臟六腑之主也,……故悲哀愁憂則心動, 心動則五臟六腑皆搖)"고 하였다. 여기에서 모든 정지의 자극은 모두 심장과 관계되며 심장은 오장육부의 큰 기둥이므로 심신(心神)이 손상을 받으면 기타의 장기에 영향을 준다고 하였다.

심장은 주로 혈(血)에 신(神)을 담아두며 간장은 혈(血)을 저장하여 주로 소설(疏泄)하고 비장은 주로 운화(運化)하고 중초(中焦)에 위치해 있어 기기(氣機)가 승강(昇降)하는 중추이며 기혈(氣血)이 생화(生化)하는 원천이다. 그러므로 정지에 의한 병의 증세는 심장, 간장, 비장 및 기혈이 실조(失調)되는 경우를 많이 보게 된다. 예를 들면 근심걱정이 많고 신경을 많이 쓰게 되면 심장(心臟)과 비장(脾臟)의 기혈이 모두 허(虛)해져 신경이 비정상적이고 비장의 운화기능이 제대로 이루어지지 않는 증상이 나타난다. 매우 노(努)하면 간장(肝臟)을 상하게 하고 노(努)하면 기가 올라가는데 혈(血)이 기를 따라 역행한다. 그래서 간경(肝經)에 기(氣)가 가득 차 한숨을 자주 쉬거나 협통(脇痛;옆구리가 아픈 것), 여성의 통경(痛經), 폐경(閉經) 혹은 적취(積聚)가 생기는 등의 증상이 나타난다.

(2) 장부기기(臟腑氣機)에 영향을 준다. 《소문 · 거통론(素問 · 擧痛論)》에는 "노하면 기가

올라가고 기뻐하면 기가 완화되고 슬퍼하면 기가 소실되고 공포에 잠기면 기가 내려간다…놀라면 기가 문란해지고…사념에 잠기면 기가 맺힌다.(努則氣上, 喜則氣緩, 悲則氣消, 恐則氣下,……驚則氣亂……思則氣結)"고 하였다.

노(努)하면 기(氣)가 올라간다는 것은 지나친 분노는 간기(肝氣)가 역(逆)으로 올라가며 혈(血)은 기를 따라서 역행한다. 임상에서 기(氣)가 역행할 경우에는 얼굴이 붉고 눈이 충혈되며 피를 토하고 심하면 어지러워 졸도하게 된다.

기쁘면 기(氣)가 완화된다는 것은 긴장한 정서가 완화되고 심기(心氣)가 매산(浼散)된다는 두 가지 측면으로서 영기(營氣)가 통하게 되어 마음이 편안하다. 그러나 지나친 기쁨은 심기가 매산(浼散)되고 신경이 위치를 지키지 못하여 정신을 집중할 수 없으며 심하면 실신하고 광란을 일으키는 증상이 나타난다.

비애감에 잠기면 기(氣)가 소실된다는 것은 지나치게 슬퍼하면 폐기(肺氣)가 억제되어 의기가 소침해지고 폐기가 상한다는 뜻이다.

공포를 느끼면 기(氣)가 내려간다는 것은 두려움이 과도하면 신기(腎氣)가 고정되지 못하여 기가 아래로 나간다는 것을 말한다. 임상에서는 대소변이 통제가 안되거나 성기능 장애가 나타난다.

놀라면 기(氣)가 문란해진다는 것은 갑자기 놀라면 심(心)이 의거할 데가 없어 신(神)이 귀속처를 찾을 수 없고 생각이 안정이 안되어 경황실색한다는 것을 가리킨다.

사념하면 기(氣)가 맺힌다는 것은 생각이 많으면 신(神)이 상하고 비장을 손상시켜 기기가 맺힌다는 것을 말한다. 옛 사람들은 "사(思)"는 비(脾)에서 발생하여 심(心)에서 형성된다고 인정하였다. 그러므로 사려(思慮)가 고하면 심신(心神)상하게 될 뿐만 아니라 비기(脾氣)에도 영향을 준다.

(3) 정지(情志)는 병세를 가중시키거나 빠르게 악화시킬 수도 있다. 임상에서 여러 질병들은 그 질병과정에서 환자가 비교적 심한 정지 변화를 일으키면 간혹 병세가 가중되거나 갑자기 악화되는 것을 볼 수 있다. 만일 고혈압 환자가 갑자기 화를 내게 되면 간양(肝陽)이 대성(大盛)하여 혈압이 오르고 현운(眩暈)이 나며 심지어는 갑자기 졸도하거나 인사불성(人事不省)이 되고 반신불수(半身不遂)가 되며 입과 눈이 삐뚤어진다. 심장

병 환자는 항상 정지변화가 심하여 병세가 가중되거나 급속히 악화되는 경우가 많다.
적당한 칠정의 변화는 장부(臟腑) 기능의 정상적인 표현인데 인체의 건강미와 용모가 서로 배합이 이루어져 신체와 정신과의 합일(合一)을 이루어 미용에서의 요구와도 부합된다. 그러나 칠정의 반응이 과도하거나 혹은 계속해서 풀어지지가 않아 인체의 조절 능력을 초과하면 장부 기혈(臟腑氣血)의 실조(失調)를 초래하고 신체와 정신이 실조된 손미성(損美性) 변화를 일으켜 신체와 용모 등을 통해 반응이 밖으로 나타난다.
많은 손미성질병(損美性疾病)의 발생과 발전은 정지(情志)와 아주 밀접한 관계가 있다. 예를 들면 반독(斑禿), 탈발(脫髮), 신경성 피부염(神經性皮膚炎), 심마진(尋麻疹), 황갈반(黃褐斑), 좌창(痤瘡), 주조비(酒糟鼻), 습진(濕疹), 백전풍(白癜風), 비만(肥滿), 소수(消瘦) 등은 모두 좋지 않은 정신자극과 긴장감, 불안정한 정서가 매우 심각한 영향을 미친다. 이렇듯이 내재(內在)하고 있는 정지(情志)는 외적(外的)인 아름다움의 지주(支柱)인 것이다.

상편 제3절 음식부절(飮食不節)과 미용

음식은 영양을 섭취하여 인체의 생명활동을 유지하는데 없어서는 안 되는 물질이다. 그러나 음식이 적당치 못하면 질병을 일으키는 원인이 되기도 한다. 음식물은 비(脾)와 위(胃)에 의해서 소화되는데 음식을 절제하지 않으면 주로 비(脾)와 위(胃)를 손상시켜 그 승강(昇降) 기능을 상실하게 하며, 습(濕), 담(痰), 열(熱) 등을 생기게 하거나 간접적으로 다른 병이 생길 수 있다.

1. 음식 무절제

음식은 절제가 있어야 하고 적당량을 섭취해야 한다. 지나치게 굶거나 과식을 하면 질병을 일으킬 수 있다. 음식물은 기혈을 생화(生化)하는 원천이다. 오랫동안 굶으면 인체의 기, 혈, 진액이 생기는 원천이 결핍되고, 오래가면 정기가 허약해져 체력을 지탱하지 못하고 저항력이 떨어져 질병이 생길 수 있다. 반대로 음식이 과하여 소화능력을 초과하면 비위(脾胃)를 손상시켜 위에 음식물이 가득차고 부패하고 신물이 나며 구토, 설사 등의 증상이 나타난다. 이런 병증은 어린이에게 많다. 이것은 비위(脾胃)가 어른들보다 약하기 때문이다. 어린 아이들의 식체(食滯)가 오래되면 감적(疳積)에 걸리며 손, 발, 가슴에 열이 나고 마음이 답답하여 쉽게 울고, 배에 음식물이 가득차고 얼굴빛이 누렇고 근육이 줄어드는 등의 증세가 나타날 수 있다.

2. 불결한 음식

불결한 음식을 먹으면 여러 가지 소화기 질환이 발생 하거나 복통, 구토, 설사, 이질 등에 걸리거나 기생충에 의한 병을 일으킬 수 있다. 또한 독이 있는 음식물을 잘못 먹으면 심한 복통, 구토 등의 중독 증상이 나타나며 심할 경우에는 혼미(昏迷)가 오거나 사망(死亡)한다.

3. 편식(偏食)

음식은 적당히 조절하여 먹어야 한다. 인체에 필요한 여러 가지 영양을 섭취하기 위하여 편식해서는 안된다. 음식물을 너무 차거나 뜨겁게 먹거나 다섯 가지 맛에서 한쪽으로 편식을 한다면 음양(陰陽)이 실조되거나 일부 영양이 부족하여 질병이 발생한다. 기름진 것, 단 것을 과식하거나 과음을 하면 비의 운화를 방해하여 습(濕), 담(痰), 열(熱) 등을 만들거나 혹은 옹양(癰瘍)이 생긴다. 날 것이나 찬 것을 과식하면 쉽게 비위의 양기를 상하여 한습(寒濕)이 생겨서 복통, 설사가 나타날 수 있다. 매운 것을 편식하면 위장에 열이 쌓여 갈증이 나고, 치질, 변비 등의 증상이 나타난다.

상편 제4절 노권손상(勞倦損傷)과 미용

정상적인 노동은 기혈(氣血)의 유통을 촉진하고 체력을 증강시키는데 도움을 주어 병에 잘 걸리지 않게 된다. 오직 과로하거나 혹은 너무 편안한 상황 하에서만 발병인소로 될 수 있다. 전체적으로 볼 때 노역(勞役)이 과도하면 비(脾)가 상하고 기혈이 소모되므로 잘 먹지 못하고 무력하며 권태롭고 피로하고 말하기 싫어하고, 조금 움직이면 숨이 차고 심지어 내장하수(內臟下垂)를 일으킬 수 있다. 안일(安逸)이 과도하면 체력 활동이 적어 기혈의 운행이 순통하지 못하며 비위기능이 저하되므로 잘 먹지 못하고 무력하며 팔다리가 여위는 등의 증상이 나타난다. 다른 한 가지 노손(勞損)으로는 방사(房事)과도, 조혼 혹은 분만과다 등으로 신정(腎精)을 손상하여 요슬산연(腰膝酸軟), 현운(眩暈), 이명(耳鳴), 유정(遺精), 월경부조(月經不調), 대하(帶下) 등의 병증이 나타난다.

과로에는 체력, 정신, 방사의 과로가 포함된다. 신체가 과로하면 간신근골(肝腎筋骨)이 손상되어 핍력(乏力), 소수(消瘦), 허리와 등이 굽는 등의 증상이 나타나고, 정신이 과로하면 심비(心脾)가 손상되어 실면(失眠), 심계(心悸), 얼굴색이 윤기가 없는 등의 증상이 나타나며, 잦은 방사로 인해 신정(腎精)이 손상되면 요슬산연(腰膝酸軟), 피부색이 검고, 모발이 쉽게 빠지는 등의 증상이 나타난다. 생활이 불규칙적인 사람들의 입장에서 볼 때 이 세 가지는 노화현상의 중요한 원인이 되기도 한다.

신체가 안정이 과하여 움직임이 없이 너무 안일하게 되면 기혈이 통하지 못하고 혈맥이 막혀 비위의 기능이 허약해져서 정신이 나태해지고 반응이 늦어지며, 기육(肌肉)이 느슨해지고, 신체가 무력해지며, 얼굴색이 창백해진다. 이를 테면 "생명은 운동에 있다.(生命在于運動)"는 이 말은 운동은 승강출입(昇降出入)의 기기(氣機)를 촉진하고, 인체의 신진대사작용에 비교적 중요한 작용을 한다는 것을 강조하고 있다. 이는 생명(生命)의 아름다움은 미용(美容)의 기초가 된다는 것이다.

상편 제5절 외상(外傷)과 미용

외상에는 총탄이나 칼에 의한 것, 넘어지고 맞아서 상한 것, 무거운 것을 들다가 상한 것, 물이나 불에 데인 화상(火傷), 햇볕에 입은 손상, 동상(凍傷), 벌레와 짐승에게 물린 교상(咬傷), 약물 및 불량 화장품으로 인한 손상 등이 포괄된다.

총탄이나 칼에 의한 것, 넘어지고 맞아서 상한 것, 벌레와 짐승에게 물린 교상(咬傷) 등의 외상은 인체의 손상을 일으켜 어혈(瘀血)과 부종(浮腫), 동통(疼痛), 출혈(出血) 등이 나타나고 심하면 영원히 흉터가 남아 미용적인 결함이 조성된다.

물이나 불로 인한 화상(火傷)은 가벼울 경우에는 홍종(紅腫), 작열(灼熱), 동통(疼痛) 혹 수포(水泡)가 일어나고, 심할 경우에는 기육근골(肌肉筋骨)이 손상되거나 심하면 기능 장애가 일어나거나 사람의 용모에 영향을 준다.

햇볕에 입은 손상은 피부가 강열한 태양빛 아래 노출되어 상해를 입은 것을 말한다. 강열한 햇볕은 피부의 노화를 가속하고, 황갈반(黃褐斑), 주근깨, 자외선 피부염 등을 일으킨다.

동상(凍傷)은 인체에 아주 낮은 기온이 침투하여 전신성 혹은 국부성 손상을 일으키는 것을 말한다. 국부성 동상은 손, 발, 귀, 코끝 등에 많이 발생한다. 발병 초기에는 국부의 피부가 창백하고 차갑고 저리며, 계속해서 진행이 되면 청자색(青紫色)의 부종이 나타나고 가렵고 아프며 열(熱)을 동반하며 혹은 크기가 같지 않은 수포(水泡)가 생기며 쉽게 감염된다. 전신성 동상은 한금(寒噤;몸서리), 체온 저하, 얼굴이 창백해지고 입술과 손톱이 청자색(青紫色)이 되며, 저리고 힘이 없으며, 호흡이 미약해지고 혼미(昏迷) 등의 증상이 나타난다.

그 밖에 약물 및 불량 화장품 역시 손미성질병(損美性疾病) 혹은 미용적인 결함을 일으킨다. 예를 들면 어떤 약물(내복약 혹은 외용약)을 사용한 후에 과민반응이 나타나 안면부 및 전신에 과민성 약진(藥疹)이 나타나고, 불량 화장품은 직접 피부를 자극하여 피부염이나 과민성 반응을 일으켜 피부 소양(瘙痒), 홍종동통(紅腫疼痛), 피진(皮疹), 분자(粉刺;좌창, 여드름), 색반(色斑) 등을 나타낸다.

상편 제6절 선천성원인(先天性原因)과 미용

어떠한 미용적인 결함이거나 손미성질병(損美性疾病)은 위에서 언급했던 원인이 아니더라도 환자가 모체 중에서 형성되었거나, 태어날 때 발생한 생리적인 결함이나 혹은 발육과정에서 점차적으로 나타나는 병증(病症), 이런 것들이 선천적인 원인에 속한다. 예를 들면 토순(兎脣;언청이), 다지(多指,趾;육손), 뇌성마비 등이 있다.

상편 제7절 담음(痰飮)과 어혈(瘀血)

담음과 어혈은 인체가 그 어떤 발병인소의 작용을 받아 질병과정에서 형성되는 병리적 산물(病理的産物)이다. 이 병리적 산물이 형성된 후에 직접 또는 간접적으로 인체의 어느 장부조직(臟腑組織)에 작용하여 여러가지 병증을 일으킨다. 그러므로 이것을 발병인소의 하나라고도 한다.

1. 담음

담(痰)과 음(飮)은 모두 수액대사의 장애에 의해서 형성되는 병리적 산물이다. 담과 음은 서로 구별이 되는데 맑고 묽은 것이 음(飮)이고 점액질인 것은 담(痰)이다. 여기서 담(痰)이란 것은 가래 같은 형체가 보이는 담액(痰液)만을 말하는 것이 아니라 여러가지 장부조직에 머물러 있으면서 배출되지 않은 담액도 포함된다. 이러한 담(痰)을 “무형(無形)의 담(痰)”이라고 한다. 음(飮)이란 수액이 인체의 국부에 머물러 있는 것을 말한다. 수액이 머물러 있는 부위 및 증상이 다름에 따라 명칭을 가지게 된다. 예를 들면《금궤요략(金匱要略)》에는 “담음(痰飮)”, “현음(懸飮)”, “일음(溢飮)”, “지음(支飮)” 등으로 구분한다고 되어 있다.

(1) 담음의 형성

담음은 대부분 육음(六淫)에 의한 외감(外感)이나 음식 및 칠정(七情)에 의한 내상 등에 의하여 폐(肺), 비(脾), 신장(腎臟) 및 삼초(三焦) 등 장기의 기능이 실조되어 수액(水液)의 정상적인 수송과 분포에 장애를 받아 담음이 형성된다. 이 들의 장기 중에서 폐(肺)는 수로(水路)를 통하게 하고 조절하여 진액을 고루 공급하며 비장(脾臟)은 주로 수액을 수송하며 신양(腎陽)은 주로 수액을 증발하며 삼초(三焦)는 수액이 통하고 조절되는 길이다. 그러므로 이 들의 기능이 상실되면 습(濕)이 모이면서 담음이 생길 수 있다. 담음(痰飮)이 생기게 되면 음(飮)은 대부분의 경우에 장(腸)과 위(胃), 흉강(胸腔)과 옆구리 및 근육과 피부에 머물러 있으며, 담(痰)은 기(氣)의 승강에 따라 돌아다니며 안으로는 오장육부, 밖으로는 힘줄과 골격, 피부, 살에서 여러가지 병을 일으킨다. 그리하여 옛 선인들은 "온갖 병은 담이 많아서 생기는 것이다.(百病多有痰作祟)"라고 하였다.

(2) 담음의 병증 특징

담음이 형성된 후에 정체되어 있는 부위에 따라서 임상표현이 달라진다. 경맥(經脈)에 머물러 있는 것은 기혈(氣血)의 운행과 경락(經絡)의 생리기능에 영향을 줄 수 있고, 장부(臟腑)에 정체되어 있는 것은 장부(臟腑)의 기능과 기기(氣機)의 승강(昇降)에 영향을 줄 수 있다.

담(痰)이 폐에 머물러 있으면 해수(咳嗽), 객담(喀痰)이 있고, 심장에 있으면 흉민(胸悶), 심계(心悸), 혼미(昏迷), 치매(痴呆) 심하면 전광(癲狂) 등이 나타나며, 위(胃)에 머물러 있으면 오심(惡心), 구토(嘔吐), 위완비만(胃脘痞滿) 등이 있고, 경맥근골에 있으면 나력(瘰癧;결핵성 임파선염), 지체마목(肢體麻木) 혹은 반신불수(半身不遂)가 생기고, 담(痰)이 위로 올라가 두부(頭部)로 가면 현운(眩暈)이 생기며, 담기(痰氣)가 인후(咽喉)에 응결되면 목안이 막혀 이물감을 느끼게 된다.

음(飮)이 장에 머무르면 장명(腸鳴)이 생기고, 가슴과 옆구리 및 흉격(胸膈)에 있으면 가슴이 답답하고 가득 찬 느낌이 있고, 해수(咳嗽)와 침을 뱉을 때 통증을 느끼며, 반드시 눕기가 힘들고, 음(飮)이 근육과 피부에 가득 차면 수종(水腫)이 생기고 무한(無汗), 신통(身痛) 등이 나타난다.

2. 어혈

어혈(瘀血)이란 난경지혈(難經之血)이 체내에 모여 있거나 혈액순환이 안되어 경맥(經脈) 및 장부(臟腑)내에 혈액이 머물러 있는 것을 포함하여 체내에 정체되어 있는 모든 혈액을 말한다. 어혈(瘀血)은 질병과정에서 형성된 병리적 산물이며 또한 일부 질병의 발병인소이기도 하다.

(1) 어혈의 형성

주로 두 가지 면이 있는데 첫째로 기허(氣虛), 혈한(血寒), 혈열(血熱) 등의 원인으로 혈액순환이 잘 되지 않아서 응결, 정체된 것이다. 기는 혈의 통수로서 기허(氣虛)이거나 정체되면 혈액의 정상 운행을 하지 못하게 하며, 한사(寒邪)가 혈맥에 들어가서 경맥이 수축되어 혈액이 응결, 정체되어 통하지 못하거나, 열(熱)이 영혈(營血)에 들어가 혈열(血熱)이 서로 엉키고 혈액의 유동성을 잃으면 어혈이 되는 등 이 모든 것이 다 어혈이 생길 수 있다. 둘째로 내상(內傷)과 외상(外傷), 기허(氣虛)로 인해 실섭(失攝)하는 등의 원인으로 혈(血)이 경맥(經脈)을 떠나는 경우가 생겨 어혈(瘀血)이 생기게 된다.

(2) 어혈의 병증 특징

어혈이 형성된 후에는 혈액의 유양(濡養)기능이 상실되고 전신이나 국부의 혈액의 운행에도 영향을 주어 동통(疼痛), 출혈(出血)이 생기고 또한 경맥이 막혀 통하지가 않아 적취(積聚)가 생기게 된다. 어혈의 병증은 어혈이 생긴 부위와 어혈이 형성된 원인이 다르다. 심(心)에 어혈이 생기면 심계(心悸), 심통(心痛), 발광증(發狂症)이 있고 가슴이 답답하고, 폐(肺)에 어혈이 생기면 흉통(胸痛), 객혈(喀血)이 나타나며, 위장(胃腸)에 어혈이 생기면 토혈(吐血), 흑변(黑便)이 나타나고, 간(肝)에 어혈이 생기면 만성 비장 비대증(慢性脾臟肥大症)이 나타나며, 자궁(子宮)에 어혈이 생기면 소복통(小腹痛), 월경불순(月經不順), 통경(痛經), 폐경(閉經), 자궁출혈(子宮出血) 등의 증상이 나타난다.

어혈의 병증은 많지만 임상표현을 종합해 보면 아래와 같은 몇 가지 공통적인 특징이 있다.

① 동통(疼痛) : 찌르듯이 아프거나 아픈 곳이 고정불변이며 만지지도 못하게 하고 밤에 더욱 심하게 아프다.

② 종괴(腫塊) : 외상을 입으면 청자색(青紫色)의 혈종(血腫)이 생겨 종괴가 생긴다. 어

혈이 체내에 생기면 그 부위에 종괴가 만져진다. 만져보면 고정되어 움직이지 않는다.

③ 출혈(出血) : 혈색이 대부분 암자색(暗紫色)을 띠며 덩어리가 진다.

④ 망진(望診) : 오랜 어혈은 얼굴색이 검고, 입술과 손톱에 청자색(靑紫色)을 띠며 혀가 암자색(暗紫色) 또는 자반어혈점(紫斑瘀血點) 등의 증상이 나타난다.

제 6 장

병기(病機)와 미용

6 병기(病機)와 미용

병기란 질병이 발생 · 발전 · 변화하는 단계의 절차를 말한다. 질병의 발생, 발전, 변화는 환자의 체질 및 질병을 초래한 사기(邪氣)의 성질과 밀접한 관계가 있다. 병마가 인체에 작용을 하게 되면 인체의 정기(正氣)와 사기(邪氣) 간에 싸움이 벌어져 음양(陰陽)의 상대적 균형을 파괴하거나 장부(臟腑)와 경락(經絡)의 기능 조화를 파괴하고 기혈(氣血)의 기능을 교란시켜 전신 또는 국부에 다양한 병리적 변화를 초래한다. 그러므로 질병의 종류가 많고 임상적 증상이 아무리 복잡하더라도 모든 질병과 증상은 각각의 병기를 갖고 있는 것이다.

1. 사정성쇠(邪正盛衰)

사(邪)란 사기(邪氣), 즉 넓게 보면 각종 지병인소(致病因素)를 말한다. 정(正)이란 정기(正氣), 즉 인체의 조직과 기능을 말하며 여기에 항병(抗病) 능력과 강복(康復) 능력을 포함한다. 사정성쇠란 병을 일으킨 사기와 인체의 항병 능력 간 상호 전투 중에 발생되는 성쇠(盛衰)변화를 말한다.

질병의 발전 · 변화 과정에 정기(正氣)와 사기(邪氣)의 두 힘은 고정불변한 것이 아니고 정기와 사기 쌍방은 투쟁과정에서 소장(消長), 성쇠(盛衰)의 변화를 가져온다. 정기가 왕성하면 사기가 감퇴되고 반대로 사기가 항진하면 정기가 감퇴되기 마련이다. 체내의 사기와 정기의 소장, 성쇠에 의하여 병증(病證)의 허실(虛實)변화가 일어난다. 손미성질병(損美性疾病)의 변증(辨證)시에는 우선 병증의 허실속성을 판별해야 한다.

《소문 · 통평허실론(素問 · 通評虛實論)》에 “사기가 성하면 실하고 정기가 상실되면 허하다.(邪氣盛則實, 精氣奪則虛)”고 하였다. 여기서 실(實)이란 주로 사기가 항진하는 것을 말하며 사기가 성하다는 것을 주요한 모순으로 한 병리의 반영을 말한다. 다시 말해 병을 일으킨 독력(毒力)과 인체의 저항력이 비교적 강성하거나 사기가 비록 성하지만 인체의 정기가 쇠퇴하지 않고 사기와 적극 투쟁할 수 있으므로 사기와 정기 간에 투쟁이 치열하여 반응이 뚜렷해서 임상적인 증후가 비교적 심한 것을 실증(實證)이라고 한다. 실증은 흔히 외감육음(外感六淫)으로 인해 초래된 병의 초기(初期)와 중기(中期)에 나타나며 또는 담(痰) · 음(飮) · 수(水) · 혈(血) 등이 체내에 정체되어 야기된 병증에 나타난다. 임상적으로 많이 볼 수 있는 담연옹색(痰涎壅塞), 식체불화(食滯不化), 수습범람(水濕氾濫), 어혈내조(瘀血內阻) 등의 병리 변화, 그리고 장열(壯熱), 광조(狂躁), 성고기조(聲高氣粗), 복통거안(腹痛拒按), 대소변불통(大小便不通), 맥실유력(脈實有力) 등은 다 실증에 속한다.

예를 들면 풍한(風寒), 풍열(風熱)의 사기는 심마진(蕁痲疹)을 일으키고, 습독(濕毒)은 농포창(膿疱瘡), 발제창(發際瘡)을, 화열(火熱)의 사기는 열창(熱瘡)을 일으키며, 폐위온열(肺胃蘊熱)은 좌창(痤瘡), 주조비(酒糟鼻), 구취(口臭)가, 간화상염(肝火上炎)은 맥립종(麥粒腫), 목적동통(目赤疼痛)이 나타난다. 비경습열(脾經濕熱)의 순염(脣炎)등은 모두 실증(實證)에 나타나는 증상이다.

허(虛)란 주로 정기가 부족한 것을 말하는데 정기의 허손(虛損)을 주요한 모순으로 한 병리의 반영을 말한다. 다시 말해 인체의 기(氣) · 혈(血) · 진액(津液) 및 맥락(脈絡) · 장부(臟腑) 등의 생리기능이 비교적 약하고 저항력이 저하되어 인체의 정기와 병을 일으키는 사기와의 투쟁에서 치열한 병리적 반응이 나타나기 어렵다. 그러므로 임상적으로 일련의 허약(虛弱) · 쇠퇴(衰退) · 부족(不足) 등의 증세가 나타나는데 이것을 허증(虛症)이라고 한다. 허증은 허약하거나 질병의 후기(後期) 또는 여러 가지 만성 병증에서 흔히 볼 수 있다. 예를 들면 중병(重病)이나 오랜 병을 앓고 나서 정기가 소모되었거나 또는 땀을 많이 흘렸거나 구토(嘔吐), 설사(泄瀉), 대출혈(大出血) 등으로 인하여 인체의 기혈(氣血), 진액(津液), 음양(陰陽)을 대량으로 소모하였을 경우에 정기가 허약한 현상을 초래하여 신피체권(神疲體倦), 면용초췌(面容憔

悴), 심계기단(心悸氣短), 자한(自汗), 도한(盜汗), 혹은 오심번열(五心煩熱), 외한지냉(畏寒肢冷), 맥허무력(脈虛無力) 등 정허(正虛)의 임상표현이 나타나거나 혈허화조생풍(血虛化燥生風)이 신경성 피부염(神經性皮膚炎)과 은설병(銀屑病)을 일으키고 간신부족(肝腎不足)으로 인해 반독(斑禿), 황갈반(黃褐斑) 등이 나타난다.

사기와 정기의 소장(消長), 성쇠(盛衰)는 단순하게 허(虛) 또는 실(實)의 병리변화를 초래할 수 있을 뿐만 아니라 장기적인, 복잡한 일부 질병에서 흔히 허실(虛實)이 복잡하게 얽힌 병리적 반응도 나타날 수 있다. 이것은 병을 오랫동안 방치했거나 올바른 치료를 못하여 병사(病邪)가 체내에 오래 머물러 인체의 정기를 손상했기 때문이거나 정기가 부족하여 사기를 몰아낼 수 없어 정기가 허(虛)하여 수습(水濕), 담음(痰飮), 혈(血) 등으로 병리적 현상이 발생하기 때문이다. 앞에 말한 각종 요인은 실(實)에서 허(虛)로 허(虛)에서 실(實)로 질병의 전화(轉化)를 초래할 수 있으며, 정허사실(正虛邪實), 정쇠사련(正衰邪戀) 등이 허실(虛實)로 뒤섞인 복잡한 병리변화도 초래할 수 있다.

이와 같이 손미성질병(損美性疾病)의 발생 · 발전하는 과정에서 병기(病機)의 허실(虛實)은 절대적인 것이 아니라 상대적인 것이며, 허(虛)와 실(實)의 상호전화, 허(虛)와 실(實)의 혼잡, 허(虛)와 실(實)의 가상(假像) 등의 현상은 질병의 발전과정에서 나타나는 필연적인 것이다. 그러므로 임상에서는 정지적 · 절대적 관점으로 대할 것이 아니라 능동적 · 상대적 관점으로 허(虛)와 실의 병기(病機)를 분석해야 한다.

2. 음양실조(陰陽失調)

음양실조는 음양소장(陰陽消長)의 조화로운 균형이 파괴되는 것을 말한다. 이것은 인체의 질병이 발생 · 발전하는 과정에 병을 일으키는 각종 요인의 영향으로 인체의 음양소장이 상대적인 균형을 잃게 되고 따라서 음(陰)이나 양(陽)이 편파적으로 성(盛)하거나 쇠(衰)하며 음(陰)이 양(陽)을 억제하지 못하거나 양(陽)이 음(陰)을 억제하지 못하는 병리 상태가 나타나는 것을 말한다. 또한 장부(臟腑) · 경락(經絡) · 기혈(氣血) · 영기(營氣)와 위기(衛氣) 등의 상호관계가 비균형적이고 표리출입(表裏出入) · 상하승강(上下昇降) 등 기기(氣機)가 이상적임을 개괄한 것이기도 하다. 육음(六淫) · 칠정(七情) · 음식물(飮食物) · 피로(疲勞) 등의 요인들이 인체에 작용하여 내부의 음양실조에 의해서만 질병이 발생할 수 있으므로 이 음양실조는 질병이 발생 · 발전하는 내재적 근거이기도 하다.

음양실조로 인한 병리변화는 매우 복잡한 것인데 주로 음양편성(陰陽偏盛), 편쇠(偏衰), 호손(互損) 등의 병리상태로 나타난다.

(1) 음양편승(陰陽偏勝)

음(陰)이나 양(陽)이 편파적으로 성하다는 것은 "사기가 성하면 실하다.(邪氣盛則實)"는 실증(實證)을 말한다. 일반적으로 사기가 인체에 침입할 경우에 자신과 같은 종류를 따른다. 즉 양사(陽邪)가 인체에 침입하면 양(陽)이 편파적으로 성(盛)하고 음사(陰邪)가 인체에 침입하면 음(陰)이 편파적으로 성(盛)하게 된다.《소문 · 음양응상대론(素問 · 陰陽應象大論)》에 "양이 성하면 열이 나고 음이 성하면 오한이 난다.(陽盛則熱, 陰盛則寒)"고 하였는데 이것은 양이 편파적으로 성하거나 음이 편파적으로 성할 경우의 임상표현의 특징을 명확하게 지적한 것이다.

음(陰)과 양(陽)은 상호제약하고 있기 때문에 양이 성하면 음은 쇠하고 음이 성하면 양이 쇠하며, 양이 편파적으로 성하면 반드시 음을 제약하여 음이 편파적으로 쇠하게 된다. 그러므로《소문 · 음양응상대론(素問 · 陰陽應象大論)》에서는 또 "양이 성하면 음이 병들고 음이 성하면 양이 병든다.(陽盛則陰病, 陰盛則陽病)"고 하였는데 이것은 양이 편파적으로 성하거나 음이 편파적으로 성할 경우의 필연적인 발전 가능성을 지적한 것이다.

① 양편성(陽偏盛) : 양이 편파적으로 성하다는 것은 인체의 질병과정에 양기(陽氣)가 편파적으로 성하고 기능(機能)이 항진하고 열량(熱量)이 과잉한 병리상태가 나타나는 것을 말한다. 일반적으로 이런 병기의 특징은 양이 성하지만 음이 허하지 않은 실열증(實熱症)으로 나타난다. 주요 원인은 온열양사(溫熱陽邪)를 받았거나 혹은 음사(陰邪)를 받았지만 양(陽)을 따라서 열(熱)로 화하기 때문이고, 정지내상(情志內傷)으로 인해 오지(五志)가 극(極)에 달해 화(火)로 화(化)하기 때문이며, 식체(食滯) · 기체(氣滯) · 어

혈(瘀血) 등이 울결(鬱結)하여 열(熱)로 화하기 때문이다. 예를 들면 일신창(日哂瘡)은 양열(陽熱)의 사기(邪氣)를 받아서 생기고, 백설풍(白屑風)은 풍열(風熱)의 사기가 밖으로부터 들어와서 피부에 축적되어 있다가 풍(風)으로 화하여 생기거나 또는 느끼하고 기름기 많은 음식이나 매운 음식을 많이 먹으면 장(腸)과 위(胃)에 축적이 되어 습(濕)과 열(熱)을 만들어 내는데 이 습열(濕熱)이 피부에 쌓여서 생긴다.

양(陽)은 열(熱) · 동(動) · 조(燥)가 그 특징인 만큼 양이 편파적으로 성하면 열상(熱象)이 나타나므로 "양이 성하면 열이 난다.(陽盛則熱)"고 한다. 예를 들면 장열(壯熱), 면홍(面紅), 목적(目赤) 등등은 모두 양편성(陽偏盛)의 구체적인 표현들이다.

② 음편성(陰偏盛) : 음이 편파적으로 성하다는 것은 인체의 질병과정에 음기(陰氣)가 편파적으로 성하여 기능(機能)장애 또는 감퇴 현상이 발생하므로 요구되는 열(熱)이 부족하게 되고 병리적 대사의 물질이 쌓이게 되는 병리상태가 나타나는 것을 말한다. 일반적으로 이런 병기의 특징은 음이 성하지만 양이 허하지 않은 실한증(實寒證)으로 나타난다. 주요 원인은 흔히 한습음사(寒濕陰邪)를 받았거나 생음식 또는 찬음식을 과식하게 되면 한체중조(寒滯中阻)하여 양이 음을 제약할 수 없으므로 음한(陰寒)이 내성(內盛)하게 된다. 예를 들면 동상은 한냉(寒冷)의 음기(陰氣)가 들어와서 생기고, 은진(癮疹;두드러기)은 풍한(風寒)이 밖에서 들어와 피부에 축적되어 있다가 영위(營衛)의 부조화를 일으켜 생긴다.

음(陰)은 한(寒) · 정(靜) · 습(濕)이 그 특징인 만큼 음이 편파적으로 성하면 한상(寒象)이 나타난다. "음이 성하면 오한이 난다.(陰盛則寒)"고 하였고, 형한(形寒) · 지냉(肢冷) · 설담(舌淡) 등은 음편성(陰偏盛)의 구체적인 표현이다.

(2) 음양편쇠(陰陽偏衰)

음(陰)이나 양(陽)이 편파적으로 쇠하다는 것은 "정기가 상실되면 허한다.(精氣奪則虛)"는 허증을 말하는 것이다. "정기가 상실된다"는 것은 인체의 정(精) · 기(氣) · 혈(血) · 진액(津液) 등 기본물질이 부족한 것이나 생리기능이 감퇴된 것을 포함하며 또한 장부(臟腑) · 경락(經絡)

등의 생리기능 감퇴 및 부조화 현상도 포함된다. 인체의 정(精)·기(氣)·혈(血)·진액(津液) 및 장부(臟腑)·경락(經絡)·조직(組織)·기관(器官), 그리고 그 생리기능은 모두 음양(陰陽)의 두 속성으로 나뉜다. 정상적인 상황에서 상호제약(相互制約)·호근호용(互根互用) 및 상호전화(相互轉化)의 관계는 상대적 균형상태를 유지한다. 그 어떤 원인으로 인하여 음 또는 양, 어느 일방의 물질이 감소되거나 기능이 감퇴될 경우에는 상대방을 제약할 수 없으므로 상대적 항진을 나타내게 된다. 따라서 "양이 허하면 음이 성하고(陽虛則陰盛)", "양이 허하면 오한(허한)이 나고(陽虛則寒;虛寒)", "음이 허하면 양이 항진되고(陰虛則陽抗)", "음이 허하면 열(허열)이 나는(陰虛則熱;虛熱)" 등의 병리현상이 나타난다.

① 양편쇠(陽偏衰) : 양이 편파적으로 쇠하다는 것은 양이 허하다는 것인데 이것은 인체의 양기가 손상되고 기능이 감퇴되어 열량(熱量)이 부족한 병리상태를 나타나는 것을 말한다. 일반적으로 이 병기의 특징은 흔히 인체의 양기가 부족하고 양이 음을 제약하지 못하고 음이 상대적으로 항진하는 허한증(虛寒證)으로 표현된다. 주요 원인은 선천적으로 부족한 것, 후천적으로 영양실조 또는 과로로 인한 것, 병을 앓고 나서 양기가 손상된 것 등이다.

예를 들면 궤양(潰瘍)이 오래 지나도 잘 아물지가 않고 혹은 겨울철에 동상이 쉽게 발생하며 혹은 사계절 내내 사지가 차갑거나 수족이 갈라지는 등의 현상은 대부분 인체의 양기부족으로 온후(溫煦)와 추동(推動)작용이 저하되어 발생하며, 양허수정(陽虛水停)으로 인해 얼굴과 눈에 부종이 생기고 몸과 사지가 피곤하며 수종(水腫)이 발생한다.

양허(陽虛)는 임상적 측면에서 보면 얼굴이 창백(蒼白)해지고, 누워있기를 좋아하고, 손발이 차며, 소변이 맑고 설사(泄瀉) 증상이 있고, 맥이 느린 등의 한상(寒象)이 나타난다.

② 음편쇠(陰偏衰) : 음이 편파적으로 쇠하다는 것은 음이 허하다는 것인데 이것은 인체의 정(精)·혈(血)·진액(津液) 등 물질이 손상되고 또한 음이 양을 제약하지 못하여 양의 상대적 항진을 초래함으로써 기능적으로 허성(虛性) 항진의 병리상에 있음을 말하는 것이다. 일반적으로 이 병기의 특징은 흔히 음액이 부족하고 자양(滋養) 기능이 감퇴되

고 양기가 상대적으로 성하는 허열증(虛熱證)으로 나타난다. 주요 원인은 양사가 음을 손상하고 오지(五志)가 극에 달아 화(火)로 화하여 음을 손상하거나 오랜 병으로 인하여 음액을 손상하였기 때문이다.

예를 들면 간신음허(肝腎陰虛)로 인해 호혹병(狐惑病), 황갈반(黃褐斑), 주근깨, 반독(斑禿) 등이 나타난다.

음허(陰虛)는 오심번열(五心煩熱), 골증조열(骨蒸潮熱), 면홍승화(面紅升火), 소수(消瘦), 도한(盜汗), 실면다몽(失眠多夢), 혀가 붉어지고 맥이 가늘고 빠르며 무력한 것 등의 현상은 모두 음이 허하여 열이 나는 표현인 것이다.

(3) 음양호손(陰陽互損)

음양(陰陽)이 서로 손상한다는 것은 음 또는 양의 어느 일방이 허손(虛損)된 조건 하에서 병리변화의 발전이 상대방에 영향을 미쳐 음양(陰陽)이 모두 허해지게 되는 병기(病機)를 말한다. 음이 허한 상태에서 양이 허해지는 것을 "음손급양(陰損及陽)"이라고 하고, 양이 허한 상태에서 음이 허해지는 것을 "양손급음(陽損及陰)"이라고 한다. 신(腎)이 정기(精氣)를 저장하므로 진음(眞陰)·진양(眞陽)을 가지고 있어 전신의 음양(陰陽)의 근본이 되고 있다. 그러므로 음이 허한 것이든, 양이 허한 것이든 신의 음양에 손상을 주고 신자체의 음양이 부조화적인 상황에서 "음손급양(陰損及陽)" 또는 "양손급음(陽損及陰)"하는, 즉 음양이 서로 손상하는 병리변화가 쉽게 발생한다.

① 음손급양(陰損及陽) : 음액(陰液)이 손상되어 양에 영향을 미쳐 양기의 생성부족을 초래하거나 양기가 의존할 대상이 없어 흩어짐으로써 음이 허한 것이 양도 허하게 만들어 음허(陰虛)를 위주로 하는 음양양허(陰陽兩虛)의 병리상태를 초래하는 것을 말한다. 예를 들면 임상에서 흔히 볼 수 있는 간양상항(肝陽上亢)증은 그 병기가 주요하게 수불함목(水不涵木)의 음허양항(陰虛陽亢)인 것인데 병세가 심해지면 신장의 정기, 신양(腎陽)을 손상시켜서 외한(畏寒), 지냉(肢冷), 얼굴이 창백하며 맥이 약해지는 등 양이 허한 증상이 나타나는 음손급양(陰損及陽)이 발전하여 음양양허증(陰陽兩虛證)으로 된다.

② 양손급음(陽損及陰) : 양기(陽氣)가 손상되어, 양기가 없어 음이 생성될 수 없으므로 음액이 부족하게 되고 따라서 양허가 음허를 초래하며 양허(陽虛)를 위주로 하는 음양양허(陰陽兩虛)의 병리상태를 초래하는 것을 말한다. 예를 들면 임상에서 흔히 볼 수 있는 부종(浮腫)은 그 병기가 주로 양기가 부족하고 기화가 제대로 진행되지 못해 수액대사에 장애가 생기고 진액이 유통되지 못하고 쌓여서 수습(水濕)이 내생(內生)하여 피부로 넘쳐 나와 발생하는 것이다. 그런데 이 병리변화의 발전은 음이 없어 양이 생성될 수 없으므로 음액(陰液)이 부족하여 날로 수척해지고 초조하며 화가 상승하는 등의 음허(陰虛)증상이 나타나며 양손급음(陽損及陰)이 발전하여 음양양허증(陰陽兩虛證)으로 될 수도 있다.

(4) 음양격거(陰陽格拒)

음양의 상호배격이란 음양부조화의 비교적 특수한 병기인데 여기에는 음이 성하여 양을 배격하고 양이 성하여 음을 배격하는 두 측면을 포함하고 있다. 음양의 상호배격을 조성하는 단계는 주로 어떤 원인으로 인하여 음 또는 양의 한쪽이 일방적으로 성(盛)하게 됨에 따라 안에 울체되어 다른 한쪽을 밖으로 배격하여 음양 간의 연계가 단절되게 된다. 그리하여 진한가열(眞寒假熱) · 진열가한(眞熱假寒) 등 복잡한 병리현상이 나타난다.

① 음성격양(陰盛格陽) : 음이 성하여 양을 배격한다는 것은 음한(陰寒)의 사기가 안에 모여 양기를 밖으로 부월(浮越)하도록 강요함으로써 음기와 양기가 순접(順接)하지 못하고 서로 배격하는 병리상태가 나타나는 것을 말한다. 음한이 안에 성하는 것이 질병의 본질인데 양을 밖으로 배격하였기 때문에 임상적으로 얼굴이 붉어지고 번열이 나고 갈증이 나며 맥이 커지는 등의 가열지상(假熱之象)이 나타나는데 이것을 진한가열증(眞寒假熱證)이라고 한다.

② 양성격음(陽盛格陰) : 양이 성하여 음을 배격한다는 것은 열사(熱邪)가 성하고 안에 깊이 있어 양기가 막혀서 지체(肢體)에 분포될 수 없고, 음을 밖으로 배격하는 병리상태이다. 양이 안에 성하는 것이 질병의 본질인데 음을 밖으로 배격하여 암상적으로 사지

(四肢)가 차고 맥이 가라앉는 등의 가한지상(假寒之象)이 나타나는데 이것을 진열가한증(眞熱假寒證)이라고 한다.

(5) 음양망실(陰陽亡失)

이것은 인체의 음액 또는 양기가 갑자기 대량으로 유실되어 생명이 위급하게 되는 병리상태를 말한다.

① 망양(亡陽) : 양기(陽氣)가 망실된다는 것은 인체의 양기가 갑자기 유실되어 전신의 기능이 쇠약해지는 병리상태를 말한다. 일반적으로 양기가 망실되는 것은 사기가 성하여 정기가 사기를 이겨낼 수 없으므로 양기가 갑자기 유실되게 되는 것이다. 또한 양이 허하고 정기가 부족하거나 과도한 피로 등의 여러 가지 원인으로 인한 것이나 땀을 지나치게 많이 흘린 것으로 인하여 양이 음을 따라 배출되어 양기의 망실을 초래할 수 있다. 양기가 갑자기 유실되면 흔히 땀이 많이 나고 피부와 손발이 차갑고 피로하며 맥이 가는 등의 위독한 증상이 나타난다.

② 망음(亡陰) : 음기(陰氣)가 망실된다는 것은 인체의 음액이 갑자기 대량으로 소모되거나 유실되어 전신의 기능이 쇠약해지는 병리상태를 말한다. 일반적으로 음기가 망실되는 것은 열사(熱邪)가 성하거나 사열(邪熱)이 오래 지속되어 음액을 대량으로 말리기 때문이다. 그리고 기타 요인으로 음액을 대량 손상 · 소모하는 경우에도 음기가 망실될 수 있다. 그러므로 음기가 망실되는 경우에는 흔히 갈증이 나고 초조하며 손, 발이 따뜻하지만 땀이 많이 나서 허탈이 되는 위독한 증세가 나타난다.

위에서 말한 바와 같이 음양 부조화의 병기(病機)는 음양의 속성, 음양 간의 존재하는 상호제약 · 상호소장 · 호근호용 및 상호전화의 관계에 의하여 인체의 온갖 병리현상의 메카니즘을 해석 · 분석 · 종합하고 있다. 음양이 편파적으로 성하는 것과 쇠하는 것, 음이 망실되는 것과 양이 망실되는 것 사이에는 내재적으로 밀접한 관계가 있는 것이다. 다시 말해서 음양부조화의 각종 병기는 고정불변한 것이 아니고 병세의 진퇴(進退)와 사기 · 정기의 성쇠 등의 상황에 따라 변화하는 것이다.

3. 기혈실상(氣血失常)

기혈(氣血)이 비정상적이라고 하는 것은 기와 혈이 부족한 것, 그리고 그 생리기능이 비정상적인 것, 기혈이 호근호용의 기능이 비정상적인 것 등의 병리변화를 개괄하고 있다. 기혈은 인체의 전신에 유통하는 것인데 장부 · 경락 등 모든 조직 · 기관들이 생리활동을 진행하는 물질적 기초인 것이다. 기혈이 비정상적이면 인체의 각종 생리기능에 영향을 미치기 마련이며 따라서 질병을 초래하게 된다. 그러므로 기혈이 비정상적인 병기는 사기 · 정기의 성쇠, 음양의 부조화와 마찬가지로 장부 · 경락 등 각종 병리변화의 기초로 될 뿐만 아니라 각종 임상 질병의 병기를 분석 · 연구하는 기초로 된다.

(1) 기의 실상

기(氣)가 비정상적인 것은 기의 생성이 부족하거나 지나치게 기를 소모하여 기가 부족한 것, 기의 일부 기능이 감퇴된 것, 기의 운동이 비정상적인 것 등을 포함한다. 앞에 말한 두 경우는 흔히 기가 허한 것으로 표현되고 뒤의 경우는 기체(氣滯) · 기역(氣逆) · 기함(氣陷) · 기폐(氣閉) · 기탈(氣脫) 등 기기(氣機)의 부조화의 병리변화로 표현된다.

1) 기허(氣虛)

원기(元氣)가 손상되고, 그 기능이 부조화하고, 장부의 기능이 쇠퇴하고, 병에 대한 저항력이 저하된 병리상태를 말한다. 기허(氣虛)의 주요 원인은 선천적으로 부족한 것, 후천적으로 자양하지 못한 것, 폐(肺) · 비(脾) · 신(腎)의 기능이 조화롭지 못하여 기가 제대로 생성되지 못하는 것 등이다. 그리고 과로(過勞), 내상(內傷), 오랜 병을 앓고 난 후에도 기가 허해질 수 있다. 권태(倦怠), 안검하수(眼瞼下垂), 사지무력(四肢無力), 현운(眩暈), 자한(自汗), 이감모(易感冒) 등은 모두 기가 허한 구체적인 표현들이다.

기(氣) · 혈(血) · 진액(津液)은 서로 밀접한 관계를 가지고 있으므로 기가 허하면 혈과 진액에 영향을 미치게 되며 생성 부족을 초래하고 운행이 완만해지며 이유 없이 유실되게 하여 혈과 진액의 각종 병리변화를 발생시킨다.

2) 기기의 부조화

기(氣)의 승강출입(昇降出入)이 비정상적인 것으로 인하여 야기된 기체(氣滯) · 기역(氣逆) · 기함(氣陷) · 기폐(氣閉) 및 기탈(氣脫) 등 병리변화를 말한다. 인체의 장부 · 경락의 기능활동, 장부 · 경락과 기혈 · 음양의 상호관계는 모두 기의 승강출입 운동에 의하여 상대적 균형을 유지하고 있다. 폐(肺)의 호흡(呼吸)과 선발(宣發) · 숙강(肅降), 비(脾)의 승청(昇淸)과 위(胃)의 강탁(降濁), 심신(心腎)의 음양상교(陰陽相交), 그리고 간(肝)이 승(昇)을 주관하고 폐(肺)가 강(降)을 주관하는 등의 생리기능 간의 조화로운 균형은 모두 기의 승강출입 운동의 정상적이고 구체적인 표현이다. 기(氣)의 승강출입(昇降出入)이 비정상적이면 장부 · 경락 · 기혈 · 음양 등 각 방면의 기능이 조화로운 균형에 영향을 미친다. 기기가 부조화할 경우에는 오장육부(五臟六腑), 표리내외(表裏內外), 사지구규(四肢九竅) 등 여러 방면에 병리변화를 일으킨다.

① 기체(氣滯) : 기의 유통에 장애가 있는 것을 말한다. 주로 정지내울(情志內鬱), 담(痰), 식적(食積), 어혈(瘀血) 등의 장애로 말미암아 기의 흐름에 영향을 주어 국부 또는 전신의 기기(氣機)가 원할하지 못하거나 막혀 일부 장부, 경락의 기능 장애를 초래하기 때문이다. 간(肝)은 승(昇), 폐(肺)는 강(降), 비(脾)는 승(昇), 위(胃)는 강(降)을 주관하므로 전신의 기기를 조절함에 있어서 극히 중요한 역할을 담당하고 있다. 그러므로 기체가 발생하면 폐기옹체(肺氣壅滯), 간울기체(肝鬱氣滯), 비위기체(脾胃氣滯)가 나타나며 또한 폐(肺), 간(肝), 비(脾), 위(胃) 등 장부의 기능장애가 발생하면 기체(氣滯)가 생긴다.

   정지(情志)가 비정상적이어서 간기(肝氣)가 울결되면 백전풍(白癜風), 은설병(銀屑病), 반독(斑禿), 황갈반(黃褐斑) 등이 나타나고, 기가 정체하여 담(痰)이 쌓이면 영류(癭瘤; 혹), 담핵(痰核) 등이 나타난다.

② 기역(氣逆) : 기역은 기기의 승강이 비정상적이어서 장부(臟腑)의 기가 역상(逆上)하는 병리상태를 말한다. 흔히 정지가 손상되거나 음식의 한온(寒溫), 담탁옹조(痰濁壅阻)로 인해 나타나며 폐(肺), 위(胃), 간(肝) 등의 장부에 발생한다. 폐(肺)가 숙강실조(肅降失調)로 인하여 기가 상역하면 해수(咳嗽)가 나타나고, 위(胃)가 화강실조(和降失調)로 인해 위기가 상역하면 오심(惡心), 구토(嘔吐), 애기(噯氣;한숨), 애역(呃逆;딸꾹질, 트림) 등이 난다. 간기(肝氣)가 상역하면 두통두창(頭痛頭脹), 면홍목적(面紅目赤), 이노(易努), 각혈(咯血), 토혈(吐血) 등이 나타난다.《소문 · 생기통천론(素問 · 生氣通天論)》에 "대노하면 기가 끊어지고 혈이 위로 올라가 쌓여 사람을 기절하게 한다.(大努則形氣絶, 而血菀于上, 使人薄厥)"고 하였다. 일반적으로 실(實)한 경우에 기가 상역하는데 간혹 허(虛)한 것으로 인하여 기가 상역하는 경우도 있다. 예를 들면 폐(肺)가 허하면 숙강(肅降)의 기능이 상실되거나 신(腎)이 기를 받아들이지 않아서 폐기가 상역하게 된다. 위(胃)가 허하여 강(降)의 기능을 상실하여도 위기(衛氣)가 상역되는데, 좌창(痤瘡), 주조비(酒糟鼻), 구취(口臭) 등이 나타난다. 이것은 모두 허한 것으로 인하여 기가 상역하는 병기인 것이다.

③ 기함(氣陷) : 기가 허한 병기의 일종인데 기가 무력하여 승거(昇擧)할 수 없는 것을 그 주요 특징으로 하는 병리 상태이다. 인체의 내장의 위치가 상대적으로 고정되어 있는 것은 기의 정상적인 운동에 의한 것이다. 기가 허해서 힘이 약화되면 내장이 아래로 쳐지게 되는데, 위하수(胃下垂), 신하수(腎下垂), 자궁하수(子宮下垂), 탈항(脫肛) 등이 그러하다. 기는 비(脾)에서 생성되고 승(昇)을 주관하며 비위(脾胃)는 또한 기혈(氣血)을 생성하고 변화하는 근원이므로 비위(脾胃)의 기가 허할 경우에는 쉽게 기함(氣陷)이 발생한다.

④ 기폐(氣閉)와 기탈(氣脫) : 이들은 주로 기의 출입(出入)이 비정상적인 병리 상태인데 임상 표현으로는 흔히 궐(厥) · 탈(脫) 등 위독한 증세가 나타난다.

기폐(氣閉)는 탁사(濁邪)가 밖으로 막히거나 기울(氣鬱)이 극심하고 심지어는 기가 배출되지 못하고 막혀서 갑자기 폐궐(閉厥)되는 병리 상태이다. 탁한 기로 인해 발생한 폐궐(閉厥), 외감열병(外感熱病) 과정에 열이 심하여 발생한 폐궐(閉厥), 갑자기 정신에 손상을 입어 발생한 기절 등의 병기는 모두 기가 밖으로 배출되지 못하여 발생한 기폐(氣閉)이다.

기탈(氣脫)은 정기가 사기를 이겨낼 수 없고 정기가 지속적으로 쇠약하여 기가 내수(內守)하지 않고 밖으로 이탈되거나 대출혈이 있거나 땀을 많이 흘린 것 등으로 인하여 기가 혈액을 따라, 진액을 따라 이탈하여 기탈(氣脫)이 생기게 되고, 따라서 기능이 갑자기 쇠약해지는 병리상태가 나타난다. 기탈(氣脫)은 사실상 허탈증의 주요한 병기로 된다.

(2) 혈의 실상

혈이 비정상적인 것에는 혈액의 생성부족 또는 출혈이나 지병으로 인해 혈액 손상이 지나치게 많은 것, 혈의 유양(濡養) 기능이 약화되어 혈이 허하게 된 것, 혈이 뜨거워서 혈의 운행이 가속화 된 것, 혈의 순환이 완만하여 혈어(血瘀)를 초래한 것 등의 병리 변화를 포함한다.

1) 혈허(血虛)

혈액이 부족하거나 혈의 유양 기능이 감퇴된 병리 상태를 말한다. 과다 출혈 후의 보충이나 생성이 잘 안되는 것, 비위(脾胃)가 허약하여 혈액 생성이 부족하거나 장애가 생긴 것, 지병으로 인하여 혈액 소모가 많은 것 등은 모두 혈허의 원인이 될 수 있다. 전신의 조직 기관들은 모두 혈의 유양 기능에 의지하고 있어 혈이 허할 때에는 전신 혹은 국부에 영양실조, 기능활동이 점차 쇠퇴되는 등의 허약한 증상이 나타난다. 얼굴색, 입술, 혀, 손발톱의 색이 연하고 윤택하지 못한 것, 현운(眩暈), 심계(心悸), 핍력(乏力), 소수(消瘦), 수족마목(手足麻木), 관절불이(關節不利), 목불청(目不淸) 등은 모두 혈허의 임상 증세이다.

혈허(血虛)로 인해 풍(風)이 생기면 신경성 피부염(神經性皮膚炎), 피부소양(皮膚瘙痒), 반독(斑禿) 등이 나타난다.

2) 혈어(血瘀)

혈어란 혈액순환이 완만하고 원활하지 못한 병리상태를 말한다. 기체(氣滯), 기허(氣虛),

담탁(痰濁), 한사(寒邪), 열사(熱邪) 등은 모두 혈어를 초래할 수 있다. 혈어의 병기(病機)는 주로 혈액순환이 원활하지 못한 것이다. 어느 국부에 혈어가 생겨 막히게 되면 통증이 생기는데 아픈 곳이 고정되고 한온(寒溫)에 의하여 그 통증이 경감되지 않는다. 안색이 검고 피부가 거칠고 기름기가 없으며 입술과 혀에 암자색(暗紫色)이 나고 어반(瘀斑) 등의 혈액이 정체되는 증상이 나타난다.

혈어는 반대로 기기(氣機)의 장애를 더욱 심하게 할 수 있으며, 기체(氣滯)가 혈어(血瘀)를 초래하고 다시 혈어가 기체를 초래하는 악성순환을 일으키게 된다.

3) 혈열(血熱)

혈열은 혈분(血分)에 열이 있어 혈액 순환을 가속화 시키는 병리상태를 말한다. 주로 열사(熱邪)로 인해 생기며 또한 정지(情志)가 울결(鬱結)한 것, 오지(五志)가 극한을 넘어 화(火)로 화하는 것도 원인이 된다. 혈액은 일정한 온도 하에서 운행이 되는데 혈액에 열이 있으면 운행이 가속화되어 심지어는 맥락(脈絡)에 손상을 주어 제멋대로 운행하게 할 수도 있다. 그러므로 혈열(血熱)의 임상 표현은 열상(熱象)도 있고 또한 혈액을 소모하고 혈액의 운행을 가속화하고 음(陰)을 손상시키는 특징도 있다.

임상에서 면홍목적(面紅目赤), 심번(心煩) 혹은 발광(發狂), 섬어(譫語;혼자서 중얼거림), 심하면 혼미(昏迷) 혹은 뉵혈(衄血;코피), 토혈(吐血), 뇨혈(尿血), 자반(紫斑) 등이 나타나며, 폐경(肺經)에 혈열(血熱)이 있으면 주조비(酒糟鼻)가 생긴다.

(3) 기혈관계 실조

1) 기혈양허(氣血兩虛)

기와 혈이 동시에 허(虛)한 병리 상태를 말한다. 주로 오랜 병으로 기혈(氣血)을 많이 소모하여 기혈이 손상되어 일어난다. 먼저 혈이 유실되고 기가 혈을 따라 소모되는 경우도 있고, 먼저 기가 허하여 혈의 생성근원이 없으므로 혈이 점차 적어짐에 따라 발생할 수도 있다. 임상적으로 얼굴색이 창백(蒼白)하고 누렇고, 기력이 없고 말하기가 싫은 것, 핍력(乏力), 소수

(消瘦), 심계(心悸), 실면(失眠), 피부건조(皮膚乾燥), 사지마목(四肢痲木) 등은 모두 기혈부족(氣血不足)의 증상이다.

2) 기허혈어(氣虛血瘀)

기가 허하면 추동하는 힘이 부족하여 혈어의 병리 상태를 일으킨다. 임상에서는 기허증(氣虛證)과 혈어증(血瘀證)을 동시에 볼 수가 있는데, 예를 들면 중풍편탄(中風偏癱), 반신불수(半身不遂)는 기허혈어(氣虛血瘀)에서 자주 나타나는 병증(病證)이다.

3) 기체혈어(氣滯血瘀)

기의 운동이 활발하지 못하여 혈액 운행에 장애를 일으키는데 이러한 상태가 지속되면 혈어의 병리 상태가 나타난다. 임상에서는 기체증(氣滯證)과 혈어증(血瘀證)을 동시에 볼 수가 있다.

4) 기불섭혈(氣不攝血)

기가 부족하여 혈액을 고섭하는 생리 기능이 감퇴되면 혈액이 순환하지 못하고 맥 밖으로 나오는 병리 상태를 일으킨다. 임상에서는 기허증(氣虛證)과 각종 출혈증(出血證)을 볼 수 있다.

4. 진액대사실상(津液代謝失常)

진액대사의 비정상적인 것에는 진액이 부족한 경우와 진액의 수송 및 분포와 배설에 장애가 생기는 경우를 포함한다.

(1) 진액부족(津液不足)

진액이 부족하다는 것은 진액이 양적(量的)으로 적어 장부(臟腑), 형체(形體), 관규(官竅) 등에 충분한 습윤(濕潤), 자양(滋養)의 작용을 하지 못하여 일련의 건조한 병리 상태가 발생하는 것을 말한다. 이 원인은 진액의 생성부족, 열사(熱邪)나 화(火)에 의해서, 또는 열이 나고 땀을 많이 흘리거나 구토와 설사나 출혈, 약성(藥性)이 신조제(辛燥劑)를 잘못 쓴 것 등에 의하여 발생한다. 임상에서 피부건조(皮膚乾燥), 입과 목이 마르고, 입술과 코가 건조하며, 두 눈이 건조하고 모발이 건조해지며 윤기가 없어지는 등의 증상이 나타난다.

(2) 진액 수포(津液輸布)와 배설(排泄)의 장애

진액 수포(津液輸布)와 배설(排泄)의 장애는 주요하게 비(脾), 폐(肺), 신(腎), 삼초(三焦)의 기능의 실조와 관계가 있다. 진액 수포의 장애는 진액이 정상적으로 수송, 분포될 수 없어 진액이 체내에서 순환이 완만해지거나 체내 어느 국부에 정체가 생겨 수습(水濕), 담음(痰飮)의 병리 상태를 형성한다. 진액 배설의 장애는 진액이 땀과 소변으로 전화되는 기능이 약화되어 수액이 배출되지 못하고 정체됨에 따라 피부로 넘쳐 수종이 발생한다. 여기서 알아둘 것은 진액 수포(津液輸布)와 배설(排泄)의 장애는 서로 다른 것이지만 서로 영향을 주고 서로 인과관계를 이루며 그 결과는 수습(水濕)을 내생(內生)하고 담(痰)을 성(盛)하게 하여 여러 가지 병리 변화를 일으킨다는 것이다.

이와 같이 손미성질병(損美性疾病)의 병기(病機)는 사정성쇠(邪正盛衰), 음양실조(陰陽失調), 기혈실상(氣血失常) 및 진액대사실상(津液代謝失常) 등의 여러 가지 방면에 살펴봤는데, 이것은 동양의학에서 질병을 인식하는 제일 기본적인 방법이다.

중편

한방미용변증(韓方美容辨證)

제 1 장

팔강변증 (八綱辨證)

1. 표리(表裏)
2. 한열(寒熱)
3. 허실(虛實)
4. 음양(陰陽)

1 팔강변증(八綱辨證)

팔강(八綱)이란 음(陰), 양(陽), 표(表), 리(裏), 한(寒), 열(熱), 허(虛), 실(實)의 여덟 가지 다른 증후(證候)를 말한다. 팔강변증은 사진에서 수집한 자료를 종합적으로 분석하여 병변의 대체적인 유형, 성질(性質)과 사정성쇠(邪正盛衰) 등을 개괄하며, 이로부터 음증, 양증, 표증, 이증, 한증, 열증, 허증, 실증의 여덟 가지 기본 증후(證候)로 귀납한다. 각종 변증의 기본이 된다.

1. 표리(表裏)

표리는 병변의 부위, 병세에 경중과 추세를 판별하는 두 강령이다.

(1) 표증(表證)

표증은 육음외사(六淫外邪)가 피모와 입, 코로부터 인체에 침범하여 일어나는 것으로 병위(病位)가 얕은 피부와 근육에 있는 증후이다. 대부분 병세가 빠르고 병기가 짧으며, 병위가 얕은 특징을 가지고 있다.

【임상 표현】

발열오한(發熱惡寒) 혹은 오풍(惡風), 두통(頭痛), 설태가 엷고 희며, 주로 부맥(浮脈)이다. 피부의 표현으로는 피부색이 변색되고, 냉(冷), 열(熱), 양(痒), 마(麻) 등의 이상 감각이 생기며, 구진(丘疹), 수포(水疱) 등을 형성한다. 예를 들면 동상(凍傷) 초기에는 국부 피부색이 창백해지고 냉마(冷麻)가 나타나며, 심마진(蕁麻疹) 초기에는 국부 피부 소양감(瘙痒感), 발열(發熱), 오풍(惡風) 등이 나타난다.

【증후 분석】

육음사기가 피모기표(皮毛肌表)에 머물러 위기(衛氣)의 정상적인 선발(宣發)작용에 장애를 주어서 울결되어 발열(發熱); 위기의 기능이 비정상적이어서 온후(溫煦)작용이 실조되어 오한(惡寒), 오풍(惡風)이 나타난다. 경락에 사기가 울체되어 기혈의 흐름이 원활하지 못하여 두신동통(頭身疼痛); 사기가 아직 안으로 들어오지를 않아 설태가 엷고 희다. 외사가 표층에 있고 정기와 싸우고 있어 부맥(浮脈)이 나타난다. 사기가 기표(肌表)에 머물러 피부색이 변하고 이상 감각이 생긴다.

(2) 이증(裏證)

이증(裏證)은 병변 부위가 장부에 있어서 나타나는 증후이다. 이증은 표사(表邪)가 풀리지 않고, 안으로 전하여 속으로 들어가 장부에 침범하거나 사기(邪氣)가 직접 장부를 침범하여 발생한다. 기타 원인으로 장부의 기능이 실조되어 생긴다. 표증(表證)과는 상대적으로 병세가 완만하고 병기가 길며, 병위가 깊은 등의 특징이 있다.

【임상 표현】

한열허실(寒熱虛實)에 따라서 각기 다르게 나타난다. 피부 손상은 발반(發斑), 결절(結節), 인설(鱗屑), 미란(糜爛), 궤양(潰瘍) 등을 볼 수 있다. 예를 들면 창양종독(瘡瘍腫毒)은 대다수가 이열증(裏熱證), 인설병(鱗屑病)은 대 다수가 이허증(裏虛證) 등 이다.

【증후 분석】

한열허실변증과 장부변증과 구별해야 한다.

2. 한열(寒熱)

한열(寒熱)은 질병의 성질을 판별하는 두 강령이다.

(1) 한증(寒證)

한증은 한사(寒邪)를 감수(感受)하였거나 혹은 양이 허하고 음이 성하여 신체의 기능활동이 쇠퇴해서 나타나는 증후이다. 여기에는 표한(表寒), 리한(裏寒), 허한(虛寒), 실한(實寒) 등을 포함한다.

【임상 표현】

각 한증의 증후는 서로 다르지만 대부분 오한(惡寒), 추위를 싫어하고 따뜻한 것을 좋아하며, 입맛이 없고 목이 마르지 않으며, 안색이 창백하고 손발이 차며, 움츠리고 누워 있기를 좋아하며, 소변이 맑고 대변이 묽으며, 혀의 색은 연하고 설태는 희며 윤활하고, 맥은 지맥(遲脈) 혹은 긴맥(緊脈)이다. 피부 손상의 표현은 피부색이 청자색(青紫色), 피부에 결절이 생기고 분비물이 맑고 묽다. 예를 들면 심마진(蕁麻疹)은 풍한형(風寒型)에 속하는데 피부색이 하얗고 풍냉(風冷)의 기운을 받으면 피진(皮疹)이 가중된다. 동상(凍傷) 초기에 피부가 창백하고 계속해서 진행이 되면 청자색(青紫色)으로 변하며 크기가 다른 수포(水疱)가 생긴다.

【증후 분석】

양기부족 혹은 외사에 의해 손상을 입어 인체에 온후작용의 기능이 제대로 발휘하지 못하여 형한지냉(形寒肢冷), 권와희완(蜷臥喜緩), 면색창백(面色蒼白)이 나타나고, 음한(陰寒)

이 성하면 진액이 손상되지 않아 구담부갈(口談不渴); 양이 허해서 수액을 온화하지 못하여 변이 무르고, 양이 허해서 한습(寒濕)이 생겨 혀의 색은 연하고 설태는 희며 윤활하고, 양기가 허약하여 혈액의 운행능력이 부족해지면 지맥(遲脈); 한(寒)은 수인(收引)을 주관함으로 한이 침범하면 맥도(脈道)를 수축시켜 긴맥(緊脈)이 나타난다.

(2) 열증(熱證)

열증은 열사(熱邪)를 감수하였거나 혹은 양이 성하고 음이 허하여 신체의 기능활동이 항진된 증후이다. 여기에는 표열(表熱), 리열(裏熱), 허열(虛熱), 실열(實熱) 등이 포함된다.

【임상 표현】

오열희냉(惡熱喜冷), 목이 마르고 찬물을 좋아하며, 소변이 적고 진한 색이다. 대변이 굳고, 면홍목적(面紅目赤), 번조(煩燥), 혀는 붉고 설태는 노랗고 건조하며, 맥은 삭맥(數脈)이다. 피부 손상의 표현은 피부반진(斑疹)의 색이 빨갛고, 창양(瘡瘍)은 홍종열통(紅腫熱痛)이 있으며, 미란(糜爛)의 분비물이 탁하다. 예를 들면 폐위온열(肺胃蘊熱)의 좌창(痤瘡), 간화상염(肝火上炎)의 맥립종(麥粒腫), 심화항성(心火亢盛)의 구설생창(口舌生瘡) 등이다.

【증후 분석】

양열(陽熱)이 편성하여 오열희냉(惡熱喜冷); 열사(熱邪)가 음을 상하게 하고 진액을 손상시켜 구갈희냉음(口渴喜冷飮); 소변이 적고 진한 색으로 나타난다. 화의 성질은 상염(上炎)이므로 면홍목적(面紅目赤); 열이 심신(心神)을 어지럽혀 번조(煩燥)가 나타나고, 장열(腸熱)이 진액을 상하게 하여 대변이 굳으며, 혀는 붉고 설태는 노랗게 되는 것은 열상(熱象)이고, 설이 건조한 것은 음이 상한 것이며, 양열(陽熱)이 항성(亢盛)하여 혈행이 가속이 되면 삭맥(數脈)이 나타난다.

3. 허실(虛實)

허실은 사정성쇠(邪正盛衰)를 판별하는 두 개의 강령이다.

(1) 허증(虛證)

허증은 인체의 정기부족과 장부의 기능쇠퇴로 나타나는 증후를 말하는데 흔히 선천적으로 신체가 허약하거나 후천적인 실조 혹은 만성병, 중병 이후나 칠정노권(七情勞倦), 방사과도(房事過度) 등으로 초래되는 음양기혈의 부족으로 나타나는 것이다.

【임상 표현】

허증에는 기허(氣虛), 혈허(血虛), 음허(陰虛), 양허(陽虛)가 있는데 임상표현도 각기 다르다. 일반적으로 나타나는 증상들 중에서 양기허(陽氣虛)는 면색창백(面色蒼白) 혹은 위황(萎黃), 정신위미(精神萎靡), 신피핍력(神疲乏力), 심계기단(心悸氣短), 형한지냉(形寒肢冷), 자한(自汗), 소변실금(小便失禁), 대변활탈(大便滑脫), 설담(舌淡), 맥허침지(脈虛沈遲)의 증상이 나타나고, 음허(陰虛)는 오심번열(五心煩熱), 소수관홍(消瘦顴紅), 구인건조(口咽乾燥), 도한조열(盜汗潮熱), 설홍소태(舌紅少苔), 맥허세삭(脈虛細數)의 증상이 나타나며, 혈허(血虛)는 면색무화(面色無華) 혹은 위황(萎黃), 순조색담(脣爪色淡), 두운안화(頭暈眼花), 양목건삽(兩目乾澁), 시물불청(視物不淸), 설담(舌淡), 맥세무력(脈細無力)의 증상이 생긴다. 허증의 피부 손상 표현은 반복해서 발작하고, 오랜 기간 잘 낫지 않으며, 홍종열통(紅腫熱痛)이 심하지 않고, 농(膿)의 성질이 맑은 물과 같으며, 냄새가 없어 만성습진(慢性濕疹)과 같다.

【증후 분석】

허증의 병기는 주요하게 상음(傷陰), 상양(傷陽)의 두 방면으로 표현된다. 상양(傷陽)의 경우는 양기허(陽氣虛)의 표현을 위주로 한다. 양기가 온후(溫煦)와 고섭(固攝)작용을 하지 못하면 면색창백(面色蒼白), 형한지냉(形寒肢冷), 신피핍력(神疲乏力), 심계기단(心悸氣

短), 소변실금(小便失禁), 대변활탈(大便滑脫) 등의 증상이 나타난다. 상음(傷陰)의 경우는 음혈허(陰血虛)의 표현을 위주로 한다. 음혈부족으로 자양자윤의 작용이 실조되고, 한편으로 음이 양을 제약하지 못하여 양이 상대적으로 편성하게 되어 수족심열(手足心熱), 심번심계(心煩心悸), 면색위황(面色萎黃) 혹은 관홍(顴紅), 도한조열(盜汗潮熱) 등의 증상이 나타난다. 음허즉음한성(陰虛則陰寒盛)하면 설담(舌淡), 맥허침지(脈虛沈遲)가 나타나고, 양허즉양편항(陽虛則陽偏亢)하면 설홍소태(舌紅少苔), 맥허세삭(脈虛細數)이 나타난다.

(2) 실증(實證)

실증은 사기가 너무 성한 것과 장부 기능 활동이 왕성하게 표현되는 증후를 가리키는 것이다.

【임상 표현】

질병을 일으키는 사기의 성질과 존재하는 부위에 따라서 실증의 표현도 다르지만, 자주 나타내는 증상은 다음과 같다. 발열(發熱), 완복창통거안(脘腹脹痛拒按), 흉민번조(胸悶煩燥), 호흡기조(呼吸氣粗), 담연옹성(痰涎壅盛), 대변비결(大便秘結), 소변불리(小便不利), 설태후니(舌苔厚膩), 맥실유력(脈實有力)이 있다. 피부 손상 표현은 급성발작, 기간이 비교적 짧고, 홍종열통(紅腫熱痛)이 확실하며, 농(膿)의 질이 끈적거리고, 비린내가 나는 등의 증상이 나타나며, 전요화단(纏腰火丹), 옹(癰), 절(癤) 등의 병증이 여기에 속한다.

【증후 분석】

사기가 성하여 정사(正邪)가 교전을 하면 발열(發熱), 사기가 심(心)을 어지럽혀서 번조(煩燥), 사기가 폐(肺)에 머물러 폐가 선발(宣發)과 숙강(肅降) 작용이 실조되어 흉민천식(胸悶喘息), 담연옹성(痰涎壅盛)의 증상이 나타나고, 사기가 장위(腸胃)에 쌓여 부(腑)의 기가 통하지 못하면 대변비결(大便秘結), 완복창통거안(脘腹脹痛拒按); 수습(水濕)이 안에 정지되어 기화가 제대로 이루어지지 않으면 소변불리(小便不利)가 나타나고, 정사(正邪)가 교전을 하여 혈맥에 충격을 주게 되어 맥실유력(脈實有力)이 나타나며, 습탁(濕濁)이 있음으로 설태후니(舌苔厚膩)가 나타난다.

4. 음양(陰陽)

음양은 병증의 유별(類別)을 개괄하는 한쌍의 강령(綱領)이다. 그의 응용범위는 매우 넓어서 크게 보면 모든 병상을 개괄할 수 있고, 적게 보면 증상 분석에 이용할 수 있다. 음양은 또한 팔강(八綱)의 총강(總綱)이라 할 수 있으며 기타 세 쌍의 강령을 개괄할 수 있다. 즉 표, 열, 실은 양에 속하고, 이, 한, 허는 음에 속한다. 모든 병증은 비록 끊임없이 변화하지만, 총괄하여 보면 음증과 양증의 두 부류 외에는 없다.

(1) 음증(陰證)

음에 일반적인 속성에 부합되는 증후를 가리킨다. 이증(裏證), 한증(寒證), 허증(虛症)이 음증의 범주에 속한다.

【임상 표현】

일반적으로 많이 볼 수 있는 것은 면색암담(面色暗淡), 정신위미(精神萎靡), 신중권와(身重蜷臥), 형한지냉(形寒肢冷), 권태무력(倦怠無力), 어성저미(語聲低微), 납매(納呆), 구담불갈(口談不渴), 대변성취(大便腥臭), 소변청장(小便淸長), 설담(舌淡), 맥침지(脈沈遲), 약(弱) 혹은 세삽(細澁)의 증상이 있다. 피부 손상으로는 대부분이 만성(慢性), 습윤성(濕潤性), 비후성(肥厚性)의 특징을 가지고 있다. 병변 부위는 비교적 깊고, 피부색이 자암(紫暗) 혹은 불변이며, 불열(不熱) 혹은 미열(微熱), 종기의 형태가 평편하고, 범위가 국한되어 있지 않고 뿌리가 산만하며, 불통(不痛) 혹은 은통(隱痛), 궤양(潰瘍)후 농액(膿液)이 묽거나 맑은 혈액이 나온다.

【증후 분석】

정신위미(精神萎靡), 권태무력(倦怠無力), 어성저미(語聲低微)는 허증(虛證)의 표현이고, 형한지냉(形寒肢冷), 구담불갈(口談不渴), 대변성취(大便腥臭), 소변청장(小便淸長)은 이한증(裏寒證)의 표현이며, 설담(舌淡), 맥침지(脈沈遲), 약(弱), 세삽(細澁)은 모두 허증(虛證) 혹은 한증(寒證)의 설상(舌象)과 맥상(脈象)이다.

(2) 양증(陽證)

양에 일반적인 속성에 부합되는 증후를 가리킨다. 표증(表證), 열증(熱症), 실증(實證)이 양증의 범주에 속한다.

【임상 표현】

일반적으로 많이 볼 수 있는 것은 면색편홍(面色偏紅), 발열(發熱), 기부작열(肌膚灼熱), 신번조동(神煩躁動), 어성조탁(語聲粗濁), 호흡기조(呼吸氣粗), 천식담명(喘息痰鳴), 구간갈음(口干渴飮), 대변비결(大便秘結) 혹은 유취(有臭), 소변단적(小便短赤), 설질홍강(舌質紅絳), 태흑황생망자(苔黑黃生芒刺), 맥상부삭(脈象浮數), 홍대(洪大), 활실(滑實)의 증상이 있다. 피부 손상으로는 대부분이 급성(急性), 범발성(汎發性), 속변성(速變性)의 특징을 가지고 있다. 병변 부위는 비교적 얕고, 피부색은 홍적(紅赤), 작열(灼熱), 종기의 형태가 높고, 범위가 국한되어 있으며, 뿌리가 집중되어 있고, 극심한 동통(疼痛), 궤양(潰瘍) 후 농액(膿液)이 진하다.

【증후 분석】

양증(陽證)은 표증, 실증, 실증의 개괄이다. 면색편홍(面色偏紅), 신번조동(神煩躁動), 기부작열(肌膚灼熱), 구간갈음(口干渴飮)은 열증(熱證)의 표현이다. 어성조탁(語聲粗濁), 호흡기조(呼吸氣粗), 천식담명(喘息痰鳴), 대변비결(大便秘結) 등 또한 실증의 표현이다. 설질홍강(舌質紅絳), 태흑기자(苔黑起刺), 맥홍대삭활실(脈洪大數滑實) 모두 실열(實熱)의 증상이다.

제 2 장

병인변증 (病因辨證)

2 병인변증(病因辨證)

1. 육음변증(六淫辨證)

풍(風)・한(寒)・서(暑)・습(濕)・조(燥)・화(火)는 자연계의 있는 6가지 기운인데, 그의 변화가 지나치거나 못 미칠 경우에 질병이 발생하게 되는데 이때 육음(六淫)이라 한다. 이것이 질병의 발생과 발전의 주요한 원인이 된다.

(1) 풍사증후(風邪證候)

【임상 표현】

안면피부소양(顔面皮膚瘙痒) 혹은 피진(皮疹), 매년 봄에 발생하고, 냉(冷)하거나 열(熱)을 받으면 가중된다. 안면이 떨리고, 지체마목(肢體麻木), 운동불리(運動不利), 심할 경우에는 구안와사(口眼窩斜), 사지경련(四肢痙攣), 설담태백(舌淡苔白), 맥부(脈浮) 등의 증상이 나타난다.

【증후 분석】

풍은 양사(陽邪)에 속하기 때문에 쉽게 양(陽)을 상하게 하여 두면(頭面), 사지(四肢), 피부(皮膚)의 병변을 일으킨다. 풍의 성질은 동(動)이어서 소양(瘙痒)의 증상이 풍에 해당된다. 풍은 춘계(春季)의 주기이므로 풍사(風邪)의 질환은 봄에 많이 발생한다. 모든 증상이

냉(冷)한 기운을 받아서 가중된다면 대부분 풍한증(風寒證)에 속하고, 모든 증상이 뜨거운 기운을 받아서 가중된다면 대부분 풍열증(風熱證)에 속한다. 풍사가 경락(經絡)에 침범하여 기혈의 흐름을 막으면 안면이 떨리고, 지체마목(肢體痲木), 운동불리(運動不利), 심할 경우에는 구안와사(口眼窩斜), 사지경련(四肢痙攣)이 나타난다. 설담태백(舌淡苔白), 맥부(脈浮)의 증상은 풍사로 인한 표증(表證)의 설상(舌象)과 맥상(脈象)이다.

(2) 한사증후(寒邪證候)

【임상 표현】

면(面), 이(耳), 수족동상(手足凍傷), 수족군열(手足皸裂), 피부 손상의 색깔이 창백(蒼白) 혹은 자암(紫暗), 동통(疼痛), 차가운 기운이 있으면 가중되고, 설담(舌淡) 혹은 자암(紫暗), 태박백(苔薄白), 맥긴(脈緊) 등이 있다.

【증후 분석】

한사(寒邪)는 음사(陰邪)에 속하고, 응체(凝滯)와 수인(收引)을 주관한다. 한사가 침범하면 경맥의 기혈을 수축하고 응체시키고 기가 온후작용을, 혈이 유양(濡養)작용을 잃어버리기 때문에 면(面), 이(耳), 수족동상(手足凍傷), 수족군열(手足皸裂); 피부 손상의 색깔이 창백(蒼白) 혹은 자암(紫暗) 등의 증상이 나타난다. 한사가 경맥을 막아 통하지 않게 하여 동통(疼痛), 차가운 기운이 있으면 가중된다. 맥긴(脈緊), 태박백(苔薄白)은 한사(寒邪)가 질병을 일으킨 증상이다.

(3) 서사증후(署邪證候)

【임상 표현】

여름철에는 땀이 많은 부위의 피부가 조홍(潮紅)이 되는데 계속되면 크기가 서로 다른 크고 작은 구진(丘疹) 혹은 구포진(丘疱疹)이 응집되어 나타나며 심하면 농포(膿疱), 절종(癤

腫)이 나타난다. 소양(瘙痒), 혹은 작열자통(灼熱刺痛), 파냉파열(怕冷怕熱), 신중흉민(身重胸悶), 태백니(苔白膩), 맥활삭(脈滑數) 등의 증상이 나타난다.

【증후 분석】

서사(暑邪)의 성질은 염열(炎熱), 승산(昇散), 진액(津液)을 말리고 습(濕)을 동반한다. 서사를 받으면 기주(肌腠)가 달아올라 다한(多汗)이 생기고, 땀을 흘린 후에 찬바람을 맞아 열이 차가움에 못 견디어 비자(疿子)가 생긴다. 서사는 대부분 습을 동반하는데 습(濕)이 기기(氣機)에 장애를 주어 흉민(胸悶)이 나타나고, 습의 성질이 무거워서 신중(身重)이 나타난다. 태백니(苔白膩), 맥활삭(脈滑數)은 서사가 일으킨 질병의 표현이다.

(4) 습사증후(濕邪證候)

【임상 표현】

안검부종(眼瞼浮腫), 기부종창(肌膚腫脹), 두창이통(頭脹而痛), 신중이통(身重而痛), 흉민(胸悶), 체권핍력(體倦乏力), 구불갈(口不渴), 설태백활(舌苔白滑), 맥유(脈濡) 혹 완(緩). 피부손상은 반복발작(反復發作), 전면난유(纏綿難愈), 피부소양(皮膚瘙痒), 수포(水疱) 등을 볼 수 있고 습진(濕疹), 렴창(臁瘡) 등이 여기에 속한다.

【증후 분석】

습(濕)이 기기(氣機)에 장애를 주어 청양(淸陽)의 기운이 위로 올라가지를 못해 두창이통(頭脹而痛), 흉민(胸悶); 습(濕)이 경락을 막아 기부종창(肌膚腫脹); 습의 성질이 무겁고 탁해서 신중이통(身重而痛), 지체곤권(肢體困倦); 습사는 진액을 상하지 않아 구불갈(口不渴); 습성(濕性)은 점성이 있어 질병이 반복발작(反復發作), 전면난유(纏綿難愈)가 나타난다. 습사가 병을 일으키면 피부소양(皮膚瘙痒), 수포(水疱)가 생긴다. 태백활(苔白滑), 맥유(脈濡) 혹 완(緩) 역시 습(濕)의 표현이다.

(5) 조사증후(燥邪證候)

【임상 표현】

구비건조(口鼻乾燥), 인건구갈(咽乾口渴), 피부건조(皮膚乾燥), 군열(皸裂), 탈설(脫屑), 소양(瘙痒), 대변조결(大便燥結), 소변단소(小便短少), 설건홍(舌乾紅), 소태(少苔).

【증후 분석】

조(燥)의 건삽(乾澁)하고, 진액과 폐를 쉽게 상하게 한다. 조사(燥邪)가 진액을 상하게 하여 자윤작용을 잃게 되어 구비건조(口鼻乾燥), 인건구갈(咽乾口渴), 설건(舌乾), 소태(少苔); 폐는 피모(皮毛)를 담당하고 조사(燥邪)가 폐를 쉽게 상하게 하기 때문에 피모(皮毛)가 진액의 자윤(滋潤)작용을 잃어 피부건조(皮膚乾燥), 군열(皸裂), 탈설(脫屑), 소양(瘙痒); 진액이 부족하면 대변조결(大便燥結), 소변단소(小便短少)가 나타난다.

(6) 화사증후(火邪證候)

【임상 표현】

창양홍종(瘡瘍紅腫), 작열통양(灼熱痛痒), 또는 이화농파궤(易化膿破潰), 예를 들면 옹(癰), 절(癤), 단독(丹毒) 등이 있다. 구갈희냉음(口渴喜冷飮), 대변조결(大便燥結), 소변단소(小便短少), 설홍소진(舌紅少津), 맥삭(脈數).

【증후 분석】

화(火)는 양사(陽邪)이고 쉽게 진액을 손상시키며 쉽게 종양(腫瘍)을 생기게 한다. 화사(火邪)가 기와 혈로 들어가 뜨겁게 하여 창양홍종(瘡瘍紅腫), 작열통양(灼熱痛痒); 화열(火熱)의 사기가 혈육(血肉)을 상하게 하여 이화농파궤(易化膿破潰); 열이 진액을 상하게 하여 구갈희냉음(口渴喜冷飮), 대변조결(大便燥結), 소변단소(小便短少); 설홍소진(舌紅少津), 맥삭(脈數)은 양열(陽熱)의 표현이다.

2. 칠정변증(七情辨證)

칠정의 증후(證候)는 내상 잡병(內傷雜病)에서 고루 볼 수 있다. 발병은 대부분이 외부의 자극으로 인하여 정지의 과도한 흥분과 억제로 정신활동에 이상변화를 초래하는데 이때 내장에 손상을 입혀 각종 질환이 일어나게 된다.

손미성질병(損美性疾病) 중에서 칠정이 내상(內傷)되어 간기가 울결되면 기기가 원활하지 않고 여기에 다시 외사(外邪)가 겹쳐서 일어나는 병증이 매우 많다. 예를 들면 정지(情志)의 이상 변화와 얼굴 피부의 노쇠(老衰) 현상과 서로 밀접한 관계가 있고, 과도한 공포심은 반독(斑禿)의 발병과 관계가 있다. 칠정 내상(七情內傷)은 많은 손미성질병의 발병과 관계가 있고 각종 질병을 가중시키거나 반복해서 일으키기도 한다.

3. 음식노권변증(飮食勞倦辨證)

(1) 음식

【임상 표현】

위통(胃痛), 오문식취(惡聞食臭), 음식불가(飮食不佳), 흉격비만(胸膈痞滿), 탄산애부(呑酸噯腐), 복통(腹痛), 설사(泄瀉), 설태후니(舌苔厚膩), 맥활유력(脈滑有力) 혹 활삭(滑數) 혹은 침실(沈實).

【증후 분석】

위(胃)는 강납(降納)을 주관하는데 위(胃)에 음식이 상하면 위기(胃氣)가 내려가지 못하고 음식이 받지 않아서 위통(胃痛), 흉격비만(胸膈痞滿) 등이 생긴다. 소장(小腸)의 수성(受盛) 기능이 실조되고, 대장(大腸)의 전도(傳導) 기능이 실조되면 장(腸)의 기능에 문란이 와서 음식이 정체되어 복통(腹痛), 설사(泄瀉)가 나타난다. 식체(食滯)가 가운데에서 울결되어 열(熱)로 화(化)해서 맥기(脈氣)를 막아 맥삭(脈數) 혹은 침실(沈實), 식체와 위의 탁기(濁氣)가 서로 결합되어 설태후니(舌苔厚膩), 구취(口臭)가 나타난다.

어떤 손미성 질병(損美性疾病)의 발생은 음식인소(飮食因素)와 관련이 있다. 만일 기름기 많은 고기와 음식, 진한 맛, 술과 매운 음식을 많이 섭취하면 정(疔), 옹(癰), 분자(粉刺), 주조비(酒糟鼻) 등 병의 발생을 촉진시키고, 또 어떤 음식을 섭취할 때, 예를 들어 매운 음식을 많이 먹게 되면 습진(濕疹), 은설병(銀屑病), 신경성 피부염(神經性皮膚炎) 등의 질환이 반복 발작하거나 가중되고, 물고기나 새우 등을 먹고 난 후에 심마진(尋痲疹)이 발생할 수 있다.

(2) 노권(勞倦;노동과 휴식)

【임상 표현】

과로(過勞)후에는 권태무력(倦怠無力), 기와(嗜臥), 식욕감퇴(食慾減退), 맥완대(脈緩大) 혹 부(浮), 세(細) 등; 과일(過逸)후에는 체반행동불편(體胖行動不便), 동즉기천(動則氣喘), 심계기단(心悸氣短), 지연무력(肢軟無力)이 나타난다.

【증후 분석】

노(勞;노동)와 일(逸;휴식)은 모두 병을 일으킬 수 있다. 과도한 노동과 과도한 휴식은 모두 기혈(氣血), 근골(筋骨), 기육(肌肉)의 생리상태가 균형을 잃어 병리현상이 나타난다. 과로(過勞)하면 원기(元氣)가 손상되어 권태무력(倦怠無力), 기와(嗜臥) 등; 과일(過逸)하면 기기(氣機)가 울체되어 혈맥이 통하지 않아 심계(心悸), 기단(氣短) 등이 생긴다.
노일(勞逸)이 지나치면 미용에도 손상을 주게 된다. 과로(過勞)하면 정기혈(精氣血)이 손상을 받아 모발이 갈라지고, 탈모가 되며, 변색이 된다. 정신위미(精神萎靡), 시물불청(視物不淸), 동작지완(動作遲緩) 등의 조쇠(早衰)의 증상이 생기고, 과일(過逸)하면 기혈(氣血)이 막혀 장부의 기능이 잃게 되어 창양(瘡瘍), 수종(水腫), 비만(肥滿) 등의 생기게 된다.

제 3 장

기혈진액변증(氣血津液辨證)

3 기혈진액변증(氣血津液辨證)

1. 기병변증(氣病辨證)

기의 병증(病證)은 매우 많은데, 손미성 질병(損美性疾病) 중에서 비교적 많이 볼 수 있는 것은 기허증(氣虛證)과 기체증(氣滯證)이 있다.

(1) 기허증(氣虛證)

장부조직 기관의 기능이 감퇴되어 나타나는 증후(證候)를 말한다.

【임상 표현】

정신위미(精神萎靡), 권태핍력(倦怠乏力), 소기나언(少氣懶言), 두운목현(頭暈目眩), 자한(自汗), 활동 후 모든 증상이 가중되며, 설담태백(舌淡苔白), 맥허무력(脈虛無力).

【증후 분석】

본증(本證)은 전신 기능 활동 저하의 표현을 변증 요점(辨證要點)으로 삼는다. 인체의 장부 조직 기능활동의 강약과 기(氣)의 성쇠(盛衰)와 밀접한 관계가 있다. 기가 쇠약해지면 기능활동도 감퇴된다. 원기(元氣)가 손상되면 장부 조직 기능이 감퇴되므로 소기나언(少氣

懶言), 신피핍력(神疲乏力); 기허(氣虛)로 인해 청양(淸陽)이 위로 올라가지 못하고 두목(頭目)을 온양(溫養)하지 못해 두운목현(頭暈目眩); 기허(氣虛)로 인해 주리(腠理)의 실조로 위기(衛氣)가 부고(不固)가 되어 자한(自汗); 노동 후에는 기(氣)가 소모되므로 활동 후에 모든 증상이 가중되고; 설담태백(舌淡苔白), 맥허무력(脈虛無力) 등은 기허(氣虛)의 표현이다. 위기허(衛氣虛)로 인해 쉽게 풍한(風寒) 혹은 풍열(風熱)을 받으면 심마진(尋痲疹) 등이 나타난다. 손미성 질병(損美性疾病) 중 기허증(氣虛證)에서 많이 볼 수 있는 것은 만성병변(慢性病變), 피부가 손상된 곳이 홍종(紅腫)이 불명확하고, 주위 피부에 비해 평편하거나 조금 낮으며, 일반적으로 가렵지 않고 마목감(痲木感) 등이 있다.

(2) 기체증(氣滯證)

기체증(氣滯證)은 인체의 어떤 장부(臟腑) 혹은 어떤 부위의 기기(氣機)가 정체되어 운행이 제대로 안될 때 일어나는 표현의 증후(證候)이다. 기체(氣滯)를 일으키는 인소(因素)는 매우 많은데, 병사내조(病邪內阻), 칠정울결(七情鬱結), 양기허약(陽氣虛弱) 등 모두가 기기울체(氣機鬱滯)를 초래한다.

【임상 표현】

창민(脹悶), 동통(疼痛). 손미성 질병(損美性疾病)은 칠정변증(七情辨證)에서 볼 수 있다.

【증후 분석】

인체에 기기가 울결되면 가벼울 때는 창민(脹悶), 심할 때는 동통(疼痛)이 나타난다. 기체증(氣滯證)의 변증 요점(辨證要點)은 창민동통(脹悶疼痛)이다.

2. 혈병변증(血病辨證)

혈의 병증은 혈허(血虛), 혈열(血熱), 혈어(血瘀), 혈한(血寒)이 포함된다.

(1) 혈허증(血虛證)

【임상 표현】

면색창백무화(面色蒼白無華) 혹은 위황(萎黃), 순갑색담(脣甲色淡), 두운목화(頭暈目花), 심계실면(心悸失眠), 기부마목(肌膚麻木), 미양(微痒), 군열(皸裂), 설담(舌淡)태백(苔白), 맥세무력(脈細無力).

【증후 분석】

혈허증(血虛證)은 체표 기부(體表肌膚)에 담백색(淡白色)과 전신허약(全身虛弱)이 특징이다. 인체의 장부 조직은 혈액의 유양(濡養)에 의존하고, 혈액이 왕성하면 기부(肌膚)가 홍윤(紅潤)하며, 신체가 강하다. 혈허(血虛)는 기부(肌膚)를 유양하지 못하여 군열(皸裂)이나 면순조갑설체(面脣爪甲舌體) 모두가 담백색을 띠게 된다. 혈허(血虛)는 뇌수(腦髓)를 유양하지 못하여 두운목화(頭暈目花); 심(心)은 혈맥을 조관하고 신(神)을 저장하므로 혈허(血虛)일 경우에 심계실면(心悸失眠); 경락(經絡)이 자양을 잃어서 수족마목(手足麻木); 맥세무력(脈細無力)은 혈허증의 맥상이다.

(2) 혈열증(血熱證)

【임상 표현】

신열야심(身熱夜甚), 번조부녕(煩燥不寧), 설홍강(舌紅絳), 맥현삭(脈弦數) 및 각종 출혈증(出血證). 미용(美容)과 관계있는 병증(病證)은 대편홍반(大片紅斑), 창양종독(瘡瘍腫毒)과 혈가(血瘕)가 형성된다.

【증후 분석】

혈열증(血熱證)은 출혈(出血)과 열상(熱象)이 주요한 표현이다. 혈은 음(陰)에 속하고 혈에 열(熱)이 있기에 야간에 열이 심해지고(夜間熱甚); 혈열(血熱)이 심신(心神)을 교란시켜 번조부녕(煩燥不寧); 혈이 열을 얻으면 움직이게 되는데 심할 경우에 각종 출혈증(出血證)이 나타난다.

(3) 혈어증(血瘀證)

경맥(經脈)을 떠난 혈액이 제 때에 배출(排出)되지 못하거나 소산(消散)되지 못하면 체내에 머물러서, 혹은 혈액순환이 좋지 않아 경맥내에 쌓여 나중에는 장부조직기관에 머무르게 되는데, 이것을 어혈(瘀血)이라 칭한다. 어혈내조(瘀血內阻)로 인해 일어나는 병변(病變)이 혈어증(血瘀證)이다.

【임상 표현】

자통(刺痛), 거안(拒按), 통처고정(痛處固定), 야간우심(夜間尤甚); 종괴(腫塊)가 체표 면에 있는 경우는 청자색(青紫色)을 띠고, 배 안에 있는 경우에는 견고하여 눌러도 움직이지 않는다. 출혈은 반복적이고 쉽게 멎지 않으며 자암색(紫暗色)이다. 면색암흑(面色暗黑), 순갑청자(脣甲青紫), 피부에 어점(瘀點), 어반(瘀斑), 반색자암(斑色紫暗), 기부갑착(肌膚甲錯) 또는 반흔(瘢痕), 결절(結節), 종창(腫脹) 등이 있고, 설자암(舌紫暗) 혹은 혀에 어점(瘀點)이나 어반(瘀斑) 등이 보일 수 있고 맥세삽(脈細澁) 등이 나타난다.

【증후 분석】

자통(刺痛), 거안(拒按), 통처고정(痛處固定), 종괴(腫塊), 순설조갑자암(脣舌爪甲紫暗), 맥삽(脈澁) 등이 혈어증(血瘀證)의 변증요점(辨證要點)이다. 어혈이 머물러 경락이 소통하지 못하고 기기가 막혀 통하지 않으면 통증이 오고, 어혈은 유형(有形)의 사기(邪氣)이기 때문에 기기(氣機)의 운행에 장애를 가져와 동통(疼痛)이 심하다. 어혈이 국부에 모여 오랜 시간이 지나면 종괴(腫塊)가 형성된다. 어혈이 기혈운행에 장애를 주면 혈액이 맥을 빠져나와 출혈(出血)이 나타나고, 기부(肌膚)가 영양을 잃게 되면 면색암흑(面色暗黑), 순갑청자(脣甲青紫); 설자암(舌紫暗), 맥세삽(脈細澁)은 어혈(瘀血)의 표현이다.

(4) 혈한증(血寒證)

국부의 경락이 한사가 응집되어 기체가 나타나 혈액순환이 안되는 증후이다.

【임상 표현】

동통이 수족(手足)에 많이 나타나며, 형한지냉(形寒肢冷), 부색자암(膚色紫暗), 희완오한(喜緩惡寒), 득온통감(得溫痛減), 설담암태백(舌淡暗苔白), 맥침지삽(脈沈遲澁) 등이 있다.

【증후 분석】

혈한증(血寒證)은 수족국부동통(手足局部疼痛), 부색자암(膚色紫暗)이 주요한 증상 표현이다. 한(寒)은 음사(陰邪)이고 응체(凝滯)하는 성질이기 때문에 한사(寒邪)가 혈맥(血脈)을 수인(收引)시켜 혈행(血行)이 나빠지게 하여 국부냉통(局部冷痛), 부색자암(膚色紫暗)이 나타난다.

3. 진액병변증(津液病辨證)

진액은 인체의 정상적인 수액의 총칭으로 장부(臟腑)를 자양하고 관절(關節)을 윤활하게 하고 기부(肌膚)를 유양하는 작용을 한다.

(1) 진액부족증(津液不足證)

진액이 부족하여 전신 혹은 국부의 어떤 장부 조직기관에 자양유양(滋養濡養) 작용을 잃어 나타나는 증후를 말한다.

【임상 표현】

구조인건(口燥咽乾), 순조건열(脣燥乾熱), 피부건고무택(皮膚乾枯無澤), 소변단소(小便短少), 대변건결(大便乾結), 설홍소진(舌紅少津), 맥세삭(脈細數).

【증후 분석】

진액부족증은 기부구순설인건조(肌膚口脣舌咽乾燥)의 현상과 뇨소변건(尿少便乾)이 변증(辨證)의 근거로 삼는다. 인체의 장부와 기부 모두 진액의 유양(濡養) 작용에 의존한다. 진액이 손상되어 위로 구인(口咽)을 유양(濡養)치 못하여 구조인건(口燥咽乾), 순조건열(脣燥乾熱); 밖으로 기부(肌膚)를 유양치 못하여 피부건고무택(皮膚乾枯無澤); 아래로 소변을 화생하지 못하고 대장을 유양하지 못해 뇨소변건(尿少便乾)이 나타난다. 진액부족은 혈액의 생성 역시 감소되고 진액의 손상은 내열(內熱)을 만들어서 설홍소진(舌紅少津), 맥세삭(脈細數)이 나타난다.

(2) 수액정취증(水液停聚證)

수액정취증이란 진액대사 장애로 나타나는 담음수종(痰飮水腫) 등의 병증을 말한다.

【임상 표현】

수종(水腫) : 체내에 수액이 정취되면 기부(肌膚)에 넘쳐 흘러 면목(面目), 사지(四肢), 흉복(胸腹), 심하면 전신부종(全身浮腫)이 나타난다.

담증(痰證) : 두운목현(頭暈目眩), 오심구토(惡心嘔吐), 담다흉민(痰多胸悶), 지체마목(肢體麻木), 반신불수(半身不遂) 등.

【증후 분석】

진액대사 장애는 진액 수포(輸布), 운행 장애, 정상적 배설의 불능 상태, 체내의 수액의 정체로 수액이 기부(肌膚)로 넘쳐 흘러 면목(面目), 사지(四肢), 흉복(胸腹), 심하면 전신부종(全身浮腫)이 나타난다. 담(痰)이 청규(淸竅)를 막아 두운목현(頭暈目眩); 담탁(痰濁)이 폐(肺)를 막아 담다흉민(痰多胸悶); 담탁(痰濁)이 위(胃)를 막아 오심구토(惡心嘔吐); 진액이 멈추어 기가 막혀서 경락을 막으면 지체마목(肢體麻木), 반신불수(半身不遂) 등이 나타난다.

제 4 장

장부변증 (臟腑辨證)

4 장부변증(臟腑辨證)

장부변증은 장부의 생리적인 기능과 병리적인 표현을 근거로 팔강, 병인, 기혈 등의 이론을 결합시켜 사진(四診;望, 聞, 問, 切)을 통해서 수집한 자료를 종합적으로 분석하여 병인(病因), 병변 부위, 성질(性質)과 사정성쇠(邪正盛衰) 등 상태와 각종 병리변화와의 관계를 판단하여 진단을 내리는 과정을 말하며 변증 방법 가운데 중요한 한 부분인 것이다.

변증 방법에는 여러 가지가 있고 각기 독특한 특징 및 치중된 면이 있지만 만약 정확하게 질병의 부위, 성질을 파악하고 치료를 제대로 하려면 반드시 장부로 귀납시켜야 한다. 그러므로 장부변증은 임상에서 내과 잡병(內科雜病)을 진단하는 기본 방법이고, 기타 각종 변증의 기초가 된다.

1. 심(心)과 소장(小腸)의 증후(證候)

심병(心病)에서 흔히 볼 수 있는 주요한 증상은 심계(心悸), 정중(怔仲), 심번(心煩), 심통(心痛), 실면(失眠), 다몽(多夢), 건망(健忘), 섬어(譫語) 등; 소장병(小腸病)에서 흔히 볼 수 있는 주요한 증상은 대소변(大小便) 이상으로 나타난다.

(1) 심기허(心氣虛)와 심양허(心陽虛)

【임상 표현】

심기허와 심양허의 공통적인 증상은 심계(心悸), 심황(心慌), 자한(自汗), 기단(氣短), 흉민(胸悶), 권태(倦怠), 핍력(乏力) 등이 나타난다. 만일 면색담백(面色淡白), 설담(舌淡), 태박백(苔薄白), 맥허약(脈虛弱)의 증상이 겸해서 나타나면 심기허(心氣虛)이고, 만일 면색창백(面色蒼白), 심흉번민(心胸煩悶), 형한지냉(形寒肢冷), 설담(舌淡) 혹은 자암(紫暗), 맥미약(脈微弱) 혹은 결대(結代)의 증상이 겸해서 나타나면 심양허(心陽虛)인 것이다.

【증후 분석】

심은 혈맥을 주관하고, 심기허(心氣虛)일 때 심장의 기가 혈행을 돕지 못해 심계기단(心悸氣短); 심장은 신(神)을 저장하며 심기허(心氣虛)는 심신이 허약하여 심황(心慌); 심장의 양기(陽氣)가 허약해서 위양(衛陽)이 부고(不固)하며 자한(自汗); 심장은 흉중(胸中)에 있으므로 심기부족으로 심양(心陽)이 부진해서 심흉번민(心胸煩悶); 양허(陽虛)가 온후(溫煦) 작용을 잃어 면색창백(面色蒼白), 형한지냉(形寒肢冷)이 나타난다.

(2) 심혈허(心血虛)

【임상 표현】

심번건망(心煩健忘), 소매다몽(小寐多夢), 불안(不安), 두운(頭暈), 정중(怔仲), 면백(面白), 설담(舌淡), 맥세약(脈細弱).

【증후 분석】

심장은 신(神)을 저장하며 심혈허는 심신(心神)을 자양하지 못하여 심번건망(心煩健忘), 소매다몽(小寐多夢), 불안(不安)이 나타난다. 심은 혈맥을 주관하고, 그 표상은 얼굴에 있어 심혈허는 두면부에 영양을 적게 하여 두운(頭暈), 면백(面白), 설담(舌淡)이 나타난다. 심은 혈맥을 주관하므로 혈이 부족하면 맥이 약(弱)하게 나타난다.

(3) 심음허(心陰虛)

【임상 표현】

건망(健忘), 실면(失眠), 심번(心煩), 수족심열(手足心熱), 저열(低熱), 도한(盜汗), 혹은 구설생창(口舌生瘡), 맥세삭(脈細數).

【증후 분석】

심은 혈맥을 주관하고, 신(神)을 저장한다. 심음허는 심신(心神)을 충분하게 자양하지 못하여 건망(健忘), 실면(失眠), 심번(心煩); 음이 허(虛)하면 양이 성(盛)하게 되어 열(熱)로 화(化)하여 수족심열(手足心熱), 저열(低熱); 음이 허(虛)하여 내열(內熱)을 밖으로 밀어내서 도한(盜汗); 심의 관규(官竅)는 설(舌)이고 음이 허(虛)하면 양이 성(盛)하게 되어 열(熱)로 화(化)하여 혀를 뜨겁게 하여 구설생창(口舌生瘡)이 나타난다.

(4) 심혈어조(心血瘀阻)

【임상 표현】

심장부의 자통(刺痛)이 있고, 그 통증이 어깨와 팔의 내측으로 퍼지게 되며, 사지궐냉(四肢厥冷), 순갑청자(脣甲靑紫), 설질암유어반(舌質暗有瘀斑), 맥삽(脈澁)이 나타난다.

【증후 분석】

심장부와 어깨, 팔의 내측부분은 수소음심경(手少陰心經)의 맥이 순행하는 곳이기에 심혈이 막혀 통하지 않게 되어 심장부의 자통(刺痛)과 어깨와 팔의 내측에 동통이 있다. 혈어가 경맥에 있어 양기가 사지 말단까지 가지 못해서 사지궐냉(四肢厥冷), 순갑청자(脣甲靑紫); 심의 관규(官竅)는 설(舌)이고 심혈이 어혈로 막히면 설질암유어반(舌質暗有瘀斑); 맥삽(脈澁)은 어혈(瘀血)의 맥상이다.

(5) 심화항성(心火亢盛)

【임상 표현】

심번불매(心煩不寐), 면적(面赤), 번조(煩燥), 구간(口干), 구설생창(口舌生瘡), 소변단적(小便短赤), 설홍맥삭(舌紅脈數).

【증후 분석】

심화가 지나치게 항성하여 화가 심신을 어지럽혀 심번불매(心煩不寐), 번조(煩燥); 심은 혈맥을 주관하고, 그 표상은 얼굴에 있어 심화가 항성이면 면적(面赤); 화열이 진액을 끓여서 구간구갈(口干口渴); 심의 관규(官竅)는 설(舌), 심화가 항성되어 열이 혀를 상하게 하여 구설생창(口舌生瘡); 심화가 아래로 내려가 소장(小腸)으로 이동하면 소변단적(小便短赤); 설홍맥삭(舌紅脈數)은 화열(火熱)이 만들어낸 것이다.

(6) 소장허한(小腸虛寒)

【임상 표현】

소복은통(小腹隱痛), 희안(喜按), 소변빈이불상(小便頻而不爽), 대변당설(大便溏泄), 형한지냉(形寒肢冷), 설담맥침지(舌淡脈沈遲).

【증후 분석】

소복(小腹)은 소장이 있는 부위이며 소장이 허(虛)해서 한기(寒氣)가 있으면 온후(溫煦), 기화(氣化)작용을 잃어 소복은통(小腹隱痛), 희안(喜按), 소변빈이불상(小便頻而不爽), 대변당설(大便溏泄), 형한지냉(形寒肢冷)이 나타난다. 설담맥침지(舌淡脈沈遲)는 허한(虛寒)의 맥상이다.

(7) 소장실열(小腸實熱)

【임상 표현】

심번불매(心煩不寐), 구갈희냉음(口渴喜冷飮), 뇨도열통(尿道熱痛), 소변황적(小便黃赤), 구설생창(口舌生瘡).

【증후 분석】

심과 소장은 서로 표리관계에 있기에 심화가 항성되면 심번불매(心煩不寐), 구설생창(口舌生瘡); 심화가 소장(小腸)으로 이동하면 소장에 열이 성하여 뇨도열통(尿道熱痛), 소변황적(小便黃赤)이 나타나게 된다.

2. 폐(肺)와 대장(大腸)의 증후(證候)

폐질환의 주요 증상은 해수(咳嗽), 기천(氣喘), 흉통(胸痛), 각혈(咯血) 등이고, 대장병의 주요 증상은 변비(便秘) 혹은 설사(泄瀉) 등이다.

(1) 폐기허(肺氣虛)

【임상 표현】

해수무력(咳嗽無力), 기단천촉(氣短喘促), 자한(自汗), 핍력(乏力), 외풍파냉(畏風怕冷), 해담청희(咳痰淸稀), 설담태백(舌淡苔白), 맥허약(脈虛弱).

【증후 분석】

폐기허면 기단천촉(氣短喘促), 자한(自汗), 핍력(乏力); 폐가 선발과 숙강작용이 실조되어 해수(咳嗽), 해담청희(咳痰淸稀); 폐기허로 인해 위기(衛氣)가 기표(肌表)까지 선발되지 못하여 외풍파냉(畏風怕冷)이 나타나게 된다.

(2) 폐음허(肺陰虛)

【임상 표현】

해수담소(咳嗽痰少), 혹은 담중대혈(痰中帶血), 인건(咽乾), 관홍도한(顴紅盜汗), 오심번열(五心煩熱), 설홍소태(舌紅少苔), 맥세삭(脈細數).

【증후 분석】

폐음허는 열로 화하여 진액을 상하게 하므로써 해수담소(咳嗽痰少), 인건(咽乾), 심하면 담중대혈(痰中帶血); 음이 허하면 내열이 발생하여 관홍도한(顴紅盜汗), 오심번열(五心煩熱), 설홍소태(舌紅少苔), 맥세삭(脈細數)이 나타나게 되고, 또한 폐음허는 목소리를 잃게 하여 음아(音啞)가 나타나기도 한다.

(3) 담탁조폐(痰濁阻肺)

【임상 표현】

해수(咳嗽), 담다(痰多), 흉만(胸滿), 천촉(喘促), 담(痰)의 색갈이 백색(白色)이며 쉽게 뱉어지고, 태니(苔膩), 맥활(脈滑).

【증후 분석】

담탁(痰濁)이 폐를 막아서 선강(宣降) 작용이 실조되면 폐기(肺氣)가 상역(上逆)되어 해수(咳嗽), 담다(痰多), 천촉(喘促); 기기(氣機)가 정체되어 흉만(胸滿); 담습(痰濕)의 사기가 폐에 모여 담(痰)의 색깔이 백색(白色)이며 쉽게 뱉어지고; 태니(苔膩), 맥활(脈滑)은 담탁(痰濁)이 있을 때에 나타나는 상(象)이다.

(4) 열사옹폐(熱邪壅肺)

【임상 표현】

해수담조색황(咳嗽痰稠色黃), 기천식조(氣喘息粗), 장열구갈(壯熱口渴), 번조불안(煩燥不安), 뉵혈(衄血), 각혈(咯血), 변건뇨소(便乾尿少), 설홍태황(舌紅苔黃), 맥활삭(脈滑數).

【증후 분석】

열사(熱邪)가 폐를 막으면 숙강(肅降) 작용이 실조되어 폐기가 상역되면 해수(咳嗽); 진액이 열로 인해 담(痰)으로 변해서 담조색황(痰稠色黃); 열사(熱邪)로 인해 진액이 손상되어 장열구갈(壯熱口渴), 변건뇨소(便乾尿少); 열이 심신(心神)을 어지럽혀서 번조불안(煩燥不安); 열(熱)이 맥락(脈絡)을 상하게 하여 뉵혈(衄血;코피), 각혈(咯血); 설홍태황(舌紅苔黃), 맥활삭(脈滑數)는 담열(痰熱)의 맥상이다.

(5) 풍한속폐(風寒束肺)

【임상 표현】

해수(咳嗽), 담희박백색(痰稀薄白色), 비색류청체(鼻塞流淸涕), 오한발열(惡寒發熱), 무한(無汗), 설태박백(舌苔薄白), 맥부긴(脈浮緊).

【증후 분석】

풍한(風寒)이 폐를 침범하면 선강(宣降) 작용이 실조되어 폐기(肺氣)가 위로 올라가 해수(咳嗽); 한(寒)은 음(陰)에 속함으로 담희박백색(痰稀薄白色), 비색류청체(鼻塞流淸涕); 한사(寒邪)가 위기(衛氣)를 제압하여 온후(溫煦) 작용을 못하게 하여 오한(惡寒), 무한(無汗); 정기(正氣)가 사기(邪氣)와 싸우는 과정에 발열(發熱); 사기(邪氣)가 아직 안으로 들어오지 못해 설태박백(舌苔薄白); 맥부(脈浮)는 표증(表證)이고, 긴(緊)은 한증(寒證)이며 풍한(風寒)을 받았을 때 나타나는 증상이다.

(6) 풍열범폐(風熱犯肺)

【임상 표현】

해수(咳嗽), 담조색황(痰稠色黃), 비색류황탁체(鼻塞流黃濁涕), 신열(身熱), 미오풍한(微惡風寒), 구갈인통(口渴咽痛), 설첨홍(舌尖紅), 태박황(苔薄黃), 맥부삭(脈浮數).

【증후 분석】

풍열(風熱)이 폐를 침범하면 청숙(淸肅) 작용이 실조되어 해수(咳嗽); 풍열(風熱)은 양사(陽邪)이고 진액(津液)을 상하게 하여 담조색황(痰稠色黃); 폐기가 선발(宣發) 작용이 원활하지 못하고 비(鼻)를 통하지 못하게 하며 진액이 풍열(風熱)로 데워져 비색류황탁체(鼻塞流黃濁涕); 위기(衛氣)와 사기(邪氣)와 싸우는 과정에 발열(發熱); 위기(衛氣)가 제 기능을 하지 못하여 오풍한(惡風寒); 풍열(風熱)이 위를 어지럽히고 진액을 손상시켜 구갈(口渴), 인후(咽喉)를 통하게 하지 못하여 인통(咽痛); 설첨홍(舌尖紅), 태박황(苔薄黃)은 열(熱), 맥부(脈浮)는 표증(表證)이고, 삭(數)은 열증(熱證)의 표현이다.

(7) 조사상폐(燥邪傷肺)

【임상 표현】

인건비조(咽乾鼻燥), 건해무담(乾咳無痰), 혹은 담소(痰少), 불이객담(不易咯痰), 혹 담중유혈(痰中有血), 흉통(胸痛), 설홍소진(舌紅少津), 맥세삽(脈細澁).

【증후 분석】

조사(燥邪)의 성질은 건삽(乾澁)이므로 진액을 손상시켜 그 자윤(滋潤) 작용을 잃게 하여 인건비조(咽乾鼻燥), 폐락(肺絡)이 손상되어 담중유혈(痰中有血); 조사(燥邪)는 쉽게 폐의 진액을 손상시켜 건해무담(乾咳無痰), 혹은 담소(痰少), 불이객담(不易咯痰); 폐는 흉중(胸中)에 있고 조사(燥邪)가 폐를 상하게 하여 흉통(胸痛)이 나타나게 된다.

(8) 대장습열(大腸濕熱)

【임상 표현】

복통(腹痛), 하리적백농혈(下利赤白膿血), 이급후중(里急後重), 항문작열(肛門灼熱), 소변단적(小便短赤), 태황니(苔黃膩), 맥활삭(脈滑數).

【증후 분석】

습열(濕熱)이 대장(大腸)에 머물고 기기(氣機)가 막혀서 복통(腹痛); 습열(濕熱)이 서로 엮여서 풀어지지가 않아 이급후중(里急後重), 맥락(脈絡)을 손상시켜서 하리적백농혈(下利赤白膿血); 장(腸)의 습열(濕熱)이 아래로 내려가 항문작열(肛門灼熱), 습열이 방광(膀胱)에 머물러 소변단적(小便短赤); 습열(濕熱)이 안에 있어서 태황니(苔黃膩), 맥활삭(脈滑數)이 나타나게 된다.

(9) 대장진휴(大腸津虧)

【임상 표현】

변비(便秘), 구건인조(口乾咽燥), 혹 구취(口臭), 두운(頭暈) 등의 증상(症狀), 설홍소진(舌紅少津), 맥세삽(脈細澁).

【증후 분석】

진액이 부족하여 장(腸)의 습윤(濕潤) 작용이 모자라서 변비(便秘), 음(陰)이 손상되어 구건인조(口乾咽燥); 복기(腹氣)가 통하지 않아 탁기가 위로 올라가서 구취(口臭), 두운(頭暈); 음(陰)이 상하여 양(陽)이 항진되면 설홍소진(舌紅少津); 진액이 손상되어 맥도(脈道)가 충실하지 못하여 맥세삽(脈細澁)이 나타난다.

3. 비(脾)와 위장(胃腸)의 증후(證候)

비병(脾病)에서 흔히 볼 수 있는 증상들은 납매(納呆), 복창(腹脹), 변당(便溏), 수종(水腫), 출혈(出血); 위병(胃病)에서 자주 볼 수 있는 증상들은 완통(脘痛), 구토(嘔吐), 애기(噯氣), 애역(呃逆) 등이 있다.

(1) 비기허(脾氣虛)

【임상 표현】

납소(納少), 복창(腹脹), 식후가중(食後加重), 변당(便溏), 지체권태(肢體倦怠), 소기나언(少氣懶言), 면색위황(面色萎黃), 부종(浮腫) 혹은 소수(消瘦), 설담태백(舌淡苔白), 맥완약(脈緩弱).

【증후 분석】

비장의 운화기능이 건강하지 못하면 위납(胃納)의 기능이 실조되어 납소(納少), 복창(腹脹), 식후가중(食後加重); 비기(脾氣)가 승청(昇淸)하지 못하고 정미(精微)가 분포되지 못해 지체(肢體)가 실양(失養)되어 소수(消瘦), 지체권태(肢體倦怠), 소기나언(少氣懶言), 면색위황(面色萎黃); 비허(脾虛)는 수습(水濕)이 운화되지 못하여 부종(浮腫), 변당(便溏); 설담태백(舌淡苔白), 맥완약(脈緩弱)은 비허(脾虛)의 표현이다.

(2) 비양허(脾陽虛)

【임상 표현】

복창납소(腹脹納少), 복통희온희안(腹痛喜溫喜按), 변당청희(便溏淸稀), 사지불온(四肢不溫), 지체곤중(肢體困重) 혹은 전신부종(全身浮腫), 소변불리(小便不利) 혹은 백대량다질희(白帶量多質稀), 설담반(舌淡胖), 태백활(苔白滑), 맥침지무력(脈沈遲無力).

【증후 분석】

비양(脾陽)이 허약하여 운화가 실조되면 복창납소(腹脹納少); 양이 허하면 음이 성하여 한(寒)이 안에서 생겨나서 기체(氣滯)를 만들어 복통희온희안(腹痛喜溫喜按); 양기(陽氣)가 부족해 수습(水濕)이 운화되지 못하여 장(腸)으로 흘러 들어가면 변당청희(便溏淸稀); 양기(陽氣)가 온후(溫煦) 작용을 잃어 사지불온(四肢不溫); 수습(水濕)이 안에 머물러 지체곤중(肢體困重); 수액(水液)이 기부(肌膚)로 넘쳐 흘러 전신부종(全身浮腫), 소변불리(小便不利); 부녀(婦女)의 경우 대맥(帶脈)이 불안하여 수습(水濕)이 아래로 내려가 백대량다질희(白帶量多質稀); 설담반(舌淡胖), 태백활(苔白滑), 맥침지무력(脈沈遲無力)은 모두 양(陽)이 허(虛)하여 수습(水濕)이 성(盛)한 표현이다.

(3) 중기하함(中氣下陷)

【임상 표현】

완복중창(脘腹重脹), 구설불지(久泄不止) 혹은 내장하수(內臟下垂), 기소핍력(氣少乏力), 지체권태(肢體倦怠), 성저나언(聲低懶言), 두운목현(頭暈目眩), 설담태백(舌淡苔白), 맥약(脈弱).

【증후 분석】

비기(脾氣)가 부족하여 승청(昇淸) 기능이 약해져서 내장하수(內臟下垂), 완복중창(脘腹重脹); 중기(中氣)가 부족하면 전신기능이 감퇴되어 기소핍력(氣少乏力), 지체권태(肢體倦怠), 성저나언(聲低懶言); 청양(淸陽)이 위로 올라가지 못하여 두운목현(頭暈目眩); 설담태백(舌淡苔白), 맥약(脈弱)은 모두가 비기(脾氣)가 허약(虛弱)할 때 나타나는 표현이다.

(4) 비불통혈(脾不統血)

【임상 표현】

변혈(便血), 뇨혈(尿血), 혹은 부녀(婦女)의 월경과다(月經過多), 붕루(崩漏) 등. 흔히 같이 나타나는 증상은 식소변당(食少便溏), 신피핍력(神疲乏力), 소기나언(少氣懶言), 면색무화(面色無華), 설담태백(舌淡苔白), 맥세약(脈細弱).

【증후 분석】

비기(脾氣)가 허약하여 통섭(統攝)이 약해져 통혈(統血) 기능을 잃게 되면 각종 출혈(出血) 증상이 나타나고; 비허(脾虛)는 운화기능이 약해져 식소변당(食少便溏), 신피핍력(神疲乏力), 소기나언(少氣懶言), 면색무화(面色無華), 설담태백(舌淡苔白), 맥세약(脈細弱)이 나타나게 된다.

(5) 한습곤비(寒濕困脾)

【임상 표현】

완복비민창통납소(脘腹痞悶脹痛納少), 오심(惡心), 두신침중(頭身沈重), 지체권태(肢體倦怠), 부종(浮腫), 면색청자(面色青紫), 뇨소변당(尿少便溏), 설질반대유치흔(舌質胖大有齒痕), 태니(苔膩), 맥침완(脈沈緩).

【증후 분석】

한습(寒濕)이 비장(脾臟)을 괴롭혀서 운화작용이 원활하지 못해 완복비민창통(脘腹痞悶脹痛); 비병(脾病)이 위(胃)까지 미쳐 납소(納少), 오심(惡心); 습(濕)은 중탁(重濁)의 성질 때문에 두신침중(頭身沈重), 지체권태(肢體倦怠); 수습(水濕)이 화(化)하지 못하고 기부(肌膚)에 넘쳐서 부종(浮腫); 한사(寒邪)가 혈맥(血脈)에 정체되어 운행에 장애가 와서 면색청자(面色青紫); 한습(寒濕)이 안에 머물러 기화(氣化)가 되지 않아 뇨소변당(尿少便溏); 설질반대유치흔(舌質胖大有齒痕), 태니(苔膩), 맥침완(脈沈緩) 등은 모두 한습(寒濕)의 표현이다.

(6) 습열온비(濕熱蘊脾)

【임상 표현】

복만비민(腹滿痞悶), 납매구오(納呆嘔惡), 변당뇨황(便溏尿黃), 지체곤중(肢體困重), 혹은 면목기부발황(面目肌膚發黃), 색선명(色鮮明), 피부소양(皮膚瘙痒), 설홍(舌紅), 태황니(苔黃膩), 맥유삭(脈濡數).

【증후 분석】

습열(濕熱)의 사기가 중초(中焦)에 머물러 있으면 비위(脾胃)의 기능이 상실되어 복만비민(腹滿痞悶), 납매구오(納呆嘔惡), 변당(便溏); 습사(濕邪)가 체내에 정체되면 지체곤중(肢體困重); 습열(濕熱)이 안에서 덥혀지면 면목기부발황(面目肌膚發黃), 색선명(色鮮明), 피부소양(皮膚瘙痒); 설홍(舌紅), 태황니(苔黃膩), 맥유삭(脈濡數)은 습열(濕熱)의 표현이다.

(7) 위음허(胃陰虛)

【임상 표현】

위완은통(胃脘隱痛), 기불욕식(飢不慾食), 구조인건(口燥咽乾), 대변비결(大便秘結), 설홍소진(舌紅少津), 맥세삭(脈細數).

【증후 분석】

위음(胃陰)의 부족은 화강(和降)작용을 못하게 하여 위완은통(胃脘隱痛); 위장(胃腸)의 수납(受納)기능이 무력해져 기불욕식(飢不慾食); 음액(陰液)이 부족하여 구조인건(口燥咽乾), 대변비결(大便秘結); 음(陰)이 허(虛)하면 열(熱)이 나게 되서 설홍소진(舌紅少津), 맥세삭(脈細數)이 나타나게 된다.

(8) 식체위완(食滯胃脘)

【임상 표현】

위완창만(胃脘脹滿) 심한 경우에는 동통(疼痛)이 나타나고, 애기(噯氣) 혹은 구토(嘔吐), 구토(嘔吐) 후에 동통(疼痛)이 덜해지고, 변당(便溏), 설태후니(舌苔厚膩), 맥활(脈滑).

【증후 분석】

위기(胃氣)는 아래로 내려가야 하는데 음식이 체하여 위기(胃氣)가 울체(鬱滯)되어 위완창만(胃脘脹滿)이 심한 경우에는 동통(疼痛); 위(胃)의 화강(和降) 기능이 실조되어 기가 상역(上逆)되면 탁기(濁氣)가 위로 올라와 애기(噯氣) 혹은 구토(嘔吐); 구토(嘔吐) 후에 기체(氣滯)가 경감(輕減)되므로 동통(疼痛)이 덜해지고; 비위(脾胃)의 운화가 실조(失調)되어 변당(便溏); 설태후니(舌苔厚膩), 맥활(脈滑)은 식체(食滯)의 표현이다.

(9) 위한(胃寒)

【임상 표현】

위완동통(胃脘疼痛), 냉기(冷氣)를 만나면 가중(加重)되고, 온기(溫氣)를 만나면 동통(疼痛)이 가라앉는다. 구담불갈(口談不渴) 혹은 신피핍력(神疲乏力), 지냉(肢冷) 등을 동반하고, 위장(胃腸)에서 소리가 나고, 설담태백활(舌淡苔白滑), 맥지(脈遲) 혹은 현(弦).

【증후 분석】

한사(寒邪)가 위(胃)에 응체되어 경락(經絡)이 위축되고 기기(氣機)가 정체되어 위완동통(胃脘疼痛), 냉기(冷氣)를 만나면 가중(加重)되고, 온기(溫氣)를 만나면 동통(疼痛)이 가라앉는다; 한사(寒邪)는 음사(陰邪)에 속하므로 진액이 손상되지 않아 구담불갈(口談不渴); 음사(陰邪)는 양기(陽氣)를 상하게 하여 신피핍력(神疲乏力), 지냉(肢冷); 음한(陰寒)이 모여서 수습(水濕)이 화(化)하지 못하면 물이 장(腸)으로 들어가 위장(胃腸)에서 소리가 나고; 설담태백활(舌淡苔白滑), 맥지(脈遲) 혹은 현(弦)은 한(寒)이나 수음(水飮)의 표현이다.

(10) 위열(胃熱)

【임상 표현】

위완작통(胃脘灼痛), 식후즉토(食後則吐), 혹은 구희냉음(口喜冷飮), 소곡선기(消谷善饑), 혹은 치은종통(齒齦腫痛), 치뉵(齒衄), 구취(口臭), 소변단적(小便短赤), 대변비결(大便秘結), 설홍태황(舌紅苔黃), 맥활삭(脈滑數).

【증후 분석】

열(熱)이 위(胃)에 쌓이고 기혈(氣血)이 정체되어 위완작통(胃脘灼痛); 화열(火熱)이 안에서 어지럽혀서 식후즉토(食後則吐); 열(熱)이 진액(津液)을 상하게 하여 구희냉음(口喜冷飮), 소변단적(小便短赤), 대변비결(大便秘結); 위장(胃腸)에 열이 맥락(脈絡)을 상하게 하여 치뉵(齒衄); 위열(胃熱)은 위(胃)의 기능을 항진시켜 소곡선기(消谷善饑); 위장(胃腸)에 탁기(濁氣)가 위로 올라와서 구취(口臭); 설홍태황(舌紅苔黃), 맥활삭(脈滑數)은 실열증(實熱證)에 속한다.

4. 간(肝)과 담(膽)의 증후(證候)

간병(肝病)에서 흔히 볼 수 있는 증상들은 이노(易努), 협통(脇痛), 맥현(脈弦), 경련(痙攣); 담병(膽病)에서 자주 볼 수 있는 증상들은 구고(口苦), 발황(發黃), 경계(驚悸), 실면(失眠) 등이 있다.

(1) 간기울결(肝氣鬱結)

【임상 표현】

흉복소복장민통(胸脇少腹脹悶痛), 한숨을 잘 쉬고, 쉽게 화를 내거나 매핵기(梅核氣), 영류(瘿瘤), 맥현(脈弦).

【증후 분석】

간기(肝氣)가 울결되어 경락의 흐름이 순조롭지 않아 흉복소복장민통(胸脇少腹脹悶痛); 기기(氣機)가 울체되어 한숨을 잘 쉬며, 소설(疏泄)기능이 실조되어 이노(易努); 기의 흐름이 막혀 진액이 정체되어 담기(痰氣)가 인후부(咽喉部)에 머물러 매핵기(梅核氣); 담(痰)이 경락(經絡)에 정체되어 영류(瘿瘤); 현(弦)은 간맥(肝脈)이다.

(2) 간화상염(肝火上炎)

【임상 표현】

두운창통(頭暈脹痛), 면홍목적(面紅目赤), 구고인건(口苦咽乾), 급조이노(急躁易努), 협늑작통(脇肋灼痛), 이명(耳鳴), 변비(便秘), 설홍태황(舌紅苔黃), 맥현삭(脈弦數).

【증후 분석】

화(火)의 성질은 염상(炎上)이므로, 간화(肝火)가 경락(經絡)을 따라서 위로 올라가 머리와 눈을 공격하여 두운창통(頭暈脹痛), 이명(耳鳴), 면홍목적(面紅目赤); 간(肝)과 담(膽)은 서로 표리(表裏)관계이라서 간열(肝熱)이 담(膽)에 전해지고 담기(膽氣)가 위로 넘쳐흘러서 구고(口苦); 간경(肝經)에 화열(火熱)이 소설(疏泄)을 실조(失調)케 하여 급조이노(急躁易努), 협늑작통(脇肋灼痛); 화열(火熱)이 진액을 상하게 하여 인건(咽乾), 변비(便秘); 설홍태황(舌紅苔黃), 맥현삭(脈弦數)은 간열(肝熱)의 표현이다.

(3) 간혈허(肝血虛)

【임상 표현】

근골허약(筋骨虛弱) 혹은 마목(痲木), 수족진전(手足震顫), 족무력(足無力), 시물혼화(視物昏花), 부녀월경량소색담(婦女月經量少色淡), 순설조갑색담(脣舌爪甲色淡), 맥지완무력(脈遲緩無力).

【증후 분석】

간은 오체(五體) 중에 근(筋)을 주관하고 간에 혈액 부족하면 근육에 영양이 충분하지 못하여 근골허약(筋骨虛弱) 혹은 마목(痲木), 수족진전(手足震顫), 족무력(足無力); 간은 오규(五竅) 중에 눈(目)을 담당하므로 간혈(肝血)이 부족하면 눈에 영양을 주지 못해 시물혼화(視物昏花); 혈허(血虛)는 부녀월경량소색담(婦女月經量少色淡), 순설조갑색담(脣舌爪甲色淡), 맥지완무력(脈遲緩無力).

(4) 간음허(肝陰虛)

【임상 표현】

두운이명(頭暈耳鳴), 양목건삽(兩目乾澁), 면부홍열(面部烘熱), 협늑작통(脇肋灼痛), 오심번열(五心煩熱), 조열도한(潮熱盜汗), 구인건조(口咽乾燥), 혹은 수족진전(手足震顫), 설홍소진(舌紅少津), 맥현세삭(脈弦細數).

【증후 분석】

간음(肝陰)이 부족하여 두부(頭部)로 자양(滋養)을 하지 못해서 두운이명(頭暈耳鳴), 양목건삽(兩目乾澁); 허열(虛熱)이 위로 올라가 면부홍열(面部烘熱); 간경(肝經)의 화열(火熱)이 경맥(經脈)을 막아 협늑작통(脇肋灼痛); 음허(陰虛)는 허열(虛熱)이 안에서 발생하여 오심번열(五心煩熱), 조열도한(潮熱盜汗); 진액(津液)이 부족하여 구인건조(口咽乾燥); 간음(肝陰)이 부족하여 경맥(經脈)이 영양을 잃어 수족진전(手足震顫); 설홍소진(舌紅少津), 맥현세삭(脈弦細數)은 간음허(肝陰虛)의 표현이다.

(5) 간양상항(肝陽上亢)

【임상 표현】

현운이명(眩暈耳鳴), 두목창통(頭目脹痛), 면홍이적(面紅耳赤), 급조이노(急躁易努), 심계건망(心悸健忘), 실면다몽(失眠多夢), 요슬산연(腰膝酸軟), 설홍(舌紅), 맥현유력(脈弦有力) 혹은 현세삭(弦細數).

【증후 분석】

간신(肝腎)의 음(陰)이 부족하여 간양(肝陽)이 위로 올라가는 것을 제압할 수 없어 기혈(氣血)이 상충(上沖)되어 현운이명(眩暈耳鳴), 두목창통(頭目脹痛), 면홍이적(面紅耳赤); 간(肝)의 부드러운 성질을 잃어 급조이노(急躁易努); 음허(陰虛)는 심(心)의 영양을 잃게 하여 신(神)이 안정되지 못하여 심계건망(心悸健忘), 실면다몽(失眠多夢); 허리는 신부(腎府)이고 무릎은 근부(筋府)이며, 간신(肝腎)에 음(陰)이 허(虛)하면 근맥(筋脈)이 영양을 잃어 요슬산연무력(腰膝酸軟無力); 설홍(舌紅), 맥현유력(脈弦有力) 혹은 현세삭(弦細數)은 간신음허(肝腎陰虛), 간양상항(肝陽上亢)의 표현이다.

(6) 한체간맥(寒滯肝脈)

【임상 표현】

소복견인고환추창냉통(少腹牽引睾丸墜脹冷痛), 혹은 음낭수축인통(陰囊收縮引痛), 수한즉통(受寒則痛), 득열즉완(得熱則緩), 설태백활(舌苔白滑), 맥침현(脈沈弦) 혹은 지(遲).

【증후 분석】

한사(寒邪)가 간경(肝經)에 침입하여 양기(陽氣)가 쫒기어 기혈의 운행이 잘 되지 않아 소복견인고환추창냉통(少腹牽引睾丸墜脹冷痛); 한(寒)은 음사(陰邪), 성질은 수인(收引)하며, 근맥(筋脈)에 갑작스런 경직을 일으켜 음낭수축인통(陰囊收縮引痛); 한(寒)은 기혈(氣血)을 응집시키고, 열(熱)은 기혈(氣血)을 통하게 하여 동통(疼痛)이 한사(寒邪)를 받으면 가중되고, 열(熱)을 얻으면 감(減)해진다. 음한(陰寒)이 내성(內盛)하여 설태백활(舌苔白滑); 맥침(脈沈)은 안에 속하고, 현(弦)은 간병(肝病)에 속하며, 지(遲)는 음한(陰寒)에 속함으로 한체간맥(寒滯肝脈)의 표현이다.

(7) 간담습열(肝膽濕熱)

【임상 표현】

협늑부창통작열(脇肋部脹痛灼熱), 혹은 비괴(痞塊), 복창(腹脹), 구고범오(口苦泛惡), 대변부조(大篇不調), 소변단적(小便短赤), 설홍태황니(舌紅苔黃膩), 맥현삭(脈弦數).

【증후 분석】

습열(濕熱)이 간담(肝膽)에 모이게 되면 소설(疏泄)작용이 실조(失調)되고 간기(肝氣)가 울체(鬱滯)되어서 협늑부창통작열(脇肋部脹痛灼熱); 기체혈어(氣滯血瘀)는 협하비괴(脇下痞塊); 간목(肝木)은 비토(脾土)를 승(乘)하여 비(脾)가 운화(運化)기능을 잃어 압식(壓食), 복창(腹脹); 간기(肝氣)가 위(胃)를 범(犯)하여 위(胃)가 화강(和降)기능을 잃어 위기(胃氣)가 상역(上逆)되어 구고범오(口苦泛惡)가 나타난다. 습열(濕熱)이 안에 쌓여 습(濕)이 편중(偏重)되면 대변이 무르며, 열(熱)이 편중(偏重)되면 대변이 건조해진다. 습열(濕熱)이 아래로 내려가 방광(膀胱)의 기화(氣化)작용이 안되면 소변단적(小便短赤); 설홍태황니(舌紅苔黃膩), 맥현삭(脈弦數)은 습열(濕熱)이 간담(肝膽)에 쌓인 표현이다.

(8) 담울담요(膽鬱痰擾)

【임상 표현】

경계불매(驚悸不寐), 번조부녕(煩燥不寧), 구고구오(口苦嘔惡), 흉민협창(胸悶脇脹), 두운목현(頭暈目眩), 이명(耳鳴), 설태황니(舌苔黃膩), 맥현활(脈弦滑).

【증후 분석】

담(膽)이 소설(疏泄)이 실조(失調)되고, 기기(氣機)가 울체(鬱滯)되어 담(痰)이 생기게 된 것이 화(火)로 변화하여 담열(痰熱)이 안으로 어지럽게 해서 담기(膽氣)가 편안치 못하여 경계불매(驚悸不寐), 번조부녕(煩燥不寧); 담기(膽氣)가 열(熱)로 인해 위로 넘쳐흘러 구고(口苦); 담열(膽熱)이 위(胃)를 범(犯)하여 위기(胃氣)가 상역(上逆)되어 구오(嘔惡); 담기(膽氣)가 울결(鬱結)되어 흉민협창(胸悶脇脹); 담열(痰熱)이 위로 올라가 두운목현(頭暈目眩), 이명(耳鳴); 설태황니(舌苔黃膩), 맥현활(脈弦滑)은 담열(痰熱)이 안에 쌓인 표현이다.

5. 신(腎)과 방광(膀胱)의 증후(證候)

신병(腎病)에서 흔히 볼 수 있는 증상들은 요슬산연(腰膝酸軟) 또는 산통(酸痛), 이명이농(耳鳴耳聾), 양위유정(陽痿遺精), 이변이상(二便異常), 수종(水腫) 등; 방광병(膀胱病)에서 자주 볼 수 있는 증상들은 빈뇨(頻尿), 뇨급(尿急), 뇨통(尿痛), 혹은 뇨폐(尿閉), 혹은 유뇨(遺尿), 소변실금(小便失禁) 등이 있다.

(1) 신양허(腎陽虛)

【임상 표현】

요슬산연(腰膝酸軟) 혹은 산통(酸痛), 외한지냉(畏寒肢冷), 정신위미(精神萎靡), 두운목현(頭暈目眩), 면색창백(面色蒼白), 여흑(黧黑) 혹은 양위(陽痿), 불임(不姙), 대변구설부지

(大便久泄不止), 혹은 부종(浮腫), 설담방태백(舌淡胖苔白), 맥침약(脈沈弱).

【증후 분석】

허리(요;腰)는 신(腎)의 부(府)이고, 뼈(골;骨)를 주관하며, 신양허(腎陽虛)면 온양(溫養)의 기능을 잃게 되어 요슬산연(腰膝酸軟) 혹은 산통(酸痛), 외한지냉(畏寒肢冷); 양기부족(陽氣不足)과 심신부진(心神不振)으로 정신위미(精神萎靡); 양허(陽虛)로 인해 기혈(氣血)이 두면부(頭面部)에 영양을 전해주지 못해 두운목현(頭暈目眩), 면색창백(面色蒼白) 혹은 여흑(黧黑); 신양부족(腎陽不足)으로 명문(命門)의 화(火)가 쇠(衰)하여 생식능력이 감퇴되어 남자는 양위(陽痿), 여자는 궁한불임(宮寒不姙); 양허(陽虛)로 인해 기화(氣化)가 안되어 대변구설부지(大便久泄不止) 혹은 부종(浮腫)이 나타난다. 설담방태백(舌淡胖苔白), 맥침약(脈沈弱)은 모두 신양(腎陽)의 허쇠(虛衰)한 표현이다.

(2) 신음허(腎陰虛)

【임상 표현】

요슬산통(腰膝酸痛), 현운이명(眩暈耳鳴), 실면다몽(失眠多夢), 유정(遺精), 형체소수(形體消瘦), 조열도한(潮熱盜汗), 오심번열(五心煩熱), 인건관홍(咽乾顴紅), 뇨소변건(尿少便乾), 설홍소진(舌紅少津), 맥세삭(脈細數).

【증후 분석】

신음부족(腎陰不足)으로 골격(骨骼)이 영양을 잃어 요슬산통(腰膝酸痛); 뇌수(腦髓)가 충실하지 못하여 현운이명(眩暈耳鳴);심신불교(心腎不交)이어서 실면다몽(失眠多夢), 유정(遺精); 음허내열(陰虛內熱)로 인해 형체소수(形體消瘦); 음허(陰虛)로 인해 진액이 부족하여 음(陰)이 양(陽)을 제약하지 못하여 조열도한(潮熱盜汗), 오심번열(五心煩熱), 인건관홍(咽乾顴紅), 뇨소변건(尿少便乾), 설홍소진(舌紅少津), 맥세삭(脈細數)이 나타나게 된다.

(3) 신정부족(腎精不足)

【임상 표현】

아동발육지완(兒童發育遲緩), 청장년생식기능감퇴(青壯年生殖機能減退), 성인조쇠(成人早衰).

【증후 분석】

신정(腎精)이 부족하여 골수(骨髓)와 뇌(腦)를 충실하게 하지 못하여 생장발육지완(生長發育遲緩); 신정(腎精)이 천계(天癸)를 화생(化生)하지 못하여 남자는 정소불육(精少不育), 여자는 경폐불임(經閉不妊); 신정부족(腎精不足)은 성인(成人)을 일찍 노쇠(老衰)하게 만든다.

(4) 신기불고(腎氣不固)

【임상 표현】

요슬산연(腰膝酸軟), 청력감퇴(聽力減退), 면백신피(面白神疲), 이변실금(二便失禁). 남자는 활정조설(滑精早泄), 여자는 대하청희(帶下淸稀) 혹은 활태(滑胎), 설담태백(舌淡苔白), 맥침약(脈沈弱).

【증후 분석】

허리(요;腰)는 신(腎)의 부(府)이기에 신허(腎虛)면 요슬산연(腰膝酸軟); 신(腎)은 귀(이;耳)를 개규(開竅)함으로 기능 활동이 감퇴되어 기혈(氣血)이 귀에 올라가지 못하여 청력감퇴(聽力減退); 신(腎)이 허(虛)하여 이변(二便)을 고섭(固攝)하지 못하여 이변실금(二便失禁); 신(腎)이 허(虛)하면 정(精)을 지키지 못하여 남자는 활정조설(滑精早泄), 여자는 대하청희(帶下淸稀) 혹은 활태(滑胎)가 나타난다. 설담태백(舌淡苔白), 맥침약(脈沈弱)은 신기(腎氣)가 허약한 표현이다.

(5) 신불납기(腎不納氣)

【임상 표현】

구병해천(久病咳喘), 호다흡소(呼多吸少), 동즉천심(動則喘甚), 자한신피(自汗神疲), 성음저미(聲音低微), 요슬산연(腰膝酸軟), 설담태백(舌淡苔白), 맥침약(脈沈弱).

【증후 분석】

신허(腎虛)는 섭납(攝納)기능이 약해져서 구병해천(久病咳喘), 호다흡소(呼多吸少), 동즉천심(動則喘甚), 자한(自汗); 기허(氣虛)는 신피(神疲), 성음저미(聲音低微); 골격(骨骼)이 영양이 충분치 못하여 요슬산연(腰膝酸軟); 설담태백(舌淡苔白), 맥침약(脈沈弱)은 기허(氣虛)의 표현이다.

(6) 방광습열(膀胱濕熱)

【임상 표현】

빈뇨(頻尿), 급뇨(急尿), 뇨도작통(尿道灼痛), 소변단소(小便短少), 소복창민(小腹脹悶) 혹은 발열요통(發熱腰痛)이나 혈뇨(血尿) 혹은 뇨유사석(尿有砂石), 설홍태황니(舌紅苔黃膩), 맥삭(脈數).

【증후 분석】

습열(濕熱)이 방광에 침입하게 되면 열(熱)이 뇨도(尿道)를 억눌러서 빈뇨(頻尿), 급뇨(急尿), 뇨도작통(尿道灼痛); 습열(濕熱)이 안에서 머물러 기기(氣機)가 조화롭지 못하고 기화(氣化)가 실조(失調)되어 소변단소(小便短少), 소복창민(小腹脹悶); 습열(濕熱)이 안에서 기표(肌表)를 달구어서 발열(發熱); 신(腎)과 방광(膀胱)은 서로 표리(表裏)관계에 있으므로 방광의 병변(病變)이 신(腎)에 영향을 미쳐 요통(腰痛); 작열(灼熱)이 혈락(血絡)을 상하게 하여 혈뇨(血尿); 울결(鬱結)이 오래토록 풀리지 않아 진액이 돌로 되어 뇨유사석(尿有

砂石); 설홍태황니(舌紅苔黃膩), 맥삭(脈數)의 표현은 모두 습열(濕熱)이 안에 머물러서 나타나는 것이다.

이와 같이 전체적으로 볼 때 장부(臟腑)의 생리 기능 실조(失調)와 손미성(損美性) 병변(病變)은 매우 밀접한 관계를 가지고 있다. 예를 들면 간기(肝氣)가 울결(鬱結)하여 화(火)로 화(化)하는 것은 맥립종(麥粒腫), 전요화단(纏腰火丹)등의 발병과 관계가 있고; 심간(心肝)의 화(火)가 성(盛)하면 은설병(銀屑病)에 이르고; 비위(脾胃)의 습열(濕熱)은 순풍(脣風)을 일으키고; 폐위(肺胃)가 열을 품고 있으면 좌창(痤瘡), 주차비(酒齇鼻), 농포창(膿疱瘡), 염순창(脣順瘡), 열창(熱瘡)등의 병증이 발생한다. 또한 신허간울(腎虛肝鬱)이면 백전풍(白癜風), 여흑반(黧黑斑)등이 나타나고; 간신양허(肝腎兩虛)이면 피부 건조, 탈설(脫屑), 조갑불영(爪甲不榮), 아치송동이탈(牙齒松動易脫), 모발회백(毛髮灰白), 탈발(脫髮), 반독(斑禿) 등이 나타나게 되는 것이다.

제 5 장

자각증상(自覺症狀)의 미용변증

5 자각증상(自覺症狀)의 미용변증

1. 소양(瘙痒)

가려운 것(瘙痒)은 피부병에서 가장 많이 볼 수 있는 증상 중에 하나이다. 가려움증의 대부분의 원인은 풍(風), 습열(濕熱), 충(蟲) 등의 사기(邪氣)가 피부에 머물러 피육(皮肉)간의 기혈(氣血)이 조화롭지 못해 나타나며, 혈허풍조(血虛風燥)가 피부간의 유양(濡養)을 잃게 하여 나타난다.

(1) 풍양(風痒)

바로 풍(風)의 병리변화를 위주로 하여 발생하는 가려움이다. 발병이 급하고, 변화가 빠르며, 여기저기 다니길 좋아하고, 증상이 나타나고 가라앉기를 반복하며. 전신이 가렵고, 긁으면 쉽게 출혈이 되며, 손상부위가 쉽게 터지고 쉽게 아문다. 이는 대부분이 건성(乾性)이다. 은설병(銀屑病), 신경성 피부염, 담마진(蕁麻疹) 등이 여기에 속한다.

(2) 습양(濕痒)

습(濕)의 병리변화를 위주로 하여 발생하는 가려움이다. 종창(腫脹), 포진(疱疹), 수포(水疱), 황가(黃痂), 삼출(滲出), 미란(糜爛), 침음(浸淫) 등과 함께 소양감(瘙痒感)이 함께 나타나며, 미란(糜爛) 역시 날이 갈수록 심해진다. 또한 열사(熱邪)가 겸해진 경우에는 홍종(紅腫)

이 나타나고, 한사(寒邪)가 겸해진 경우에는 피부가 두꺼워지고, 피부색이 암홍(暗紅) 혹은 자홍(紫紅)으로 표현이 된다.

(3) 열양(熱痒)

열(熱)의 병리변화를 위주로 하여 발생하는 가려움이다. 피부에 조홍종창(潮紅腫脹), 작열(灼熱), 양통(痒痛) 등을 서로 겸하여 나타난다.

(4) 충양(蟲痒)

대부분 가려운 곳이 고정되어 있고, 극심한 가려움을 호소하며, 특히 야간에 가려움이 더욱 심해지고 전염성이 강한 것이 특징이다.

(5) 조양(燥痒)

조열상음(燥熱傷陰) 혹은 음허혈우(陰虛血亏), 생풍화조(生風化燥)의 병리변화 위주로 발생하는 가려움이다. 증상 표현은 피부표면이 두꺼워지고, 건조하여 박피가 일어난다. 미란(糜爛)이 발생하는 경우는 매우 드물고, 가려움이나 통증이 때로는 심하고 때로는 경해지는 증상이 반복 발작한다.

(6) 독양(毒痒)

약물(藥物)로 인한 부작용을 말하는데, 경한 것은 약물과민(藥物過敏), 중한 것은 약물중독(藥物中毒)이다. 가려움을 동반한 피진(皮疹)의 형태는 수종성홍반(水腫性紅斑) 위주이며, 홍색구진(紅色丘疹), 풍단(風団) 등이 나타나기도 한다.

(7) 식양(食痒)

대부분 생선, 새우, 조개 등의 어패류나 소고기, 양고기 등 비린내 나는 음식을 과식 했을 때 소화가 미처 되기 전에 나타나는 가려움증을 식양(食痒)이라 하는데, 음식으로 인한 과민 반응을 말한다. 피부의 증상은 불규칙적인 홍색풍단(紅色風团), 수종성홍반(水腫性紅斑), 구진(丘疹)과 크기가 다른 수창(水瘡), 혈성포(血性疱) 등이 나타난다. 환자는 심번(心煩), 극심한 가려움을 호소한다. 만일 치료가 즉시 되지 않는다면 구토(嘔吐), 하리(下利), 두운(頭暈) 등의 전신증상이 나타난다.

(8) 어양(瘀痒)

어혈(瘀血)로 인해 가려움이 발생하는데, 이 가려움은 긁어서 피부가 파손되어 출혈이 되어도 그치지가 않고, 피부의 증상은 결절(結節)이 전신에 고루 산재되어 표현된다.

(9) 주양(酒痒)

음주(飮酒) 후에 즉시 나타나거나 음주 후 얼마 지나지 않아 나타나는데, 피부가 가렵고 전신에 홍반(紅斑) 혹은 홍색구진(紅色丘疹)이 마진(痲疹)의 피진(皮疹)형태와 비슷하다. 그러나 주독(酒毒)이 한액(汗液), 소변(小便)으로 배출이 되면 소양감(瘙痒感)이나 피진(皮疹)의 증상이 가벼워지거나 소실되는데 치료를 하지 않아도 회복되는 경우가 대부분이다.

(10) 허양(虛痒)

전신의 가려움이 멈추지 않고 마치 벌레가 피부에 기어 다니는 느낌이다. 혈허(血虛)인 경우에는 피부가 건조(乾燥)하고 소양(瘙痒)이 야간에 더욱 심하다. 기허(氣虛)인 경우에는 육음외사(六淫外邪)의 침입에 견디지 못하여 한열(寒熱)의 변화가 생기면 소양(瘙痒)이 발생하거나 심해진다. 양허(陽虛)인 경우에는 대부분이 늦가을이나 초겨울에 많이 발생되며, 중노년 남성에게 많다. 음허(陰虛)인 경우에는 피부가 건조하며 가렵고, 윤택함이 없고 긁으면 탈설(脫屑)이 비교적 많다. 음상병사(陰傷病史)가 있는 환자에게서 많이 볼 수 있다.

2. 동통(疼痛)

동통(疼痛)은 많은 인소(因素)로 인해 기혈옹체(氣血壅滯), 조색불통(阻塞不通)이 되어 발생한다. 임상에서는 통증을 다음과 같이 분류할 수 있다. 열통(熱痛)의 특징은 홍색(紅色), 작열통(灼熱痛), 찬 기운을 만나면 통증이 경감된다. 한통(寒痛)은 피부색이 불변(不變)이고, 따스한 기운을 만나면 통증이 경감된다. 기체통(氣滯痛)은 부위가 고정되어 있지 않고, 통증의 상태가 기분이 좋으면 경(輕)해지고 화가 나면 중(重)해진다. 혈어통(血瘀痛)은 통증부위가 고정되어 있고, 결절(結節)이나 단괴동통(團塊疼痛)이 있다. 허통(虛痛)은 만지는 것과 누르는 것을 좋아하고, 실통(實痛)은 만지는 것과 누르는 것을 싫어한다.

3. 마목(痲木)

마목(痲木)은 피부경락조체(皮膚經絡阻滯), 기혈운행불창(氣血運行不暢), 국부실양(局部失養)으로 발생한다. 대부분 혈허(血虛)는 마(痲), 기허(氣虛)는 목(木)으로 표현된다.

4. 작열(灼熱)

작열(灼熱)은 열(熱)의 병리변화가 피부나 피손부위(皮損部位)에 반영된 것이다. 대부분 급성(急性), 열성실증(熱性實證)으로 나타난다.

5. 종창(腫脹)

종창(腫脹) 역시 각종 질병인소(疾病因素)로 인해 경락조체(經絡阻滯), 기허응체(氣虛凝滯)로 형성된다. 종(腫)이 홍색(紅色)을 띠고, 피부가 광택(光澤)이 있으며, 작열동통(灼熱疼痛)이 있으면 화열(火熱); 종(腫)이 비교적 견고(堅固)하고, 피부에 광택(光澤)이 없으며, 불홍불열(不紅不熱)이 나타나면 한(寒); 만종(漫腫)으로 불홍미열미통(不紅微熱微痛)이면 풍(風); 종(腫)이 손으로 누르면 들어가서 다시 되돌아 나오는 것이 더디면 습(濕); 종(腫)이 누르면 즉시 회복이 되고, 기분에 따라 증상이 변화하면 기(氣); 피하종물(皮下腫物)이 딱딱하고 마치 결핵(結核)이 있는 것과 같고, 불홍불열(不紅不熱)이면 담핵(痰核)으로 인해 나타난다.

제 6 장

피부(皮膚)의 미용변증

1. 피부성질(皮膚性質)에 의한 미용변증
2. 피부손상(皮膚損傷)에 의한 미용변증
3. 모발(毛髮)에 의한 미용변증

6 피부(皮膚)의 미용변증

1. 피부성질(皮膚性質)에 의한 미용변증

피부성질에 의한 변증은 건강한 피부를 전제로 하여 변증결과로부터 피부 관리의 기준으로 정한다.

(1) 중성피부(中性皮膚)

1) 특징 : 중성피부는 일종의 건강하고 아름다운 이상적인 피부이며, 피부의 생리기능 모두가 정상적인 활동을 하는 피부를 말한다. 피부홍윤(皮膚紅潤), 광택(光澤)과 탄력이 좋고, 건조하지 않고 기름지지 않으며, 모공 크기도 적당하다. 기후변화에 민감하지 않고, 적응성이 강해 작반(雀斑), 황갈반(黃褐斑), 좌창(痤瘡) 등 손미성질환(損美性疾患)이 적게 발생한다. 중성피부는 발육이 미성숙 된 소년기의 남녀나 건강한 성인에게서 볼 수 있다.

2) 변증 : 음양평형(陰陽平衡), 오장협조(五臟協調), 기혈창달(氣血暢達), 칠정평온(七情平穩), 음식합리(飮食合理), 이변통창(二便通暢), 신체 조절 능력이 강하다. 중성피부는 건강한 장부(臟腑)와 기혈(氣血)을 나타낸다.

(2) 건성피부(乾性皮膚)

1) 특징 : 피지선(皮脂腺)의 기능이나 호르몬의 분비가 부족하여 피지와 땀의 분비가 적어 항상 건조하고 윤기가 없으며, 세안 후에 피부가 심하게 당기는 느낌이 들거나 부분적으로 각질이 일어나고 버즘이 생긴다. 상처가 나기 쉽고, 염증성의 피부병이 잘 생기며, 다른 유형의 피부보다 노화가 빨리 나타날 수 있다.

2) 변증 :

① 기혈허약(氣血虛弱) : 피부색담(皮膚色淡), 건조(乾燥), 모발희소황연(毛髮稀疏黃軟), 구순조갑불화(口脣爪甲不華), 신체소수(身體消瘦), 저항력 강하, 이감모(易感冒), 신피핍력(神疲乏力), 설담(舌淡), 맥세약(脈細弱).

② 기체혈어(氣滯血瘀) : 성정억울내향(性情抑鬱內向), 피부건고(皮膚乾枯), 모발건조(毛髮乾燥), 형용초췌(形容憔悴), 흉협창만(胸脇脹滿), 선태식(善太息), 월경부조(月經不調), 납차(納差), 구고(口苦), 위완동통(胃脘疼痛), 이생색반(易生色斑), 설유어반(舌有瘀斑), 맥세현(脈細弦).

③ 음허화왕(陰虛火旺) : 성정급조(性情急躁), 면색회암건조(面色晦暗乾燥), 구순편홍(口脣偏紅), 형체소수(形體消瘦), 두발건조탈발(頭髮乾燥脫落), 면차(眠差), 구건(口乾), 수족심열(手足心熱), 대변건결(大便乾結), 소변황(小便黃), 설홍소태(舌紅少苔), 맥세삭(脈細數).

(3) 지성피부(脂性皮膚)

1) 특징 : 피지분비의 증가로 인해 정상보다 과다한 피지가 피부표면을 덮고 있어 피부가 번들거리며, 모공은 넓어지고(특히 T-영역), 피부가 두꺼워 보인다. 또한 여드름이 쉽게 생기며, 감염되기 쉽다.

2) 변증 :

① 비위건운(脾胃建運) : 피부유니(皮膚油膩), 신체가 건강하고, 봄 · 여름철에 심해지며, 신체건장(身體健壯), 식욕왕성(食慾旺盛), 설홍태박(舌紅苔薄), 맥유력(脈有力).

② 비위습열(脾胃濕熱) : 피부불결(皮膚不潔), 양성(陽盛), 담습내온(痰濕內蘊), 일반적으로 위장(胃腸)기능장애를 동반한다. 구강궤양(口腔潰瘍)이 반복적으로 나타나고, 구기열취(口氣熱臭), 체취(體臭), 복창(腹脹), 대하황(帶下黃), 대변불상(大便不爽), 소변황적(小便黃赤), 설홍태황니(舌紅苔黃膩), 맥활삭유력(脈滑數有力).

③ 간기울결(肝氣鬱結) : 면색회암유니(面色晦暗油膩), 정서긴장(情緒緊張), 구건구고(口乾口苦), 협복창만(脇腹脹滿), 납차(納差), 면차(眠差), 대변건결(大便乾結), 월경부조(月經不調), 설홍태박황(舌紅苔薄黃), 맥현(脈弦).

(4) 민감성피부(敏感性皮膚)

1) 특징 : 피부조직이 정상 이상으로 섬세하고 얇아서 외부 환경적인 요인에 따라 민감하게 반응하여 가벼운 피부자극에 의해서도 자주 피부병변을 일으키는 피부타입이다. 피부가 화학적, 역학적인 반응에 예민하다. 이것은 심리적, 정신적인 것과 매우 밀접한 관계가 있다.

2) 변증 :

① 습열내온(濕熱內蘊) : 음식부절(飮食不節), 애주(愛酒), 맵고 비린내 나는 음식, 자극성이 있는 음식을 과도하게 섭취하면 비위(脾胃)를 상하게 하여, 습열내온(濕熱內蘊)하게 된다. 이때 피부유니(皮膚油膩), 소양불상(瘙痒不爽), 쉽게 과민(過敏)이 나타나고, 대변부조(大便不調), 설홍태황니(舌紅苔黃膩), 맥활삭(脈滑數).

② 혈허풍조(血虛風燥) : 기혈허약(氣血虛弱), 부색황백(膚色晄白), 피부건조(皮膚乾燥), 소수(消瘦), 대변건조(大便乾燥), 설담태백(舌淡苔白), 맥약(脈弱).

③ 어혈내조(瘀血內阻) : 부색회암(膚色晦暗), 피부건조소양(皮膚乾燥瘙痒), 피설(皮屑), 구순조갑어암무광택(口脣爪甲瘀暗無光澤), 설질어반(舌質瘀斑) 혹은 어점(瘀点), 맥삽(脈澀).

2. 피부손상(皮膚損傷)에 의한 미용변증

(1) 탈설(脫屑)

피설(皮屑), 인설(鱗屑)이라 하며, 표피세포가 떨어져 나가는 것을 말한다. 일반적인 표피세포는 약 4주(周)마다 교체가 되는데, 마지막으로 각질층에 도달하여 떨어져 나가는 것은 정상적인 생리현상이다. 병리적탈설(病理的脫屑)은 두 가지로 나눈다.

① 건성 탈설(乾性脫屑) : 혈허(血虛) 혹은 혈열(血熱)로 인해 발생한다. 첫째, 혈허풍조(血虛風燥)의 경우 대부분이 선천적으로나 후천적으로 비위(脾胃)의 기능이 실조(失調)되어 기부(肌膚)를 윤택(潤澤)하지 못하게 하여, 탈설이 일어나는데 피부가 건조하고 여름보다는 겨울에 심하다. 두 번째, 혈열풍조(血熱風燥)의 경우에는 본래 체질이 양열편성(陽熱偏盛)이거나 오지(五志)가 화(火)로 변하여 혈액(血液)에 울체되어 기부(肌膚)나타나게 된다.

② 지성 탈설(脂性脫屑) : 대부분이 습열(濕熱)로 인한 것이다. 기름진 음식으로 인해 습열이 기부(肌膚)에 축적되어 일으키며, 크기가 일정치 않는 붉은색의 반점을 볼 수 있다. 지성피부로서 여름에 심하고 겨울에는 증상이 가벼워지고, 기름기가 많은 탈설이 생기며, 냄새를 동반하는 경우가 있다.

(2) 풍진(風疹)

“풍단(風團)”, “풍흘탑(風疙瘩)”, “은진(癮疹)”이라고도 부른다. 이것은 피부 표면에 돌출되어 나타나게 되는데, 일반적으로 무리를 지어 국한적(局限的)인 수종형태로 갑자기 나타나거나 갑자기 소멸되고, 어떤 흔적도 남기지 않는 특징이 있다.

① 풍열(風熱) : 홍색이나 분홍색을 띈 피부발진이 나타난다. 국부에는 작열감(灼熱感)이 있으며, 열(熱)을 더하면 증상이 가중(加重)되고, 시원하게 하면 증상이 완화되며, 습(濕)을 겸한 경우는 작은 수포(水疱)를 동반하기도 한다.

② 풍한(風寒) : 도자기처럼 하얀색을 띈 피부발진이 나타나는데, 주로 두면부(頭面部),

귀, 손과 발 등의 노출부위에 발생하며, 찬 기운을 받거나 겨울이 되면 심해지고, 아침 · 저녁으로 증상이 가중된다.

③ 혈열(血熱) : 선홍색의 피부발진과 가려움이 매우 심한 것이 특징이다.

④ 장위적열(腸胃積熱) : 홍색의 피부발진과 가려움을 동반하며, 급성(急性)으로 발병하고, 대부분 생선이나 음식을 잘못 먹음으로써 위장(胃腸)에 열(熱)이 쌓인 것이 피부로 나타나는 것이다.

⑤ 기혈허약(氣血虛弱) : 담홍색의 피부발진이 반복해서 발병이 되며, 몸이 피로하면 증상이 가중(加重)된다. 대부분이 기혈이 부족한 상태에서 풍사(風邪)가 침범하면 발병한다.

(3) 피부군열(皮膚皸裂)

피부표면에 크기가 일정치 않고, 깊이가 다른 갈라짐을 말한다.

① 혈허풍조(血虛風燥) : 피부 손상이 주로 손바닥, 손등, 손가락 끝, 발바닥 뒤꿈치 등 비교적 피부가 두꺼운 곳에 나타난다. 대부분 출혈(出血)이나 동통(疼痛), 피부건조, 가을과 겨울에 심해지며, 기후가 따뜻해지면 증상이 완화되거나 자연적으로 치유가 되기도 한다.

② 혈열풍조(血熱風燥) : 피부 손상 부위는 대부분 주(肘) · 슬관절(膝關節)의 신측(伸側), 요배(腰背), 둔부(臀部)이다. 초기에는 홍반(紅斑)으로 시작하여 점차적으로 확산되어 표면에 은백색(銀白色)의 피설(皮屑)과 소양감이 생기고, 더 오래 지속되면 피부에 군열(皸裂)이 생기게 된다. 신체적으로 혈열(血熱)이나 외감풍열(外感風熱), 혹은 매운 것이나 기름진 음식을 많이 먹어 발병된다.

③ 비허습연(脾虛濕恋) : 손바닥의 가운데, 발바닥, 손등, 귀 뒤쪽, 유방 아래, 음낭(陰囊), 복고구(腹股沟) 등에 대칭적으로 나타난다. 피손 상태가 색이 어둡고 피부가 두꺼우며, 표면이 건조하여 피설(皮屑)이 떨어지고, 아픔과 가려움이 같이 표현된다. 대부분 음식의 부절제로 인해 쌓인 비습(脾濕)에, 다시 외부로부터 습사(濕邪)가 침입해 내외(內外)의 습(濕)이 서로 결합하여 피부에 응결(凝結)되어 나타난다.

④ 습독침음(濕毒浸淫) : 양손의 손등, 손바닥, 발바닥, 발가락, 발 내측 등의 부위에 발병한다. 초기는 가려움을 동반한 소수포(小水泡)가 산재되며, 건조 후에는 피부가 벗겨지고, 피부가 두꺼워져 갈라지거나, 혹은 손 · 발톱에도 증상이 함께 나타난다.

(4) 피부위축(皮膚萎縮)

피부가 정상보다 비교적 얇고, 광택이 나며, 표면에 생리적 주름이 없어지거나 혹은 정상보다 이상한 것을 말한다. 만약 노화현상, 임신, 생장발육 단계 등의 생리적인 변화로 인해 발생된 피부위축은 치료를 필요로 하지 않고 여기서 거론할 필요도 없다.

① 독사침음(毒邪浸淫) : 위축된 피부의 표면은 원형이 많고 색깔은 엷은 붉은색을 띄며 밝은 편이다. 표면의 정상적인 표피의 선(線)들은 없어지고 비교적 가벼운 주름이 생기는데 주로 안면부에 많이 나타나고 흉배부, 어깨부위에 산발적으로 나타난다. 초기에 종종 일광독열(日光毒熱), 매독(梅毒), 역기(疫氣) 등에 의해 열독맥증(熱毒脈症)이 나타나기도 한다.

② 한응혈어(寒凝血瘀) : 위축은 대개 띠의 형태를 이루며 손등, 발등으로부터 시작하여 점점 팔과 정강이 쪽으로 퍼져간다. 피부는 얇아지고 매끈해지며 오목하게 들어가고 색깔은 엷은 회색을 띄거나 어두운 회색을 띄는데 만져보면 비교적 딱딱하고 차갑게 느껴진다. 이는 한사(寒邪)가 외부로부터 들어와서 락맥(絡脈)이 제대로 소통하지 못해 피부가 실양(失養)하기 때문이다.

③ 기혈허약(氣血虛弱) : 주로 얼굴의 한쪽면만 위축하는 경우가 많은데 피곤하면 근육(筋肉), 심지어는 뼈에까지 영향을 미친다. 환측 피부가 함몰하며 선명하게 얇아지면서 정상적인 주름이 없어진다.

④ 간신음허(肝腎陰虛) : 얼굴 피부가 어두워지며 얇아지는데 선(線)모양의 위축이 일어나고 탄력도 잃음으로써 본래의 주름이 소실되며 큰 주름이 쉽게 발생한다. 피부가 건조해지며 가벼운 탈설(脫屑)이 일어나고 색깔은 회갈색 또는 갈홍색을 띈다. 주로 중년층에서 많이 나타나는데 얼굴이 실제 나이보다 노화되어 보이면서 검버섯이나 혈관류(血

管瘤)를 동반하기도 한다. 이는 오랜 질병이나 과로로 인해 간신음휴(肝腎陰虧), 정혈부족(精血不足), 기부실양(肌膚失養)이 되어 날이 갈수록 위축이 일어나기 때문이다.

(5) 피부반흔(皮膚瘢痕)

피부에 외상(外傷)을 입은 후에 치유(治癒)되면서 조직 증생(增生)으로 피부가 울퉁불퉁하며 지네모양을 띄는 것을 '피부반흔'이라고 한다. 전신(全身)의 피부 어디에서든 발생하고 특히 흉배부의 상처 부위와 압박받는 부위에 잘생기며 건강한 피부에도 소수 발생하기도 한다. 대체로 개인의 체질(體質)과 관계가 많다.

① 어혈조체(瘀血阻滯) : 주로 반흔(瘢痕)이 칼, 화상(火傷)에 의한 것으로 상처가 아물고 3~6개월 뒤에 피부 손상부위가 점차 피부표면보다 높아지는데 원래의 상처보다 그 면적은 조금 더 넓으며 밝거나 어두운 붉은색을 띄게 된다. 그 표면은 매끈하며 만져보면 견고하고 탄력이 있다. 나무뿌리형태의 증생(增生)이 있고 가렵고 아프기도 하지만 전신증상은 없다. 진행이 느리면서 어느 정도가 되면 커지는 것이 멈추고 소수는 며칠 내로 스스로 소멸되기도 한다.

② 습열박결(濕熱搏結) : 주로 반흔이 창상(創傷), 화상(火傷), 정(疔), 저(疽), 옹(癰) 및 예방주사 접종 후에 발생하는 것으로 피손(皮損)과 상처범위가 일치한다. 피부 표면보다 높고 더 이상 커지지는 않으나 두텁고 단단하며, 표면은 주름이 있고 색깔은 담홍이거나 정상적이다. 가려운 증상이 나타나는데 흐린 날에 더욱 심하며, 긁은 후에 소량의 삼액(滲液)이 나오는데 주로 습열(濕熱) 체질에 많이 나타난다.

(6) 피부비후(皮膚肥厚)

피부표면이 국한적으로 두꺼워지고 건조해지는 것을 말한다.

① 비허혈조(脾虛血燥) : 비허습온(脾虛濕蘊), 울이화조(鬱而化燥), 기부실양(肌膚失養)이 되어 피부가 두꺼워지면서 건조해지는데 가려움이 명확히 나타나고 표면이 어두운 붉은 빛이며 탈설(脫屑)과 진물이 나온다.

② 혈허화조(血虛化燥) : 피부가 거칠고 두꺼워지는데 주로 목의 양쪽 또는 눈꺼풀 부위에 발생하고 담갈색을 띄며 수시로 가렵다.

③ 풍습온조(風濕蘊阻) : 피손(皮損)의 색은 약간 검고 형태는 반괴상(斑塊狀)이나 융합성편상(融合成片狀)을 이루고 표면은 거칠고 두껍다. 주로 사지(四肢)의 신측(伸側)에 발생하며 진발성 소양(陣發性瘙痒)이 나타나는데 밤에 더욱 심해진다.

④ 기체혈어(氣滯血瘀) : 피부는 어두운 붉은색을 띄고 두꺼워짐과 피부의 주름진 골이 명확하게 보이는데 주로 피부가 압박받는 부위에 잘 발생한다.

(7) 피부홍반(皮膚紅斑)

피부 상에 붉은색이 나타나는 것으로, 피부표면은 평탄하여 만져보아도 걸림이 없다.

① 음허화왕(陰虛火旺) : 마치 화장한 느낌의 선명한 붉은색으로 동전형태나 나비형태로 나타나는데 얼굴의 양볼, 광대부위, 코, 눈, 입술, 두피, 손등에 대칭적으로 분포하면서 오심번열(五心煩熱), 인건구조(咽乾口燥), 목현발락(目眩髮落) 등의 증상과 같이 나타난다. 주로 품부부족(稟賦不足), 오지화화(五志化火), 모작영혈(耗灼營血), 음상불화(陰傷不和)로 인하거나 열일폭쇄(烈日曝晒), 열독입혈(熱毒入血), 번작영혈(燔灼營血), 어조경맥(瘀阻經脉)으로 발생한다.

② 비부통혈(脾不統血) : 주로 양쪽 아랫다리(小腿)에 침끝 크기부터 느릅나무 열매 크기의 담홍색 반점이 나타나는데 병의 과정이 비교적 길고 반복 발생하며 비허제증 (脾虛諸症)과 같이 나타난다. 이는 주로 음식부절(飮食不節), 한온부적(寒溫不適), 노권사려(勞倦思慮)하거나 병을 앓은 후 조양불선(調養不善)이 비장을 상하게 해서 생긴다.

③ 혈열풍조(血熱風燥) : 병세가 비교적 빠르게 진행되고 주로 팔꿈치, 무릎관절의 신측(伸側), 두피, 몸통에 붉은 반점이 나타나고 그 위에 은백색의 인설(鱗屑)이 있고 층층으로 떨어진다(層層剝離). 그리고 심번이노(心煩易怒), 구건설조(口乾舌燥), 대변비결(大便秘結) 증상이 동반된다. 이는 심서번요(心緖煩擾), 음식실절(飮食失節), 식성발동풍(食腥發動風)의 음식에 의해 일어난다.

④ 풍사외속(風邪外束) : 봄, 가을에 자주 발병하는데 초기에는 흉배(胸背), 상지(上肢) 혹은 복부(腹部)에 먼저 하나의 모반(母斑)이 생긴 뒤 점차 많아지는데 가운데 미세한 설탕가루 같은 백설(白屑)이 있다. 수 일후에는 목에서 무릎까지 장미빛 홍색반(紅色斑)이 갑자기 다수 발생하는데 크기는 서로 다르나 대칭적으로 분포하고 가렵다.

⑤ 풍열상영(風熱傷營) : 역시 봄, 가을에 주로 발생하는데 초기엔 외감풍열(外感風熱)로 시작해 오래지 않아 면부(面部) 혹은 수족배면(手足背面)에 황두(黃豆)에서 천두(蚕豆) 크기의 원형에 가까운 선홍반(鮮紅斑)이 생긴다. 변두리 부분이 경도(輕度)로 볼록해서 제상(堤狀)을 이루는데 중심부분은 약간 오목하며 작은 수포(水泡)가 있다.

(8) 피부자반(皮膚紫斑)

피부가 점의 형상(點狀)이고 색은 자색(紫色)으로 변하는데, 피부면이 평평하여 만져보아도 걸림이 없다.

① 혈열망행(血熱妄行) : 주로 청소년들에게 자주 나타난다. 갑자기 발병하며 자반(紫斑)이 규칙적으로 특정 부위 없이 피부 어디나 발생하나 소퇴(小腿)의 신측(伸側)에 많이 발생된다. 피부표면에서 약간 볼록해지기도 하는데 눌러도 색의 변함이 없으며 몇 개의 군집된 형태로 발생한다. 발병 원인으로는 소유혈열(素有血熱)에 복감풍사(复感風邪)하고 풍열상박(風熱相搏)으로 박혈망행(迫血妄行)하여 발생하거나 혹은 식입성발동풍지품(食入腥發動風之品)으로 품부불내(稟賦不耐)해서 발병한다.

② 습열하주(濕熱下注) : 젊은 여성에게 잘 발생하는데 주로 소퇴(小腿) 혹은 서혜부에서 자홍색(紫紅色)으로 발병한다. 매실(梅核)크기의 경결(硬結), 동통(疼痛), 주위에 약간의 종창(腫脹)과 함께 발생한다. 경결(硬結)이 없어진 후에 흉터가 남지 않는다.

③ 비실통혈(脾失統血) : 피손(皮損)이 암자(暗紫)색을 띄고 평탄하며, 반복적으로 발생하고 병정(病程)이 비교적 길다. 면색위황불화(面色萎黃不華), 식소권태(食少倦怠) 등의 증상이 같이 발생하기도 한다. 이는 노권사려(勞倦思慮), 구병체약(久病体弱)이 그 원인이다.

④ 어혈조체(瘀血阻滯) : 주로 "자인(紫印)", "청기(靑記)"가 많다. 어려서부터 청춘기에 발병하는데 특별한 원인이 없고 가족사(家族史)가 있으며, 병의 진행은 더디고 전신 증상도 없다. 피손(皮損)표면은 매끄럽고 주로 흉(胸), 배(背), 요(腰), 복(腹), 사지(四肢), 권섭(顴顳), 전액(前額), 또는 안검(眼瞼)에 발생한다.

⑤ 한응혈체(寒凝血滯) : 자반(紫斑)은 주로 면부(面部), 비부(鼻部), 이곽(耳郭), 수족배(手足背)에 잘 발생하며, 젊은 여성들에게 주로 발생하고 여름보다는 겨울에 증상(症狀)이 가중(加重)되는 것이 특징이며 국부적으로 아프기도 한다.

(9) 피부백반(皮膚白斑)

피부가 국소적으로 점(点)이나 편상(片狀)의 흰색으로 변하는 것을 이른다.

① 기혈실화(氣血失和) : 피부에 갑자기 원형백반이 생겨 점차 커지는데 색깔은 유백(乳白)색을 띄고, 중심에 점상(點狀)의 짙은 색깔이 나타나기도 하며 변두리는 가지런하지 않으나 경계는 뚜렷하고 색깔은 짙다. 그 표면에는 인설(鱗屑)이 없으며 주로 얼굴이나 목, 배꼽, 생식기 주변 등에 잘 발생하는데 병(病)의 진전(進展)은 느리고 정지억울(情志抑鬱), 또는 번조이노(煩躁易怒), 실면다몽(失眠多夢), 흉협창만(胸脇脹滿), 월경부조(月經不調) 등의 증상들과 같이 나타난다. 이는 칠정내상(七情內傷), 복감풍사(复感風邪), 박어기부(博於肌膚), 기혈응체(氣血凝滯)에 의해 일어난다.

② 서습울부(暑濕鬱膚) : 주로 여름철에 많으며 경부(頸部), 액부(腋部), 흉부(胸部), 사지신측(四肢伸側)에 잘 발생한다. 백색 혹은 회백색의 반점(斑點), 반편(斑片)이 나타나고 표면은 미세하게 밝으며, 가렵기도 하고 약간의 백설(白屑)이 있기도 한다.

③ 충적백반(虫積白斑) : 주로 나이 어린 아동들에게 잘 발생하는데 면부(面部)에 백색 혹은 회백색의 경계가 분명치 않은 동전크기로 잘 나타나며, 세강양백설(細糠樣白屑)이 있다. 이는 주로 음식불결(飮食不潔), 충적내생(蟲積內生), 기혈암모(氣血暗耗)로 인해 불능상증어면(不能上蒸於面)으로 생긴다.

(10) 피부갈반(皮膚褐斑)

피부에 점상(點狀) 혹은 편상(片狀)의 갈색반(褐色斑)이 나타나는데, 피부보다 높지 않아 만져보아도 걸림이 없다. "황갈반(黃褐斑)", "간반(肝斑)"이라고도 부르며, 임신기에 생긴 것은 "임신반(妊娠斑)"이라고 부른다.

① 간울기체(肝鬱氣滯) : 갈반이 눈 주위에 많이 보이며 옅은 갈색으로 안면(顔面), 비부주위(鼻部周圍)에도 보인다. 경계가 명확하나 테두리는 일정하지 않다. 흉창(胸脹), 번조이노(煩躁易怒), 납차(納差) 등의 증상과 같이 나타나고 주로 칠정실조(七情失調)와 관계가 많다.

② 습열내온(濕熱內蘊) : 갈반은 눈 주위로부터 구순(口脣), 비부(鼻部)로 점점 진해지며 전액부(前額部)에도 같이 나타나기도 하는데 면적은 비교적 넓은 편이고 경계가 불명확하지만 자주 완민신중(脘悶身重), 태니(苔膩)가 동반된다. 이는 과식비감(過食肥甘), 신랄적박(辛辣炙煿) 혹은 비허생습(脾虛生濕), 습울화열(濕鬱化熱), 습열훈증두면(濕熱熏蒸頭面)으로 인한 것이다.

③ 음허화왕(陰虛火旺) : 주로 비부(鼻部), 액부(額部), 면협부(面頰部)의 반색(斑色)이 짙은 편이고 오심번열(五心煩熱), 두훈이명(頭暈耳鳴)과 같이 나타난다. 이는 우심사려(憂心思慮), 혹은 방노부절(房勞不節)로 인해 심신불교(心腎不交), 허화상염(虛火上炎)으로 인한 것이다.

(11) 피부흑반(皮膚黑斑)

피부에 점(點), 망(罔), 편(片) 모양으로 흑반이 나타나며, 평평해서 손으로 만져도 걸림이 없다. 흑반은 갈반보다 색이 짙다.

① 간울기체(肝鬱氣滯) : 흑색반편(黑色斑片)이 안면부(顔面部), 전액부(前額部), 양권부(兩顴部)에 발생하며, 심한 경우 상순부(上脣部)에까지 대칭을 이루며 나타난다. 그 형성기제(形成機制)는 갈반과 동일하나 병세는 비교적 더 심하고 치료 역시 힘든 편이다.

② 어혈내정(瘀血內停) : 선천적으로 생기는 것으로 주로 단측안검(單側眼瞼), 권부(顴

部), 섭부(顳部) 혹은 안면부(顔面部)에 잘 발생하고 테두리의 색은 옅고 중심은 진한데 심할 경우 백정(白睛)까지 이른다.

③ 비허불운(脾虛不運) : 흑반이 면협부(面頰部), 전액부(前額部), 이후전비부(耳後前臂部), 액와부(腋窩部)에 편(片) 모양으로 나타나는데 납매신피(納呆神疲), 복창변당(腹脹便溏), 설반담유치흔(舌胖淡有齒痕)의 증상과 같이 나타난다.

④ 신음부족(腎陰不足) : 흑반이 주로 면협부(面頰部), 전액부(前額部), 경부(頸部), 수배부(手背部), 전비부(前臂部), 제부(臍部) 등에 침첨(針尖), 좁쌀 크기로 나타난다.

(12) 기부갑착(肌膚甲錯)

피부에 국한적으로 혹은 광범위하게 두꺼워지고 거칠어지며, 손으로 만져보면 걸림이 있고 마치 생선비늘이나 두꺼비 가죽과 같은 형태로 변한다.

① 혈허풍조(血虛風燥) : 피부가 점점 회색으로 변해가며 건조하고 거칠어지는데 마치 뱀가죽 같고 인설은 더러워 보이거나 백색 편상(片象)을 띄면서 백색 주름이 있으나 손으로 만져보면 걸림은 없다. 사지신측(四肢伸側)으로 심하지만 얼굴부위는 아주 작게 나타나는데 여름에는 경(輕)하고 겨울에는 중(重)하며 자주 구건인조(口乾咽燥), 한액감소(汗液減少), 설담소진(舌淡少津)의 증상과 같이 나타난다. 주로 자유발생(自幼發生), 선천부족(先天不足), 비위실양(脾胃失養), 기부실어기혈유양(肌膚失於氣血濡養) 한다.

② 혈열풍조(血熱風燥) : 피손(皮損)초기에는 좁쌀 크기의 단단하고 견고한 구진(丘疹)이 생기며 가운데 솜털이 있고 만져보면 손에 걸림이 있는데 이후에는 융합되어 조각(融合成片)을 이루며 그 밑 부분은 홍조(潮紅)를 띈다. 주로 주슬신측(肘膝伸側)에 많이 발생하는데 심한 경우 전신에 이르며 피부가 건조해지며 탈설이 일어나고 장척각화(掌跖角化)나 군열(皸裂), 지갑증후(指甲增厚), 경도소양(輕度瘙痒)과 같이 발생하며 병의 경과는 느리다. 주로 청소년기에, 선천적으로 혈에 열이 많은 체질에 많이 발생하는데 이는 심서번우(心緖煩憂), 오지화화(五志化火), 혈열화조생풍(血熱化燥生風)으로 인한다.

③ 습열조락(濕熱阻絡) : 피손(皮損)은 대부분 경항(頸項), 이후(耳後), 안면(顔面), 비주(鼻周)에 대칭적으로 발생하는데 심할 경우 사지(四肢) 및 흉배중선(胸背中線)까지 이르며 명확하게 한 쪽 편으로만 나타날 수도 있고 여름엔 중(重)하고 겨울엔 경(輕)하다. 조기(早期)에는 견고하고 단단한 모낭성구진(毛囊性丘疹)으로 만지면 손을 찌르는듯하고 색깔은 정상이나 이후엔 표면이 기름기있는 회갈색 딱지로 덮이는데 몇 년 후엔 색깔이 어두워지며 융합되어 우상(疣狀)을 이루며 자주 악취(惡臭)를 동반한다. 이는 과식비감(過食肥甘), 신랄적박(辛辣炙煿)으로 인해 습열내온(濕熱內蘊), 조알락맥(阻遏絡脈), 기부실양(肌膚失養)으로 인한 것이다.

④ 진액불포(津液不布) : 피부가 광범위하게 두꺼워지고 거칠어진다.
경후(頸後), 구간(軀幹), 주슬(肘膝)에 밀집된 모낭성각화성구진(毛囊性角化性丘疹)이 생기는데 만져보면 견고하고 딱딱하면서 손을 찌르는 느낌이며 자주 양목간삽(兩目干澀), 시물혼화(視物昏花), 동중하경(冬重夏輕), 설담소진(舌淡少津)과 같이 나타난다. 이는 기포노록(飢飽勞碌), 사려과도(思慮過度) 혹은 오미편기(五味偏嗜), 상급비토(傷及脾土)로 인하여 비장이 위장으로 하여금 그 진액이 피부에 도달하지 못하게 하여 생기는 것이다.(脾不能爲胃行其津液於肌膚)

(13) 좌창(痤瘡)

주로 안면부(顔面部)나 흉배부(胸背部)에서 발생하는 모낭성홍색구진(毛囊性紅色丘疹), 백두(白頭) 혹은 흑두분자(黑頭粉刺), 농포(膿疱), 결절(結節), 낭종(囊腫) 등을 가리킨다. 다르게 "면포(面皰)", "분자(粉刺)", "주자(酒刺)"라고도 일컫는다.

① 폐열(肺熱) : 안면부에 모낭(毛囊)과 일치하는 구진(丘疹)이 생기는데 좁쌀크기로 발생하며, 짜면 백색의 기름물질이 나오고 코 주위에 많다. 약간 가렵기도 한데 종종 구건비조(口乾鼻燥), 대변건결(大便乾結)의 증상을 동반한다. 이는 주로 폐열복감풍사(肺熱复感風邪)하여 풍열울적기부(風熱鬱積肌膚)해서 생긴다.

② 위열(胃熱) : 피부에 기름기가 확연하고 모공이 굵어지며, 피진(皮疹)은 입 주변에 많이

보이는데 전흉후배부(前胸後背部)에 나타나기도 한다. 농포(膿疱)와 염증반응(炎症反應)을 보이며 종종 다식(多食), 구취(口臭), 구건(口乾), 희랭음(喜冷飮), 변비(便秘)를 동반한다. 이는 주로 음식부절(飮食不節), 비위적열(脾胃積熱), 울어기부(鬱於肌膚)해서 생긴다.

③ 혈열(血熱) : 얼굴에 구진(丘疹)이 산재(散在)하는데 코, 입 주위, 양미간사이에 피진(皮疹)이 비교적 많고 종종 모세혈관확장으로 인한 것이나, 열을 접촉했다거나, 감정이 격해 질 때 얼굴이 유난히 붉어지고 화끈거림을 느끼는 증상과 같이 나타나기도 하고, 월경 전에 더 심해지기도 한다. 대변건조(大便乾燥), 소변황적(小便黃赤)도 자주 동반된다. 이는 정지내상(情志內傷), 기울화화(氣鬱化火), 열복영혈(熱伏營血)로 인해 발생하는 것이다.

④ 열독(熱毒) : 주로 구진(丘疹)의 정상부위에 소농포(小膿疱)가 생기고 염증반응(炎症反應)이 명확하며 농포(膿疱)는 잠복성으로 반복 발생하는데, 농포(膿疱)가 소멸된 뒤에도 오목한 소반흔(小瘢痕)이 남게 되어 귤껍질 형태를 이룬다. 흉배부(胸背部)까지 나타나기도 하는데 대변건결(大便乾結)하여 며칠 동안 변을 보지 못하기도 한다. 이는 폐위온열상증(肺胃蘊熱上蒸), 복감외사열독(復感外邪熱毒), 내외상합(內外相合), 온어기부(蘊於肌膚)해서 생긴다.

⑤ 습독혈어(濕毒血瘀) : 구진(丘疹), 농포(膿疱) 외에도 종종 결절낭종(結節囊腫)이 주로 나타난다. 피부에 기름기가 많아지고 피부표면보다 높거나 낮아 편평하지 않고 병이 나은 뒤에도 반흔(瘢痕)이 비교적 많이 남는다. 건장해 보이는 체질과 습(濕)이 많은 체질에서 많이 보이는데 여기에 복외감독사(复外感毒邪), 조체경락(阻滯經絡), 기혈불화(氣血不和)해서 생기는 것이다.

⑥ 담어호결(痰瘀互結) : 좌창(痤瘡)후기에 주로 보이며, 피손(皮損)은 비교적 심한 낭종(囊腫)과 반흔(瘢痕) 위주로 회복이 힘들고 치료효과도 잘 나타나지 않는다.

(14) 피부우(皮膚疣)

피부표면에 정상피부색이나 황백색의 작고 큰 사마귀를 가리킨다. 전신각부위에서 발견될 수 있으며, 표면이 광활(光滑)하거나 주름이 형성되어 있다.

① 혈허풍조(血虛風燥) : 일반적으로 자각증상은 없고, 정상 피부색이며, 주로 손과 발등, 혹은 두면부에 발생한다.

② 풍열(風熱) : 작은 깨나 녹두만한 크기로 표면이 매끄러우며, 주로 얼굴이나 손등에 발생하고 약간의 가려움증을 동반할 수 있다.

③ 풍열독(風熱毒) : 표면이 매끄럽고 중앙에 눈이 형성되어 있으며, 터트릴 경우 유백색의 액체가 나온다.

④ 기혈응체(氣血凝滯) : 주로 손과 발바닥에 발생하며, 피손상태가 비교적 견고(堅固)하여 압박을 가하면 명확한 동통이 발생한다.

3. 모발(毛髮)에 의한 미용변증

(1) 모발(毛髮)

모발은 검고 광택(光澤)이 있으며 무성(茂盛)하고 부드러우며 힘이 있어야 한다. 그러나 두발(頭髮)이 수려(秀麗)해야 함은 먼저 오장(五臟)이 건강해야하고, 기혈(氣血)이 왕성(旺盛)하여야 한다. 이것이 부족하면 많은 손미성 모발 병변(損美性毛髮病變)이 발생하게 된다. 머리는 제양지회(諸陽之會), 청양지부(淸陽之府)로써 모든 오장육부(五臟六腑)의 청양(淸陽)의 기(氣)가 머리에 집중되기 때문에 모발 생장(生長)의 동력(動力)이 된다. 경락(經絡) 중에서 태양(太陽), 소양(少陽), 양명(陽明)의 기혈(氣血)이 많고 적음이 모발(毛髮)의 영윤(榮潤)과 직접적인 관계가 있다. 신장(腎臟)은 정(精)을 저장하고, 정(精)은 혈(血)을 만들고, 발(髮)은 신(腎)의 화(華)이므로 모발영양의 근원(根源)은 신(腎)에 있다. 《의학입문(醫學入門)》에 말하기를 "신장의 영화는 모발에 있어 청기가 위로 올라가 모발을 윤택하게 하고 검게 하는 것이다(腎華于髮,精氣上昇,則髮潤而黑)."라고 하였다. 이에 양기(陽氣), 기혈(氣血), 신정(腎精)은 모발(毛髮)에 지대한 영향을 끼치고 있음을 알 수 있다.

1) 모발병(毛髮病)의 원인(原因)

① 신허(腎虛) : 신장(腎臟)은 오장육부의 정화(精華)로서, 정(精)이 허약하여 음혈(陰血)을 생산하지 못하면 모발생화(毛髮生化)의 근원이 부족하여 탈발(脫髮) 또는 조백(早白)이 나타나게 된다.

② 폐손(肺損) : 폐주선발(肺主宣發)의 작용이 진액영혈의 분포를 도와주어 안으로는 장부를, 밖으로는 피모(皮毛)와 공규(孔竅)를 윤양(潤養)하게 한다. 폐기허(肺氣虛)일 경우에 모발이 고초(枯焦) 혹은 조백(早白)의 증상을 흔히 볼 수 있다.

③ 혈어(血瘀) : 《혈증론 · 어혈(血證論 · 瘀血)》에 "(凡系离經之血,与養榮周身之血已睽絶而不合,瘀血上焦,或脫髮不生)". 《의림개착(醫林改錯)》에 " (…………頭髮脫落,各醫書皆言傷血,不知皮里肉外血瘀,阻塞血路,新血不能養髮,故髮脫落)". 어혈이 모공(毛孔)을 막아 새로운 혈액이 모근(毛根)에 도달하지 못하여 비교적 넓은 면적에 탈발(脫髮)이 나타난다.

④ 혈열(血熱) : 신열(辛熱)의 맛이 과하였거나, 정지(情志)가 울체(鬱滯)되어 화(火)로 변했거나 청소년의 혈기(血氣)가 강하여 간목(肝木)의 화(火)로 변화하여 음혈(陰血)을 상(傷)하게 하였을 때 또는 혈열생풍(血熱生風)하여 풍열(風熱)이 위를 교란, 모근(毛根)을 실양(失養)케 하면 모발(毛髮)이 갑자기 탈락(脫落)하거나 초황(焦黃)이나 조백(早白) 등의 증상이 나타난다.

⑤ 실정(失精) : 실정(失精)은 남성(男性)이 정설(精泄)이 과다하여, 정실(精室)과 혈해(血海)가 허(虛)한 상태이다. 이때 양기(陽氣) 또한 정(精)을 따라서 밖으로 배설(排泄)함으로 목현(目眩), 탈발(脫髮)이 나타난다.

⑥ 혈허(血虛) : 《제병원후론(諸病源候論)》에 "(冲任之脉,謂之血海,其別絡上唇口. 若血盛則榮于髮,故順髮美;若血氣衰弱,經脉虛渴,不能榮潤,故順禿落)". 영혈(榮血)이 허손(虛損)되어 충임맥(冲任脈)이 쇠약(衰弱)하게 되면 모두 모발(毛髮)이 건조, 광택이 없고, 혹은 희소황연(稀疏黃軟)하여 결국에는 모발탈락(毛髮脫落)이 나타난다.

⑦ 편허(偏虛) : 두피(頭皮)가 허약하여 풍사(風邪)의 침입을 받아, 모근에 영양이 충실치 못하여 원형(圓形)의 탈발(脫髮)이 나타난다.

⑧ 우수(憂愁) : 정지내상(情志內傷), 손상심비(損傷心脾), 기혈생화무원(氣血生化無源)하게 되어, 백발(白髮)이 나타난다.

⑨ 태약(胎弱) : 선천부족(先天不足), 즉 신기부족(腎氣不足)으로 모발의 생장(生長)이 늦거나, 머리숱이 적고, 황색(黃色)이며 잘 갈라지는 형상이다.

2) 모발 색(色)과 광택(光澤)의 이상

① 백발(白髮)은 점차적으로 진행이 되는데 초기에는 새치가 조금씩 보이다가 계속해서 발전되어 나중에는 두발 전체가 백발(白髮)이 되거나 은발(銀髮)이 된다. 중노년에게 있어서의 백발(白髮)은 생리적 노화현상의 표현이다. 그러나 청소년기의 백발은 건강에 장애가 없어도 나타나고, 질병의 표현으로도 나타난다. 혈열(血熱)인 경우 주로 청소년 위주이며, 두발조백(頭髮早白), 번조이노(煩燥易怒), 두피홍열(頭皮烘熱) 등이 나타난다. 정지번노(情志煩勞)인 경우는 신경을 과다하게 사용하여 단기간에 진행되고, 대부분 양쪽에서 시작이 되며, 납차(納差), 구건(口乾), 협통(脇痛) 등; 정혈양허(精血兩虛)인 경우는 대다수가 40세(歲) 이상의 연령층에서 발생하고, 시물혼화(視物昏花), 요슬산연(腰膝酸軟), 불내동작(不耐動作) 등이 나타난다.

② 황발은 모발이 약황색을 보이고, 광택과 영양분이 결핍된 것을 말한다. 혈열(血熱)이 원인인 경우가 비교적 많다.《동의보감(東醫寶鑑)》에 "혈성즉발윤(血盛則髮潤), 혈쇠즉발쇠(血衰則髮衰), 혈열즉발황(血熱則髮黃), 血白則髮敗"연령이 비교적 젊고 혈기가 왕성한 사람에게서 많이 발생한다. 기혈허손(氣血虛損)은 선천적으로 허약하거나 오랫동안병을 앓은 경우, 산후에 출혈이 많았을 경우에 발생하고, 형수면황(形瘦面黃), 식불감미(食不甘味), 설담태소(舌淡苔少), 맥세약(脈細弱) 등을 동반하며; 비위허약(脾胃虛弱)은 영양상태가 좋지 않은 소아(小我)에게 나타난다. 모발황연무광택(毛髮黃軟無光澤), 혹은 생장지완(生長遲緩), 면황기수(面黃肌瘦), 정신위돈(精神萎頓), 대변부조(大便不調), 설담홍(舌淡紅), 태미황니(苔微黃膩), 맥활삭(脈滑數) 등을 동반한다.

3) 모발 희소(稀少)와 탈락(脫落)

모발 희소(稀少)와 탈락(脫落)은 미용적인 측면에서 엄중한 영향을 미친다.

① 혈열생풍(血熱生風) : 갑자기 부분적인 탈락(脫落)이 나타나고, 두피광량(頭皮光亮), 국부미양(局部微痒), 혹은 심번(心煩), 구갈(口渴), 변비(便秘) 등을 동반하며, 대부분은 정신적인 자극으로 인해 심화항성(心火亢盛), 풍동발락(風動髮落)이 일어난다.

② 정혈양허(精血兩虛) : 수발세약(須髮細弱), 고황불택(枯黃不澤), 두정부(頭頂部)와 양쪽 측두부(側頭部)가 점차 탈락(脫落)이 시작되며, 형용조쇠(形容早衰), 두운안화(頭暈眼花), 요슬산연(腰膝酸軟), 수족심열(手足心熱) 등을 동반하기도 한다.

③ 기혈양허(氣血兩虛) : 모발세연(毛髮細軟), 건조(乾燥), 두발(頭髮)이 고루 탈락(脫落)이 되며 나날이 심해진다. 소기핍력(少氣乏力), 성저(聲低), 면색무화(面色無華), 수족마목(手足痲木) 등을 동반하며, 부녀자(婦女子)나 소아(小兒)에게서 많이 발병한다.

④ 어혈조체(瘀血阻滯) : 두발의 부분 혹은 전체가 탈발이 되며, 수염과 눈썹까지 탈모(脫毛)가 일어난다. 두통(頭痛), 면색암(面色暗), 설유어반(舌有瘀斑) 등을 동반하기도 하며 명확한 병인(病因)이나 기타 증상이 있기도 한다.

(2) 피부다모(皮膚多毛)

신체 어느 부위이든 체모(體毛)의 밀도(密度)가 증가(增加), 길이, 굵기, 색깔, 수량, 부위 등 정상의 범주를 초과한 것을 말한다. 다모(多毛)는 선천적인 것과 후천적인 것으로 분류한다. 선천적 다모(先天的多毛)는 출생 시부터 보이며 치료가 어렵고; 후천적 다모(後天的多毛)는 대다수가 청춘기(靑春期)에 시작되며, 손 발바닥、순홍(脣紅)、유두(乳頭)、귀두(龜頭)、대음순(大陰脣)내측 이외에 전신의 체모(體毛)가 과도하게 생장한다. 남성(男性)은 흉복부(胸腹部), 여성(女性)은 구순장수(口脣長須), 수비(手臂), 경골(脛骨) 앞쪽에 많은 것이 전형적이다.

제 7 장

체형(體形)의 미용변증

1. 비만형(肥滿型)
2. 소수형(消瘦型)

7 체형(體形)의 미용변증

1. 비만형(肥滿型)

1) 비허담습(脾虛痰濕) : 중년 여성에게 많이 볼 수 있다. 몸이 무겁고, 동작이 둔하며, 면색무화(面色無華), 납소복창(納少腹脹), 대변부조(大便不調), 두운(頭暈), 권태(倦怠), 백대량다(白帶量多), 설체방다(舌體胖多), 맥유세(脈濡細) 등의 증상이 나타난다.

2) 비위실열(脾胃實熱) : 청장년에게서 많이 볼 수 있다. 몸이 비만형이고 동작은 빠르며, 면색홍윤(面色紅潤), 소곡선아(消穀善餓), 구건설조(口乾舌燥), 대변비결(大便秘結), 고혈압(高血壓)을 동반하거나, 쉽게 열(熱)이 위로 향한다. 설홍태황(舌紅苔黃), 맥현삭유력(脈弦數有力) 등이 나타난다.

3) 기체혈어(氣滯血瘀) : 대부분 여성에게 나타나며, 성격이 급하고 쉽게 짜증과 화를 내며, 식욕항진(食慾亢進), 월경부조(月經不調), 혹 변비(便秘), 설질자암유어반어점(舌質紫暗有瘀斑瘀點) 등을 동반한다.

4) 비신양허(脾腎陽虛) : 외한파냉(畏寒怕冷), 신피희정(神疲喜靜), 성욕감퇴, 성기능저하, 양위(陽痿), 족근통(足根痛), 탈발(脫髮), 설담태박백(舌淡苔薄白), 맥침세(脈沈細) 등이 나타난다.

5) 음허내열(陰虛內熱) : 두운목화(頭暈目花), 심번실면(心煩失眠), 두통(頭痛), 요슬산연(腰膝酸軟), 오심번열(五心煩熱), 설홍태소박(舌紅苔少薄), 설첨홍(舌尖紅), 맥세삭

(脈細數) 등을 동반한다.

2. 소수형(消瘦型)

1) 비위기허(脾胃氣虛) : 체형이 마르고, 식욕부진(食慾不振), 식후복창(食後腹脹), 권태무력(倦怠無力), 소기나언(少氣懶言), 면색위황(面色萎黃), 대변당(大便溏), 설담태백(舌淡苔白), 맥약(脈弱) 등이 나타난다.

2) 위화치성(胃火炽盛) : 소수(消瘦), 다식선아(多食善餓), 갈희냉음(渴喜冷飮), 심번구취(心煩口臭), 구강궤양(口腔潰瘍), 아은선홍(牙齦鮮紅), 치아불결(齒牙不潔), 대변비결(大便秘結), 소변단적(小便短赤), 설홍태조(舌紅苔燥), 맥현삭유력(脈弦數有力) 등이 나타난다.

3) 기혈허약(氣血虛弱) : 소수(消瘦), 면색위황(面色萎黃), 구순색담(口脣色淡), 조갑모발건조(爪甲毛髮乾燥), 저항력저하(抵抗力低下), 실면(失眠), 심계(心悸), 권태나언(倦怠懶言), 두운안화(頭暈眼花), 설담태박백(舌淡苔薄白) 등이 나타난다.

4) 폐음부족(肺陰不足) : 여성에게서 많이 볼 수 있으며, 성격이 내성적이고, 소수(消瘦), 경장(頸長), 흉곽편평(胸廓扁平), 오심번열(五心煩熱), 관홍(顴紅), 구건인조(口乾咽燥), 월경부조(月經不調), 설홍소태(舌紅少苔), 맥세삭(脈細數) 등을 동반한다.

5) 기체혈어(氣滯血瘀) : 이 또한 여성에게서 많이 볼 수 있으며, 소수(消瘦), 월경부조(月經不調), 이노(易怒), 납소(納少), 복창(腹脹), 표정억울(表情抑鬱), 변비(便秘) 혹은 변당(便溏), 설암홍태박백(舌暗紅苔薄白), 맥현(脈弦) 등이 나타난다.

6) 간신음허(肝腎陰虛) : 주로 중노년에게 보이며, 소수(消瘦), 두운목현(頭暈目眩), 고혈압(高血壓)을 동반하거나, 요슬산연(腰膝酸軟), 실면다몽(失眠多夢), 소변단적(小便短赤), 대변조결(大便燥結), 설홍태소(舌紅苔少), 맥현삭력(脈弦數) 등이 나타난다.

하편

방법
(方法)

제 1 장

한방미용(韓方美容)의 특징 및 분류

한방미용(韓方美容)의 특징 및 분류

하편 제1절 한방미용의 특징

1. 유구한 역사, 풍부한 경험

한방미용의 역사는 약 2000 년 전으로부터 시작되었다. 마왕퇴한묘(馬王堆漢墓)에서 발견된 의학고서(醫學古書)에 이미 약물미용(藥物美容), 침구미용(鍼灸美容), 기공미용(氣功美容), 음식미용(飮食美容)의 기록이 있으며, 치료(治療)와 보건(保健)의 두 방면의 내용을 포괄하고 있다. 《오십이병방(五十二病方)》에 우(疣), 좌창(痤瘡) 등 손미성질병(損美性疾病)의 약방(藥方)이 있을 뿐만 아니라 피부에 관한 "색미(色美)", "면택(面澤), "흑발(黑髮)"의 보건미용의 약방(藥方)도 기재되어 있다. 유구한 역사(歷史)의 흐름 속에 한방미용의 각종 방법과 많은 의학가(醫學家)들의 경험과 반복적인 응용들을 바탕으로 발전되어왔다. 수많은 한방미용의 문헌(文獻)들은 현대미용학(現代美容學)이 발전하는데 귀중한 근거가 되었고, 특히 약물미용(藥物美容)의 내용은 천연화장품(天然化粧品)을 개발하고 발전시키는데 풍부한 실전경험을 제공했다.

2. 정체관념(整體觀念), 변증논치(辨證論治)

(1) 정체관념(整體觀念)

동양의학(東洋醫學)에서는 인간은 하나의 유기적정체(有機的整體)로 여기고, 오장육부(五臟六腑)는 피육근맥골(皮肉筋脈骨), 목설구비이(目舌口鼻耳), 조면순모발(爪面脣毛髮), 신혼백의지(神魂魄意志), 청적황백흑(靑赤黃白黑) 등과 유기적(有機的)인 연계(連繫)를 통하여 하나의 통일적 정체(整體)를 이룬다. 뿐만 아니라 사람과 자연계의 기후변화(氣候變化)와 연계를 이루어 인간(人間)과 자연계(自然界)는 하나임을 말한다. 이러한 정체관념(整體觀念)의 개념을 바탕으로 한방 미용학에서는 모든 손미성질병(損美性疾病)과 미용적(美容的) 결함(缺陷)은 장부(臟腑)기능의 문란(紊亂), 기혈음양(氣血陰陽)의 실조(失調), 병인소(病因素)의 침입(侵入), 오지칠정(五志七情)의 과도한 영향 등이 서로 연계(連繫)하여 발생한다고 여긴다. 그러므로 정체(整體)를 조절(調節)하여 손미성질병(損美性疾病)과 미용적 결함(美容的缺陷)을 치료(治療)하고 규정(糾正)하여 미용(美容)의 목적에 도달한다.

(2) 변증논치(辨證論治)

한방 미용학은 손미성질병(損美性疾病)의 치료와 임상(臨床)에서의 각과(各科)에서와 같이 변증론치를 강조한다. 예를 들면 황갈반(黃褐斑)의 변증(辨證)은 풍사침습(風邪侵襲)·담습내온(痰濕內蘊)·어혈조락(瘀血阻絡) 등 각기 다른 병인병기(病因病機)와 그에 따른 치료 방법도 거풍소반(袪風消斑)·제습제습(除濕消斑)·화어소반(化瘀消斑) 등 다르게 적용이 될 뿐만 아니라 내복약(內服藥)·화장품(化粧品)의 선택과 응용에도 변증론치의 원칙에 의거하여 사용된다.

3. 다양한 방법, 안전성 확보

오랜 기간 미용의 실전적 경험에 의해서 한방 미용학은 약물(藥物), 침구(鍼灸), 식료(食

療), 추나(推拿), 기공(氣功), 운동(運動), 정지(情志), 양생(養生) 등 여러 종류의 효과적인 미용방법들이 생겨났다. 각 방법들은 보다 구체적인 방법들을 포함하고 있다. 예를 들면 한약미용(韓藥美容)에서 사용하는 방법에는 내복법(內服法)과 외용법(外用法)이 있는데 그 또한 탕(湯), 음(飮), 주(酒), 로(露), 환(丸), 산(散), 고(膏), 단(丹) 등의 각기 다른 제조방식과 복용법이 있으며, 외용법 역시 첩부법(貼敷法), 세욕법(洗欲法), 도입법(導入法) 등이 있다. 이렇듯 한방미용의 방법은 다양할 뿐만 아니라 이런 방법 모두가 자연요법(自然療法)의 범위에 속한다.

하편 제2절 한방미용의 분류

1. 미용성질(美容性質)에 의한 분류

한방미용을 미용의 성질(性質)에 의해 분류를 하면 치료미용(治療美容)과 보건미용(保健美容) 두 가지로 나눌 수 있다.

1) 치료미용(治療美容) : 인체의 손미성질병(損美性疾病)을 치료하는 방법이나 질병을 일으키는 미용적인 결함(缺陷)을 제거하여 인체의 아름다움을 유지하고 보호하고자 하는데 목적(目的)을 둔 것을 치료미용이라 한다. 치료미용은 의학미용(醫學美容)의 범주에 속한다.

2) 보건미용(保健美容) : 한방 미용학의 이론에 의거하여 의학(醫學)이나 비의학(非醫學)적인 수단(手段)과 방법으로 질병을 예방(豫防)하고 건강(健康)을 증진(增進)하며, 노화현상을 늦추고, 사람의 용모(容貌), 형체(形體), 피부(皮膚), 모발(毛髮) 등의 자연적인 건강미를 유지하는 것을 말한다. 또한 화장(化粧)으로 얼굴이나 오관(五官)의 생리적(生理的), 미용적(美容的)인 결함(缺陷)을 감추고 모발(毛髮)이나 조갑(爪甲)을 꾸며 외형미(外形美)를 아름답게 하는데 목적을 둔 것을 보건미용이라 한다.

2. 미용수단(美容手段)에 의한 분류

한방미용을 미용의 수단(手段)과 방법(方法)에 의해 분류를 하면 한약미용법(韓藥美容法), 음식미용(飮食美容), 침구미용(鍼灸美容), 추나미용(推拿美容), 운동미용(運動美容), 정지미용(情志美容) 등으로 나눈다.

1) 한약미용법(韓藥美容法) : 한약의 내복(內服), 외용(外用)의 방법으로 손미성 질병(損美性疾病)을 치료하거나 보양(保養)하는 미용방법을 말하며 내복법(內服法)과 외용법(外用法)으로 나눈다. 내복법(內服法)은 전신(全身)의 장부기능을 조절(調節)하고 국부

치료(局部治療) 및 신체를 보양하여 전신이나 국부적으로 아름다움을 유지하게 하는 필수적인 미용수단이다. 환(丸), 산(散), 고(膏), 단(丹), 탕(湯), 음(飮), 주(酒), 로(露) 등이 있다. 외용법(外用法)은 약물이 직접적으로 체표의 국부에 작용하여 치료, 보건미용의 목적에 다다를 수 있도록 한다. 이는 약물의 효능이 직접적으로 병소(病所)에 작용하여 빠르게 효과가 나타난다. 시술법은 일반적으로 훈세(熏洗), 습부(濕敷), 복살(扑撒), 도체(涂擦), 침욕(浸浴), 첩부(貼敷), 분무(噴霧), 전기이온, 초음파 등 여러 방법이 있다. 각기 다른 시술방법들은 저마다 상응(相應)하는 약물의 유형에 따라 달라진다.

2) 음식미용법(飮食美容法) : 본초학의 기초이론 하에 자연의 동 · 식물 혹은 식물위주의 약선(藥膳)요리에서 운용되는 미용방법이다. 미용 음식의 종류는 채소, 음료, 탕, 술, 죽 등 매우 다양하다. 이 방법과 한약 미용법은 같은 데 반드시 변증을 통해서 접근을 해야 좋은 미용의 효과를 나타낼 수 있다.

3) 침구미용법(鍼灸美容法) : 침구(鍼灸)의 방법으로 경락(經絡)과 수혈(腧穴)을 자극하여 인체의 항병인소(抗病因素)와 장부기능을 조절하여 기혈(氣血)의 운행을 촉진시켜 치료하거나 보건을 목적으로 하는 미용방법이다. 침구미용법은 침, 뜸, 부항 등으로 구분하는 데, 이 방법들은 다시 여러 방법으로 나뉜다.

4) 추나미용법(推拿美容法) : 각종 추나수법(推拿手法)을 이용하여 신체의 혈위(穴位)나 부위(部位)에 자극을 주어 경락계통(經絡系統)을 통해 인체에 내재된 에너지를 조절하고, 체표 국부(局部)의 물리적인 반응을 통하여 장부(臟腑)의 기능을 정상으로 되돌리고 음양기혈(陰陽氣血)의 평형(平衡)을 조절하여 치료와 동시에 보건미용의 목적을 이루는 방법이다.

5) 운동미용법(運動美容法) : 각기 다른 여러가지 운동을 통해 장부기혈조직의 기능을 증강시키거나 촉진을 시켜 인체 신진대사(新陳代謝)를 활발하게 하여 질병치료와 건강, 미용의 목적에 이르게 하는 방법이다.

6) 정지미용법(情志美容法) : 의학적인 기초이론 하에 심리치료(心理治療) 혹은 심리조절을 통해 감정(感情)을 조절하고 심리상태를 개선(改善)하여 인체의 정서적인 불안(不

安)에 영향을 주는 요소들을 제거하여 질병(疾病)을 치료하며, 미용의 목적에 이르게 하는 미용법이다.

3. 임상학과(臨床學科)에 의한 분류

임상학과에 의거하여 한방미용을 분류하자면 피부과미용(皮膚科美容), 안과미용(眼科美容), 이비인후과미용(耳鼻咽喉科美容), 내과미용(內科美容) 등으로 나눈다.

1) 피부과미용(皮膚科美容) : 피부질병의 치료나 보건을 통하여 피부를 아름답게 하는 데 목적을 두고 있다. 이는 한방 미용학의 매우 중요한 위치에 있으며, 대부분의 피부병은 손미성질병(損美性疾病)이다. 피부과미용은 각종 보건미용의 목적을 두며 일반적으로 피부를 아름답게 하는 데 있으므로 한방미용은 피부미용을 위주로 한다고 할 수 있다.

2) 안과미용(眼科美容) : 안과 질병의 치료나 보건을 통하여 눈을 아름답게 하는 데 목적을 두고 있다. 시력(視力)의 유지와 개선 및 회복, 눈 주위 외형(外形)의 아름다움과 생리기능을 회복시키는 것을 포괄한다.

3) 이비인후과미용(耳鼻咽喉科美容) : 이비인후과 질병을 치료하는 데 중점을 두고 있으며, 비부(鼻部)나 이부(耳部)의 질병으로 인한 것이나 목소리 이상으로 타인에게 혐오감을 주어 안 좋은 인상으로 남는 것을 방지하는 데 목적을 둔다.

4) 내과미용(內科美容) : 내과미용은 손미성질병(損美性疾病)을 내치(內治)의 방법으로 치료하거나 인체 외형의 아름다움을 유지하게 한다. 한방내과미용과 피부과, 안과, 이비인후과미용은 서로 연관되어 있다. 한방내과의 장부(臟腑), 경락(經絡) 등의 변증(辨證)과 각과(各科)의 국부변증(局部辨證)이 서로 결합하여, 이를 토대로 전체적인 분석을 바탕으로 진단치료하므로 확실하고 안전하며 효과 좋은 미용방법이라 할 수 있다. 그밖에 감비(減肥;다이어트)와 체형관리는 내과미용 범주에 속한다.

제 2 장

미용본초 (美容本草)

2 미용본초(美容本草)

하편 제1절 약(藥)의 기능(機能)

약재의 기능에 대한 이론을 통틀어 '기미론(氣味論)'이라고 한다. 고대 의학가들이 오랜 기간에 걸친 임상경험을 통해 약물의 작용원리를 설명해 온 이론체계이며 약물응용의 규율이기도 하다. 이에는 사기오미(四氣五味), 귀경(歸經), 승강부침(升降浮沈) 등이 있다.

1. 사기(四氣)와 오미(五味)

약물의 성질(性質)은 한(寒) · 열(熱) · 온(溫) · 양(凉) 등의 네 가지로 나뉘는 데 그것을 "사기(四氣)"라고 한다. 한양(寒 · 凉)과 온열(溫 · 熱)은 각각 정도의 차이만 있을 뿐 결국은 같은 속성을 가지고 있으므로 약물의 성질은 크게 두 부류로 나뉜다. 또한 음양(陰陽)으로 보면 한(寒) · 양(凉)은 음에 속하고 온(溫) · 열(熱)은 양에 속한다. 한(寒) · 양(凉)의 성질을 갖고 있는 약(藥)들은 대개 청열(淸熱)작용을 가지고 있어 열증(熱症)을 경감하거나 제거할 수 있다. 이와는 상대적으로 한증(寒症)을 경감하거나 제거할 수 있는 약물(藥物)은 산한(散寒)작용을 가지고 있는 온성(溫性) · 열성(熱性)의 약물이다. 이 외에도 한열(寒熱)이 뚜렷하게 나타나지 않는 약물들이 있는데 이를 '평성(平性)'이라고 한다. 하지만 이들 평성(平性)도 실제로는 한열 중 어느 한쪽으로 약간씩 치우치기 때문에 일반적으로 약물의 성질을 '사기(四氣)'로 표현한다.

"오미(五味)"란 약물이 가지고 있는 신(辛) · 감(甘) · 산(酸) · 고(苦) · 함(鹹) 등의 다섯 가지의 맛을 말한다. 어떤 약물은 담백한 맛(淡) · 떫은 맛(澁)이 있는 것도 있으나 오미가 가장 기본적인 맛이므로 일반적으로 '오미'라 칭한다. 그 중에서 신(辛) · 감(甘) · 담(淡)은 양(陽)에 속하고 산(酸) · 고(苦) · 함(鹹)은 음(陰)에 속한다. 이들은 다음과 같은 각각의 작용이 있는데, 신미(辛味)는 발산표사(發散表邪), 감미(甘味)는 보익(補益), 산미(酸味)는 렴한(斂汗) · 렴기(斂氣) · 지사(止瀉) · 섭정(攝精) · 축뇨(縮尿) · 지대(止帶) · 지혈(止血), 고미(苦味)는 강설(降泄) · 사하(瀉下) · 조습(燥濕) · 견음(堅陰), 함미(鹹味)는 사하(瀉下) · 연견산결(軟堅散結) 등의 작용이 있다.

2. 귀경(歸經)

귀경이란 각각의 약물이 일정한 장부(臟腑)와 경락(經絡)에 선택적으로 작용하여 질병을 치료하는 범위를 말하는 것이다. 약물의 귀경이론(歸經理論)은 장부에 있어서 경락이론(經絡理論)이 기초가 되는데, 경락(經絡)은 인체의 내외표리(內外表裏)를 두루 통하므로 인체에 질병이 발생하면 경락을 통해 장부에 도달하고, 장부(臟腑)의 병변(病變)은 경락을 통과하여 체표(體表)에 반영된다. 이로 인해 약물의 장부에 대한 작용을 알면 경락과 밀접하게 결합해서 어떤 약(藥)이 한 장부나 경락에 대한 병변을 치료하는 작용을 설명할 수 있다.

예를 들면 해수(咳嗽), 천식(喘息), 인후동통(咽喉疼痛)은 폐경병증(肺經病症)에 속하며 길경(桔梗)과 행인(杏仁)은 지해(止咳), 이인후(利咽喉)하므로 폐경(肺經)에 귀(歸)한다. 또 협늑(脇肋), 유방창통(乳房脹痛)은 간경병증(肝經病症)에 속하는데 시호(柴胡), 청피(靑皮)는 소간해울(疏肝解鬱)하고 이기지통(理氣止痛)하므로 간경(肝經)에 귀(歸)한다. 결국 귀경(歸經)은 약물작용을 개괄한 개념이라고 할 수 있다.

3. 승강부침(升降浮沈)

승강부침은 약물의 방향, 즉 주로 상승(上乘) · 하강(下降) · 발산(發散) · 억제(抑制) 등의 작용을 말한다. 양기(陽氣)를 돋우고 독기(毒氣)를 발산시키며 풍(風)을 제거하고 한기(寒氣)를 없애며 구토(嘔吐)를 유발하고, 막힌 것을 트이게 하는 효능을 지닌 약재는 대부분 상승 · 발산의 특성을 가졌다. 설사(泄瀉) · 해열(解熱) · 이뇨(利尿) · 진정(鎭靜) · 경풍완화(驚風緩和) · 소화촉진(消化促進) · 수렴(收斂) 등의 효능을 지닌 약재는 대부분 하강 · 억제의 특성을 가졌다.

이와 같이 각종 질병(疾病)은 병기(病機)와 증후(症候)에서 향상(向上;嘔吐,咳嗽 等)하거나 향하(向下;泄瀉, 崩漏, 脫肛 等), 향외(向外; 自汗, 盜汗 等)하거나 향내(向內;表證不解等)하는 등 병세(病勢)에 경향이 있고, 이러한 병정(病情)에 대하여 병증(病證)을 개선하거나 없애는 약물도 역시 승강부침의 작용으로 나눌 수 있다. 약물의 이런 작용은 인체기능의 실조(失調)를 정상으로 회복시켜주거나 거사(祛邪)를 도울 수 있다고 할 수 있다.

하편 제2절 약의 응용(應用)

약재를 올바르게 사용하기 위해서는 약물의 치료효과와 안정성을 정확하게 알고 있어야 하는 것은 물론, 약물의 배오(配伍), 금기(禁忌), 용법(用法)에 대해서도 잘 알고 있어야 한다.

1. 배오(配伍)

질병의 상태와 약물의 성능에 근거하여 두 종류 이상의 약물을 배합(配合)하여 응용하는 것을 말한다. 질병의 상태가 비교적 복잡하더라도 배오(配伍)를 통하여 치료효과를 높이고 치료범위를 넓힐 수 있으며 약물의 독작용과 부작용을 감소시킬 수 있다.

(1) 단행(單行)

오직 한 가지 약(藥)으로 질병을 치료하는 것을 말하며, 예를 들면 인삼(人蔘)만으로 기허욕탈증(氣虛欲脫症)을 치료한다.

(2) 상순(上順)

두 가지의 이상의 효능이 유사한 약물을 배오, 응용하여 치료효과를 높인다. 예를 들면 지모(知母)에 황백(黃柏)을 배합하면 자음강화(滋陰降火)의 작용을 높일 수 있다.

(3) 상사(相使)

성능과 효능에 일부 공통성이 있는 두 가지 약물을 배합하여 응용하는 것으로 그 중 한 가지 약물은 주약(主藥)이고 다른 한 가지는 보조약(補助藥)으로서 주약의 치료효과를 높일 수 있다.

(4) 상외(相畏)

상외는 다른 한 가지 약물의 부작용이나 독성이 다른 한 가지 약물에 의해 감소되거나 제거되는 것을 가리킨다. 예를 들면 생(生) 반하(半夏), 생(生) 남성(南星)의 독은 생강(生薑)으로 감약(減弱)시키거나 없앨 수 있다.

(5) 상살(相殺)

두 가지 약물을 배오하여 사용하면 한 가지 약물이 다른 한 가지 약물의 독성이나 부작용을 감소시키거나 없앨 수 있는 것을 가리킨다. 방풍(防風)은 비상(砒霜)의 독을 없앨 수 있다. 녹두는 파두의 독을, 생강은 생반하의 독을 제거할 수 있다. 이로 보아 상외, 상살은 동일한 배오관계의 두 가지 표현방법이다.

(6) 상오(相惡)

두 가지 약물을 합하여 사용하였을 때 한 가지 약물이 다른 약물의 효능을 저하시키거나 상실시키는 것을 가리킨다. 황금은 생강의 온성(溫性)을 감소시킨다.

(7) 상반(相反)

상반은 두 가지 약물을 배합하여 사용한 후 불량한 부작용과 독성반응이 발생할 수 있다.

2. 금기(禁忌)

약재(藥材)를 사용할 때는 질병을 예방(豫防)하고 치료(治療)하는 약물의 작용을 잘 알아야 할 뿐 아니라 약물을 사용하였을 때 나타나는 부작용을 잘 이해하고 있어야 한다. 약물을 사용할 때 병정(病情)과 약성(藥性)이 서로 맞지 않는다면 삼가거나 사용하지 말아야 한다.

(1) 배오금기(配伍禁忌)

상반의 약물은 함께 사용하지 못한다. 역대(歷代)로 상반의 작용이 있는 약물들은 "십팔반(十八反)"과 "십구외(十九畏)"로 규정하고 사용치 못하도록 하였다. "십팔반(十八反)"은 오두(烏頭) 반(反) 패모(貝母), 과루(瓜蔞), 반하(半夏), 백렴(白蘞), 백급(白芨); 감초(甘草) 반(反) 대극(大戟), 원화(芫花), 감수(甘遂), 해조(海藻); 여로(黎蘆) 반(反) 인삼(人蔘), 단삼(丹蔘), 현삼(玄蔘), 고삼(苦蔘), 세신(細辛), 작약(芍藥) 등이다. 그리고 "십구외(十九畏)"로는 수은(水銀) 외(畏) 비상(砒霜), 낭독(狼毒) 외(畏) 밀타승(密陀僧), 파두(巴豆) 외(畏) 견우(牽牛), 정향(丁香) 외(畏) 울금(郁金), 아초(牙硝) 외(畏) 삼릉(三稜), 천오(川烏)·초오(草烏) 외(畏) 서각(犀角), 인삼(人蔘) 외(畏) 오령지(五灵脂), 육계(肉桂) 외(畏) 적석지(赤石脂) 등이 있다.

(2) 임신금기(姙娠禁忌)

부녀자가 회임기간에 사용하면 유산의 우려가 있는 약물들로 사용할 때에 주의하여야 한다. 금용약(禁用藥)으로는 약성이 강(强)하고 작용이 맹렬(猛烈)하며, 파기(破氣), 파혈(破血), 강설(降泄)의 작용이 있는 약이 있는데 오두(烏頭), 견우(牽牛), 대극(大戟), 사향(麝香), 삼릉(三稜), 아출(莪朮), 수질(水蛭), 맹충(虻虫) 등의 약물이다. 신용약(愼用藥)으로는 활혈통락(活血通絡), 행기도체(行氣導滯), 신열(辛熱), 침강(沈降), 활리(滑利)의 작용이 있는 약물들이 있다. 도인(桃仁), 홍화(紅花), 대황(大黃), 지실(枳實), 부자(附子), 건강(乾姜), 육계(肉桂), 반하(半夏), 동규자(冬葵子) 등의 약물들이다.

하편 제3절 미용약제(美容藥劑)

1. 윤부증백약(潤膚增白藥)

본 약제들은 피부(皮膚)을 윤택하게 하고, 색소침착(色素沈着)을 경감시키며, 피부를 하얗게 하는 작용을 가지고 있다. 피부가 건조하고 피부색이 어두울 때, 즉 안면부 기미나 주근깨, 색소침착에 비교적 많이 사용한다. 외용(外用)이나 내복(內服)으로 쓰인다.

(1) 백지(白芷)

【성미귀경】 신(辛)하고 온(溫)하다. 폐(肺), 위경(胃經).

【기능】 거풍(祛風), 윤부(潤膚), 증백(增白)

【주치】 1) 얼굴색이 검고 광택이 없는 경우에 백부자(白附子), 백출(白朮) 등과 사용. 예) 칠백고(七白膏)

2) 피부의 흠이나 상처. 얼굴의 흉에 특히 좋다. 백선피(白鮮皮), 백질려(白蒺藜)등과 함께 사용.

3) 좌창(痤瘡). 식초에 담가둔 백지를 얼굴에 붙이거나, 방풍(防風), 단삼(丹蔘), 국화(菊花) 등으로 함께 끓인 물로 세안.

4) 백전풍(白癜風). 《일화자본초(日華子本草)》에 '백지는 백전풍을 주치(主治)로 한다'고 기록되어 있는데, 특히 두면부 위주로 치료한다. 백질려(白蒺藜), 한련초(旱蓮草), 하수오(何首烏) 등과 같이 사용. 내복(內服)을 위주.

5) 안면부 편평우(扁平疣). 백지(白芷) 15g, 세신(細辛) 3g, 고삼(苦蔘), 창출(蒼朮), 하고초(夏枯草), 사상자(蛇床子) 각 9g, 로봉방(露蜂房) 3~6g, 1일 1제(劑), 하루 2번 나누어 복용.

6) 황갈반(黃褐斑). 백지를 곱게 분말로 만들어 얼굴에 팩을 한다. 아침, 저녁으로 각 1회, 매번 1시간 정도, 그 밖에 피부흑변병(皮膚黑變病)에도 사용.

7) 구취(口臭), 치은염(齒齦炎). 백지와 천궁(川芎)을 같은 양으로 밀환(蜜丸)을 만들어 식 후와 취침 전에 한 알씩 물고 있는다.

【용량】 구복(口腹)시에 3~10g, 외용(外用) 시에는 적당량.

【금기】 음허혈열(陰虛血熱), 기허(氣虛)는 사용금지.

(2) 백급(白及)

【성미귀경】 고감(苦甘)하고 삽(澀)하며 미한(微寒)하다. 폐(肺), 간(肝), 위경(胃經).

【기능】 증백(增白), 소종(消腫), 생기(生肌)

【주치】 1) 수족군열(手足皸裂). 연고를 만들어 환부에 바른다. 1일 3회.

2) 황갈반(黃褐斑). 패모(貝母), 백부자(白附子)를 분말로 만들어 배니싱 크림과 함께 아침, 저녁으로 마사지.

3) 좌창(痤瘡), 지성 피부(脂性皮膚). 견우(牽牛), 백급(白及), 감송(甘松), 삼뢰자(三賴子), 해금사(海金沙) 등을 같은 양으로 분말로 만들어 계란 흰자와 함께 섞어서 팩을 한다. 작반(雀斑)을 치료할 때는 정향(丁香)을 추가한다.

4) 피부보양. 백부자(白附子), 동과자(冬瓜子), 백지(白芷), 세신(細辛), 방풍(防風), 당귀(當歸), 천궁(川芎) 등을 함께 팩을 하면 피부가 희어지며 윤택해진다.

5) 화상(火傷) 및 외과창상(外科創傷), 창양(瘡瘍)이 터진 후에 백급을 사용하면 상처조직을 빨리 아물게 하는 작용.

【용량】 6~15g, 외용(外用) 시에는 적당량.

【금기】 반(反) 오두(烏頭); 외감해혈(外感咳血), 폐옹(肺癰)의 초기(初起), 폐(肺)나 위(胃)에 실열(實熱)이 있는 자(者)는 사용을 금함.

(3) 백출(白朮)

【성미귀경】 고(苦), 감(甘)하고 온(溫)하다. 비(脾), 위경(胃經).

【기능】 건비익기(建脾益氣), 조습이수(燥濕利水), 윤부증백(潤膚增白)

【주치】 1) 비위(脾胃)가 허약(虛弱)하여 얼굴색이 노르스름하고 피부가 가려울 때. 백출(白朮), 진피(陳皮), 신곡(神曲,초;炒) 각 60g, 인삼(人蔘), 필발(蓽茇) 각 30g, 건강(乾薑,포;炮) 9g, 환(丸)으로 만들어 복용.

2) 비허습성(脾虛濕盛)하여 비만이 있거나 얼굴색이 창백, 피부에 탄력이 없고, 대하(帶下)가 있는 경우. 백출과 함께 방이(防已), 황기(黃芪)을 같이 사용한다. 예) 방이황기탕(防已黃芪湯)

3) 노쇠현상을 늦추고, 피부를 보양.

4) 작반(雀斑). 백출을 식초에 담가 두었다가 7일 후에 꺼내어 환부에 문질러 준다.

【용량】 5~15g

【금기】 음허조갈(陰虛燥渴), 기체창민(氣滯脹悶)인 자(者)는 사용을 금한다.

(4) 백부자(白附子)

【성미귀경】 신(辛), 감(甘)하고 온(溫)하며 독(毒)이 있다. 비(脾), 위경(胃經).

【기능】 인약상행(引藥上行), 거풍지경(祛風止痙), 윤부증백(潤膚增白)

【주치】 1) 색소침착(色素沈着), 황갈반(黃褐斑). 백부자(白附子), 동과자(冬瓜子), 백지(白芷), 석류피(石榴皮) 등을 같은 양으로 분말로 만들어 술에 3일 동안 담가둔다. 세안 후에 얼굴에 바르면 얼굴이 옥(玉)과 같이 변하며, 검은 기운이 사라진다.

2) 얼굴의 피부가 거칠고 건조하며, 주름이 비교적 많을 때. 백부자(白附子), 백지(白芷), 적석지(赤石脂), 행인(杏仁), 도화(桃花), 동과자(冬瓜子), 옥죽(玉竹), 우슬(牛膝), 원지(遠志) 등을 같은 양으로 분말을 만들어 우유와 꿀로 환(丸)을 만든다. 식전에 1환, 1일 3회 복용. 피부보양에 매우 좋다.

3) 안면신경마비, 구안와사(口眼歪斜). 반하(半夏), 전갈(全蝎), 천마(天麻), 천남성(天南星) 등과 함께 사용.

4) 좌창(痤瘡), 주조비(酒糟鼻). 분말을 물에 타서 바른다.

5) 피부의 흠이나 흉터. 백부자(白附子) 45g, 밀타승(密陀僧), 모려(牡蠣), 천궁(川

芎), 백복령(白茯笭) 15g을 분말로 만들어 흉터부위에 바른다.

6) 백전풍(白癜風), 한반(汗斑). 백부자(白附子), 유황(硫黃), 밀타승(密陀僧)의 분말을 생강즙과 함께 환부에 발라준다.

【용량】 구복(口服)시에 3~9g, 외용(外用)시에는 적당량.

【금기】 임산부; 음허내열(陰虛內熱)자는 내복을 금한다.

(5) 백강잠(白殭蠶)

【성미귀경】 신(辛), 함(鹹)하고 평(平)하다. 간(肝), 폐경(肺經).

【기능】 윤부증백(潤膚增白), 거풍지경(祛風止痙)

【주치】 1) 안면의 검은 기운, 황갈반(黃褐斑). 백강잠(白殭蠶), 견우(牽牛), 세신(細辛)을 같은 양으로, 분말로 만들어 팩을 한다.

2) 좌창(痤瘡), 주조비(酒糟鼻). 백강잠(白殭蠶), 산내(山柰), 백부자(白附子) 1.2g, 녹두(綠豆) 1.8g, 빙편(氷片) 0.6g, 사향(麝香) 0.3g, 이조(胰皂) 120g. 분말로 세안을 한다.

3) 피부보양. 백강잠(白殭蠶), 주사(朱砂), 웅황(雄黃) 각 30g, 진주(珍珠) 10알, 곱게 분말로 만들어 영양 크림과 함께 마사지를 한다.

4) 면탄(面癱), 구안와사(口眼歪斜), 얼굴 근육 경련(痙攣). 백부자(白附子), 전갈(全蝎)을 함께 사용한다. 예) 견정산(牽正散)

【용량】 내복(內服) 4.5~9g, 산제(散劑) 1~1.5g, 외용(外用)시에는 적당량.

【금기】 음허조열(陰虛燥熱), 혈허(血虛), 외사(外邪)가 없는 자는 금한다.

(6) 백복령(白茯笭)

【성미귀경】 감(甘), 담(淡)하고 평(平)하다. 심(心), 비(脾), 신경(腎經).

【기능】 건비안신(建脾安神), 이수삼습(利水滲濕), 생발윤부(生髮潤膚)

【주치】 1) 비허(脾虛), 몸이 피곤하고 안색이 창백하며, 몸이 여위고 식소변당(食少便溏).

당삼(党參), 백출(白朮), 구감초(炙甘草)와 함께 사용. 예) 사군자탕(四君子湯)

2) 비허습성(脾虛濕盛), 비만, 창백, 피부가 쳐지고 탄력이 없고, 식소(食少), 설담반(舌淡胖), 태백(苔白), 맥유(脈濡). 택사(澤瀉), 진피(陳皮), 산사(山査), 이인(苡仁) 등과 함께 많이 사용.

3) 심비혈허(心脾血虛), 심계(心悸), 실면(失眠), 안권발흑(眼圈發黑), 건망증(健忘症). 귀비환(歸脾丸), 복령(茯苓)과 당귀(當歸), 인삼(人蔘) 등을 함께 사용.

4) 탈발(脫髮), 모발이 가늘고 쉽게 빠지며, 체형이 비만에 가깝고, 설담반(舌淡胖), 맥현활(脈弦滑). 복령만을 분말로 만들어 1일 2번 5~10g, 또는 이진탕(二陣湯)을 써도 좋다.

5) 황갈반(黃褐斑), 작반(雀斑). 복령분말과 꿀을 함께 얼굴에 바른다.

6) 노화현상을 막고, 장수하게 하며, 머리를 검게 하고, 치아를 튼튼하게 한다.

【용량】 10~15g, 외용(外用) 시에는 적당량.

【금기】 허한활정(虛寒滑精), 기허하함(氣虛下陷) 혹은 음허(陰虛)자는 금한다.

(7) 진주(珍珠)

【성미귀경】 감(甘), 함(咸)하고 한(寒)하다. 심(心), 간경(肝經).

【기능】 세피부(細皮膚), 제면간(除面皯), 수렴생기(收斂生肌)

【주치】 1) 정상피부의 보양작용. 내복 : 고운 진주분말을 약 2g(약 티스푼 하나), 따듯한 차와 함께 복용한다. 10~15일에 한번. 외용 : 진주분을 우유와 함께 얼굴에 바른다. 내외용을 같이 사용할 경우에는 더욱 좋은 효과를 나타내며, 피부의 노화작용을 늦추고, 피부를 하얗고 촉촉하게 유지할 수 있다.

2) 간허목암(肝虛目暗), 시물혼화(視物昏花) 등 진주로 만든 안약으로 눈을 밝게 한다.

3) 오랜 창상이나 궤양.

【용량】 0.3~1g. 환(丸), 산(散)제에 많이 사용하고, 외용약으로는 적당량, 많은 양을 먹지 않도록 한다.

【금기】《본경소증(本經疏証)》: "병불유화열자물용(病不由火熱者勿用)"

(8) 백질려(白蒺藜)

【성미귀경】 고(苦), 신(辛)하고 평(平)하다. 간(肝), 폐경(肺經).

【기능】 거풍(祛風), 명목(明目),

【주치】 1) 풍열상우(風熱上扰), 목적종통(目赤腫痛), 다누(多泪) 혹은 목암(目暗), 시물혼화(視物昏花)

2) 백전풍(白癜風),

3) 면상반흔(面上瘢痕).

4) 지일성(脂溢性) 탈발(脫髮) 혹은 반독(斑禿).

【용량】 6~10g

【금기】 기혈허약자(氣血虛弱者) 및 임산부는 사용금지.

(9) 동과자(冬瓜子)

【성미귀경】 감(甘)하고 량(凉)하다. 간(肝), 비(脾), 폐경(肺經).

【기능】 윤부(潤膚), 증백(增白), 감비(減肥)

【주치】 1) 면색침암(面色沈暗), 피부건조(皮膚乾燥).

2) 비허습성(脾虛濕盛), 비만

3) 향신피예(香身避穢).

【용량】 3~2g, 외용 시 수액이나 연고.

【금기】 비위허한(脾胃虛寒)

(10) 천문동(天門冬)

【성미귀경】 감(甘), 고(苦)하고 한(寒)하다. 폐(肺), 신경(腎經).

【기능】 윤폐(潤肺), 양안(養顔), 증백(增白)

【주치】 1) 피부건조(皮膚乾燥), 수족균열(手足皸裂), 부색침암(膚色沈暗).

2) 음허내열(陰虛內熱)에 편중된 사람의 보건양생 시.

3) 편평우(扁平疣).

【용량】 6~15g, 외용 시에는 적당량

【금기】 비위허한(脾胃虛寒), 식소변당(食少便溏), 풍한해수(風寒咳嗽) 자는 내복을 금함.

(11) 산약(山藥)

【성미귀경】 감(甘)하고 평(平)하다. 비(脾), 폐(肺), 신경(腎經).

【기능】 윤부(潤膚), 건비위(建脾胃), 보허손(補虛損)

【주치】 1) 비위허약(脾胃虛弱), 신체무력(身體無力), 피부건조(皮膚乾燥), 모발고위(毛髮枯萎), 이생색반(易生色斑), 납소(納少), 변당(便溏).

2) 중노년 층의 양생보건, 항 노화의 작용.

3) 비허습성(脾虛濕盛), 비만.

【용량】 15~30g.

【금기】 내유사실(內有邪實)자 금함.

(12) 우유(牛乳)

【성미귀경】 감(甘)하고 평(平)하다. 심(心), 비(脾), 폐(肺), 위경(胃經).

【기능】 양폐위(養肺胃), 보허손(補虛損), 증백윤부(增白潤膚)

【주치】 1) 면색위황(面色萎黃), 형체소수(形體消瘦), 피부건조(皮膚乾燥), 큰 병 후에 모든 것이 부족할 때.

2) 일반적인 양생보건의 작용.

【용량】 적당량, 내복 시에 따뜻하게 먹어도 좋다.

【금기】 비위허한(脾胃虛寒)으로 인한 설사(泄瀉), 담습적음(痰濕積飮)자는 금함.

(13) 계자백(鷄子白; 계란흰자)

【성미귀경】 감(甘)하고 량(凉)하다. 심(心), 비(脾), 폐(肺), 위(胃), 신경(腎經)

【기능】 청열해독(淸熱解毒), 거반윤부(祛斑增白潤膚)

【주치】 1) 안면부 피부보양, 황갈반.

2) 두피소양(頭皮瘙痒), 두피설다(頭皮屑多), 두발건조(頭髮乾燥).

【용량】 적당량.

【금기】 식체(食滯), 모든 외감(外感) 및 간울(肝鬱), 담울(痰鬱), 각기(脚氣) 등은 먹지 말아야 하고, 일반적으로도 생것은 먹지 않도록 함.

2. 열용증안약(悅容增顔藥)

본 약제들은 심비기혈(心脾氣血)을 보(補)하고, 활혈화어(活血化瘀)의 작용을 통하여 기혈(氣血)를 잘 통하게 하므로써 두면부에 기혈을 충분하게 공급을 하여 면색홍활자윤(面色紅活滋潤), 목정명량(目睛明亮), 모발윤택(毛髮潤澤)의 작용을 하며, 내복(內服)을 위주로 한다. 적응증은 면색불화(面色不華), 혈색결핍(血色缺乏), 위황(萎黃) 혹은 창백(蒼白), 구순조갑색담(口脣爪甲色淡), 피부건조소양(皮膚乾燥瘙痒), 모발고황불택(毛髮枯黃不澤), 시물불청(視物不淸), 혼화(昏花) 등이 있다.

(1) 당귀(當歸)

【성미귀경】 감(甘), 신(辛)하고 온(溫)하다. 심(心), 간(肝), 비경(脾經).

【기능】 보혈화혈(補血和血), 열용홍안(悅容紅顔)

【주치】 1) 부녀(婦女)의 기혈허약(氣血虛弱), 월경과다(月經過多), 붕루(崩漏), 두통(頭痛), 두운(頭韻), 면색위황(面色萎黃), 구순색담(口脣色淡), 조갑박취(爪甲薄脆), 두발희소황연(頭髮稀疏黃軟), 기억력 하강(記憶力下降).

2) 월경부조(月經不調), 통경(痛經), 폐경(閉經), 반유(伴有) 어혈(瘀血), 경혈암홍

(經血暗紅), 면색불화(面色不華), 피부건조(皮膚乾燥), 이생황갈반(易生黃褐斑).

3) 피부관리와 주름방지의 효능.

4) 치통(齒痛) 및 구취(口臭).

【용량】 5~12g.

【금기】 습성중만(濕盛中滿), 설사(泄瀉) 및 임산부. 좌창(痤瘡), 실면(失眠).

(2) 숙지황(熟地黃)

【성미귀경】 감(甘)하고 미온(微溫)하다. 간(肝), 신경(腎經).

【기능】 자음보혈(滋陰補血), 전정보수(塡精補髓), 오발항쇠(烏髮抗衰).

【주치】 1) 간신양허(肝腎兩虛), 형용조쇠(形容早衰).

2) 정혈양허(精血兩虛), 형용실양(形容失養).

3) 중년 여성, 간신부족(肝腎不足), 피부흑변병(皮膚黑變病), 황갈반(黃褐斑).

【용량】 10~30g. 사인(砂仁), 진피(陳皮), 목향(木香) 등 행기건비약(行氣建脾藥)과 함께 사용하는 것이 좋다.

【금기】 소화불량(消化不良), 기체(氣滯), 다담(多痰), 완복창만(脘腹脹滿), 식소변당(食少便溏), 사기(邪氣)가 남아 있는 자는 복용을 금함.

(3) 아교(阿膠)

【성미귀경】 감(甘)하고 평(平)하다. 폐(肺), 간(肝), 신경(腎經).

【기능】 보혈윤폐(補血潤肺), 자음양안(滋陰養顔)

【주치】 음혈양허(陰血兩虛)로 인한 각종 손미성 질병. 면색불화(面色不華), 피부건조(皮膚乾燥), 부녀(婦女)의 붕루(崩漏), 두운심계(頭韻心悸), 구순조갑색담(口脣爪甲色淡), 형체소수(形體消瘦), 변비(便秘), 면부색소침착(面部色素沈着), 황갈반(黃褐斑). 한련초(旱蓮草), 여정자(女貞子), 토사자(免絲子), 당귀(當歸), 구기자(枸杞子) 등과 함께 사용한다.

【용량】 5~10g, 탕제(湯劑)에 넣지 않고, 충복(冲服)한다.

【금기】 비위허약(脾胃虛弱), 담습어혈(痰濕瘀血)이 있는 사람은 금함.

(4) 용안육(龍眼肉)

【성미귀경】 감(甘)하고 온(溫)하다. 심(心), 비경(脾經).

【기능】 보심비(補心脾), 열용모(悅容貌)

【주치】 1) 사려과도(思慮過度), 노상심비(勞傷心脾), 기혈양허(氣血兩虛).

2) 중노년의 체질이 허약한 여성, 양생보건의 방법으로 상용, 노화현상을 방지.

【용량】 10~15g.

【금기】 안으로 담화(痰火), 담습(痰濕), 습성중만(濕盛中滿), 비만은 복용을 금함.

(5) 대조(大棗)

【성미귀경】 감(甘)하고 온(溫)하다. 비(脾), 위경(胃經).

【기능】 보혈양안(補血養顏), 건비양신(建脾養神)

【주치】 1) 부녀양안(婦女養顏)의 상용약제.

2) 중초불화(中焦不和), 음식무미(飮食無味), 형체소수(形體消瘦) 등에 반드시 사용하여 근력과 체중을 증가.

3) 오래 장복하면 향신(香身)하여 체취를 없앨 수 있다.

【용량】 3~15매(枚).

【금기】 비만, 식적(食積), 충적(蟲積), 담열해수(痰熱咳嗽)자는 복용을 금함.

(6) 봉밀(蜂蜜)

【성미귀경】 감(甘)하고 평(平)하다. 폐(肺), 비(脾), 대장경(大腸經).

【기능】 양혈윤조(養血潤燥), 청열해독(淸熱解毒)

【주치】 1) 빈혈(貧血), 면색위황(面色萎黃).

2) 피부건조(皮膚乾燥), 군열(皸裂), 조조(粗糙), 황갈반(黃褐斑).

3) 안면창독(顔面瘡毒).

【용량】 15~30g, 충복(冲服), 혹은 환제ㆍ연고를 제조할 때 넣으며, 외용 시에는 적당량을 사용한다.

【금기】 담습중만(痰濕中滿), 장활설사(腸滑泄瀉)자는 내복을 금함.

3. 주안거추약(駐顔去皺藥)

본 약제들은 대다수가 간신(肝腎)을 보(補)하고, 노화현상을 늦추는 작용을 가지고 있다. 이것은 근본적으로 생리적인 노화를 늦추고, 장부의 기능을 증강시켜 주름을 없애고 방지하는 것이다. 그 효과는 비록 늦게 나타나지만 오랜 기간 지속된다.

(1) 구기자(枸杞子)

【성미귀경】 감(甘)하고 평(平)하다. 간(肝), 신(腎), 폐경(肺經).

【기능】 보신항쇠(補腎抗衰), 양간명목(養肝明目)

【주치】 1) 중노년의 간신부족(肝腎不足), 미노선쇠(未老先衰), 모발조백(毛髮早白), 시물불청(視物不淸), 형체소수(形體消瘦), 부색흑암(膚色黑暗), 요슬산연(腰膝酸軟), 유정(遺精).

2) 단순성 비만증(單純性肥滿症).

3) 면부색소침착(面部色素沈着), 황갈반(黃褐斑), 탈발(脫髮).

【용량】 5~12g.

【금기】 비허생습(脾虛生濕), 설사(泄瀉), 철(鐵) 용기에는 사용하지 않는다.

(2) 상심자(桑椹子)

【성미귀경】 감(甘)하고 한(寒)하다. 심(心), 간(肝), 신경(腎經).

【기능】 익간신(益肝腎), 보정혈(補精血), 양용안(養容顏), 오순발(烏順髮)

【주치】 1) 간신양허(肝腎兩虛), 미노선쇠(未老先衰), 모발조백(毛髮早白), 목암불명(目暗不明), 안권발흑(眼圈發黑), 요슬무력(腰膝無力).

2) 신경쇠약(神經衰弱), 빈혈(貧血), 심계실면(心悸失眠), 신체허약(身體虛弱), 면색불화(面色不華), 발백(髮白).

【용량】 10~15g. 환제에 넣거나 술에 담가 먹는다.

【금기】 비위허한(脾胃虛寒)으로 인한 설사(泄瀉)자는 금함.

(3) 토사자(免絲子)

【성미귀경】 신(辛), 감(甘)하고 평(平)하다. 간(肝), 신경(腎經).

【기능】 보신익정(補腎益精), 양간명목(養肝明目), 주안오순(駐顏烏順)

【주치】 1) 간신부족(肝腎不足), 미노선쇠(未老先衰).

2) 황갈반(黃褐斑).

3) 백전풍(白癜風).

4) 분자(粉刺)

5) 간허목암(肝虛目暗), 시물불청(視物不淸).

【용량】 10~15g.

【금기】 음허화왕(陰虛火旺), 대변비결(大便秘結), 소변단적(小便短赤), 출혈(出血)자는 복용을 금함.

(4) 복분자(覆盆子)

【성미귀경】 감(甘), 산(酸)하고 미온(微溫)하다. 간(肝), 신경(腎經).

【기능】 보간신(補肝腎), 주용안(駐容顔), 오순발(烏順髮)

【주치】 1) 모발조백(毛髮早白)이 간신음허(肝腎陰虛)로 인한 것이나, 기혈부족(氣血不足).
2) 중년여성, 미노선쇠(未老先衰).

【용량】 3~10g.

【금기】 음허화왕(陰虛火旺), 소변단적(小便短赤)자는 복용을 금함.

(5) 맥문동(麥門冬)

【성미귀경】 감(甘), 미고(微苦)하고 한(寒)하다. 심(心), 폐(肺), 위경(胃經).

【기능】 양음윤조(養陰潤燥), 비건오발(脾建烏髮)

【주치】 1) 폐위음허내열(肺胃陰虛內熱)자, 인건구조(咽乾口燥), 변비(便秘), 면색고고건추(面色枯槁乾皺), 형체소수(形體消瘦), 오심번열(五心煩熱), 순구적심(脣口赤甚), 모발이상(毛髮易傷).
2) 심서번우(心緖煩扰), 노심과도(勞心過度), 심화상염(心火上炎), 심번실면(心煩失眠), 오심열(五心熱), 피모초색불윤(皮毛焦色不潤), 구순적목건(口脣赤目乾), 두통이노(頭痛易努).
3) 화장품의 유화제, 청결제 및 윤부(潤膚)첨가제.

【용량】 10~15g.

【금기】 모든 비위허한(脾胃虛寒), 담습(痰濕) 및 외감풍한해수(外感風寒咳嗽) 혹은 비만자는 복용을 금함.

(6) 자하거(紫河車)

【성미귀경】 감(甘), 함(咸)하고 온(溫)하다. 폐(肺), 간(肝), 신경(腎經).

【기능】 익정혈(益精血), 보허손(補虛損)

【주치】 1) 부녀자 기혈부족(氣血不足), 형용실양(形容失養).
2) 선천부족(先天不足), 체질허약(體質虛弱), 저항력차(抵抗力差), 이수외감(易受

外感), 해수기천구불유(咳嗽氣喘久不愈), 면색창백(面色蒼白), 성기능감퇴(性機能減退), 월경부조(月經不調), 신경쇠약(神經衰弱).

【용량】 분말 캡슐 1.5g~3g 매일 2~3회, 중환자는 2배로 복용; 환산제(丸散劑) 또는 기타 탕제나 주사제로도 사용한다.

【금기】 음허화왕(陰虛火旺)자는 복용을 금함.

(7) 녹용(鹿茸)

【성미귀경】 감(甘), 함(咸)하고 온(溫)하다. 간(肝), 신경(腎經).

【기능】 장원양(壯元陽), 보정혈(補精血), 익안색(益顔色)

【주치】 1) 신양부족(腎陽不足), 형한지냉(形寒肢冷), 성기능감퇴(性機能減退), 양위불거(陽痿不擧), 궁한불임(宮寒不姙), 소변빈삭(小便頻數), 면색불명(面色不明), 모발불무(毛髮不茂), 정신곤핍(精神困乏).

2) 정혈부족(精血不足), 형용실양(形容失養), 면색흑암(面色黑暗), 형체소수(形體消瘦), 면색무광(面色無光), 이농목혼(耳聾目昏), 치송아낙(齒松牙落), 요슬산연(腰膝酸軟), 모발건고(毛髮乾枯).

【용량】 분말 캡슐 1g~3g, 매일 3회; 환산제(丸散劑) 또는 기타 탕제로 배합 사용한다.

【금기】 음허화왕(陰虛火旺), 혈열(血熱), 위화(胃火), 담열(痰熱), 열병(熱病)자는 복용을 금함.

(8) 원지(遠志)

【성미귀경】 신(辛), 고(苦)하고 미온(微溫)하다. 심(心), 신경(腎經).

【기능】 안신익지(安神益智), 해울열용(解鬱悅容)

【주치】 1) 신경쇠약(神經衰弱), 실면건망(失眠健忘), 심신불안(心神不安), 안권발흑(眼圈發黑).

2) 중노년 층의 일상생활 중 항쇠(抗衰)와 익지(益智)의 효과.

3) 종독(腫毒).

【용량】 3~10g.

【금기】 음허양항(陰虛陽抗)자는 금하고, 궤양병(潰瘍病) 및 위염(胃炎)자는 신중히 사용.

4. 오발생발약(烏髮生髮藥)

본 약제들은 보익간신(補益肝腎), 자양정혈(滋養精血), 소풍활혈(疏風活血), 이습(利濕) 등의 기능을 가지고 있는 것들로 분류하며, 모발조백(毛髮早白), 탈발(脫髮), 모발희소(毛髮稀疏), 불택(不澤), 건고(乾枯) 등을 치료한다.

(1) 하수오(何首烏)

【성미귀경】 고(苦), 감(甘), 삽(澁)하고 미온(微溫)하다. 간(肝), 신경(腎經).

【기능】 보익간신(補益肝腎), 오발생발(烏髮生髮)

【주치】 1) 간신양허(肝腎兩虛), 모발 영양결핍, 모발조백(毛髮早白) 혹은 발황(髮黃), 모발고황무광택(毛髮枯黃無光澤), 탈모(脫毛), 희소(稀疏).

2) 고지혈(高脂血)의 비만증(肥滿症), 내분비계 문란 환자.

【용량】 10~30g. 보익정혈(補益精血)시는 제하수오(制何首烏); 해독창양(解毒瘡瘍)시는 선용(鮮用); 윤장통변(潤腸通便)시에는 생하수오(生何首烏)를 사용한다.

(2) 한련초(旱蓮草)

【성미귀경】 감(甘), 산(酸)하고 한(寒)하다. 간(肝), 신경(腎經).

【기능】 보신익음(補腎益陰), 오발생발(烏髮生髮)

【주치】 1) 간신양허(肝腎兩虛), 모발조백(毛髮早白), 모발탈락(毛髮脫落), 건조(乾燥), 아치송동(牙齒松動).

2) 미발희소색담(眉髮稀疏色淡).

【용량】 10~15g. 생 것은 두배로 하며, 외용 시에는 적당량을 사용.

【금기】 비위허한(脾胃虛寒)자는 금함.

(3) 보골지(補骨脂)

【성미귀경】 고(苦), 신(辛)하고 대온(大溫)하다. 비(脾), 신경(腎經).

【기능】 보신장양(補腎壯陽), 연년익수(延年益壽), 오발주안(烏髮駐顔)

【주치】 1) 하원허냉(下元虛冷), 형한지냉(形寒肢冷), 면색창백(面色蒼白), 발미불무(髮眉不茂), 성기능감퇴(性機能減退), 야뇨다(夜尿多).

2) 반독(斑禿), 탈발(脫髮).

3) 백전풍(白癜風).

4) 갑선(甲癬)

【용량】 5~10g.

【금기】 음허화왕(陰虛火旺)자는 금함.

(4) 흑지마(黑芝麻)

【성미귀경】 감(甘)하고 평(平)하다. 간(肝), 신경(腎經).

【기능】 익정혈(益精血), 윤피부(潤皮膚), 오발(烏髮)

【주치】 간신양허(肝腎兩虛), 정혈부족(精血不足), 형체소수(形體消瘦), 변비(便秘), 피부건조(皮膚乾燥), 두발건조무광택(頭髮乾燥無光澤), 호발(好發) 안질환(眼疾患).

【용량】 10~30g. 볶아서 사용하며, 오래 복용하여야 효과가 좋다.

【금기】 비허변당(脾虛便溏)자는 금함.

(5) 황정(黃精)

【성미귀경】 감(甘)하고 평(平)하다. 폐(肺), 비(脾), 신경(腎經).

【기능】보비윤폐(補脾潤肺), 익정오발(益精烏髮).

【주치】1) 모발조백(毛髮早白), 희소(稀疏), 아치송동탈락(牙齒松動脫落), 피부건조(皮膚乾燥).

2) 피부선증(皮膚癬症).

3) 비만증(肥滿症).

【용량】10~20g. 생것은 30~60g.

【금기】비허유습(脾虛有濕), 해수담다(咳嗽痰多) 및 변당(便溏)자는 금함.

(6) 측백엽(側柏葉)

【성미귀경】고(苦), 삽(澁)하고 미한(微寒)하다. 폐(肺), 간(肝), 대장경(大腸經).

【기능】량혈거풍(凉血袪風), 오발생발(烏髮生髮)

【주치】1) 예방탈발(豫防脫髮).

2) 두발탈락(頭髮脫落), 반독(斑禿), 독정(禿頂).

3) 모발고황불영(毛髮枯黃不營).

4) 두피소양(頭皮瘙痒), 두상백설다(頭上白屑多).

【용량】10~20g. 외용 시에는 적당량을 사용한다. 술과 함께 잘 어울린다.

【금기】많은 양을 복용하면 위(胃)를 상한다.

(7) 천마(天麻)

【성미귀경】감(甘)하고 평(平)하다. 간경(肝經).

【기능】식풍지양(熄風止痒), 윤부오발(潤膚烏髮)

【주치】탈발(脫髮), 반독(斑禿), 독정(禿頂), 두발희소(頭髮稀疏), 두피소양(頭皮瘙痒), 두피설다(頭皮屑多).

【용량】3~10g. 분말 복용시는 매번 1~1.5g.

(8) 반모(斑蝥)

【성미귀경】 신(辛), 한(寒)하고 유독(有毒)하다. 대장(大腸), 소장(小腸), 간(肝), 신경(腎經).

【기능】 공독수어생발(攻毒遂瘀生髮)

【주치】 1) 반독(斑禿), 탈발(脫髮).

2) 면신경마비(面神經麻痹)

【용량】 외용 시에는 적당량을 사용한다. 분말로 술, 식초 등과 함께 사용할 수도 있다.

【금기】 독(毒)이 있어 허약자나 임산부에는 사용하지 않는다.

5. 감비수신약(減肥瘦身藥)

본 약제들은 장부기기(臟腑氣機)를 조절하여 담음어혈(痰飮瘀血)을 소산(消散)시키므로써 신진대사를 촉진하여 감비(減肥;다이어트)의 작용과 함께 신체(身體)를 아름답게 하는 작용이 있다.

(1) 초결명(草決明)

【성미귀경】 감(甘), 고(苦)하고 미한(微寒)하다. 간(肝), 대장경(大腸經).

【기능】 이수통변감비(利水通便減肥), 청간명목(淸肝明目)

【주치】 1) 실증비만(實證肥滿), 형체장석(形體壯碩), 변비(便秘), 뇨황(尿黃), 구고(口苦), 급조(急躁), 식량대(食量大), 고혈압(高血壓).

2) 간경풍열(肝經風熱), 목적종통(目赤腫痛), 류누(流泪)

【용량】 10~15g.

【금기】 기허(氣虛), 양허(陽虛)자는 금함.

(2) 창출(蒼朮)

【성미귀경】 신(辛), 고(苦)하고 온(溫)하다. 비(脾), 위경(胃經).

【기능】 건비감비(建脾減肥), 양안오발(養顔烏髮)

【주치】 1) 비허습중(脾虛濕重), 형체비만(形體肥滿), 흉민완창(胸悶脘脹), 음식불다(飮食不多), 체중권태(體重倦怠), 하지부종(下肢浮腫), 백대다(白帶多), 태백니(苔白膩), 맥유활(脈濡滑).

2) 연년항쇠(延年抗衰), 안면창노(顔面蒼老), 두발조백(頭髮早白), 안목혼삽(眼目昏澀), 하지무력(下肢無力).

3) 지루성피염(脂漏性皮炎), 수족한포진(手足汗疱疹), 급만성습진(急慢性濕疹)

【용량】 5~10g.

【금기】 음허내열(陰虛內熱), 기허다한(氣虛多汗), 출혈(出血)이 있는 자는 금함.

(3) 하고초(夏枯草)

【성미귀경】 고(苦), 신(辛)하고 한(寒)하다. 간(肝), 담경(膽經).

【기능】 강압감비(降壓減肥), 청간산결(淸肝散結)

【주치】 1) 형체비건(形體肥建), 목현두운(目眩頭韻), 구고심번(口苦心煩), 고혈압(高血壓), 면색홍윤(面色紅潤).

2) 간화상염(肝火上炎), 목주창통(目珠脹痛), 목적종통(目赤腫痛), 류누(流泪).

3) 구안와사(口眼歪斜).

4) 한반(汗斑).

5) 열독울결(熱毒鬱結)로 인한 좌창(痤瘡), 결절홍종(結節紅腫).

【용량】 10~15g.

【금기】 비위허한(脾胃虛寒)자는 복용을 금함.

(4) 하엽(荷葉)

【성미귀경】 고(苦), 삽(澀)하고 평(平)하다. 심(心), 간(肝), 비경(脾經).

【기능】 건비거습(建脾祛濕), 이수소종(利水消腫)

【주치】 1) 단순성비만(單純性肥滿), 면목울창(面目鬱脹), 사지권태(四肢倦怠), 백대다(白帶多), 식소복창(食少腹脹).

2) 피부소양(皮膚瘙痒).

【용량】 3~10g, 생것(鮮)은 15~30g.

【금기】 외 복령(畏 茯笭), 고혈압 환자는 금함.

(5) 산사(山査)

【성미귀경】 산(酸), 감(甘)하고 미온(微溫)하다. 비(脾), 위(胃), 간경(肝經).

【기능】 활혈화어(活血化瘀), 강지감비(降脂減肥)

【주치】 1) 형체비만(形體肥滿), 고지혈(高脂血).

2) 피부소양(皮膚瘙痒).

3) 동상(凍傷)

【용량】 10~15g, 대량은 30g까지 사용함.

【금기】 비위허약(脾胃虛弱), 무적체(無積滯) 자는 신중히 사용한다. 많이 먹으면 쉽게 속을 비우게 하여 비위(脾胃)의 기운을 상하게 할 수 있으며, 치아손상이 있을 때는 복용을 금한다.

(6) 나복자(萊菔子)

【성미귀경】 신(辛), 감(甘)하고 평(平)하다. 폐(肺), 비(脾), 위경(胃經).

【기능】 건비소적(建脾消積), 화담감비(化痰減肥)

【주치】 담습내성(痰濕內盛), 형체비만(形體肥滿), 흉민완창(胸悶脘脹), 지체곤중(肢體困重), 대변불창(大便不暢), 태백니(苔白膩), 맥유세(脈濡細).

【용량】 6~10g.

【금기】 무(無) 식적(食積), 담체(痰滯), 기허자(氣虛者) 모두 복용하지 않는다.

(7) 의이인(薏苡仁)

【성미귀경】 감(甘), 담(淡)하고 미한(微寒)하다. 폐(肺), 비(脾), 위경(胃經).

【기능】 건비이습(建脾利濕), 청열제우(淸熱除疣)

【주치】 1) 비위습성(脾胃濕盛)에 속하는 단순성비만(單純性肥滿).

2) 편평우(扁平疣).

3) 좌창(痤瘡).

4) 치은통(齒齦痛).

5) 순종(脣腫).

6) 습(濕)으로 인한 모든 피부병.

【용량】 10~30g. 건비(建脾)는 초용(焦容), 기타는 생용(生用).

【금기】 대변건조(大便乾燥), 임산부는 조심해서 사용한다.

(8) 진피(陳皮)

【성미귀경】 신(辛), 고(苦)하고 온(溫)하다. 폐(肺), 비경(脾經).

【기능】 건비조습(建脾燥濕), 이기조중(理氣調中)

【주치】 1) 비위습성(脾胃濕盛)에 속하는 단순성비만(單純性肥滿).

2) 지갑작통(趾甲作痛)으로 걷기가 힘들 때.

3) 구취(口臭), 체취(體臭).

【용량】 3~10g.

【금기】 실열(實熱), 토혈(吐血), 자한(自汗) 등은 금함.

(9) 방이(防已)

【성미귀경】 신(辛), 고(苦)하고, 한(寒)하다. 비(脾), 신(腎), 방광경(膀胱經).

【기능】 이수거습(利水祛濕), 감비강압(減肥降壓)

【주치】신체비만, 뇨소(尿少), 하지부종(下肢浮腫), 납매(納呆), 설반대(舌胖大), 태박백(苔薄白).

【용량】5~10g.

【금기】대량으로 사용할 때는 비위(脾胃)를 상하게 할 수 있다.

(10) 택사(澤瀉)

【성미귀경】감(甘), 담(淡)하고, 한(寒)하다. 신(腎), 방광(膀胱).

【기능】이수삼습(利水滲濕), 감비연년(減肥延年)

【주치】1) 중년비만, 고혈압, 현운(眩暈), 이명(耳鳴), 백대다(白帶多), 뇨소(尿少).

2) 중노년의 양생보건.

【용량】5~10g.

【금기】신허로 인한 활정(滑精)자는 금함.

(11) 대황(大黃)

【성미귀경】고(苦)하고, 한(寒)하다. 비(脾), 위(胃), 대장(大腸), 간(肝), 심경(心經).

【기능】통사장위(通瀉腸胃), 퇴진치신(推陳致新), 청열사화(淸熱瀉火)

【주치】1) 신체비만, 식욕항진, 복부비만, 면홍구건(面紅口乾), 구강궤양(口腔潰瘍), 변비(便秘), 설홍(舌紅), 태황(苔黃), 맥삭유력(脈數有力), 청장년층에서 많이 볼 수 있다.

2) 좌창(痤瘡), 주조비(酒糟鼻)

3) 구강염(口腔炎), 구순궤양(口脣潰瘍), 모낭염(毛囊炎), 구취(口臭), 치뉵(齒衄).

4) 화상(火傷)

【용량】3~12g, 외용 시에는 적당량을 사용한다.

【금기】기혈허약(氣血虛弱), 비위허한(脾胃虛寒), 임산부(姙産婦).

6. 향구제취약(香口除臭藥)

방향성(芳香性)의 성질을 갖고 있는 본 약제들은 내복(內服)이나 외용(外用)을 통해 장부(臟腑)의 기능을 조절하고, 탁한 기운들을 제거하며, 특히 구강, 신체 특정부위의 냄새를 없애거나 감소시켜 미용의 목적에 이르게 하는 것이다. 적당하게 응용을 하면 몸에 냄새를 없앨 뿐 아니라 다른 사람들로 하여금 심신을 유쾌하게 하고, 피로를 풀어주며, 식욕을 증진시키고, 면역력을 높여 질병을 예방한다.

(1) 정향(丁香)

【성미귀경】 신(辛)하고 온(溫)하다. 비(脾), 위(胃), 신경(腎經).

【기능】 방향선투제취(芳香宣透除臭)

【주치】 1) 칠규취기(七竅臭氣)

2) 구취(口臭), 구창(口瘡).

3) 여름철 다한체취(多汗體臭).

【용량】 내복 2~5g, 환(丸), 산(散), 외용(外用)시에는 적당량.

【금기】 열병(熱病), 음허내열(陰虛內熱); 외(畏) 울금(鬱金).

(2) 목향(木香)

【성미귀경】 신(辛), 고(苦)하고 온(溫)하다. 비(脾), 위(胃), 대장(大腸), 담경(膽經).

【기능】 이기온중(理氣溫中), 향구제취(香口除臭)

【주치】 1) 비위허약(脾胃虛弱) 혹은 간기울결(肝氣鬱結)로 인해 음식물이 소화가 안되고 머물러 부식되거나 비위(脾胃)의 화(火)가 입으로 혹은 충치로 인한 입 냄새 등.

2) 액취증

【용량】 3~10g, 외용 시에는 적당량.

【금기】 진액부족(津液不足), 음허화왕(陰虛火旺)

(3) 곽향(藿香)

【성미귀경】 신(辛)하고 미온(微溫)하다. 비(脾), 위(胃), 폐경(肺經).

【기능】 방향화습(芳香化濕), 피예향구(避穢香口)

【주치】 1) 음주(飮酒) 혹은 흡연 후 입 냄새 제거.

2) 피부를 윤택하게 한다.

【용량】 5~10g, 생용(生用)은 두 배로, 외용 시에는 적당량.

【금기】 음허화왕(陰虛火旺), 위(胃)가 허약하거나 위열(胃熱)로 인한 구토(嘔吐).

(4) 단향(檀香)

【성미귀경】 신(辛)하고 온(溫)하다. 비(脾), 위(胃), 폐경(肺經).

【기능】 향체제취거반(香體除臭祛斑)

【주치】 1) 향신(香身), 향구(香口), 피예(避穢).

2) 황갈반(黃褐斑), 작반(雀斑).

【용량】 외용 시에는 적당량.

(5) 박하(薄荷)

【성미귀경】 신(辛)하고 냉(冷)하다. 폐(肺), 간경(肝經).

【기능】 방향피예(芳香避穢), 청리두목(淸利頭目)

【주치】 1) 구취(口臭).

2) 목현(目眩), 두목불청(頭目不淸).

3) 좌창(痤瘡) 초기, 폐경(肺經)에 풍열(風熱)이 있을 때.

4) 황갈반(黃褐斑)

【용량】 3~10g, 오래 달이면 안됨, 외용 시에는 적당량.

【금기】 음허혈조(陰虛血燥), 간양편항(肝陽偏亢), 표허다한(表虛多汗)

(6) 초두구(草豆蔻)

【성미귀경】 신(辛)하고 온(溫)하다. 비(脾), 위경(胃經).

【기능】 온중도체(溫中導滯), 향구제취(香口除臭)

【주치】 본 약재는 비위(脾胃)가 허약하여 한습(寒濕)으로 인해 음식이 정체(停滯)하여, 이것이 오래되면 열(熱)로 화하는데, 이때 발생한 구취(口臭).

【용량】 1~6g.

【금기】 음허내열(陰虛內熱), 음혈부족(陰血不足), 한습(寒濕)이 없는 자.

(7) 빈랑(檳榔)

【성미귀경】 신(辛), 고(苦)하고 온(溫)하다. 위(胃), 대장경(大腸經).

【기능】 행기소적(行氣消積), 방향제취(芳香除臭)

【주치】 구취(口臭), 체취(體臭).

【용량】 15~30g, 외용 시 적당량.

【금기】 비허변당(脾虛便溏)

7. 기타약(其他藥)

본 약재들은 치료효과가 확실하고, 치료를 통해 미용의 작용을 일으키는 것들이다. 각종 피부(皮膚), 모발(毛髮), 조갑(爪甲) 등의 여러 손미성질병(損美性疾病)에 사용한다.

(1) 황금(黃芩)

【성미귀경】 고(苦)하고 한(寒)하다. 폐(肺), 위(胃), 대장경(大腸經).

【기능】 청열조습(淸熱燥濕), 사화해독(瀉火解毒)

【주치】 1) 좌창(痤瘡), 홍종결절(紅腫結節), 농(膿)이 보이고, 염증(炎症)이 확실할 때, 변비(便秘), 구고(口苦), 설홍태황(舌紅苔黃), 맥삭유력(脈數有力)

2) 간열(肝熱)로 인해 눈이 밝지 못할 때(시물불청;視物不淸)

【용량】 3~10g, 외용 시에는 적당량.

【금기】 비위허한(脾胃虛寒), 소식(小食), 변당(便溏).

(2) 황련(黃連)

【성미귀경】 고(苦)하고 한(寒)하다. 심(心), 간(肝), 위(胃), 대장경(大腸經).

【기능】 청열조습(淸熱燥濕), 사화해독(瀉火解毒)

【주치】 1) 창독(瘡毒), 피부화농성감염(皮膚化膿性感染), 염증(炎症)이 확실할 때, 구건구고(口乾口苦), 심번실면(心煩失眠), 소변단적(小便短赤), 설홍태황(舌紅苔黃).

2) 구창구취(口瘡口臭), 순치건조(脣齒乾燥), 심번(心煩) 등 심비적열(心脾積熱).

3) 순풍(脣風), 충순(茧脣), 순종(脣腫) 등 비경습열(脾經濕熱).

【용량】 2~10g, 외용 시에는 적당량.

【금기】 약성(藥性)이 대고대한(大苦大寒)해서 쉽게 비위(脾胃)를 상하게 하기 때문에 비위가 허약(脾胃虛弱)한 자는 금함.

(3) 황백(黃柏)

【성미귀경】 고(苦)하고 한(寒)하다. 방광(膀胱), 신(腎), 대장경(大腸經).

【기능】 청열조습(淸熱燥濕), 견신익음(堅腎益陰), 해독정창(解毒疔瘡)

【주치】 1) 좌창홍종결절(痤瘡紅腫結節), 농포(膿疱), 염증반응이 확실할 때.

2) 주조비(酒糟鼻)

3) 음허내열(陰虛內熱), 심번(心煩), 실면(失眠), 다몽(多夢), 유정(遺精), 피부건조(皮膚乾燥), 안권발흑(眼圈發黑), 설홍소태(舌紅少苔), 맥세삭(脈細數).

【용량】 3~10g, 외용 시에는 적당량.

【금기】 기허(氣虛), 양허(陽虛), 비위허(脾胃虛).

(4) 치자(梔子)

【성미귀경】 고(苦)하고 한(寒)하다. 심(心), 폐(肺), 위(胃), 삼초경(三焦經).

【기능】 청열제번(清熱除煩), 량혈해독(凉血解毒)

【주치】 1) 안면조홍(顔面潮紅), 지성피부(脂性皮膚), 좌창(痤瘡), 소변황적(小便黃赤), 대변건결(大便乾結), 구건구고(口乾口苦), 설홍태황니(舌紅苔黃膩), 맥삭유력(脈數有力).

2) 주조비(酒糟鼻)

3) 두면부의 홍반(紅斑)을 동반한 피부병, 특히 안주위피부염(眼周圍皮膚炎), 홍안병(紅眼病)

4) 심번(心煩), 실면(失眠), 피부건조(皮膚乾燥)

【용량】 3~9g, 외용 시에는 적당량.

【금기】 기허(氣虛), 양허(陽虛), 비위허(脾胃虛)는 금하고, 청열해독(清熱解毒) 시에는 생용(生用)한다.

(5) 용담초(龍膽草)

【성미귀경】 고(苦)하고 한(寒)하다. 간(肝), 담(膽), 위경(胃經).

【기능】 청간화(清肝火), 사습열(瀉濕熱)

【주치】 1) 지일성피부염(脂溢性皮膚炎), 좌창(痤瘡)인데 습열(濕熱)의 증후(症候)가 확실할 때, 소양(瘙痒), 심번이노(心煩易努), 구건구고(口乾口苦), 대변불상(大便不爽), 소변황적(小便黃赤), 설홍태니(舌紅苔膩)..

2) 여성대하황색량다(女性帶下黃色量多), 소양(瘙痒), 황갈반(黃褐斑).

3) 습진(濕疹), 대상포진(帶狀疱疹) 등 습열의 증후가 확실할 때.

【용량】 3~6g, 외용 시에는 적당량.

【금기】 비위허약(脾胃虛弱), 습열실화(濕熱實火)가 아닌 경우, 대량 사용은 금함.

(6) 인진(茵蔯)

【성미귀경】 고(苦)하고 미한(微寒)하다. 비(脾), 위(胃), 간(肝), 담경(膽經).

【기능】 청열리습(淸熱利濕)

【주치】 1) 좌창(痤瘡), 피손(皮損)상태가 결절(結節)과 농포(膿疱) 위주이고, 염증(炎症)과 습열(濕熱)이 많은 경우.

2) 습진(濕疹).

3) 담마진(蕁麻疹), 피부소양(皮膚瘙痒).

4) 비위습열(脾胃濕熱)로 인한 황갈반(黃褐斑).

【용량】 10~30g, 외용 시에는 적당량.

【금기】 체질이 허약하거나, 습열이 없는 자.

(7) 석고(石膏)

【성미귀경】 신(辛), 감(甘)하고 대한(大寒)하다. 폐(肺), 위경(胃經).

【기능】 청열사화(淸熱瀉火), 제취고치(除臭固齒)

【주치】 1) 위열구취(胃熱口臭), 구창(口瘡), 아은종통(牙齦腫痛), 치황불길(齒黃不洁)이 중초열성(中焦熱盛)에 속한 경우.

2) 주조비(酒糟鼻), 안면조홍(顔面潮紅).

3) 좌창(痤瘡)이 폐위열성(肺胃熱盛)에 속한 경우.

【용량】 15~60g, 외용 시에는 적당량.

【금기】 허한(虛寒), 혈허(血虛), 음허내열(陰虛內熱)

(8) 대청엽(大青葉)

【성미귀경】 고(苦)하고 대한(大寒)하다. 심(心), 폐(肺), 위경(胃經).

【기능】 청열량혈(淸熱凉血)

【주치】 1) 좌창감염(痤瘡感染), 염증이 확연할 때.

2) 각종 피부감염, 예) 정(疔), 절(癤), 비(痱)

3) 인후구순홍종(咽喉口脣紅腫), 구설궤양(口舌潰瘍).

4) 편평우(扁平疣).

5) 과민성피부염(過敏性皮膚炎).

【용량】 10~15g, 생용 시는 30~60g, 외용 시에는 적당량.

【금기】 비위허한(脾胃虛寒)

(9) 국화(菊花)

【성미귀경】 신(辛), 감(甘), 고(苦)하고 미한(微寒)하다. 간(肝), 폐경(肺經).

【기능】 익수주안(益壽駐顔), 청리두목(淸利頭目)

【주치】 1) 좌창(痤瘡)초기, 구진(丘疹), 폐경(肺經)에 풍열(風熱)이 있을 때.

2) 매년 여름철 지성피부가 심해질 때.

3) 각종 안과(眼科) 질환.

4) 익수주안(益壽駐顔).

5) 두부소양(頭部瘙痒), 비듬, 탈발(脫髮).

6) 액취(腋臭).

7) 비만(肥滿)이 실열(實熱)에 속하는 자.

【용량】 10~15g, 생용 시는 대량, 외용 시에는 적당량.

【금기】 기허위한(氣虛胃寒), 식소설사(食少泄瀉).

(10) 마치현(馬齒莧)

【성미귀경】 산(酸)하고 한(寒)하다. 간(肝), 대장경(大腸經).

【기능】 청열해독(淸熱解毒), 제우(除疣)

【주치】 1) 편평우(扁平疣).

2) 두선(頭癬), 소아백선(小兒白癬), 면부강진(面部糠疹).

3) 창양(瘡瘍), 구진(丘疹), 화상(火傷), 창상(創傷)으로 인해 생긴 면부반흔(面部瘢痕).

4) 액취(腋臭)

5) 피부화농성감염(皮膚化膿性感染).

6) 습진(濕疹), 접촉성피부염(接觸性皮膚炎).

【용량】 30~60g, 생용 시에는 대량, 외용 시에는 적당량.

【금기】 비위허한(脾胃虛寒), 별갑(鱉甲)과 같이 사용하지 않는다.

(11) 승마(升麻)

【성미귀경】 신(辛), 감(甘)하고 미한(微寒)하다. 폐(肺), 비(脾), 위(胃), 대장경(大腸經).

【기능】 청열거반(淸熱祛斑), 백치향구(白齒香口)

【주치】 1) 면상흑기(面上黑氣), 황갈반(黃褐斑)이 비위허약(脾胃虛弱), 기혈부족(氣血不足)에 속한 자.

2) 치황구취(齒黃口臭) 등 각종 치과(齒科) 질환.

3) 열비소양(熱痱瘙痒).

【용량】 3~10g, 외용 시에는 적당량.

【금기】 음허양항(陰虛陽亢), 허화상염(虛火上炎), 기역천식(氣逆喘息).

(12) 백선피(白鮮皮)

【성미귀경】 고(苦)하고 한(寒)하다. 비(脾), 위경(胃經).

【기능】 청열해독(淸熱解毒),

【주치】 1) 편평우(扁平疣)

2) 황갈반(黃褐斑), 면흑불청(面黑不淸)

3) 피부반흔흘탑(皮膚瘢痕疙瘩).

【용량】 6~15g, 외용 시에는 적당량.

【금기】 허한(虛寒).

(13) 형개(荊芥)

【성미귀경】 신(辛)하고 미온(微溫)하다. 폐(肺), 간경(肝經).

【기능】 거풍결부(祛風潔膚)

【주치】 1) 폐풍분자(肺風粉刺), 주조비(酒糟鼻).

2) 구안와사(口眼歪斜).

3) 담마진(蕁痲疹), 피부소양(皮膚瘙痒).

【용량】 3~10g, 오래 달이지 않는다, 외용 시에는 적당량.

【금기】 표허자한(表虛自汗), 음허(陰虛), 혈허(血虛).

(14) 만형자(蔓荊子)

【성미귀경】 신(辛), 고(苦)하고 평(平)하다. 간(肝), 위(胃), 방광경(膀胱經).

【기능】 소풍산열(消風散熱), 청리두목(淸利頭目), 호발윤면(護髮潤面)

【주치】 1) 탈발(脫髮), 비듬, 소양(瘙痒), 모발이 건조하고 광택이 없다.

2) 작반(雀斑), 면부에 미세한 주름.

3) 풍열상우(風熱上扰), 목적종통(目赤腫痛), 수명류누(羞明流泪).

【용량】 6~12g, 외용 시에는 적당량.

(15) 방풍(防風)

【성미귀경】 신(辛), 감(甘)하고 미온(微溫)하다. 간(肝), 비(脾), 방광경(膀胱經).

【기능】 거풍성습소반(祛風胜濕消斑)

【주치】 1) 풍사(風邪)로 인한 소양(瘙痒)위주의 피부병, 개(疥), 선(癬), 창(瘡), 진(疹).

2) 안면신경마비, 구안와사(口眼歪斜).

3) 주조비(酒糟鼻).

4) 백전풍(白癜風).

5) 윤부호부(潤膚護膚).

【용량】 3~10g, 외용 시에는 적당량.

【금기】 모든 음허(陰虛), 혈허(血虛).

(16) 부평(浮萍)

【성미귀경】 신(辛)하고 한(寒)하다. 폐(肺), 방광경(膀胱經).

【기능】 거풍지양(祛風止痒), 소창거반(消瘡祛斑)

【주치】 1) 각종 소양증(瘙痒症).

2) 백전풍(白癜風), 한반(汗斑).

3) 황갈반(黃褐斑), 작반(雀斑), 좌창(痤瘡).

4) 광면윤발(光面潤髮).

【용량】 3~10g, 외용 시에는 적당량.

【금기】 기허(氣虛), 혈허(血虛)로 인한 모든 피부병.

(17) 단삼(丹蔘)

【성미귀경】 고(苦)하고 미한(微寒)하다. 심(心), 심포(心包), 간경(肝經).

【기능】 활혈거어(活血祛瘀), 량혈소창(凉血消瘡)

【주치】 1) 좌창(痤瘡).

2) 황갈반(黃褐斑).

3) 반독(斑禿), 탈발(脫髮).

4) 비만(肥滿), 고지혈증(高脂血症), 흉민심계(胸悶心悸), 설질어암(舌質瘀暗) 등 어담내정(瘀痰內停)에 속하는 경우.

5) 기름으로 인한 화상(火傷).

6) 신경쇠약(神經衰弱), 실면다몽(失眠多夢).

7) 반흔흘탑(瘢痕疙瘩).

【용량】 5~15g, 술에 볶아서 쓰면 활혈(活血)의 기능이 더해진다.

【금기】 반(反) 여로(藜蘆), 어혈(瘀血)이 없는 경우.

(18) 천궁(川芎)

【성미귀경】 신(辛)하고 온(溫)하다. 심(心), 간(肝), 담경(膽經).

【기능】 거풍활혈(祛風活血), 료좌소반(療痤消斑)

【주치】 1) 황갈반(黃褐斑), 설맥(舌脈)에 어혈(瘀血)의 상(象)이 있는 경우.

2) 좌창(痤瘡), 주조비(酒糟鼻).

3) 편평우(扁平疣).

4) 아황구취(牙黃口臭).

5) 반독탈발(斑禿脫髮).

6) 향신(香身)의 기능.

【용량】 3~10g, 외용 시에는 적당량.

【금기】 음허(陰虛)로 인한 출혈(出血).

(19) 익모초(益母草)

【성미귀경】 신(辛), 고(苦)하고 량(凉)하다. 심(心), 간(肝), 방광경(膀胱經).

【기능】 활혈화어(活血化瘀), 결면윤부(潔面潤膚)

【주치】 1) 황갈반(黃褐斑).

2) 분자좌창(粉刺痤瘡)이 혈열어혈(血熱瘀血)에 속하는 경우.

3) 면약(面藥)에 속하기 때문에 좌창, 황갈반을 예방한다.

4) 빈혈(貧血), 구순조갑색담(口脣爪甲色淡).

【용량】10~15g, 많게는 30g까지 사용, 외용 시에는 적당량.

【금기】음허혈소(陰虛血少).

(20) 도인(桃仁)

【성미귀경】고(苦)하고 평(平)하다. 심(心), 폐(肺), 간(肝), 대장경(大腸經)에 들어간다.

【기능】활혈거어(活血祛瘀), 윤택피부(潤澤皮膚)

【주치】1) 피부가 혈열(血熱)로 인해 소양(瘙痒), 혹은 가을이나 겨울철에 피부가 건조하거나, 혹은 건성피부(乾性皮膚).

2) 황갈반(黃褐斑)이 혈어(血瘀)로 인한 경우.

3) 좌창(痤瘡)이 담어응결(痰瘀凝結)로 인해 피손(皮損)이 낭종(囊腫), 결절(結節), 반흔(瘢痕) 위주일 때.

4) 주조비(酒糟鼻).

5) 조백(早白), 탈발(脫髮).

6) 피부가 거칠고 주름이 있을 때.

【용량】6~10g, 외용 시에는 적당량.

【금기】어혈(瘀血)이 없거나, 임산부, 각혈(咯血).

(21) 홍화(紅花)

【성미귀경】고(苦)하고 평(平)하다. 심(心), 폐(肺), 간(肝), 대장경(大腸經).

【기능】소간해울(疏肝解鬱), 활혈통경(活血通經)

【주치】1) 혈허혈어(血虛血瘀), 월경부조(月經不調), 정서불안(情緒不安), 납차(納差), 안면고조소택(顔面枯燥少澤), 이생색반(易生色斑).

2) 황갈반(黃褐斑)이 혈어(血瘀)로 인한 경우.

3) 좌창구진결절색암홍(痤瘡丘疹結節色暗紅), 오랜 기간 없어지지 않을 때.

【용량】3~10g, 외용 시에는 적당량.

【금기】 기허혈소(氣虛血少), 임산부.

(22) 자초(紫草)

【성미귀경】 고(苦)하고 한(寒)하다. 심(心), 간경(肝經).

【기능】 량혈활혈(凉血活血), 퇴반소창(退斑消瘡)

【주치】 1) 좌창(痤瘡).

2) 편평우(扁平疣).

3) 백전풍(白癜風).

4) 황갈반(黃褐斑), 면부색소침착(面部色素沈着).

【용량】 3~10g, 외용 시에는 적당량.

【금기】 비허설사(脾虛泄瀉).

(23) 견우자(牽牛子)

【성미귀경】 신(辛), 온(溫)하고 소독(少毒)이 있다. 폐(肺), 대장경(大腸經).

【기능】 사하거적(瀉下去積), 거간윤부(去皯潤膚), 감비정면(減肥淨面).

【주치】 1) 위장적열(胃腸積熱), 담습(痰濕), 비만, 대변비결(大便秘結), 유성피부(油性皮膚), 이생좌창(易生痤瘡).

2) 분자좌창(粉刺痤瘡).

3) 작반(雀斑), 황갈반(黃褐斑).

4) 세면용(洗面用).

【용량】 3~10g, 산제(散劑) 1.5~3g, 외용 시에는 적당량.

【금기】 체질허약, 임산부.

(24) 밀타승(密陀僧)

【성미귀경】 함(咸), 신(辛), 평(平)하고 유독(有毒)하다. 간(肝), 비경(脾經).

【기능】 소반윤부(消斑潤膚), 제취료좌(除臭療痤)

【주치】 1) 면상흑기(面上黑氣), 황갈반(黃褐斑), 피부건조(皮膚乾燥), 주름.

2) 광윤피부(光潤皮膚).

3) 일광성 화상(日光性火傷).

4) 좌창(痤瘡), 주조비(酒糟鼻).

5) 호취(狐臭).

6) 구창(口瘡), 구기열취(口氣熱臭).

【용량】 0.3~0.9g, 외용 시에는 적당량.

【금기】 체질허약.

(25) 노회(蘆薈)

【성미귀경】 고(苦)하고 한(寒)하다. 간(肝), 대장경(大腸經).

【기능】 청열통변(淸熱通便), 호부윤부(護膚潤膚)

【주치】 1) 황갈반(黃褐斑), 작반(雀斑), 주름.

2) 좌창(痤瘡).

3) 일광성 화상(日光性火傷).

4) 피부창상(皮膚創傷), 일반 화상(火傷).

5) 샴푸시 사용.

【용량】 2~4g, 일반적으로 환(丸), 산제(散劑), 탕제는 사용 안함, 외용 시에는 적당량.

【금기】 월경(月經), 임신(姙娠), 설사(泄瀉), 변혈(便血), 비위허약(脾胃虛弱)

(26) 행인(杏仁)

【성미귀경】 고(苦), 미온(微溫)하고 소독(少毒)이 있다. 폐(肺), 대장경(大腸經).

【기능】 소좌거우(消痤去疣), 윤면증백(潤面增白)

【주치】 1) 좌창(痤瘡), 분자(粉刺) 위주.

2) 편평우(扁平疣).

3) 양협적양(兩頰赤痒).

4) 윤면증백(潤面增白).

【용량】 5~10g, 외용 시에는 적당량.

【금기】 양허해수(陽虛咳嗽), 설사(泄瀉).

(27) 반하(半夏)

【성미귀경】 신(辛), 온(溫)하고, 유독(有毒)하다. 폐(肺), 비(脾), 위경(胃經).

【기능】 화담감비(化痰減肥), 소창산결(消瘡散結), 열택면목(悅澤面目).

【주치】 1) 담습내성(痰濕內盛)으로 인한 비만.

2) 황갈반(黃褐斑), 면상흑기(面上黑氣).

3) 윤부증백(潤膚增白).

4) 면색위황(面色萎黃), 지체침중(肢體沈重), 기와(嗜臥), 복창(腹脹), 소화불량(消化不良).

5) 주조비(酒糟鼻), 비부홍자종(鼻部紅紫腫).

6) 담어형좌창(痰瘀型痤瘡), 피손(皮損)이 낭종결절(囊腫結節), 반흔(瘢痕)위주.

7) 반흔흘탑(瘢痕疙瘩).

【용량】 5~15g, 외용 시에는 적당량.

【금기】 반(反) 오두(烏頭), 음허(陰虛), 열병(熱病).

하편 제4절 미용방제(美容方劑)

미용방제는 인체의 아름다움을 회복하고 촉진시키는 데 목적이 있고, 그 방약의 조성법칙(組成法則)은 "군(君), 신(臣), 좌(佐), 사(使)"의 원칙을 따르고 있다. 치료대상은 보건(保健)과 미용(美容)을 원하는 건강한 사람들과 손미성개변(損美性改變)을 주요 증상(症狀) 표현으로 하는 질병을 가진 사람들을 포함한다. 미용방제는 모두가 외용(外用)으로도 직접적인 미용효과가 있지만 더욱 중요한 것은 내복(內服)하였을 때 장부기혈(臟腑氣血)을 조절하여 안으로부터 밖으로 미용의 효과를 추구하는 것이다.

1. 윤부증백방(潤膚增白方)

(1) 경옥고(瓊玉膏)

【출처】《홍씨집험방;洪氏集驗方》

【조성】인삼(人蔘) 750g, 생지황(生地黃) 8kg, 복령(茯苓) 1.5kg, 백밀(白蜜) 5kg.

【용법】고(膏)로 만들어 복용, 1일 2회, 매회 6~9g. 미주(米酒)나 온수(溫水)에 복용.

【기능】익기양음(益氣養陰), 윤부증백(潤膚增白)

【응용】기음부족(氣陰不足)에 사용한다. 형용소수초췌(形容消瘦憔悴), 피부건조(皮膚乾燥), 순열구건(脣裂口乾), 모발건고(毛髮乾枯), 대변건결(大便乾結), 기단핍력(氣短乏力), 본방은 장기간 복용한다. 건성피부(乾性皮膚)의 추동(秋冬)계절의 보건방법으로도 사용.

(2) 자조양영탕(滋燥養營湯)

【출처】《적수현주;赤水玄珠》

【조성】당귀(當歸) 6g, 생지황(生地黃), 숙지황(熟地黃), 백작(白芍), 황금(黃芩), 진교(秦

芄) 각 4.5g, 방풍(防風) 3g, 감초(甘草) 1.5g.

【용법】 수전복(水煎服), 일(日) 일제(一劑).

【기능】 양음윤조(養陰潤燥), 활혈거풍(活血袪風)

【응용】 피부건조(皮膚乾燥), 군열(皸裂), 소양(瘙痒); 모발건고불택(毛髮乾枯不澤), 두피설다(頭皮屑多), 조갑고조무광택(爪甲枯燥無光澤).

(3) 백양피탕(白楊皮湯)

【출처】《의방유취;醫方類聚》

【조성】 백양피(白楊皮) 25g, 도화(桃花) 30g, 동과인(冬瓜仁) 40g.

【용법】 분말 복용, 1일 2회, 매회 3g, 온주(溫酒)에 타서 먹는다.

【기능】 세기증백(細肌增白)

【응용】 두면수족피부(頭面手足皮膚)가 거칠고 색이 검을 때, 오랜 기간 복용하면 광택이 나고 하얀 피부가 된다.

(4) 복식변백방(服食變白方)

【출처】《본초강목;本草綱目》

【조성】 눈상지(嫩桑枝;여린 뽕나무 가지) 적당량.

【용법】 응달에 말려서 꿀로 작은 크기의 환(丸)을 만들어 매일 술과 함께 60환을 복용한다.

【기능】 윤부변백(潤膚變白)

【응용】 정상피부의 보건용, 피부가 거칠고 색이 검을 때.

(5) 칠백고(七白膏)

【출처】《어원약방;御院藥方》

【조성】 백지(白芷), 백렴(白蘞), 백출(白朮) 각 30g, 백급(白及) 15g, 복령(茯苓), 백부자

(白附子), 세신(細辛) 각 9g.

【용법】 분말을 계란과 함께 큰 환을 만들어 응달에 말리어 보관, 저녁에 세안(洗顔) 후에 온수(溫水)에 풀어서 얼굴에 바른다.

【기능】 윤부증백(潤膚增白)

【응용】 정상피부의 보건용, 건성피부(乾性皮膚), 피부가 거칠고 주름이 많고 어두울 때.

(6) 령면색백방(令面色白方)

【출처】《외태비요;外台秘要》

【조성】 양지(羊脂), 구지(狗脂) 각 200g, 백지(白芷) 100g, 초오두(草烏頭) 14매(梅), 대조(大棗) 10매(梅), 사향(麝香) 약간, 도인(桃仁) 14매(梅), 구 감초(炙甘草) 10g, 반하(半夏) 15g.

【용법】 상약(上藥)을 함께 달여서 백지가 색이 황색으로 되면 그 액을 얼굴에 바른다.

【기능】 윤부증백(潤膚增白)

【응용】 피부를 보호하고 보건용으로 사용하며, 얼굴을 하얗게 하여 백옥같은 광채를 지니게 한다.

2. 열용증안방(悅容增顔方)

(1) 순양홍장환(純陽紅妝丸)

【출처】《보제방;普濟方》

【조성】 보골지(補骨脂) 120g, 호도육(胡桃肉) 120g, 연자육(蓮子肉) 30g, 호로(葫蘆;조롱박) 120g.

【용법】 분말로 만들어 풀을 이용해 작은 환을 만든다. 1일 2회, 매회 30환(丸), 온주(溫酒)와 함께 복용한다.

【기능】 온보하원(溫補下元), 승양홍안(升陽紅顔)

【응용】 신양편허(腎陽偏虛), 면색황백(面色晄白), 정신피로(精神疲勞), 구순색담(口脣色淡), 사지불온(四肢不溫), 요슬냉통(腰膝冷痛), 성기능 강하(性機能降下), 양위(陽痿), 조설(早泄), 설담윤(舌淡潤), 맥침(脈沈).

(2) 우유환(牛乳丸)

【출처】《양안여감비자연요법;養顔與減肥自然療法》

【조성】 우유(牛乳) 250g, 생강즙(生薑汁) 120g, 복령(茯苓) 15g, 인삼(人蔘) 15g.

【용법】 인삼과 복령을 분말로 만들어 우유와 생강즙을 섞어 같이 끓여, 환을 만들어 복용한다. 1일 3회, 매회 20환(丸), 따뜻한 물로 복용한다.

【기능】 개위건비(開胃建脾), 보익기혈(補益氣血), 열용홍안(悅容紅顔).

【응용】 비위허약(脾胃虛弱) 혹은 오랜 병, 큰 병을 앓았거나, 기혈양허(氣血兩虛), 면색불화(面色不華), 결핍혈색(缺乏血色), 순갑색담(脣甲色淡), 모발무광택(毛髮無光澤), 사지권태(四肢倦怠), 납차(納差), 설담맥약(舌淡脈弱).

(3) 소동파순문탕(蘇東坡順問湯)

【출처】《준생팔첨;遵生八箋》

【조성】 건강(乾薑) 6g, 홍조(紅棗);거핵(去核) 2kg, 백염(白鹽);초황(炒黃) 60g, 구감초(炙甘草) 30g, 정향(丁香) 1.5g, 목향(木香) 1.5g, 진피 적당량.

【용법】 상약(上藥)을 모두 절구에 찧어서 병에 보관해 두었다가 소량씩 끓여 복용한다.

【기능】 온중건비(溫中建脾), 양혈홍안(養血紅顔).

【응용】 비위허한(脾胃虛寒), 기혈부족(氣血不足), 면색황백(面色晄白), 구순고위(口脣枯萎), 형체소수(形體消瘦), 완복은통(脘腹隱痛), 희온희안(喜溫喜按), 납소변당(納少便溏).

(4) 귀비탕(歸脾湯)

【출처】《제생방;濟生方》

【조성】 인삼(人蔘) 15g, 황기(黃芪) 30g, 백출(白朮) 30g, 감초(甘草) 8g, 목향(木香) 15g, 당귀(當歸) 3g, 용안육(龍眼肉) 30g, 복신(茯神) 30g, 산조인(酸棗仁) 30g, 원지(遠志)(蜜炙) 3g, 생강(生薑) 6g, 대조(大棗) 5매(梅).

【용법】 수전복(水煎服), 1일 1제.

【기능】 보비양심(補脾養心), 안신열용(安神悅容)

【응용】 1) 사려과도(思慮過度), 노상심비(勞傷心脾), 비실건운(脾失建運), 심혈암모(心血暗耗). 안면위황(顔面萎黃), 형용초췌(形容憔悴), 정신핍비(精神乏憊), 심계실면(心悸失眠), 안륜진조(眼輪振躁), 설담맥약(舌淡脈弱)이 나타날 때 .

2) 부녀자 빈혈(貧血), 월경과다(月經過多). 안면위황(顔面萎黃), 구순색담(口脣色淡), 조갑박약(爪甲薄弱), 모발희소황연(毛髮稀疏黃軟), 기억력강하(記憶力降下), 심계실면(心悸失眠).

3. 주안거추방(駐顔去皺方)

(1) 청아환(青娥丸)

【출처】《태평혜민화제국방;太平惠民和劑局方》

【조성】 호도(胡桃) 20 개, 파고지(破古紙) 240g, 마늘 120g, 두충(杜冲) 500g.

【용법】 작은 크기의 환을 만들어 매일 30 환(丸)을 복용한다.

【기능】 주안색(駐顔色), 오생발(烏生髮), 장근골(壯筋骨)

【응용】 중노년의 신장(腎臟)의 기운이 약해져, 요통(腰痛), 형용노쇠(形容老衰), 백발탈발(白髮脫髮), 피부색침암(皮膚色沈暗) 등이 나타날 때.

(2) 각노양용환(却老養容丸)

【출처】《태평성혜방;太平聖惠方》

【조성】 황정(黃精) 6 kg (생용;生用, 즙(汁)을 사용한다), 생지황(生地黃) 2.5 kg (즙을 사용), 꿀 3000ml.

【용법】 상약(上藥)을 큰 환을 만들어, 1일 3회, 매번 온주(溫酒)와 함께 복용한다.

【기능】 익기양음(益氣養陰), 항쇠주안(抗衰駐顔)

【응용】 비신부족(脾腎不足), 기음양허(氣陰兩虛)로 인해 미노선쇠(未老先衰), 형용초췌(形容憔悴), 피부건조무광택(皮膚乾燥無光澤), 조백(早白), 탈발(脫髮), 소수(消瘦), 핍력(乏力), 구건(口乾), 납소(納少), 변비(便秘), 설담태소(舌淡苔少), 맥허(脈虛) 등의 증상이 나타날 때.

(3) 선련환(仙蓮丸)

【출처】《원생사서;援生四書》

【조성】 연화(蓮花) 210g, 우(藕;연뿌리) 240g, 연자육(蓮子肉) 240g.

【용법】 상약(上藥)을 함께 돌솥에 볶은 후 말려 분말로 만든다. 이 분말로 작은 크기의 환(丸)을 만들어, 1일 3회, 매회 10g, 온수(溫水)에 복용한다.

【기능】 양심신(養心腎), 건비기(建脾氣), 항노쇠(抗老衰)

【응용】 심비기허(心脾氣虛)로 인한 신피(神疲), 심계(心悸), 실면(失眠), 식소(食少), 변당(便溏), 사지무력(四肢無力), 면색불화(面色不華), 소수(消瘦), 기육송연(肌肉松軟) 등의 증상이 있을 때.

(4) 정년방(定年方)

【출처】《태평성혜방;太平聖惠方》

【조성】 백급(白及) 75g, 백출(白朮) 150g, 세신(細辛) 60g, 백부자(白附子)(생용;生用))

60g, 방풍(防風) 60g, 백반(白礬) 45g, 당귀(當歸) 30g, 고본(藁本) 45g, 천궁(川芎) 45g, 복령(茯苓) 90g, 호박분(琥珀粉) 15g, 진주분(珍珠粉) 15g, 유분(乳粉) 1g.

【용법】 분말로 만들어 계란흰자와 흰 꿀을 함께 반죽해 손으로 꽈배기 모양을 만든다. 이것을 잘 포장해서 응달에서 건조한 다음, 60 일이 지나서 쇠처럼 단단해 지면 바로 사용할 수 있다. 이 때는 다시 분말로 만들어 매일 저녁 세안 후에 얼굴 팩으로 사용한다.

【기능】 소흑기(消黑氣), 눈피부(嫩皮膚), 주안색(駐顔色)

【응용】 면용창노(面容蒼老), 부색침암(膚色沈暗), 피부조조(皮膚粗糙), 추문(皺紋;주름).

(5) 호부항추산(護膚抗皺散)

【출처】《실용미용중약;實用美容中藥》

【조성】 당귀(當歸), 단삼(丹蔘), 황기(黃芪), 생지(生地), 맥문동(麥門冬), 백지(白芷), 백부자(白附子) 각(各) 50g, 인삼(人蔘) 15g, 전칠(田七) 25g.

【용법】 곱게 분말로 만들어 신선한 계란과 꿀이나 물을 약간 섞어 팩을 한다. 1주에 1회.

【기능】 영양피부(營養皮膚), 증백거추(增白祛皺)

【응용】 일상 피부관리법, 계속해서 꾸준히 사용하면 피부의 노화를 방지할 수 있다.

4. 오발생발방(烏髮生髮方)

(1) 칠보미발단(七寶美髮丹)

【출처】《의방집해;醫方集解》

【조성】 하수오(何首烏), 적백(赤白) 각(各) 300g, 복령(茯苓), 당귀(當歸), 토사자(免絲子), 구기자(枸杞子) 각(各) 150g, 파고지(破古紙) 120g.

【용법】 큰 크기의 밀환(蜜丸)을 만들어 아침, 저녁으로 1 환, 따뜻한 소금물로 복용한다.

【기능】 보신정(補腎精), 익간혈(益肝血), 오수발(烏鬚髮)

【응용】 1) 간신부족(肝腎不足), 미노선쇠(未老先衰), 수발(鬚髮), 조백(早白), 두발탈락희소(頭髮脫落稀疏), 요슬산연(腰膝酸軟), 몽정유정(夢精遺精).

2) 반독(斑禿), 지루성탈발(脂漏性脫髮), 백발(白髮) 등 간신정혈(肝腎精血)이 부족할 경우.

(2) 거습건발탕(祛濕建髮湯)

【출처】《장지예피부병의안선췌;張志禮皮膚病醫案選萃》

【조성】 백출(白朮) 15g, 택사(澤瀉) 9g, 저령(豬苓) 15g, 천궁(川芎) 9g, 차전자(車前子) 15g, 비해(萆薢) 15g, 적석지(赤石脂) 12g, 백선피(白鮮皮) 15g, 상심자(桑椹子) 9g, 건지황(乾地黃) 12g, 숙지황(熟地黃) 12g.

【용법】 탕제, 1일 1제(劑), 2번 나누어 복용(服用).

【기능】 건비거습(建脾祛濕), 고신생발(固腎生髮)

【응용】 반독(斑禿), 지루성탈발(脂漏性脫髮), 증상성탈발(症狀性脫髮) 등 변증(辨證)이 하원휴허(下元虧虛), 비위습열(脾胃濕熱)에 속하는 경우. 두발유니조습(頭髮油膩潮濕), 두피광량(頭皮光亮), 지성피부(脂性皮膚), 설홍태황니(舌紅苔黃膩), 맥유삭(脈濡數).

(3) 통규활혈탕(通竅活血湯)

【출처】《의림개착;醫林改錯》

【조성】 도인(桃仁), 홍화(紅花) 각(各) 9g, 적작(赤芍), 천궁(川芎) 각(各) 3g, 홍조(紅棗, 거핵;去核) 7개(個), 사향(麝香) 0.15g, 황주(黃酒) 250g.

【용법】 탕제로 복용.

【기능】 활혈통규(活血通竅), 양발거반(養髮祛斑)

【응용】 1) 반독(斑禿), 심한경우는 전신탈모(全身脫毛).

2) 어혈(瘀血)로 인한 황갈반(黃褐斑).

3) 암자색(暗紫色)을 띤 오래된 주조비(酒糟鼻).

4) 백전풍(白癜風)이 얼굴부위 위주(爲主)인 경우.

(4) 양혈식풍생발탕(凉血熄風生髮湯)

【출처】《중서의결합치료피부병성병;中西醫結合治療皮膚病性病》

【조성】 생지황(生地黃) 12g, 국화(菊花) 12g, 백화사설초(白花蛇舌草) 20g, 백선피(白鮮皮) 12g, 방풍(防風) 9g, 자초(紫草) 12g, 측백엽(側柏葉) 15g, 감초(甘草) 6g.

【용법】 탕제로 복용, 1일 1제(劑).

【기능】 청열양혈(淸熱凉血), 윤조거풍(潤燥祛風)

【응용】 두발건조(頭髮乾燥), 쉽게 부러지거나 탈발(脫髮), 두피소양(頭皮瘙痒), 구건건조(口乾咽燥), 심번(心煩), 실면(失眠), 설홍태황(舌紅苔黃), 맥삭(脈數).

(5) 초환단(草還丹)

【출처】《증치준승;證治准繩》

【조성】 지골피(地骨皮) 12g, 생지황(生地黃) 12g, 토사자(免絲子) 12g, 우슬(牛膝) 10g, 원지(遠志) 10g, 석창포(石菖蒲) 10g.

【용법】 탕제로 복용, 1일 1제(劑).

【기능】 양혈오발(凉血烏髮)

【응용】 청소년 위주. 번조이노(煩燥易努), 두부열감(頭部熱感), 설홍(舌紅), 맥삭(脈數).

(6) 오발생발정(烏髮生髮酊)

【출처】《중서의결합치료피부병성병;中西醫結合治療皮膚病性病》

【조성】 서양삼(西洋參) 20g, 전칠(田七) 5g, 홍화(紅花) 10g, 천궁(川芎) 20g, 단삼 15g,

황기(黃芪) 20g, 감초(甘草) 10g.

【용법】 상약(上藥)을 75%의 알콜 1500ml에 1주간을 담가 놓아 정제를 만들어서 사용한다. 매일 3~5번을 환부에 바른다.

【기능】 익기양혈(益氣養血), 활혈생발(活血生髮)

【응용】 반독(斑禿), 두발희소황연(頭髮稀疏黃軟), 종종 오랜 병 이후에 체질허약(體質虛弱), 신피핍력(神疲乏力), 설담태소(舌淡苔少), 맥세무력(脈細無力).

(7) 반독찰제(斑禿擦劑)

【출처】《중의피부과임상수책;中醫皮膚科臨床水冊》

【조성】 여로(藜蘆), 사상자(蛇床子), 황백(黃柏), 백부(百部), 오배자(五倍子) 각 4.5g, 반모(斑蝥) 3g.

【용법】 95%의 알콜 100ml에 담가 정제를 만들어 외용으로 사용. 매일 3~4번 환부에 바름.

【기능】 거풍생발(祛風生髮)

【응용】 각종의 반독(斑禿).

5. 감비수신방(減肥瘦身方)

(1) 방이황기탕(防已黃芪湯)

【출처】《금궤요략;金櫃要略》

【조성】 방이(防已) 12g, 황기(黃芪) 15g, 백출(白朮) 9g, 감초(甘草) 6g.

【용법】 탕제, 복약 후 약간 땀을 낸다. 1일 1제(劑).

【기능】 익기건비(益氣建脾), 이수감비(利水減肥)

【응용】 비허수정(脾虛水停)에 속하는 비만(肥滿). 사지침중(四肢沈重), 다한(多汗), 이피로(易疲勞), 피부황백(皮膚晄白), 복부비만(腹部肥滿), 하지부종(下肢浮腫), 뇨소(尿少), 슬관절동통(膝關節疼痛), 백대량다(白帶量多), 설반색침암(舌胖色沈暗),

태박백(苔薄白), 맥무력(脈無力).

(2) 시호가용골모려탕(柴胡加龍骨牡蠣湯)

【출처】《상한론;傷寒論》

【조성】 시호(柴胡) 9g, 황금(黃芩) 6g, 용골(龍骨) 15g, 모려(牡蠣,선하;先下) 15g, 생강(生薑) 6g, 인삼(人蔘) 4.5g, 계지(桂枝) 6g, 복령(茯苓) 9g, 반하(半夏) 6g, 대황(大黃) 6g, 대조(大棗) 3매(枚).

【용법】 탕제, 1일 1제(劑), 2번 나누어 복용.

【기능】 화해사열(和解瀉熱), 중진안신(重鎭安神)

【응용】 허실(虛實)을 겸한 비만(肥滿)인 경우에 흉협창만(胸脇脹滿), 심번이노(心煩易努), 실면(失眠), 변비(便秘), 성욕강하(性慾降下), 월경부조(月經不調), 설담태박백(舌淡苔薄白), 맥현(脈弦) 등이 증상으로 나타날 때.

(3) 방풍통성산(防風通聖散)

【출처】《선명론방;宣明論方》

【조성】 방풍(防風), 형개(荊芥), 연교(連翹), 마황(麻黃), 박하(薄荷), 천궁(川芎), 당귀(當歸), 초백작(炒白芍), 백출(白朮), 대황(大黃), 망초(芒硝);후하(後下) 각(各) 15g, 석고(石膏), 황금(黃芩), 길경(桔梗) 각(各) 30g, 감초(甘草) 60g, 활석(滑石) 90g.

【용법】 산제(散劑)로 만들어서 복용.

【기능】 선표통리(宣表通里), 청열사화(淸熱瀉火)

【응용】 1) 실열증(實熱證)에 속하는 비만(肥滿)으로 식욕항진(食慾亢進), 대변비결(大便秘結), 급조(急躁), 고혈압(高血壓), 설홍태황(舌紅苔黃), 맥실유력(脈實有力) 등의 증상이 있을 때.

2) 두드러기, 습진(濕疹), 좌창(痤瘡), 주조비(酒糟鼻) 등이 위장적열(胃腸積熱), 열사기부(熱邪肌膚)에 속한 경우. 대변비결(大便秘結), 소변황적(小便黃赤).

(4) 청강음(淸降飮)

【출처】《북경서원의원;北京西苑醫院》

【조성】생지(生地) 10g, 유향(乳香) 10g, 포황(蒲黃) 10g, 천궁(川芎) 12g, 홍화(紅花) 12g.

【용법】탕제, 1일 1제(劑), 2번 나누어 복용.

【기능】활혈화어(活血化瘀)

【응용】어혈내정(瘀血內停)으로 인한 비만증. 흉협창통(胸脇脹痛), 번조이노(煩燥易努), 식욕항진(食慾亢進), 정서불안(情緖不安), 월경부조(月經不調) 혹은 폐경(閉經), 경혈자암(經血紫暗), 어혈다괴(瘀血多塊), 대변편건(大便偏乾), 설질자암(舌質紫暗) 혹은 어반(瘀斑), 어점(瘀点)이 있거나, 맥현삽(脈弦澀).

6. 향구제취방(香口除臭方)

(1) 함향환(含香丸)

【출처】《비급천금요방;备急千金要方》

【조성】정향(丁香) 15g, 감초(甘草) 90g, 세신(細辛) 45g, 계심(桂心) 45g, 천궁(川芎) 30g.

【용법】큰 환으로 만들어 자기 전에 입에 물고 있는 방법으로 복용한다.

【기능】산울열(散鬱熱), 산종통(散腫痛), 제구취(除口臭)

【응용】구강(口腔)의 치과질환으로 인한 모든 구취(口臭).

(2) 승마황련환(升麻黃連丸)

【출처】《기효량방;奇效良方》

【조성】승마(升麻), 진교(秦艽) 각 15g, 황련(黃連), 황금(黃芩) 각 30g, 생강(生薑), 단향

(檀香), 감초(甘草) 각 6g.

【용법】 큰 크기의 환(丸)을 만들어 아침, 저녁으로 1환, 따뜻한 물로 복용한다.

【기능】 조리장위(調理腸胃), 청열조습(淸熱燥濕)

【응용】 구취(口臭), 구순홍적(口脣紅赤), 소변적(小便赤), 대변건(大便乾), 설홍태황(舌紅苔黃), 맥현활(脈弦滑).

(3) 궁지함향환(芎芷含香丸)

【출처】《비급천금요방;备急千金要方》

【조성】 천궁(川芎), 백지(白芷), 진피(陳皮), 계심(桂心) 각 125g, 대조(大棗);거핵(去核) 250g.

【용법】 위의 4 가지 약을 분말로 만들어, 대조를 넣어 대추알 만한 크기의 환을 만든다. 식전이나 식후에 10환씩 입에 물어서 복용한다. 그냥 삼켜도 가능하다.

【기능】 온중행기(溫中行氣), 건비화위(建脾和胃)

【응용】 구취(口臭). 구중진액다(口中津液多), 구불갈(口不渴), 면색황백(面色晄白), 납소(納少), 대변부조(大便不調), 설담반(舌淡胖), 태백활윤(苔白滑潤), 맥침(脈沈).

(4) 지골피환(地骨皮丸)

【출처】《증치준승;證治准繩》

【조성】 지골피(地骨皮), 황기(黃芪). 상백피(桑白皮), 치자(梔子), 마두령(馬兜鈴) 각 등분(等分)

【용법】 큰 환을 만들어 식후, 입에 물고서 1환을 복용한다.

【기능】 사폐화담(瀉肺化痰), 배농거부(排膿祛腐)

【응용】 비색(鼻塞), 장기간의 류황농체(流黃膿涕), 구건구취(口乾口臭).

(5) 감로소독단(甘露消毒丹)

【출처】《온열경위;溫熱經緯》

【조성】활석(滑石) 450g, 인진(茵蔯) 330g, 황금(黃芩) 300g, 석창포(石菖蒲) 180g, 패모(貝母) 150g, 곽향(藿香), 사간(射干), 연교(連翹), 박하(薄荷), 백두구(白荳蔻) 각 120g.

【용법】곱게 분말로 만들어, 1일 2회, 매회 9g.

【기능】청열이습(淸熱利濕), 방향화탁(芳香化濁)

【응용】습열내온(濕熱內蘊)으로 인한 호취증(狐臭症).

(6) 생지맥동음(生地麥冬飮)

【출처】《중서의결합치료피부병성병;中西醫結合治療皮膚病性病》

【조성】생지(生地) 20g, 맥동(麥冬) 20g, 오미자(五味子) 12g, 오매(烏梅) 20g, 소맥(小麥) 20g, 모려(牡蠣) 20g, 목단피(牧丹皮) 10g, 복령(茯苓) 15g, 죽엽(竹葉) 10g, 석곡(石斛) 12g, 감초(甘草) 5g.

【용법】탕제, 1일 1제(劑), 2번 나누어 복용.

【기능】청열(淸熱), 양음(養陰), 렴한(斂汗)

【응용】음허화왕(陰虛火旺)으로 인한 호취증(狐臭症).

(7) 취향산(聚香散)

【출처】《보문의품;普門醫品》

【조성】목향(木香) 1g, 정향(丁香) 1g, 단향(檀香) 3g, 빈랑(檳榔) 2.5g, 대황(大黃) 9g.

【용법】탕제, 1일 1제(劑), 2번 나누어 복용.

【기능】사화량혈(瀉火凉血), 이기증향(理氣增香)

【응용】기체내열(氣滯內熱)로 인한 호취증(狐臭症).

(8) 투정산(透頂散)

【출처】《노부금방;魯府禁方》

【조성】빙편(氷片) 3g, 사향(麝香) 1.5g, 붕사(硼砂) 10g, 박하(薄荷) 6g.

【용법】큰 환을 만들어 주사로 옷을 입힌다. 입에 물고서 1환씩 복용한다.

【기능】방향선투(芳香宣透), 피예제취(避穢除臭)

【응용】이상체취(異常體臭), 구취(口臭)

(9) 건갈세제(乾葛洗劑)

【출처】《장지예피부병의안선췌;張志禮皮膚病醫案選萃》

【조성】갈근(葛根) 30g, 명반(明礬) 15g.

【용법】물에 우려 약물로 목욕을 한다. 2일 1회, 혹은 매일 30 분간.

【기능】거습상부(祛濕爽膚), 렴한지양(斂汗止痒)

【응용】수족다한증(手足多汗症), 액부다한(腋部多汗), 피부침지(皮膚浸漬) 등.

(10) 액취산(腋臭散)

【출처】《장지예피부병의안선췌;張志禮皮膚病醫案選萃》

【조성】밀타승 240g, 고반(枯礬) 60g.

【용법】분말로 만들어 일반적인 분으로 사용한다.

【기능】지한제취(止汗除臭)

【응용】액취(腋臭), 수족다한(手足多汗), 족취(足臭).

7. 결치고치방(潔齒固齒方)

(1) 세신산방(細辛散方)

【출처】《태평성혜방;太平聖惠方》

【조성】 세신(細辛), 승마(升麻), 지골피(地骨皮), 청호(菁蒿) 각 60g, 우슬(牛膝) 90g, 생지황(生地黃) 150g.

【용법】 상약(上藥)을 재가 될 정도로 볶아서 매일 저녁 자기 전에 잇몸에 바른다.

【기능】 청열량혈(淸熱凉血), 해독지통(解毒止痛)

【응용】 치은종통(齒齦腫痛) 등 치과질환, 구취(口臭).

(2) 치치황흑방(治齒黃黑方)

【출처】《태평성혜방;太平聖惠方》

【조성】 볶은 소금 120g, 행인(杏仁) 30g.

【용법】 치약처럼 매일 사용한다.

【기능】 결치(潔齒)

【응용】 치아가 누렇고 검으며 깨끗하지 않을 때.

(3) 백아약(白牙藥)

【출처】《어원약방;御院藥方》

【조성】 영릉향(零陵香), 백지(白芷), 청염(靑鹽), 승마(升麻) 15g, 세신(細辛) 6g, 사향(麝香) 1.5g, 석고(石膏) 30g.

【용법】 분말로 만들어 매일 아침 양치한 후에 입안을 헹군다.

【기능】 결치호치(潔齒護齒)

【응용】 아치황흑(牙齒黃黑), 치은종통(齒齦腫痛), 구취(口臭).

(4) 찰아오수약(擦牙烏鬚藥)

【출처】《의방유취;醫方類聚》

【조성】숙지황(熟地黃) 30g, 파고지(破古紙) 30g, 청염(青鹽) 15g.

【용법】분말로 만들어 양치한 후에 헹군다.

【기능】고아치(固牙齒), 오수발(烏鬚髮)

【응용】신정휴손(腎精虧損)으로 인한 수발조백(鬚髮早白), 아색암(牙色暗), 혼화(昏花) 등

8. 소반거흑방(消斑去黑方)

(1) 충화순기탕(冲和順氣湯)

【출처】《보제방;普濟方》

【조성】승마(升麻), 백지(白芷), 방풍(防風) 각 3g, 감초(甘草), 백작(白芍), 창출(蒼朮) 각 1g, 황기(黃芪) 2.5g, 인삼(人蔘) 4.5g, 갈근(葛根) 4.5g.

【용법】생강(生薑) 3편(片), 대조(大棗) 3매(枚)을 함께 넣어 달여서 복용.

【기능】건비위(建脾胃), 승청양(升清陽)

【응용】면색위황(面色萎黃), 면반(面斑), 식소변당(食少便溏), 맥약설담(舌淡脈弱).

(2) 가미소요탕(加味逍遙湯)

【출처】《호남중의잡지;湖南中醫雜誌》1992年第4期

【조성】시호(柴胡) 12g, 당귀(當歸) 10g, 천궁(川芎) 6g, 복령(茯苓) 10g, 택란(澤蘭) 6g, 울금(鬱金) 9g, 단삼(丹蔘) 12g, 생지(生地) 10g, 숙지(熟知) 10g, 향부(香附) 9g, 적작(赤芍) 6g, 백작(白芍) 6g, 계혈등(鷄血藤) 15g, 선의(蟬衣) 6g, 익모초(益母草) 10g, 자감초(炙甘草) 3g, 백강잠(白殭蠶) 6g.

【용법】1일 1제, 30일이 1 기준.

【기능】 소간이기(疏肝理氣), 활혈화어(活血化瘀)

【응용】 황갈반(黃褐斑)이 양 볼에 많고, 정서(情緖)와 생리(月經)의 상태와 관계가 있으며, 급조이노(急躁易努), 월경부조(月經不調), 납소(納少), 구고(口苦), 어반(瘀斑), 어점(瘀点) 등이 있을 때.

(3) 육미지황환(六味地黃丸)

【출처】《소아약증직결;小兒藥證直訣》

【조성】 숙지(熟地) 24g, 산수육(山茱肉) 12g, 산약(山藥) 12g, 택사(澤瀉) 9g, 복령(茯苓) 9g, 단피(丹皮) 9g.

【용법】 꿀로 큰 환을 만들어 1일 3회, 1회 1환, 공복(空腹) 시에 온수(溫水)와 함께 복용한다.

【기능】 자보간신(滋補肝腎)

【응용】 1) 간신음허(肝腎陰虛)에 속하는 황갈반(黃褐斑), 흑변병(黑變病) 등 색소성 피부병(色素性皮膚病)이 있고, 피부색이 어둡고, 피부건조(皮膚乾燥), 때로는 안권발흑(眼圈發黑), 쌍목건삽(双目乾澀), 시물불청(視物不清), 요슬산연(腰膝酸軟), 핍력(乏力), 설홍태소(舌紅苔少), 맥세삭(脈細數)의 증상이 동반 될 때.

2) 피부병(皮膚病)이 간신음허(肝腎陰虛)의 증상이 나타날 때.

(4) 청리소반방(清利消斑方)

【출처】《경험방;經驗方》

【조성】 창출(蒼朮) 10g, 인진(茵蔯) 12g, 의이인(薏苡仁)20g, 계내금(鷄內金)15g, 복령(茯苓)15g, 백출(白朮)12g, 택사(澤瀉)10g, 적작(赤芍)9g, 도인(桃仁)9g.

【용법】 1일 1제, 10일이 1 기준.

【기능】 건비(建脾), 청열(清熱), 이습(利濕), 활혈(活血)

【응용】 황갈반(黃褐斑)이 색이 깊고, 범위가 넓을 때, 유성피부(油性皮膚)에서 많이 볼 수 있다.

(5) 거반분(祛斑粉)

【출처】《중의피부과임상수책;中醫皮膚科臨床水冊》

【조성】웅황(雄黃), 유황(硫黃), 밀타승(密陀僧), 주사(朱砂) 각 6g, 자황(雌黃), 백부자(白附子) 각 15g, 백급(白及)9g, 사향(麝香), 빙편(氷片) 각 0.9g.

【용법】분말을 내어 사용한다. 생강을 썰어서 분말을 묻혀 마찰시킨다.

【기능】화영혈(和營血), 소색반(消色斑), 생모발(生毛髮)

【응용】황갈반(黃褐斑), 백전풍(白癜風), 반독(斑禿)

(6) 시엽거반고(柿葉祛斑膏)

【출처】《피부병중의진료학;皮膚病中醫診療學》

【조성】감나무잎(시엽;柿葉) 적당량.

【용법】감나무잎을 갈아 바셀린 연고와 섞어 환부에 바른다.

【기능】거반증백(祛斑增白)

【응용】황갈반(黃褐斑)

9. 치좌제조방(治痤除漕方)

(1) 비파청폐음(枇杷淸肺飮)

【출처】《의종금감;醫宗金鑑》

【조성】비파엽(枇杷葉)9g, 상백피(桑白皮)9g, 황련(黃連)9g, 감초(甘草)6g, 인삼(人蔘)6g.

【용법】탕제, 1일 1제, 1일 2회 나누어 복용.

【기능】청폐위(淸肺胃), 이습열(利濕熱)

【응용】폐위습열(肺胃濕熱)로 인한 좌창(痤瘡), 주조비(酒糟鼻), 지루성 피염(脂漏性皮炎)으로 안면조홍(顔面潮紅), 피부유니(皮膚油膩), 대변불상(大便不爽), 소변황(小便

黃), 설홍태황(舌紅苔黃), 맥삭(脈數) 등의 증상을 동반할 때.

(2) 청열양음환(淸熱養陰丸)

【출처】《중국의학대사전;中國醫學大辭典》

【조성】생지(生地), 현삼(玄蔘), 맥동(麥冬), 패모(貝母) 각 12g, 산두근(山豆根), 백작(白芍), 단피(丹皮) 각 10g, 석고(石膏)24g, 박하(薄荷)6g, 황련(黃連)6g, 감초(甘草)3g.

【용법】탕제, 1일 1제.

【기능】청열해독양음(淸熱解毒養陰), 소종산결활혈(消腫散結活血)

【응용】폐위적열(肺胃積熱)이 오래되어 진액(津液)이 상한 경우, 좌창(痤瘡)이 반복해서 발병이 되고, 병의 기간이 길고, 피부건조(皮膚乾燥) 혹은 유니(油膩), 구건구갈(口乾口渴), 대변건(大便乾), 소변황(小便黃), 설홍태소(舌紅苔少), 맥삭(脈數) 등이 나타난다.

(3) 가미완대탕(加味完帶湯)

【출처】《경험방;經驗方》

【조성】진피(陳皮), 반하(半夏), 당삼(党參) 각 6g, 차전자(車前子), 창출(蒼朮), 단피(丹皮), 백지(白芷), 백강잠(白殭蠶) 각 9g, 백작(白芍) 12g, 익모초(益母草) 15g, 초(炒白朮), 산약(山藥) 각 30g, 형개(荊芥)(탄;炭) 1.5g, 시호(柴胡) 2g, 감초(甘草) 3g.

【용법】탕제, 1일 1제, 1일 2회 나누어 복용.

【기능】건비거습(建脾祛濕), 화담산결(化痰散結), 청열활혈(淸熱活血)

【응용】좌창(痤瘡)이 반복해서 발병이 되고, 환부가 양볼 위주, 염증반응이 확실치 않을 때, 부색암담(膚色暗淡) 혹은 황백(晄白), 색소침착(色素沈着), 대하량다(帶下量多), 사지권태(四肢倦怠), 대변부조(大便不調), 설담태백(舌淡苔白), 맥완(脈緩) 등의 증상이 있을때.

(4) 대황제조환(大黃蠐螬丸)

【출처】《금궤요략;金櫃要略》

【조성】대황(大黃) 300g, 황금(黃芩) 60g, 감초(甘草) 90g, 도인(桃仁) 60g, 행인(杏仁) 60g, 백작(白芍) 120g, 건지황(乾地黃) 300g, 맹충(虻虫) 60g, 수질(水蛭) 60g, 제조(蠐螬;굼벵이) 30g, 토별충(土鱉虫) 30g.

【용법】밀환(蜜丸)으로 만들어 복용해도 좋고, 탕제로 복용해도 가능하다.

【기능】거어생신(祛瘀生新), 청열산결(清熱散結)

【응용】1) 좌창(痤瘡), 피손(皮損)형태가 구진(丘疹), 결절(結節), 농포(膿疱), 낭종(囊腫) 등과 같이 다양한 경우.

2) 반흔흘탑(瘢痕疙瘩)

3) 주조비(酒糟鼻) 후기(後期), 색자암(色紫暗), 어혈(瘀血)의 증후(證候)가 명확한 경우.

(5) 사황세제(四黃洗劑)

【출처】《현대중의약응용여연구대전 · 피부과;現代中醫藥應用與研究大典 · 皮膚科》

【조성】대황(大黃), 황금(黃芩), 황련(黃連) 각 50g, 유황(硫黃)15g.

【용법】유황을 75%의 알콜에 용해시켜 따로 보관한다. 3 가지 약의 분말을 증류수 500ml에 섞어 밀봉한 다음 일주일 후에 개봉하여 사용할 때는 거즈에 두 가지를 같이 묻혀서 바른다.

【기능】청열소염(清熱消炎)

【응용】좌창(痤瘡), 홍종결절(紅腫結節), 농포(膿疱)가 많고, 염증(炎症)이 명확할 때, 피부가 비교적 유분기가 많은 경우.

(6) 사담상(蛇膽霜)

【출처】《임상피부과잡지;臨床皮膚科雜誌》

【조성】 살모사 담즙(膽汁)

【용법】 살모사 담즙 0.5ml에 보통 스킨로션 500g에 혼합하여 사용. 아침에 세안 후 환부에 바른다.

【기능】 청열결부(淸熱潔膚), 억균용지(抑菌溶脂)

【응용】 좌창(痤瘡), 피부유니조조(皮膚油膩粗糙).

(7) 옥용분(玉容粉)

【출처】《경험방;經驗方》

【조성】 백렴(白蘞), 행인(杏仁), 백선피(白鮮皮), 백강잠(白殭蠶), 백급(白及), 단삼(丹蔘) 각 15g, 동과자(冬瓜子) 10g, 빙편(氷片) 3g.

【용법】 분말로 만들어 얼굴에 팩을 한다. 1주에 한번, 10회가 1주기.

【기능】 거풍활혈(祛風活血), 청열해독(淸熱解毒)

【응용】 피부유니(皮膚油膩), 자양불상(刺痒不爽), 좌창(痤瘡)이 구진(丘疹) 위주이고, 염증이 불확실할 때.

(8) 전도교태환(顚倒交泰丸)

【출처】《경험방;經驗方》

【조성】 유황분(硫黃粉) 3g, 대황분(大黃粉) 7g, 황련분(黃連粉) 7g, 육계분(肉桂粉) 2g, 생강(生薑) 10g.

【용법】 먼저 생강을 갈고 계란 흰자와 함께 섞는다. 거기에 분말을 넣어 반죽을 한 다음 흰 천에 두 개로 나누어 발바닥의 용천혈(湧泉穴)에 붙인다. 이틀에 한번 약을 바꿔 붙이고, 5번을 1주기로 한다.

【기능】 심신상교(心腎相交), 청열거어(淸熱祛瘀)

【응용】 피손(皮損)상태가 구진(丘疹), 소농포(小膿疱) 위주의 허화상염(虛火上炎)의 좌창(痤瘡)으로 심번실면(心煩失眠), 구설생창(口舌生瘡), 소변황적(小便黃赤), 설홍소태(舌紅少苔), 맥세삭(脈細數).

10. 거풍제습(祛風除濕), 청열해독방(淸熱解毒方)

(1) 소풍산(消風散)

【출처】《외과정종;外科正宗》

【조성】 형개(荊芥), 방풍(防風), 당귀(當歸), 생지(生地), 고삼(苦蔘), 창출(蒼朮), 선태(蟬蛻), 호마인(胡麻仁), 우방자(牛蒡子), 석고(石膏) 각 3g, 목통(木通) 1.5g, 감초(甘草) 1.5g

【용법】 탕제, 1일 한 첩, 아침、저녁으로 복용.

【기능】 양혈소풍(凉血疏風), 청열제습(淸熱除濕)

【응용】 피부소양증(皮膚瘙痒症), 피부과민(皮膚過敏), 신경성피부염(神經性皮膚炎), 만성습진(慢性濕疹).

(2) 소풍제습탕(消風除濕湯)

【출처】《장지예피부병의안선췌;張志禮皮膚病醫案選萃》

【조성】 형개(荊芥) 10g, 방풍(防風) 10g, 선태(蟬蛻) 6g, 의이인(薏苡仁) 30g, 지각(地殼) 10g, 백출(白朮) 10g, 황백(黃柏) 10g, 차전자(車前子) 15g, 차전초(車前草) 30g, 국화(菊花) 10g.

【용법】 탕제, 1일 한 첩, 아침、저녁으로 복용.

【기능】 산풍소종(散風消腫), 청열제습(淸熱除濕)

【응용】 풍습(風濕)이 상초(上焦)와 두면(頭面)로 침입한 풍종증(風腫症); 혈관 신경성 수종

(血管神經性水腫), 안면부 과민성피부염(顔面部過敏性皮膚炎), 안면풍종(顔面風腫).

(3) 보제소독음(普濟消毒飮)

【출처】《동단십서;東墻十書》

【조성】황금(黃芩) 15g, 황련(黃連) 15g, 연교(連翹) 3g, 판남근(板藍根) 3g, 마발(馬勃) 3g, 우방자(牛蒡子) 3g, 백강잠(白殭蠶) 2g, 승마(升麻) 2g, 시호(柴胡) 6g, 진피(陳皮) 6g.

【용법】탕제, 1일 한 첩, 아침、저녁으로 복용.

【기능】청열해독(淸熱解毒), 소풍산사(消風散邪)

【응용】풍열역독(風熱疫毒)의 사기(邪氣)가 두면기부(頭面肌膚)로 침입을 했을 때, 급성습진(急性濕疹), 피부염(皮膚炎), 단독(丹毒), 일광진(日光疹) 등 계속해서 감염되거나, 염증(炎症)이 명확할 때, 한전고열(寒戰高熱), 인후종통(咽喉腫痛), 설조구갈(舌燥口渴), 설홍태황(舌紅苔黃), 맥삭유력(脈數有力).

(4) 용담사간탕(龍膽瀉肝湯)

【출처】《고금의방집성;古今醫方集成》

【조성】용담초(龍膽草), 황금(黃芩), 택사(澤瀉), 차전자(車前子), 생지(生地) 각 9g, 목통(木通), 당귀(當歸), 시호(柴胡) 각 6g, 감초(甘草) 3g.

【용법】탕제, 1일 한 첩, 아침、저녁으로 복용. 병(病)이 나으면 바로 복용을 금한다.

【기능】청리간담습열(淸利肝膽濕熱)

【응용】간담실열(肝膽實熱)이나 습열(濕熱)에 속하는 지루성피부염(脂漏性皮膚炎), 접촉성피부염(接觸性皮膚炎), 급성습진(急性濕疹); 구고(口苦), 심번이노(心煩易努), 소변황적(小便黃赤), 피부조홍(皮膚潮紅), 소양(瘙痒), 기설(起屑), 설홍태황(舌紅苔黃), 맥현삭(脈弦數) 등의 증상이 동반된다.

(5) 양혈오화탕(凉血五花湯)

【출처】《장지예피부병의안선췌;張志禮皮膚病醫案選萃》

【조성】 홍화(紅花), 계관화(鷄冠花), 능소화(凌霄花), 매괴화(玫瑰花;장미) 각 9g, 야국화(野菊花) 15g.

【용법】 탕제, 1일 한 첩, 아침、저녁으로 복용.

【기능】 청열해독(淸熱解毒), 량혈활혈(凉血活血)

【응용】 모든 홍반성피부염(紅斑性皮膚炎), 병변(病變)이 신체 상부(上部)에 있는 경우; 일광성피부염(日光性皮膚炎), 주조비(酒糟鼻).

(6) 이묘산(二妙散)

【출처】《단계심법;丹溪心法》

【조성】 창출(蒼朮), 황백(黃柏) 각 등분(等分)

【용법】 분말을 내어 외용으로 사용한다.

【기능】 청열조습(淸熱燥濕)

【응용】 급성습진(急性濕疹), 접촉성피부염(接觸性皮膚炎), 지루성피부염(脂漏性皮膚炎).

(7) 소간활혈거풍방(疏肝活血祛風方)

【출처】《중의잡지;中醫雜誌》1981年 第2期

【조성】 당귀(當歸), 백작(白芍), 울금(鬱金) 각 9g, 익모초(益母草), 백질려(白蒺藜), 창이자(蒼耳子) 각 15g, 저령(豬苓) 12g, 자연동(自然銅) 15g.

【용법】 탕제, 1일 한 첩, 아침、저녁으로 복용.

【기능】 활혈거풍(活血祛風), 소간해울(疏肝解鬱)

【응용】 간울기체(肝鬱氣滯)로 인한 백전풍(白癜風). 반색담홍(斑色淡紅), 시명시암(時明時暗), 정신, 스트레스와 관계가 깊고, 여성에게서 흔히 볼 수 있으며 월경부조(月經

不調) 등의 병사(病史)와 설질암태소(舌質暗苔少), 맥현삭(脈弦數) 등의 증상을 동반한다.

(8) 비해사물탕(萆薢四物湯)

【출처】《현대중의약응용여연구대계 · 피부과;現代中醫藥應用與硏究大系 · 皮膚科》

【조성】비해(萆薢) 15g, 동과피(冬瓜皮), 적백작(赤白芍), 진교(秦艽), 방풍(防風), 황금(黃芩), 당귀(當歸), 창출(蒼朮), 창이자(蒼耳子) 각 10g, 하수오(何首烏) 20g, 택란(澤蘭) 15g, 복령(茯笭) 12g.

【용법】탕제, 1일 한 첩, 아침、저녁으로 복용.

【기능】청열이습(淸熱利濕), 활혈거풍(活血袪風)

【응용】습열(濕熱)로 인한 백전풍(白癜風).

(9) 자남방(紫藍方)

【출처】《장지예피부병의안선췌;張志禮皮膚病醫案選萃》

【조성】자초(紫草), 판남근(板藍根), 단삼(丹蔘), 대청엽(大靑葉) 각 15g, 홍화(紅花), 적작(赤芍), 향부(香附), 천산갑(穿山甲), 생용골(生龍骨), 생모려(生牡礪) 각 10g, 마치현(馬齒莧), 의이인(薏苡仁), 자석(磁石) 각 30g.

【용법】탕제, 자석、용골、모려는 선하(先下), 1일 한 첩, 아침、저녁으로 복용.

【기능】청열양혈(淸熱凉血), 연견산결(軟堅散結)

【응용】편평우(扁平疣), 담마진(蕁麻疹)

(10) 견정산(牽正散)

【출처】《양씨가장방;楊氏家藏方》

【조성】백부자(白附子), 백강잠(白殭蠶), 전갈(全蝎) 각 등분(等分)

【용법】 분말로 복용, 매회 복용시 3g, 탕제로 복용할 때는 백부자(白附子)와 전갈(全蝎)을 6g이 넘지 않도록 한다.

【기능】 거풍화담통락(祛風化痰通絡)

【응용】 면탄(面癱), 구안와사(口眼歪斜)

(11) 대진교탕(大秦艽湯)

【출처】《소문병기기선보명집;素問病機氣宣保命集》

【조성】 진교(秦艽) 90g, 감초(甘草), 천궁(川芎), 당귀(當歸), 백작(白芍), 석고(石膏), 독활(獨活) 60g, 세신(細辛) 15g, 강활(羌活), 방풍(防風), 황금(黃芩), 백지(白芷), 백출(白朮), 생지(生地), 숙지(熟地), 복령(茯苓) 30g.

【용법】 산제(散劑)로 만들어서 복용, 매회 30g씩, 1일 3번; 탕제로도 복용할 수 있다.

【기능】 거풍청열(祛風清熱), 양혈활혈(養血活血)

【응용】 구안와사(口眼歪斜)로 면기마목(面肌麻木), 이주창통(耳周脹痛), 면부작열(面部灼熱), 감각과민(感覺過敏), 구건구고(口乾口苦), 설홍태황(舌紅苔黃), 맥부삭(脈浮數) 등의 증상이 나타날 때.

11. 소반방(消斑方)

(1) 소반내복외용방(消瘢內服外用方)

【출처】《상용피부병성병험방정선;常用皮膚病性病驗方精選》

【조성】 1) 내복방(內服方) : 백지(白芷) 12g, 뇌환(雷丸) 10g, 맥동(麥冬) 12g, 원호(元胡) 12g, 도인(桃仁) 12g, 홍화(紅花) 6g, 빈랑(檳榔) 10g, 형개(荊芥) 10g.

2) 외용방(外用方) : 감수(甘遂), 원화(芫花), 백지(白芷)를 같은 양으로 분말.

【용법】 내복 시는 탕제, 1일 한 첩; 외용 시는 식초 적당량과 함께 환부에 사용.

【기능】 활혈소적(活血消積), 연견산결(軟堅散結)

【응용】 반흔(瘢痕)이 클 때.

(2) 흑포약고(黑布藥膏)

【출처】《실용피부과학;實用皮膚科學》

【조성】 검은색 식초 2500ml, 오배자(五倍子)840g, 오공(蜈蚣) 10조(條), 봉밀(蜂蜜) 180g, 매화빙편(梅花氷片) 3g.

【용법】 고(膏)로 만들어서 환부에 사용.

【기능】 파어연견(破瘀軟堅), 취독최농(聚毒催膿)

【응용】 반흔흘탑(瘢痕疙瘩), 절(癤), 모낭염 초기(毛囊炎初期), 만성비후성피부염(慢性肥厚性皮膚炎) 등, 특히 반흔흘탑(瘢痕疙瘩)에 효과가 아주 좋다.

(3) 멸반흔방(滅瘢痕方)

【출처】《비급천금요방;备急千金要方》

【조성】 우여량(禹餘粮), 생반하(生半夏) 각 등량(等量)

【용법】 상약을 분말로 만들어 계란 노른자와 함께 섞고, 환부에 거즈를 덮어 그 위에 바른다. 1일 2회.

【기능】 소제반흔(消除瘢痕)

【응용】 외상(外傷), 창상(創傷), 창양(瘡瘍) 등으로 형성된 피부 반흔(瘢痕).

제 3 장

경락미용 (經絡美容)

3 경락미용(經絡美容)

하편 제1절 경락미용의 개요(槪要)

1. 경락미용의 원리(原理)

경락미용(經絡美容)은 한방의 독특한 미용방법 중의 하나로 경락학설(經絡學說)에 근거를 두고 있으며, 보건미용(保健美容)이나 각종 손미성질병(損美性疾病)을 치료하는데 목적이 있다. 인체의 경락(經絡) 혹은 혈위(穴位)에 침(針), 구(灸), 추(推), 나(拿) 등의 방법으로 경락의 기혈(氣血)과 정기(正氣)를 조절하고 사기(邪氣)를 제거함으로써 아름다움을 유지, 회복, 촉진시킨다.

경락(經絡)과 미용(美容)의 관계를 살펴보면 인체의 두면부(頭面部)와 사지(四肢) 및 체형(體形)과는 안으로 경락과 연계가 되어 있다. 예를 들면 밖으로 표현되는 아름다움은 안으로 장부(臟腑)의 기혈(氣血)이 근본이 되는데 이때 경락(經絡)이 이들 둘 사이의 교량(橋梁) 역할을 하고 있는 것이다. 이처럼 한방미용의 약물(藥物)이나 신경(神經) 전달통로, 치료 반응 등과 같은 방법이 이를 기초(基礎)로 한다. 보사(補瀉)의 효과 역시 변증을 통한 경락 혈위(穴位)의 선택, 각기 다른 침자법(針刺法), 혹은 수법(手法)을 통해 이루어진다.

2. 경락미용의 적응증(適應症)

1) 보건미용(保健美容), 피부(皮膚)관리, 두피(頭皮)관리 등

2) 체형관리 : 단순성비만증(單純性肥滿症) 등

3) 손미성질병(損美性疾病) : 증상(症狀)은 주로 두면부(頭面部)나 팔다리의 피부질환(皮膚疾患)으로 나타나거나 혹은 내장질환(內臟疾患), 예를 들면 황갈반(黃褐斑), 좌창(痤瘡), 탈모(脫毛), 신경쇠약(神經衰弱), 간신부족(肝腎不足) 등으로 나타난다.

하편 제2절 경락미용 취혈법(取穴法)

1. 골도법(骨度法)

《영추 · 골도편(靈樞 · 骨度編)》의 취혈의 지침에 기록된 내용이 있으며 신체의 비율을 이용하여 혈의 위치를 정하므로 간편하고 정확하여 임상에서 많이 사용된다.

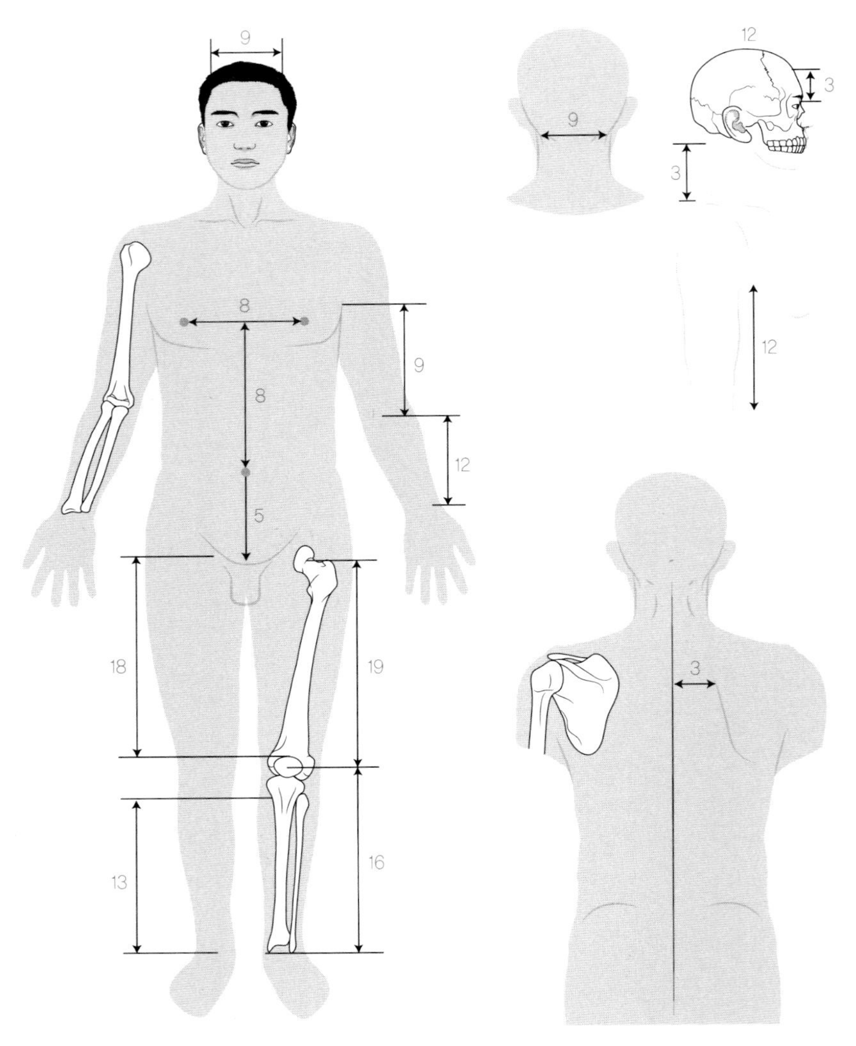

그림 3-1 골도법(骨度法)

2. 지량법(指量法)

지량법(指量法)은 경혈간 거리측량을 본인 손가락의 가로 넓이, 마디의 길이로 측량하는 방법을 말하며 일명 지촌법으로 불려진다. 기준은 중지(中指), 무지(拇指), 횡지(橫指) 등으로 구분하여 상용된다.

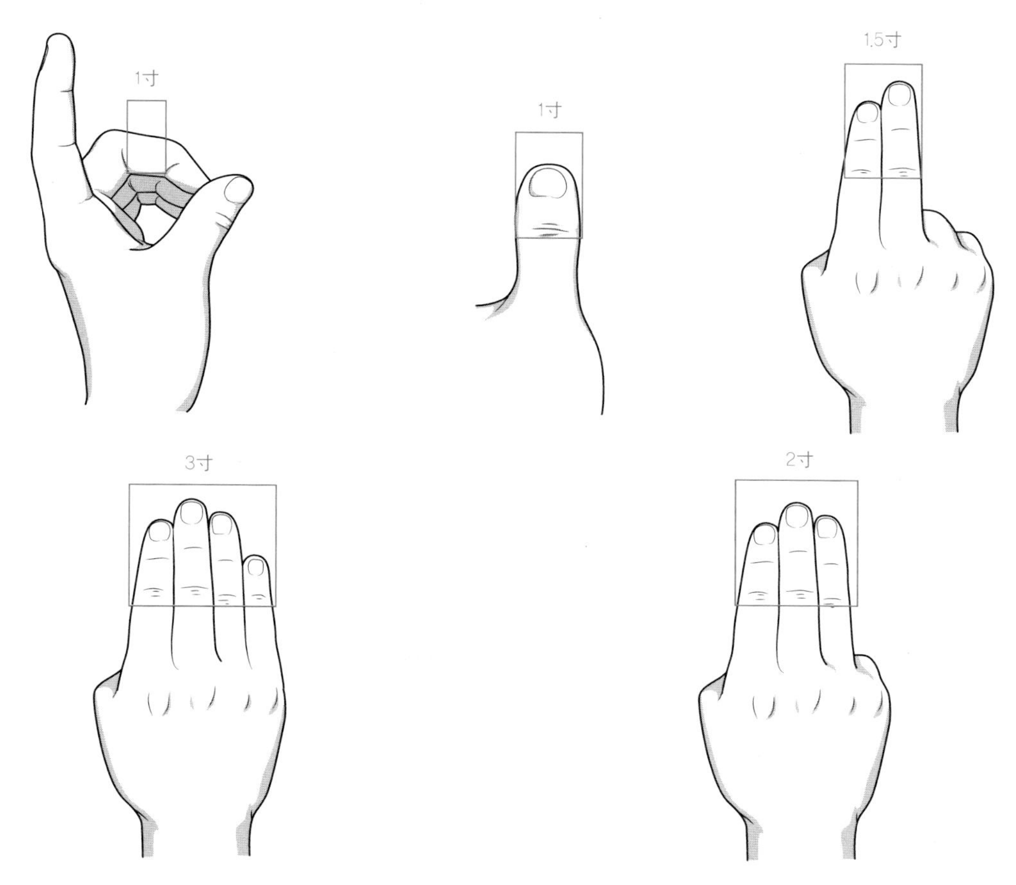

그림 3-1 지량법(指量法)

하편 제3절 경락미용 상용수혈(常用腧穴)

1. 기경팔맥(奇經八脈)

(1) 독맥(督脈)

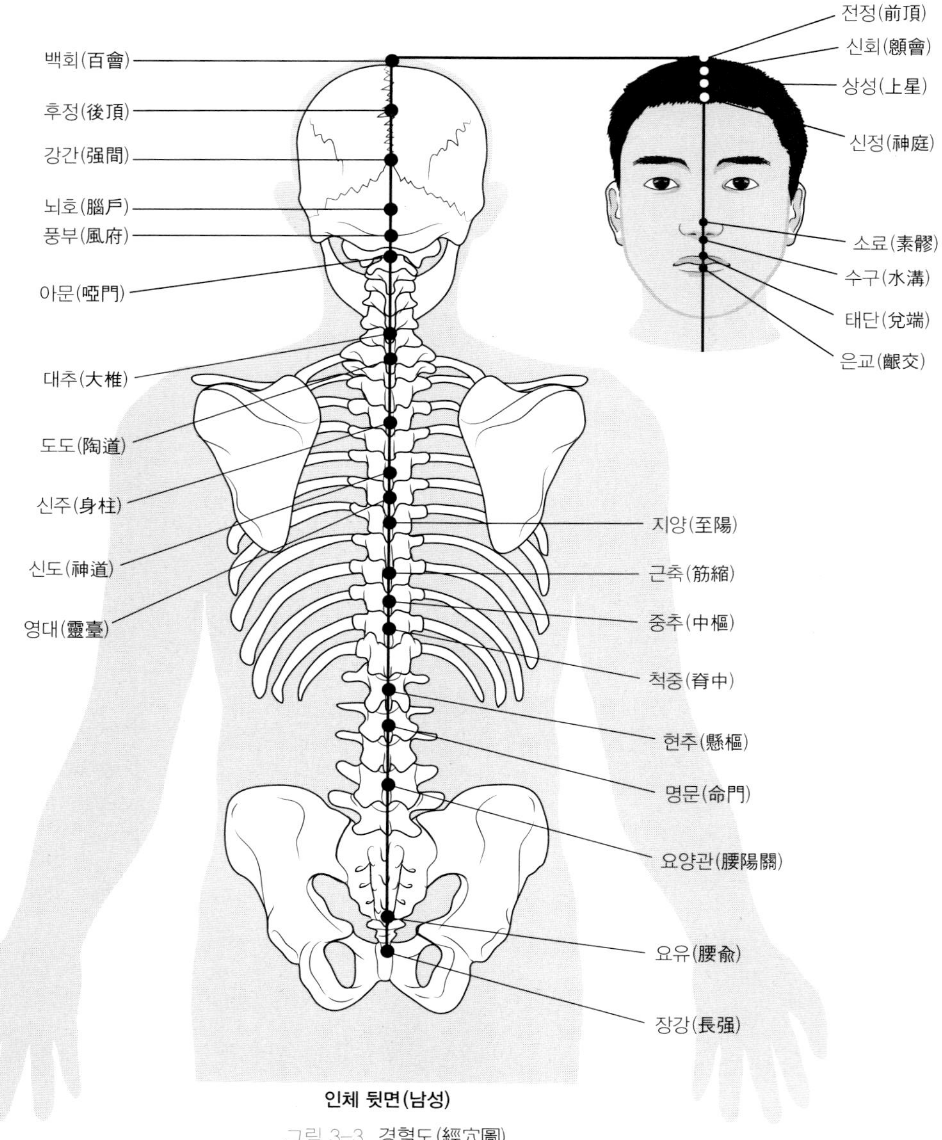

그림 3-3 경혈도(經穴圖)

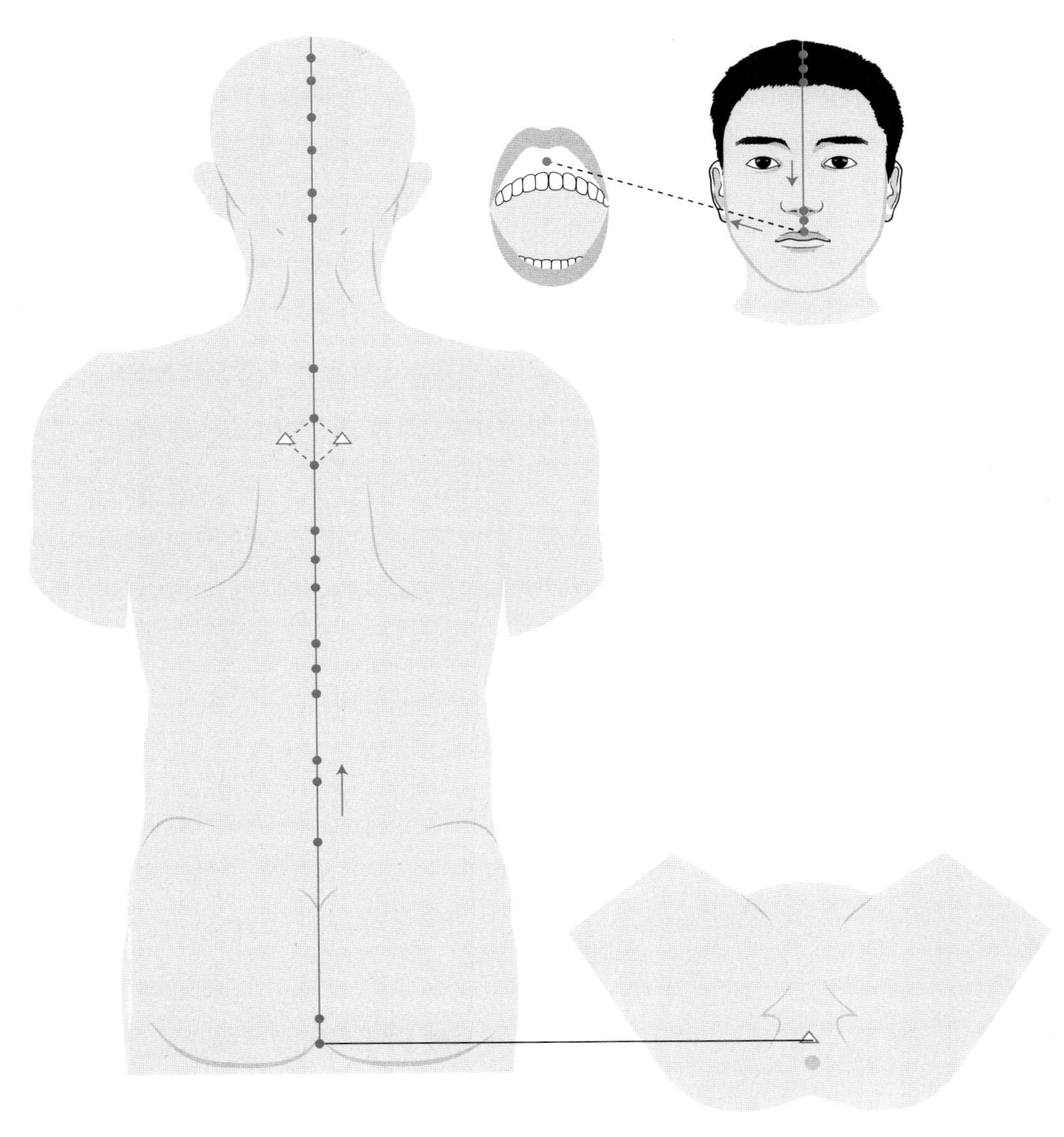

그림 3-4 유주도(流注圖)

【순행(順行)과 유주(流注)】

등의 척추 부위를 지나며, 본경은 주간(主干) 이외에 3개의 분지(分支)가 있다. 주간(主干)은 아래 복부의 회음(會陰)에서 시작하여 장강(長强)을 지나 척추 내부를 따라 위로 가서 요유(腰兪), 요양관(腰陽關), 명문(命門), 현추(懸樞), 척중(脊中), 중추(中樞), 근축(筋縮),

지양(至陽), 영대(靈臺), 신도(神道), 신주(身柱), 도도(陶道), 풍문(風門)에서 회하고 대추(大椎), 아문(啞門), 풍부(風府)를 지나 뇌(腦) 속으로 들어가 뇌호(腦戶), 강간(强間)을 지나 두부(頭部) 정상에 올라와서 후정(後頂), 백회(百會), 전정(前頂), 신회(顖會), 상성(上星), 신정(神庭)을 지나 이마를 따라 콧등에 와서 소료(素髎), 수구(水溝), 태단(兌端), 은교(齦交)를 지나서 임맥의 승장(承漿)과 서로 만난다. 후행 분지는 충맥, 임맥의 두 맥과 함께 포중(胞中)에서 시작하여 회음부에서 나온 후 미저골단(尾骶骨端)에서 족소음신경의 대퇴내측 주간(主干) 및 족태양경의 맥과 서로 회합하고 함께 척추 속으로 꿰뚫고 신(腎)에 속한다. 전행분지(前行分支)는 아랫배에서 곧바로 배꼽에 올라와서 위로 향하여 심을 꿰뚫고 인후에 도달한 후 충맥, 임맥과 서로 회합하고 아래턱으로 올라와서 입술을 감아 돌고 두 눈 아래 정중앙에 이른다. 또 하행분지(下行分支)는 족태양경과 함께 눈의 내각에서 시작하여 이마에 올라와서 두부(頭部) 정상에 교회(交會)되어 뇌에 입락(入絡)하며 또 갈라져서 목으로 내려와서 견갑골 내측과 척주 양 옆을 따라 허리에 도달한 후 척주 양측의 근육으로 진입되어 신(腎)과 서로 연락 된다.

【주치개요】

발열(發熱), 탈항(脫肛), 척추질환, 모발병변(毛髮病變), 정신병 및 오장(五臟)의 각종 질환. 상한(傷寒), 인후종통(咽喉腫痛), 치은종통(齒齗腫痛), 도한(盜汗), 척주강통(脊柱强痛), 각궁반장(角弓反張), 수족경련(手足痙攣), 중풍불어(中風不語), 간질(癎疾), 전광(癲狂), 두부동통(頭部疼痛), 목적종통(目赤腫痛), 퇴슬요배동통(腿膝腰背疼痛), 경항강직(頸項强直), 수족마목(手足痲木), 파상풍(破傷風), 치질(痔疾), 탈항(脫肛), 변비(便秘), 음부습진(陰部濕疹), 대상포진(帶狀疱疹), 좌창(痤瘡;여드름), 주조비(酒糟鼻), 은설병(銀屑病), 황갈반(黃褐斑), 두발조백(頭髮早白), 탈발(脫髮), 탈미(脫眉) 등

【소속혈】 28혈 정중단혈(正中丹穴)

【상용혈】

장강(長强), 요양관(腰陽關), 명문(命門), 근축(筋縮), 지양(至陽), 신도(神道), 신주(身柱), 대추(大椎), 풍부(風府), 백회(百會), 상성(上星), 소료(素髎), 수구(水溝:人中)

1) 장강(長强)

【정위】 미골첨단(尾骨尖端)과 항문 사이의 중간점.

【주치】 치질(痔疾), 탈항(脫肛), 변비(便秘), 음부습진(陰部濕疹), 혈변(血便).

2) 요양관(腰陽關)

【정위】 후정중선상(後正中線上), 제4요추 극돌기 아래.

【주치】 요통, 월경불순, 내분비계 질환, 생식기 질환 등.

3) 명문(命門)

【정위】 제2요추 극돌기 아래.

【주치】 형한지냉(形寒肢冷), 창백(蒼白), 월경불순, 신종(身腫), 음부습진(陰部濕疹), 각종 비뇨생식기 질환.

4) 근축(筋縮)

【정위】 제9흉추 극돌기 아래.

【주치】 황달(黃疸), 대상포진(帶狀疱疹), 흉배통(胸背痛).

5) 지양(至陽)

【정위】 제7흉추 극돌기 아래.

【주치】 황달, 흉배통(胸背痛), 은설병(銀屑病), 정창(疔瘡).

6) 신도(神道)

【정위】 제5흉추 극돌기 아래.

【주치】 좌창(痤瘡;여드름), 주조비(酒糟鼻), 은설병(銀屑病), 황갈반(黃褐斑), 심통(心痛).

7) 신주(身主)

【정위】 제3흉추 극돌기 아래.

【주치】 은설병(銀屑病), 황갈반(黃褐斑), 정창(疔瘡), 기침, 천식.

8) 대추(大椎)

【정위】 제7경추와 제1흉추 극돌기 사이.

【주치】 은설병(銀屑病), 황갈반(黃褐斑), 정창(疔瘡), 습진(濕疹), 좌창(痤瘡), 홍반랑창(紅斑狼瘡), 발열성질병.

9) 풍부(風府)

【정위】 후발제(後發際)정중선 바로 위 1촌, 후두골 돌기의 바로 아래, 양측 근육의 오목한 곳.

【주치】 탈발(脫髮), 풍진(風疹), 실음(失音), 소양증(瘙痒症), 두통현운(頭痛眩暈), 중풍불어(中風不語), 전광(癲狂).

10) 백회(百會)

【정위】 전발제(前發際)정중선 바로 위 5촌〔후발제(後發際)정중선 바로 위 7촌〕, 혹은 양쪽 귀 끝을 수직으로 연결한 선의 중간점.

【주치】 두발조백(頭髮早白), 탈발(脫髮), 탈미(脫眉), 두통, 심신불안, 이명(耳鳴), 내장하수(內臟下垂), 발열(發熱).

11) 상성(上星)

【정위】 전발제(前發際)정중선 바로 위 1촌.

【주치】 탈발(脫髮), 두발조백(頭髮早白), 주조비(酒糟鼻), 면부종통(面部腫痛).

12) 소료(素髎)

【정위】 코끝의 정중앙.

【주치】 주조비(酒糟鼻;딸기코), 혼절(昏絶), 코막힘.

13) 수구(水溝)〔인중(人中)〕

【정위】 인중구(人中溝)의 위로 1/3인 곳.

【주치】 구급혈, 혼미(昏迷), 면탄(面癱), 면종(面腫), 아관긴폐(牙關緊閉), 구창(口瘡), 구취(口臭), 순군(唇皸).

(2) 임맥(任脈)

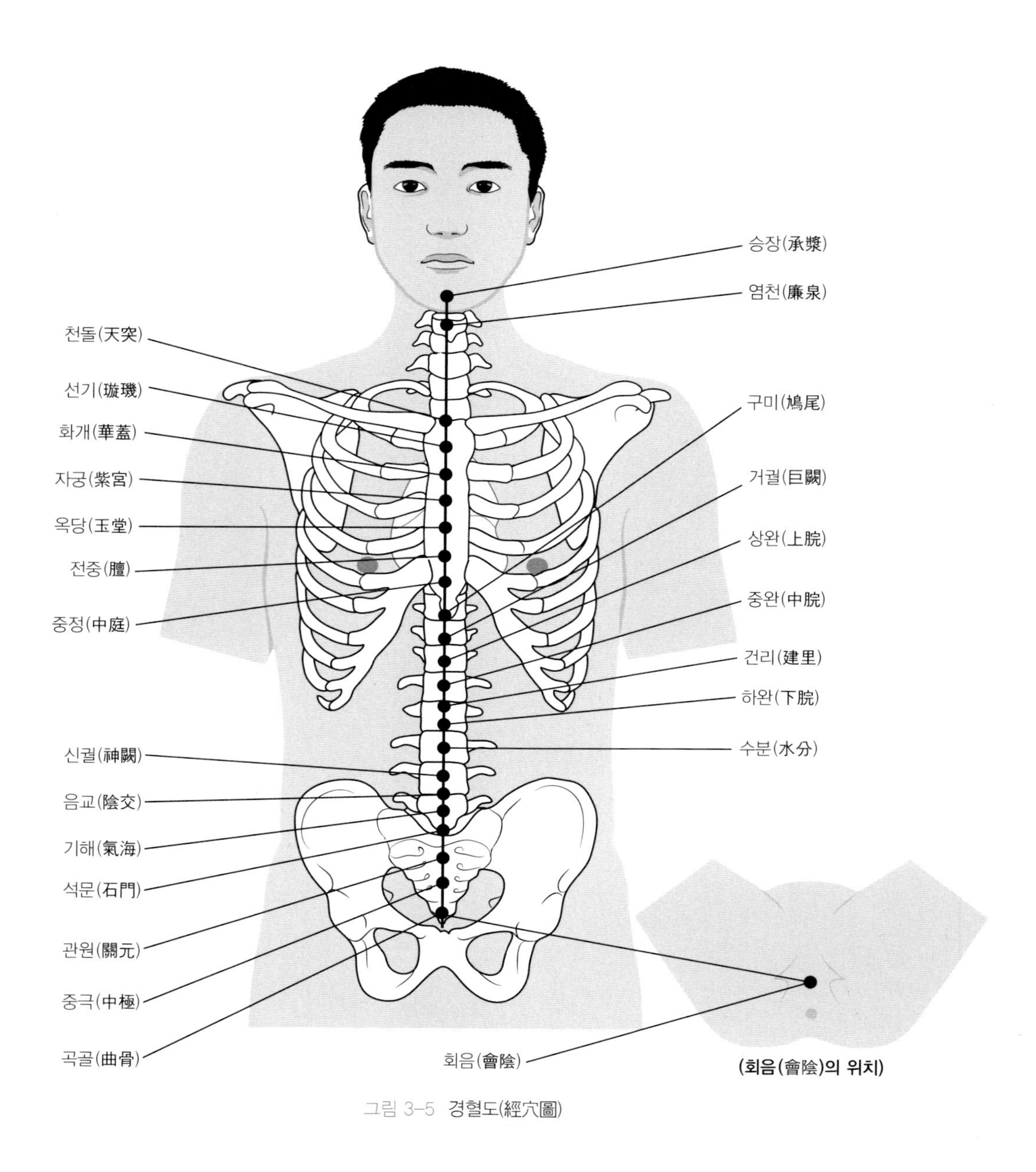

그림 3-5 경혈도(經穴圖)

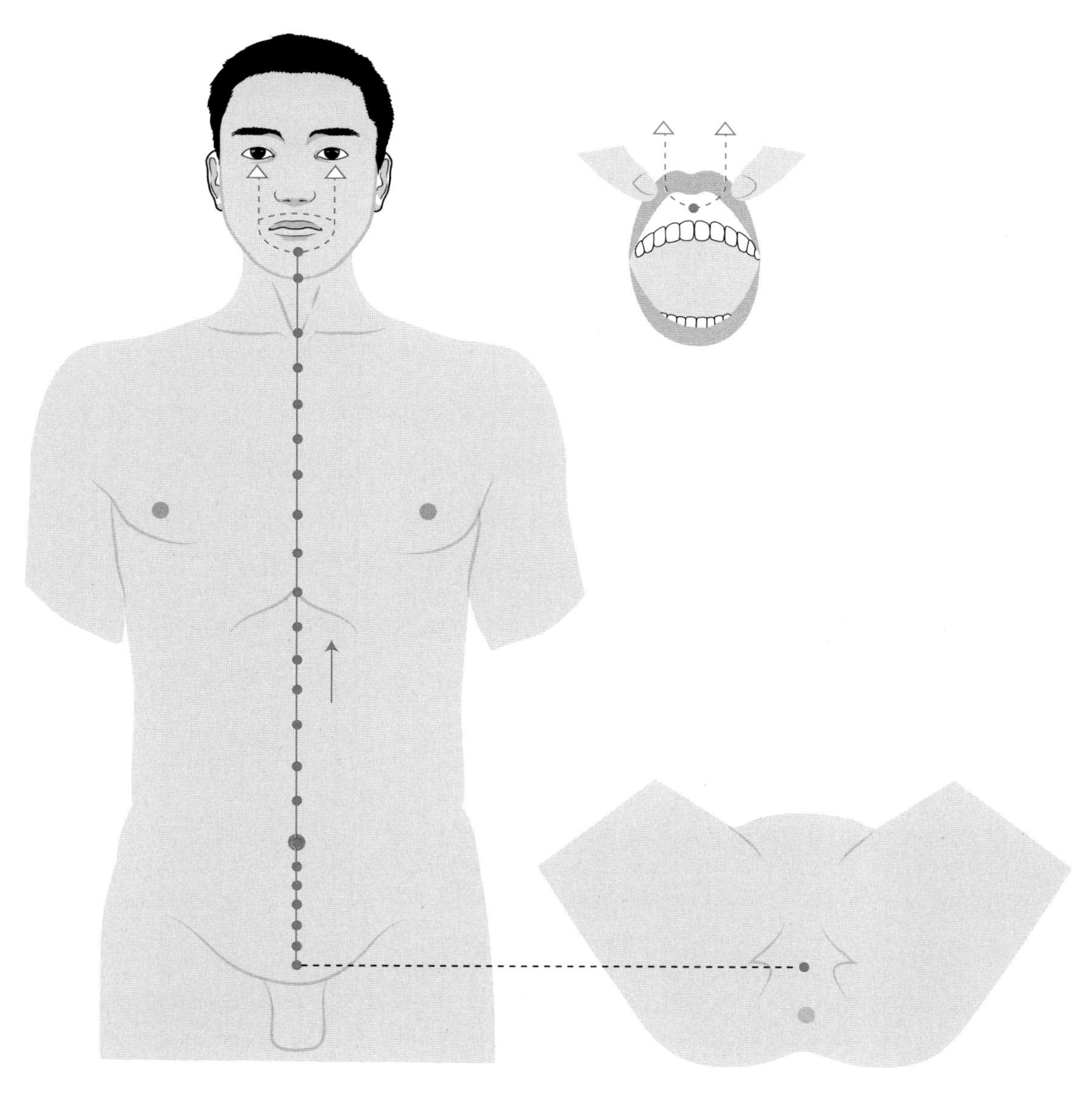

그림 3-6 유주도(流注圖)

【순행(順行)과 유주(流注)】

임맥(任脈)은 가슴 복부 정중에 순행되며 포중(胞中)에서 시작하여 아래로 이음부(二陰部) 사이의 회음(會陰) 사이에서 나와 위로 음모부(陰毛部)의 곡골(曲骨), 중극(中極)에 와서 복부(腹部) 내부를 따라 관원(關元)에 상행하여 석문(石門), 기해(氣海), 음교(陰交), 신궐

(神闕), 수분(水分), 하완(下脘), 건리(建里), 중완(中脘), 상완(上脘), 거궐(巨闕), 구미(鳩尾), 중정(中庭), 단중, 옥당(玉堂), 자궁(紫宮), 화개(華蓋), 선기(璇璣), 천돌(天突)을 지나 인후부(咽喉部)의 염천(廉泉)에 도달되며 또 위로 아래턱 입술 구(溝)의 승장(承漿)에 이르러 입술 옆 면부를 따라 눈 아래로 진입한다. 상행되는 분지는 충맥과 함께 포중(胞中)에서 회음(會陰)을 따라 등의 척수 속으로 꿰뚫고 간다.

【주치개요】
비뇨 생식기계와 소화기계의 질환. 소수 유혈의 강장작용(强壯作用)과 신지병(神志病). 면탄(面癱), 면종(面腫), 구창(口瘡), 순군(唇皸), 류연(流涎), 은종(齦腫), 구토(嘔吐), 애역(呃逆), 해수(咳嗽), 각혈(咯血), 치통(齒痛), 인종(咽腫), 소변불리(小便不利), 유방통(乳房痛), 산기(疝氣), 대하(帶下), 복중응결(腹中凝結), 치질(痔疾), 설사(泄瀉), 이질(痢疾), 학질(瘧疾), 흉완복부동통(胸脘腹部疼痛), 산후중풍(産後中風), 요통(腰痛), 사태불하(死胎不下), 제복유한냉감(諸腹有寒冷感), 소수(消瘦;여윔), 비만(肥滿), 황갈반(黃褐斑), 건조종합증(乾燥綜合證) 등

【소속혈】 24혈 정중단혈(正中丹穴)

【상용혈】
중극(中極), 관원(關元), 기해(氣海), 신궐(神厥), 중완(中腕), 구미(鳩尾), 단중(亶中), 승장(承漿)

1) 중극(中極)

【정위】 하복부의 정중선상, 배꼽 아래 4촌.

【주치】 음낭습진(陰囊濕疹), 외음소양(外陰瘙痒), 유정(遺精), 유뇨(遺尿), 소변불리(小便不利), 월경불순, 붕루(崩漏), 대하(帶下), 음정(陰挺;자궁하수).

2) 관원(關元)

【정위】 하복부의 정중선상, 배꼽 아래 3촌.

【주치】 유정(遺精), 유뇨(遺尿), 소변불리(小便不利), 월경불순, 대하(帶下), 소수(消瘦;여윔), 비만(肥滿).

3) 기해(氣海)

【정위】 하복부의 정중선상, 배꼽 아래 1.5촌.

【주치】 전신쇠약, 산후출혈(産後出血), 비만, 면종(面腫), 탈발(脫髮), 유뇨(遺尿), 붕루(崩漏), 월경불순, 산기(疝氣;복부종괴).

4) 신궐(神闕)

【정위】 복부의 정가운데, 배꼽 중앙.

【주치】 소아감적(小兒疳積), 설사(泄瀉), 면색창백(面色蒼白), 황갈반(黃褐斑), 건조종합증(乾燥綜合證).

5) 중완(中脘)

【정위】 상복부의 정중선상, 배꼽 위 4촌.

【주치】 급만성 위장질환, 소수(消瘦), 비만, 심마진(尋痲疹).

6) 전중(膻中)

【정위】 흉부의 정중선상, 제4늑간 양 유두의 연결선의 정중앙점.

【주치】 전신소양(全身瘙痒), 황갈반(黃褐斑), 유선염(乳腺炎), 젖분비 감소, 가슴빈약, 협심증(狹心症), 흉통(胸痛).

7) 승장(承漿)

【정위】 턱과 입술사이의 오목한 곳.

【주치】 면탄(面癱), 면종(面腫), 구창(口瘡), 순군(脣皸), 류연(流涎), 은종(齦腫).

2. 수삼음경(手三陰經)

(1) 수태음폐경(手太陰肺經)

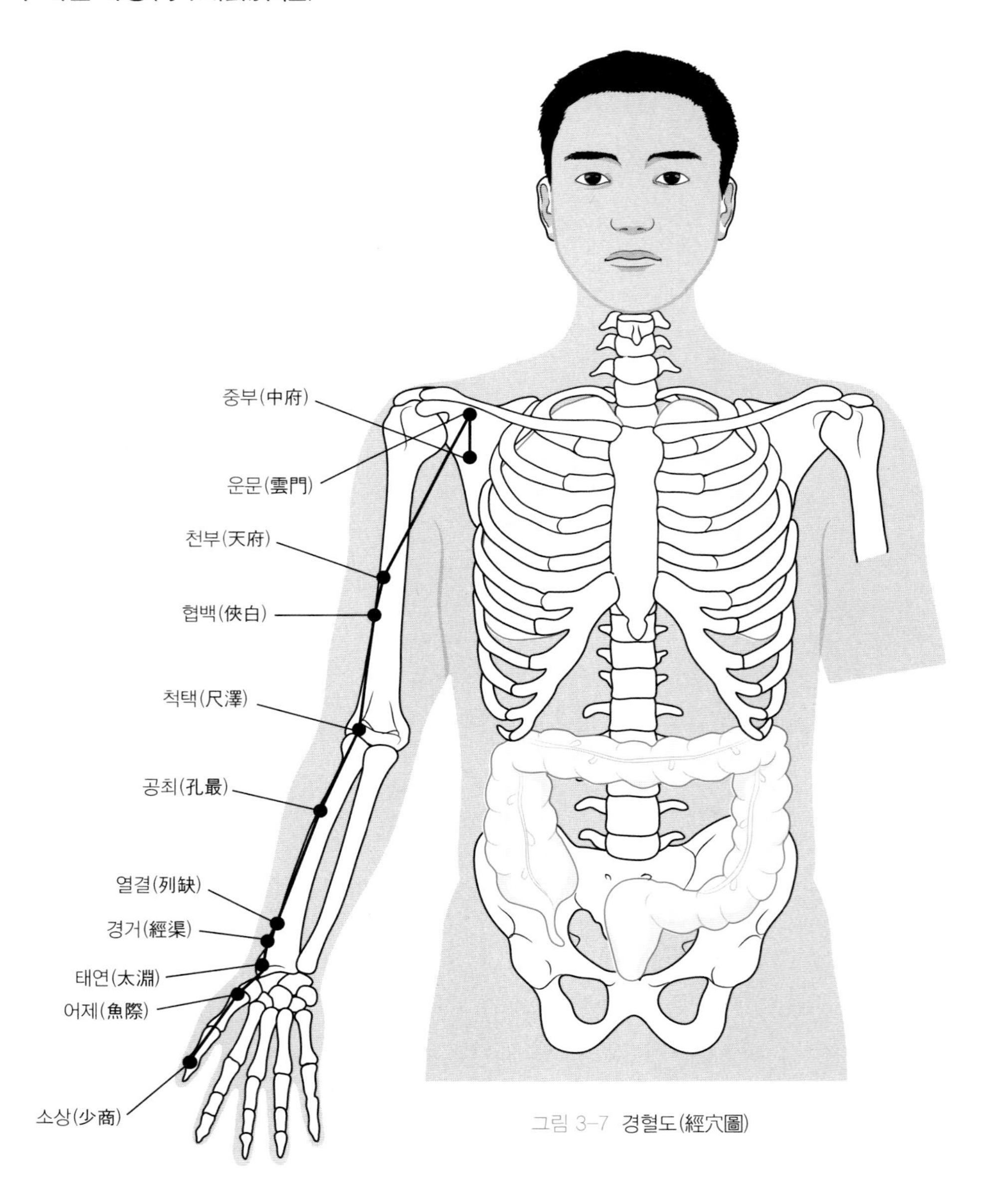

그림 3-7 경혈도(經穴圖)

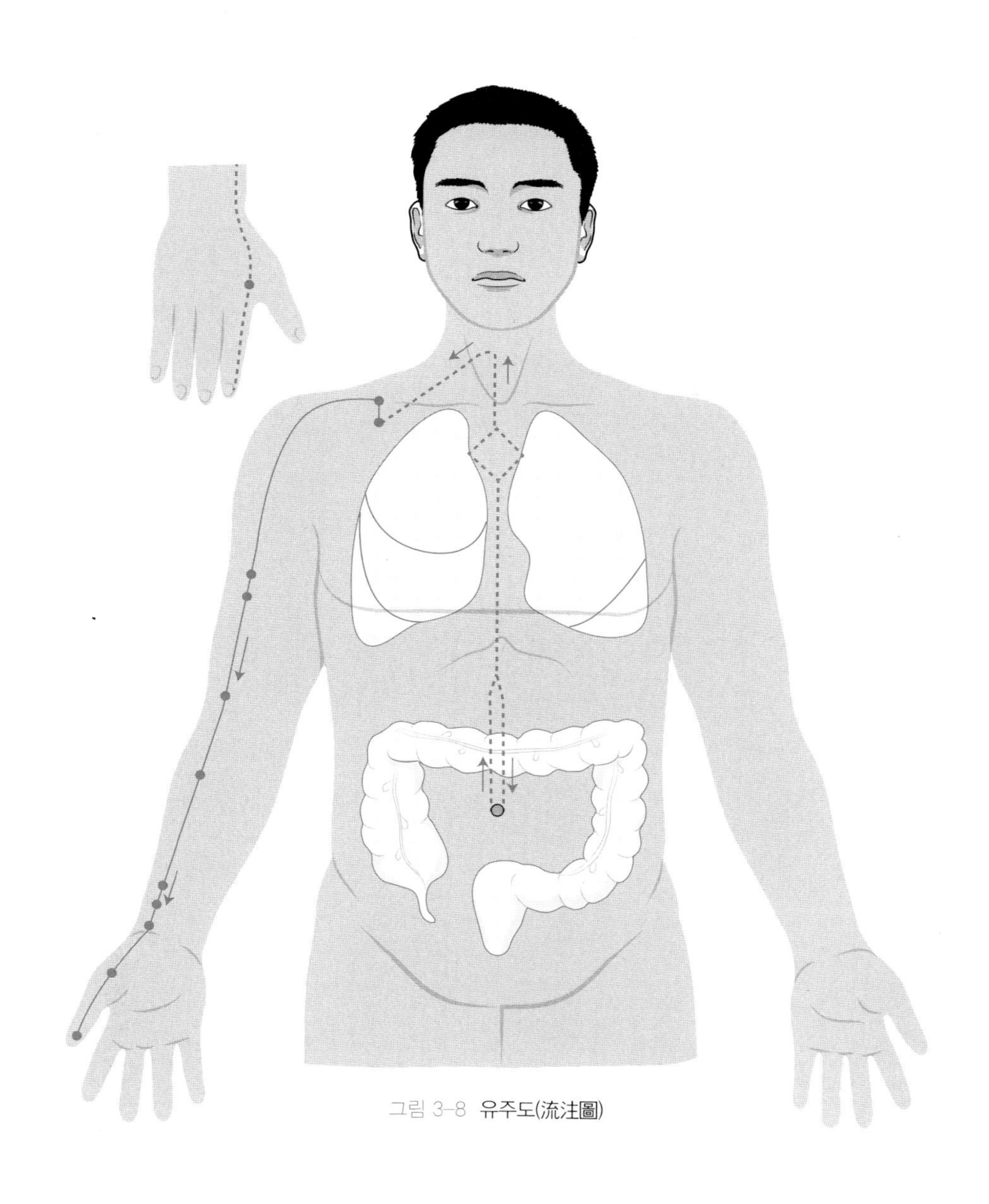

그림 3-8 유주도(流注圖)

【순행(順行)과 유주(流注)】

수태음폐경(手太陰肺經)은 상지내측 전면에 있다. 중초(胃部)에서 시작하여 아래로 내려와 대장으로 연결되고 되돌아 올라와서 위상구(胃 上口)를 따라 격기(膈肌)를 뚫고 자나서 폐로 들어가 폐장에 속한다. 폐계(氣管, 咽喉)에서 옆으로 겨드랑이에서 나와 중부(中府),

운문(雲門)을 지나 아래로 향하여 상비(上臂)의 내측을 따라 수소음, 수궐음 앞쪽으로 천부(天府), 협백(俠白)을 지나 팔굽 오금의 척택(尺澤)으로 내려와서 하비(下臂) 내측 요골(橈骨)의 요측(橈側)을 따라 공최(孔最)를 지나 촌구(寸口) 요동맥이 뛰는 곳에 진입하여 경거(經渠), 태연(太淵)을 지나 대어제(魚際) 외측 적백육제(赤白肉際)를 따라 엄지 요측의 끝 소상(少商)에 이른다. 그리고 팔목 뒤에서 열결(列缺)에서 식지 내측의 요측(橈側)으로 향하여 끝으로 나와서 지맥인 수양명대장경(手陽明大藏經)으로 접한다.

【주치개요】

흉부(胸部), 인후(咽喉), 기관(氣管), 비부(鼻部)、폐장질환(肺臟疾患)에서 본 경 순행부위의 기타 병증. 파냉발열(怕冷發熱), 무한(無汗)이나 다한(多汗), 비색두통(鼻塞頭痛), 쇄골와부동통(鎖骨窩部疼痛), 흉통(胸痛), 견배한냉통(肩背寒冷痛), 수비냉통(手臂冷痛), 해수(咳嗽), 효천(哮喘), 기급(氣急), 흉부만민(胸部滿悶), 토담연(吐痰涎), 인후건조(咽喉乾燥), 뇨색개변(尿色改變), 심번(心煩), 각혈(咯血), 수심열(手心熱), 대변당설(大便溏泄), 좌창(痤瘡), 주조비(酒糟鼻), 치통, 구안와사(口眼渦斜), 낙침(落枕), 단순포진(單純疱疹), 피부색소침착, 노년반(老年斑), 인후종통(咽喉腫痛), 중풍(中風), 혼미(昏迷), 전광(癲狂) 등

【소속혈】 11혈 좌우 22혈

【상용혈】

척택(尺澤), 열결(列缺), 소상(少商)

1) 척택(尺澤)

【정위】 주관절횡문상(肘關節橫文上), 상박이두근(上膊二頭筋)의 요골(撓骨)측의 오목한 곳.

【주치】 피부색소침착, 노년반(老年斑), 주관절동통(疼痛).

2) 열결(列缺)

【정위】 요골(撓骨)경상돌기(莖狀突起) 상방, 완횡문(腕横紋)위 1.5촌(寸). 양손교차 후 식지 끝의 오목한 곳.

【주치】 좌창(痤瘡), 주조비(酒糟鼻), 치통, 구안와사(口眼渦斜) 낙침(落枕), 단순포진(單純疱疹).

3) 소상(少商)

【정위】 요골 측 손톱각의 1푼

【주치】 발열, 인후종통(咽喉腫痛), 중풍(中風), 혼미(昏迷), 전광(癲狂).

(2) 수궐음심포경(手厥陰心包經)

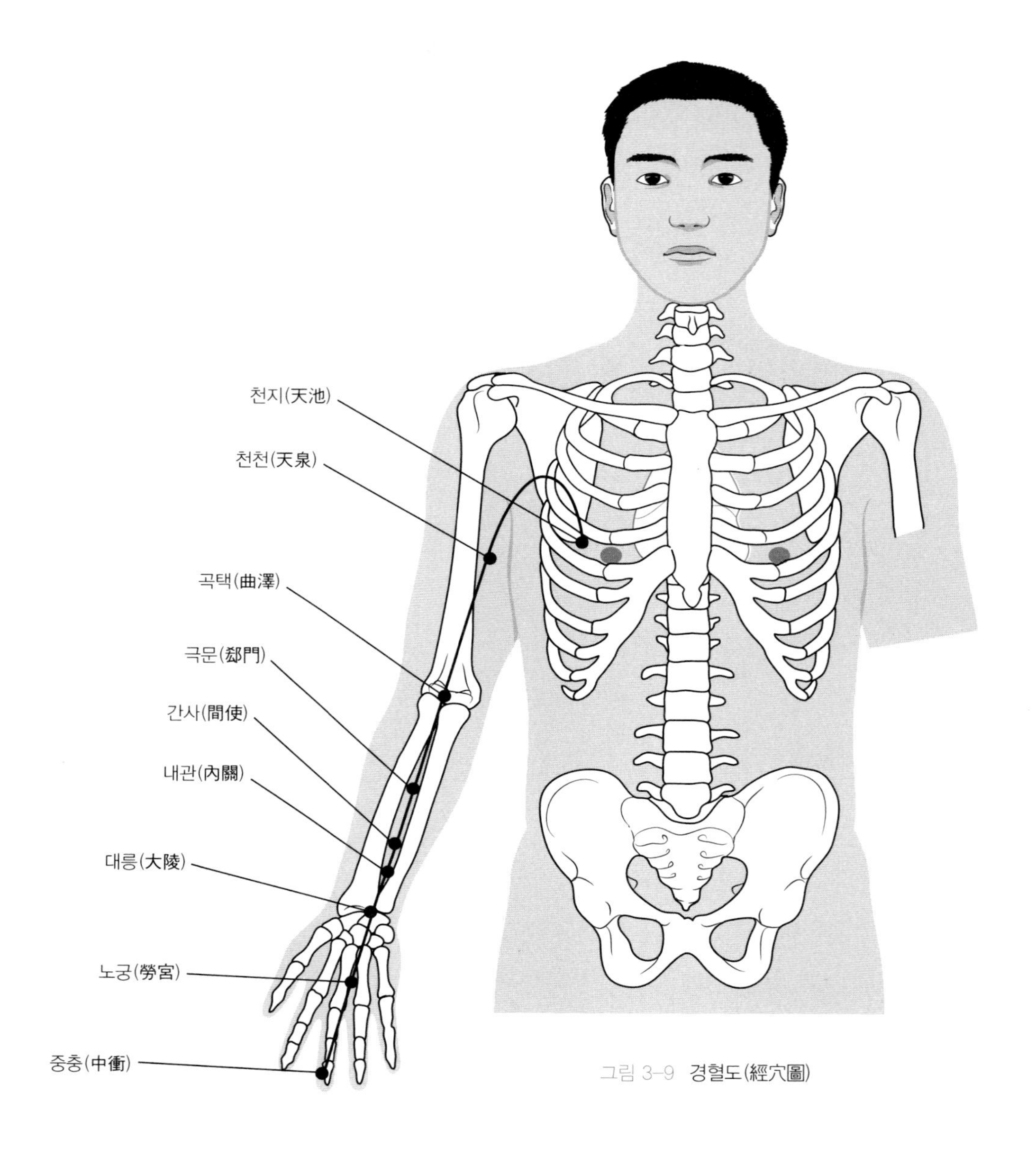

그림 3-9 경혈도(經穴圖)

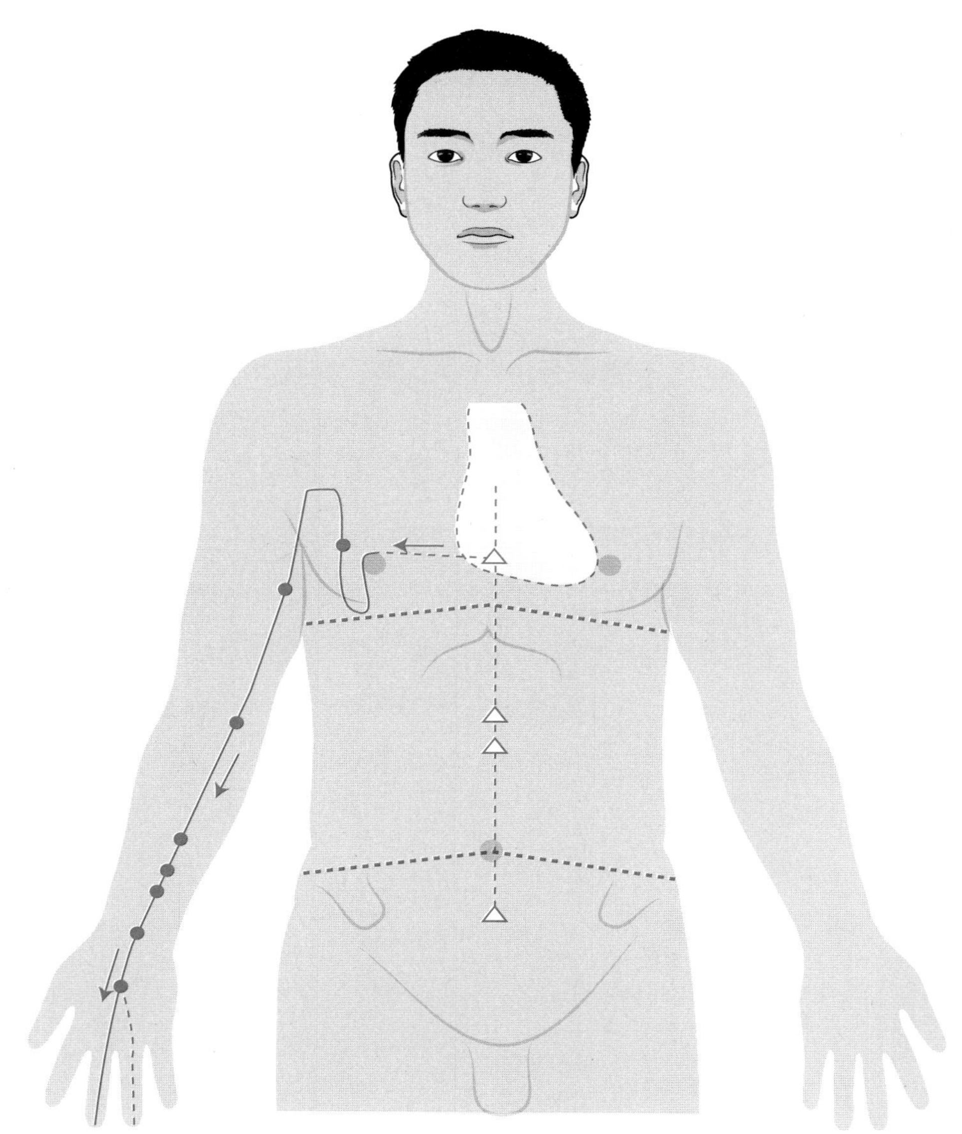

그림 3-10 유주도(流注圖)

【순행(順行)과 유주(流注)】

수궐음심포경(手厥陰心包經)은 주로 상지 내측 중간에 분포한다.

가슴 속에서 시작하여 낮게 나온 후 심포(心包)에 속(屬)하며 격기(膈肌)를 통과하여 가슴과 상복부(上腹部), 하복부(下腹部)를 지나서 삼초(三焦)에 락(絡)한다. 수궐음경의 지간맥

(支干脈)은 흉부 내측을 따라 옆구리로 나와서 겨드랑이 아래 3촌에 위치하는 천지(天池)에 이르러 다시 위쪽의 겨드랑이를 지난다. 팔 내측을 따라 천천(天泉)을 지나 수태음, 수소음 사이의 팔굽 중간으로 이어져 곡택(曲澤)을 지나고 하비(下臂)을 향하여 두 힘줄 즉 요측(橈側)의 완굴 기건(腕屈肌腱)과 장장기건(掌長肌腱) 사이의 극문(郄門), 간사(間使), 내관(內關), 대릉(大陵)을 지나서 손바닥으로 들어가서 노궁(勞宮)을 지나 중지 요측(橈側)을 따라 말단에 위치한 중충(中衝)으로 나온다. 수궐음의 지맥은 손바닥에서 갈라져서 무명지를 따라 말단에 나와서 수소양삼초경(手少陽三焦經)에 접한다.

【주치개요】

흉부(胸部)、위(胃)、설(舌)、심장(心腸), 정신질환(精神疾患)에서 본 경 순행부위의 기타 병증. 주비경련(肘臂痙攣), 수족경련(手足痙攣), 면적(面赤), 목통(目痛), 액하종(腋下腫). 수심발열(手心發熱), 섬어(譫語), 현운(眩暈), 심번(心煩), 흉협만민(胸脇滿悶), 설강불언(舌强不言), 심계불영(心悸不寧), 심통(心痛), 신지병(神志病), 대상포진(帶狀疱疹), 동창(凍瘡), 창양(瘡瘍), 구창(口瘡), 정창(疔瘡), 개선(疥癬), 수군열(手皸裂) 등

【소속혈】 9혈 좌우 18혈

【상용혈】 곡택(曲澤), 내관(內關), 대릉(大陵), 노궁(勞宮)

1) 곡택(曲澤)

【정위】 주관절의 횡문상, 상박이두박근건의 척골측.

【주치】 창양(瘡瘍), 구창(口瘡), 목적종통(目赤腫痛), 풍진(風疹), 정창(疔瘡), 개선(疥癬;옴), 협심증, 위통, 급성구토와 설사.

2) 내관(內關)

【정위】 곡택과 대릉혈의 연결선상, 손목 횡문위 2촌, 장장근건(長掌筋腱)과 요측완굴근건(橈側腕屈筋腱)사이.

【주치】 대상포진(帶狀疱疹), 동창(凍瘡), 흉협통(胸脇痛), 각종 심장병 증상.

3) 대릉(大陵)

【정위】 손목 횡문상 중점, 장장근건(長掌筋腱)과 요측완굴근건(橈側腕屈筋腱)사이.

【주치】 개선(疥癬), 수군열(手皸裂), 심계(心悸).

4) 노궁(勞宮)

【정위】 손바닥 가운데, 제2,3장골사이(제3장골쪽), 주먹을 쥘 때 중지 끝에 닿는 점.

【주치】 개선(疥癬), 수군열(手皸裂), 동창(凍瘡), 구창(口瘡), 구취(口臭), 심통(心痛).

(3) 수소음심경(手少陰心經)

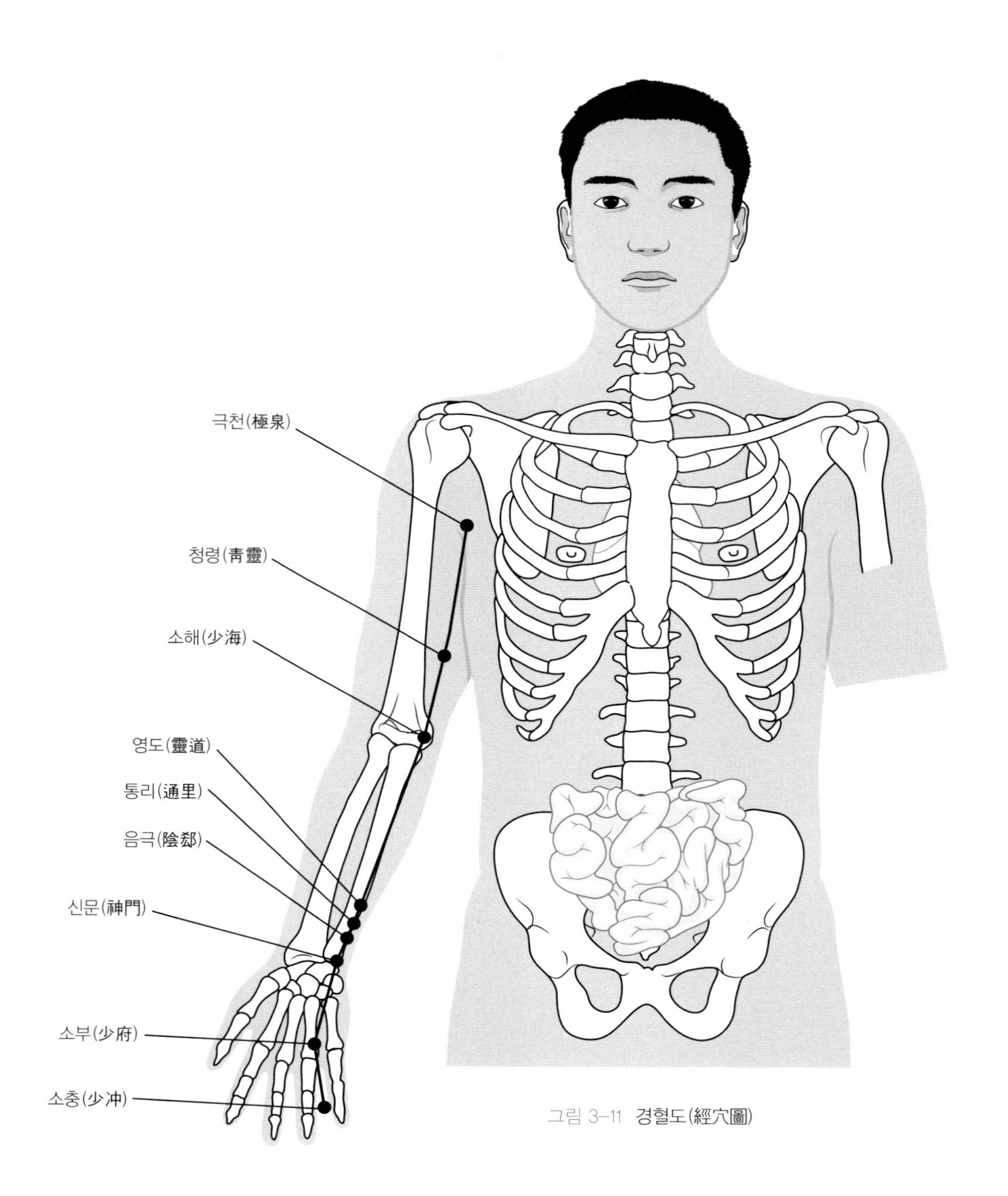

그림 3-11 경혈도(經穴圖)

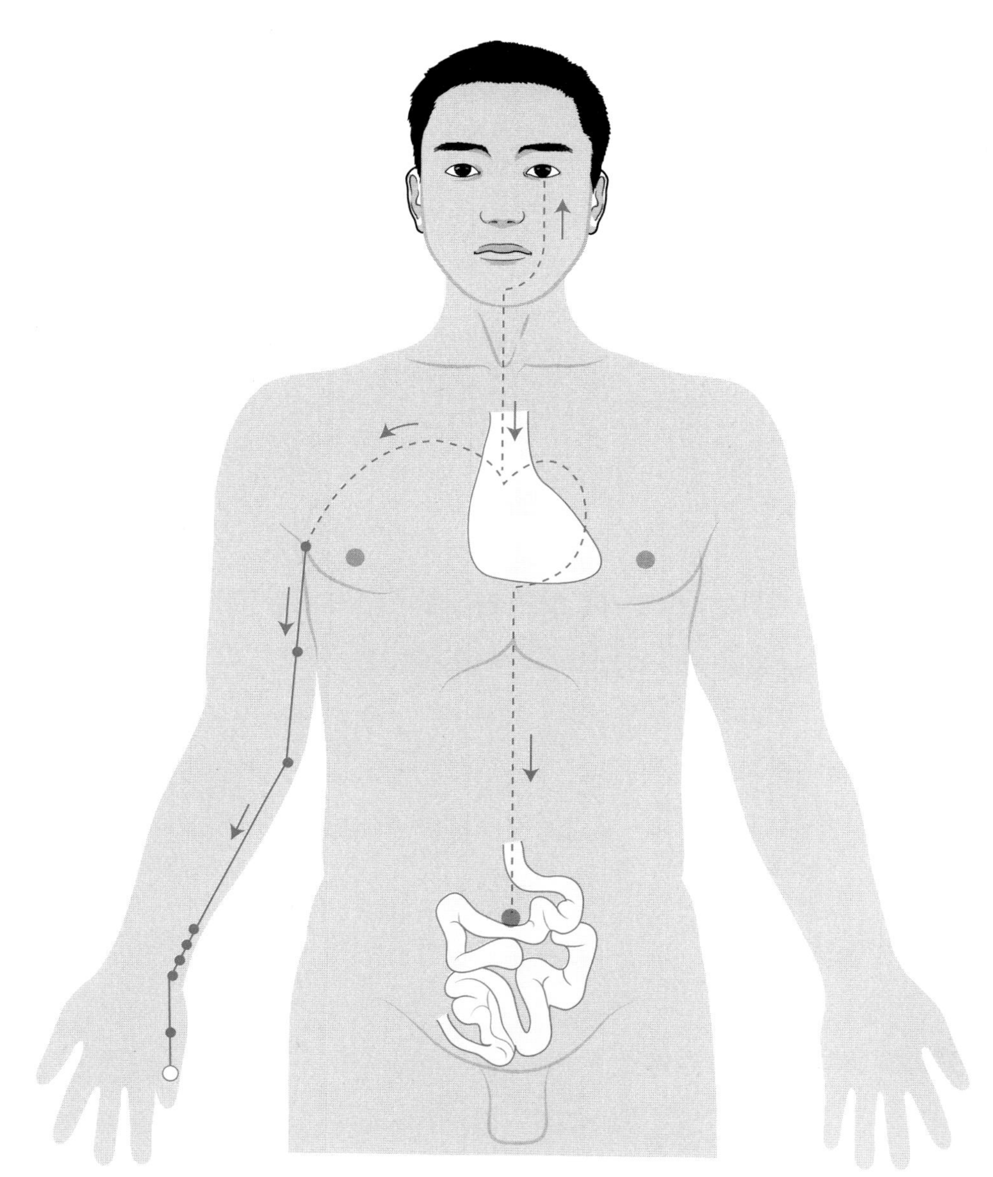

그림 3-12 유주도(流注圖)

【순행(經脈順行)과 유주(流注)】

수소음심경(手少陰心經)은 주로 상지내측의 후연(后緣)에 분포한다. 심장에서 시작하여 나와서 기타 장(臟)과 상호 연계된 계대(系帶)에 속하며 아래로 횡격을 지나 소장(小腸)에

락(絡) 한다. 수소음경의 지맥은 심계에서 위로 향하여 인후(咽喉)를 끼고 안구(眼球)에 도달하여 내부에서 뇌(腦)와 연계된다. 수소음경의 직행맥(直行脈)은 심계(心系)에서 상행하여 폐에 도달한 후 아래로 향하여 겨드랑이 극천(極泉)에서 나와서 위쪽 팔 내측 후연(后緣)을 따라, 수태음, 수궐음의 뒤쪽 청령(靑靈)으로 가며 아래로 팔굽 근처의 소해(少海)를 지나 아래팔 내측의 후연을 따라 령도(靈道), 통리(通里), 음극(陰郄), 신문(神門)을 지나고 손바닥 뒤의 완두골(腕豆骨)에 도달하여 손바닥 후변으로 진입된 후 소부(少府)를 지나 약지의 요측(橈側)을 따라 말단의 소충(少冲)에 도달한다. 그리고 수태양소장경(手太陽小腸經)과 접한다.

【주치개요】
흉부(胸部), 설(舌), 심흉(心胸), 정신방면질환(情神方面疾患)에서 본 경 순행부위의 기타 병증. 신열(身熱), 두통(頭痛), 목통(目痛), 인건구갈(咽乾口渴), 수심발열(手心發熱), 수족한냉(手足寒冷), 견갑전비내측통(肩胛前臂內側痛), 상비내측통(上臂內側痛), 심통(心痛), 흉만동통(胸滿疼痛), 늑하통(肋下痛), 심번(心煩), 기급(氣急), 와불안(臥不安), 현훈혼도(眩暈惛倒), 정신실상(情神失傷), 액취(腋臭), 임파결핵(淋巴結核;나력瘰癧) 등

【소속혈】 9혈 좌우18혈

【상용혈】 극천(極泉), 신문(神門)

1) 극천(極泉)

【정위】 액와정중, 액와동맥의 내측.

【주치】 액취(腋臭), 임파결핵(淋巴結核;나력(瘰癧)).

2) 신문(神門)

【정위】 불면(不眠), 신경쇠약, 구창(口瘡), 일광성피염(日光性皮炎).

3. 수삼양경(手三陽經)

(1) 수양명대장경(手陽明大腸經)

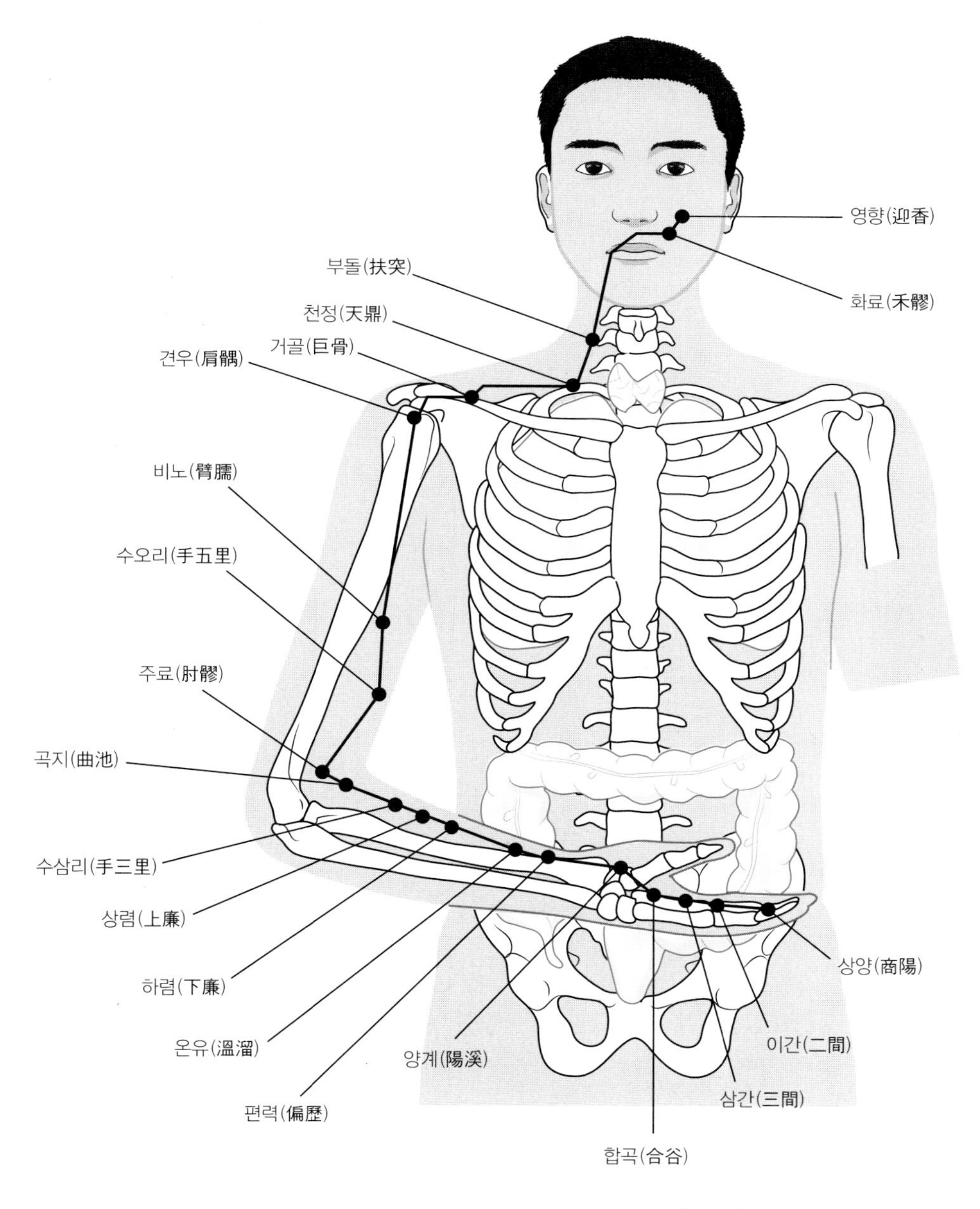

그림 3-13 경혈도(經穴圖)

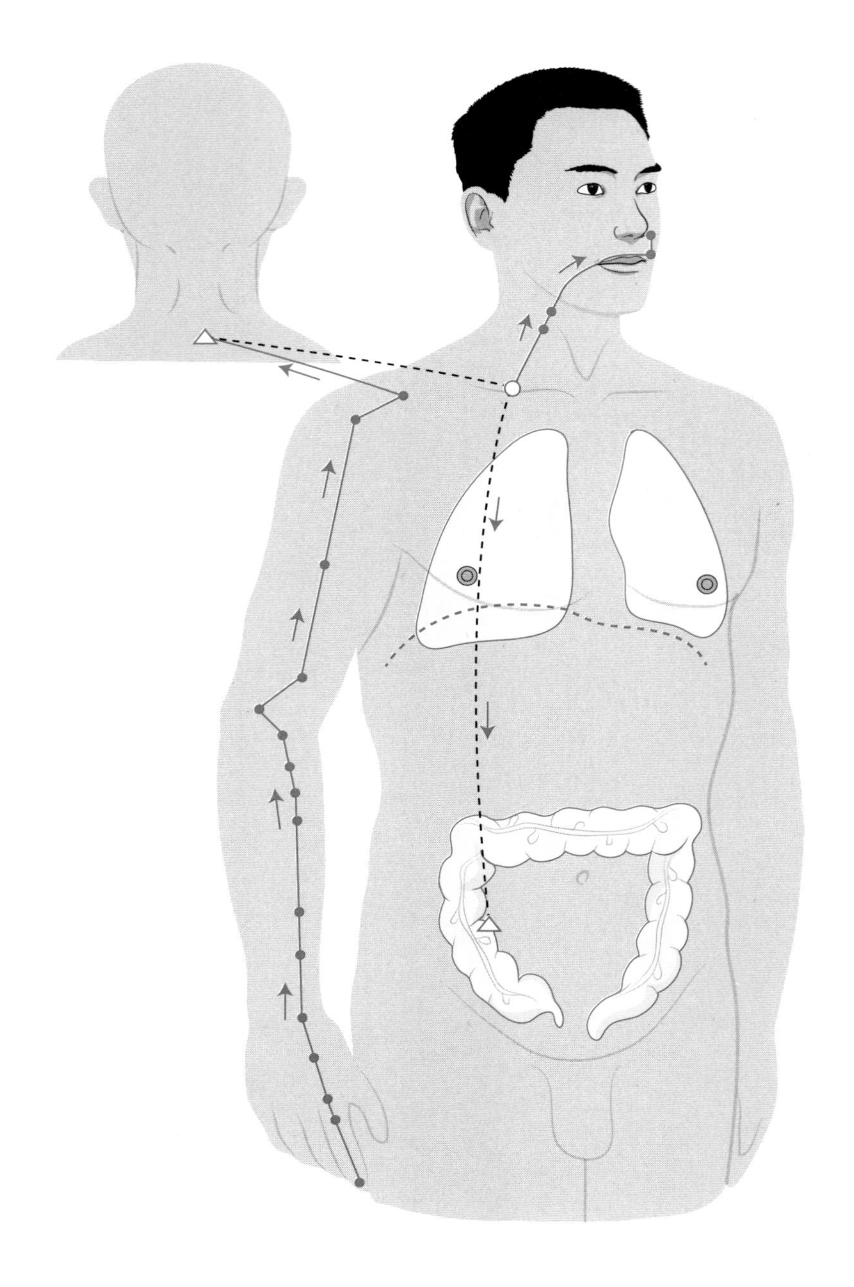

그림 3-14 유주도(流注圖)

【순행(順行)과 유주(流注)】

수양명대장경의 주요 분포는 인체의 상지 외측 앞 요측(橈側)에 있다. 식지 끝 상양(商陽)에서 시작하여, 식지 요측(橈側) 옆 이간(二間), 삼간(三間)을 따라 제 1,2 장골(掌骨) 사이 합곡(合谷)을 나와 두 힘줄 사이로 진입하여 양계(陽溪)를 지나 하비(下臂) 요측의 편력(偏歷), 온류(溫溜), 하렴(下廉), 상렴(上廉), 수삼리(手三里)를 따라 팔굽 외측에 진입하여 곡지(曲池), 주료(肘髎),를 지나 상비(上臂) 외측 앞 요측의 수오리(手五里), 비노(臂臑)를 지나 어깨에 올라와서 견봉(肩峰) 부위의 앞면의 견우(肩髃), 거골(巨骨), 수태양소장경의 병풍(秉風)에서 나와 다시 위를 향하여 목부위에서 교회(交會)되어 대추(大椎)를 지나 다시 쇄골 오목한 부분의 결분(缺盆)으로 내려와서 폐에 락(絡)하고 다시 아래로 횡경막을 통과하여 대장에 속한다. 다시 결분에서 목옆으로 상행하여 천정(天鼎), 부돌(扶突)을 지나 하면협부(下面頰部)을 통과하여 아래로 진입하여 하치은(下齒齦)을 거쳐서 입술 주위를 끼고 오른쪽 경맥은 왼쪽으로 왼쪽 경맥은 오른쪽으로 지창(地倉)주위에서 돌아 위쪽 비공(鼻孔) 옆의 구화료(口禾髎), 영향(迎香)에 와서 족양명경(足陽明經)과 만난다. 이외에 수양명대장경(手陽明大藏經)은 족양명위경(足陽明胃經)의 상거허(上巨虛)에서 맥기가 통한다.

【주치개요】

두면(頭面), 눈(眼), 귀(耳), 코(鼻), 구치(口齒), 인후(咽喉), 장급열성방면질환(腸及熱性方面疾患)에서 본 경 순행부위의 기타 병증. 두면부(頭面部), 소화기(消化器), 생식기(生殖器)질환. 비류청수(鼻流淸水), 비출혈(鼻出血), 발열(發熱), 구조갈(口燥渴), 인후동통(咽喉疼痛), 치통(齒痛), 견갑、상비통(肩胛、上痹痛) 및 홍종작열(紅腫灼熱) 및 유한냉감(有寒冷感), 수지활동불편(手指活動不便), 제복부동통(諸腹部疼痛), 장명(腸鳴), 대변당설(大便糖泄)이나 배출황색 점액물(排出黃色 粘液物), 변비(便秘), 이질(痢疾), 주름, 구안와사(口眼渦斜), 좌창(痤瘡), 주조비(酒糟鼻), 안면색소침착, 구취(口臭), 목적종통(目赤腫痛), 안면경련(顔面痙攣), 탈발(脫髮), 신경성피염(神經性皮炎) 등

【소속혈】 20혈 좌우 40혈

【상용혈】
합곡(合谷), 양계(陽溪), 편력(偏歷), 온류(溫溜), 수삼리(手三里), 곡지(曲池), 견우(肩髃), 영향(迎香)

1) 합곡(合谷)

【정위】 손등 제1,2장골사이, 제2장골 요골측의 중간점.

【주치】 주름, 구안와사(口眼渦斜), 좌창(痤瘡), 주조비(酒糟鼻), 안면색소침착, 구취(口臭), 목적종통(目赤腫痛), 안면경련(顔面痙攣) 등의 질환.

2) 곡지(曲池)

【정위】 주관절횡문의 외측단, 주관절을 굽혔을 때 척택과 상완골(上腕骨)외측상과의 연결선의 중간점.

【주치】 구안와사(口眼渦斜), 좌창(痤瘡), 주조비(酒糟鼻), 안면색소침착, 탈발(脫髮), 신경성피염(神經性皮炎).

3) 영향(迎香)

【정위】 비익외연중점(鼻翼外緣中点)옆, 비순구(鼻唇口)사이.

【주치】 면탄(面癱), 주조비(酒糟鼻), 안면경련(顔面痙攣), 면종(面腫), 비염(鼻炎).

(2) 수소양삼초경(手少陽三焦經)

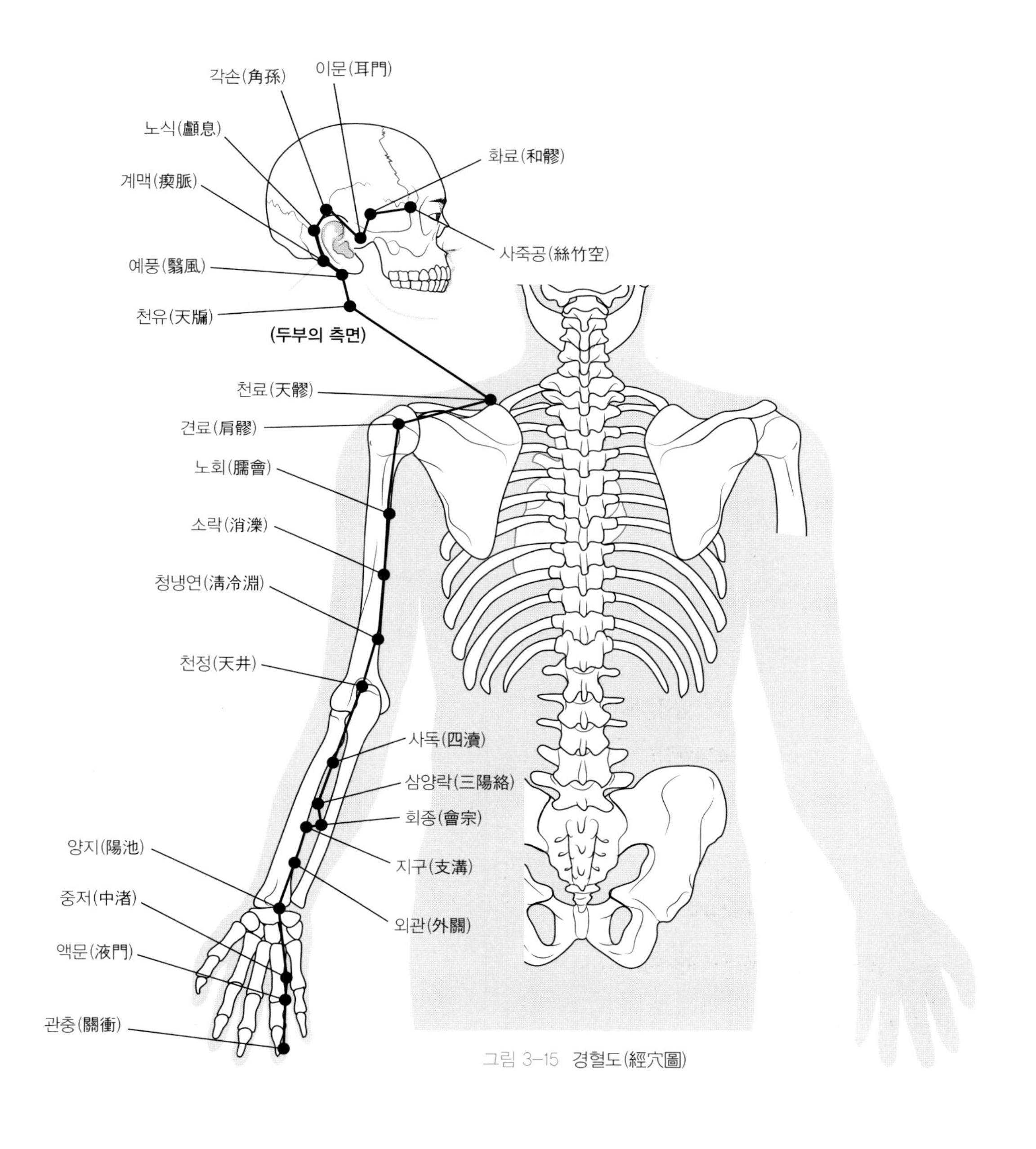

그림 3-15 경혈도(經穴圖)

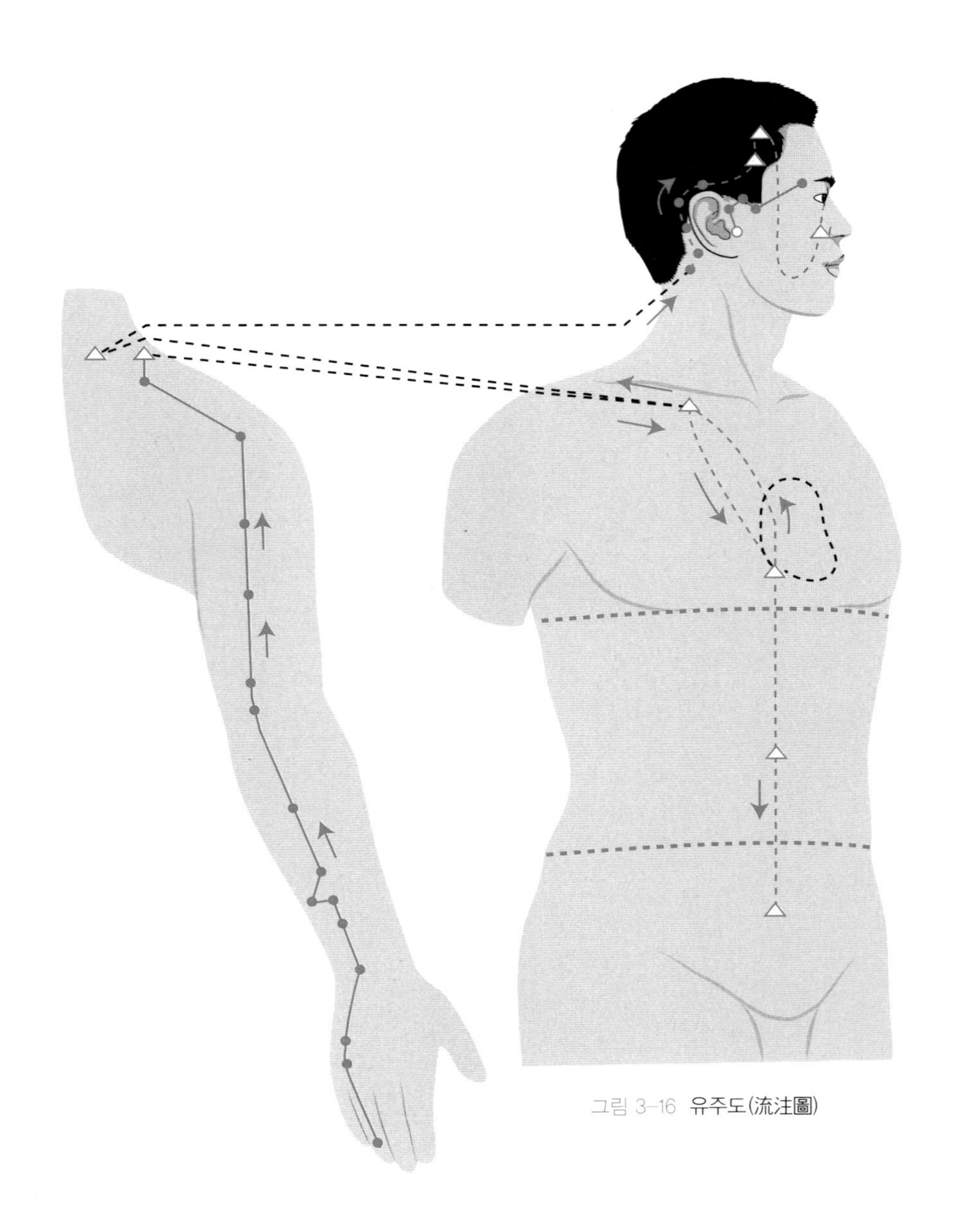

그림 3-16 유주도(流注圖)

【순행(順行)과 유주(流注)】

수소양삼초경(手少陽三焦經)은 주로 상지 외측 중간에 분포 한다.

무명지 말단의 관충(關衝)에서 시작하여 작은 손가락과 무명지 사이의 액문(液門)으로 올라와 손등을 따라 중저(中渚), 양지(陽池)를 지나 상비(上臂)의 척골과 요골 사이의 외관

(外關). 지구(支溝), 회종(會宗), 삼양락(三陽絡), 사독(四瀆)으로 나와서 위를 향하여 팔굽의 천정(天井)을 통과한 후 상비(上臂) 외측의 청랭연(淸冷淵), 소락(消濼)을 따라 위쪽의 어깨의 노회(臑會), 견료(肩髎)를 통과하여 족소양경의 후면에 교차되어 천료(天髎)를 나와 병풍(秉風), 견정(肩井), 대추(大椎)에서 회한다. 그리고 쇄골 위의 오목한 곳의 결분(缺盆)에 진입되며 단중에 분포되고 흩어져서 심포(心包)에 락(絡)하며 횡격을 통과하여 광범위하게 상, 중, 하 삼초에 속한다. 수소양경의 지맥은 단중에서 상행하여 쇄골 위의 오목한 곳의 결분(缺盆)으로 나와 목 옆을 향하여 귀 뒤로 연계(聯系)되고 천유(天牖), 예풍(翳風), 계맥(瘈脈), 로식(顱息)을 지나 바로 올라가서 이상(耳上) 부분의 각손(角孫)으로 나와 함염(頷厭), 현리(懸厘), 상관(上關)에서 돌아 아래로 굽혀져서 협(頰)과 눈 아래의 권료(顴髎)로 내려온다. 수소양경의 또 다른 지맥은 귀 뒤에서 귀 속에 들어가 귀의 앞 화료(和髎), 이문(耳門)으로 나오고 청회(聽會)에서 돌고 상관 앞을 경과하여 협부(頰部)와 교차되고 눈외각의 사죽공(絲竹空)을 지나 동자료(瞳子髎)에서 회한다. 그리고 족소양담경(足少陽膽經)에 접한다. 이외에 삼초경은 족태양방광경(足太陽膀胱經)의 위양(委陽) 맥기와 서로 통한다.

【주치개요】

측두(側頭)ㆍ이(耳)ㆍ목(目)ㆍ인후(咽喉)ㆍ흉협(胸脇)ㆍ협륵(脇肋), 열성질환(熱性疾患)에서 본 경 순행부위의 기타 병증. 인후종통(咽喉腫痛), 목적통(目赤痛), 이롱(耳聾), 이명(耳鳴), 협종(頰腫), 이후동통(耳後疼痛), 견비주부외측동통(肩臂肘部外側疼痛), 복부창만(腹部脹滿), 소복경만(小腹硬滿), 수종(水腫), 소변불통(小便不通), 빈뇨(頻尿), 뇨급(尿急), 유뇨(遺尿), 피부허종(皮膚虛腫), 면탄(面癱), 면홍(面紅), 낙침(落枕), 갑상선종(甲狀腺腫), 수부동창(手部凍瘡), 이하선염(耳下腺炎), 탈발(脫髮), 풍진(風疹), 두면개선(頭面疥癬), 눈가주름 등

【소속혈】 23혈 좌우 46혈

【상용혈】

중저(中渚), 외관(外關), 지구(支溝), 천정(天井), 천유(天牖), 예풍(翳風), 각손(角孫), 이문(耳門), 사죽공(絲竹空)

1) 중저(中渚)

【정위】 손등의 장지(掌指)관절의 후방, 제4,5장골 사이의 오목한 곳.

【주치】 면탄(面癱), 면홍(面紅), 낙침(落枕), 갑상선종(甲狀腺腫), 수부동창(手部凍瘡), 이명(耳鳴), 이농(耳聾), 목적종통(目赤腫痛).

2) 외관(外關)

【정위】 완배횡문(腕背橫文)위 2촌, 척골과 요골사이.

【주치】 면탄(面癱), 안면경련(顔面痙攣), 신경성피염(神經性皮炎).

3) 지구(支溝)

【정위】 완배횡문(腕背橫文)위 3촌, 척골과 요골사이, 외관상 1촌.

【주치】 대상포진(帶狀疱疹), 개선(疥癬), 정창(疔瘡), 흉협통(胸脇痛), 변비(便秘), 이하선염(耳下腺炎).

4) 천정(天井)

【정위】 팔꿈치를 구부렸을 때, 척골첨두의 위쪽 오목한 곳.

【주치】 갑상선종(甲狀腺腫), 임파결핵(淋巴結核;나력(瘰癧)).

5) 천유(天牖)

【정위】 유양돌기(乳樣突起)의 후방 아래, 하악각(下顎角)과 수평, 흉쇄유돌근(胸鎖乳突筋)의 후연(後緣).

【주치】 두피선(頭皮癬), 면종(面腫), 풍진(風疹), 습진(濕疹), 폭농(暴聾).

6) 예풍(翳風)

【정위】 귓볼(耳垂)후방, 유양돌기(乳樣突起)와 하악각(下顎角)사이의 오목한 곳.

【주치】 면탄(面癱), 안면경련(顔面痙攣), 이하선염(耳下腺炎), 탈발(脫髮), 풍진(風疹), 두면개선(頭面疥癬), 신경성피염(神經性皮炎).

7) 각손(角孫)

【정위】 귀를 접어서, 귀 끝 바로 위쪽의 발제내.

【주치】 이하선염, 탈발(脫髮), 이부홍종(耳部紅腫).

8) 이문(耳門)

【정위】 이주(耳珠;외이도앞 연골돌기)위의 절흔의 전방, 하악관절의 후연, 입을 벌렸을 때 오목한 곳.

【주치】 외이습진(外耳濕疹), 중이염(中耳炎), 이농(耳聾), 면탄(面癱).

9) 사죽공(絲竹空)

【정위】 눈썹의 바깥 끝, 약간 오목한 곳.

【주치】 면탄(面癱), 사시(斜視), 목적종통(目赤腫痛), 눈썹탈모, 눈가주름.

(3) 수태양소장경(手太陽小腸經)

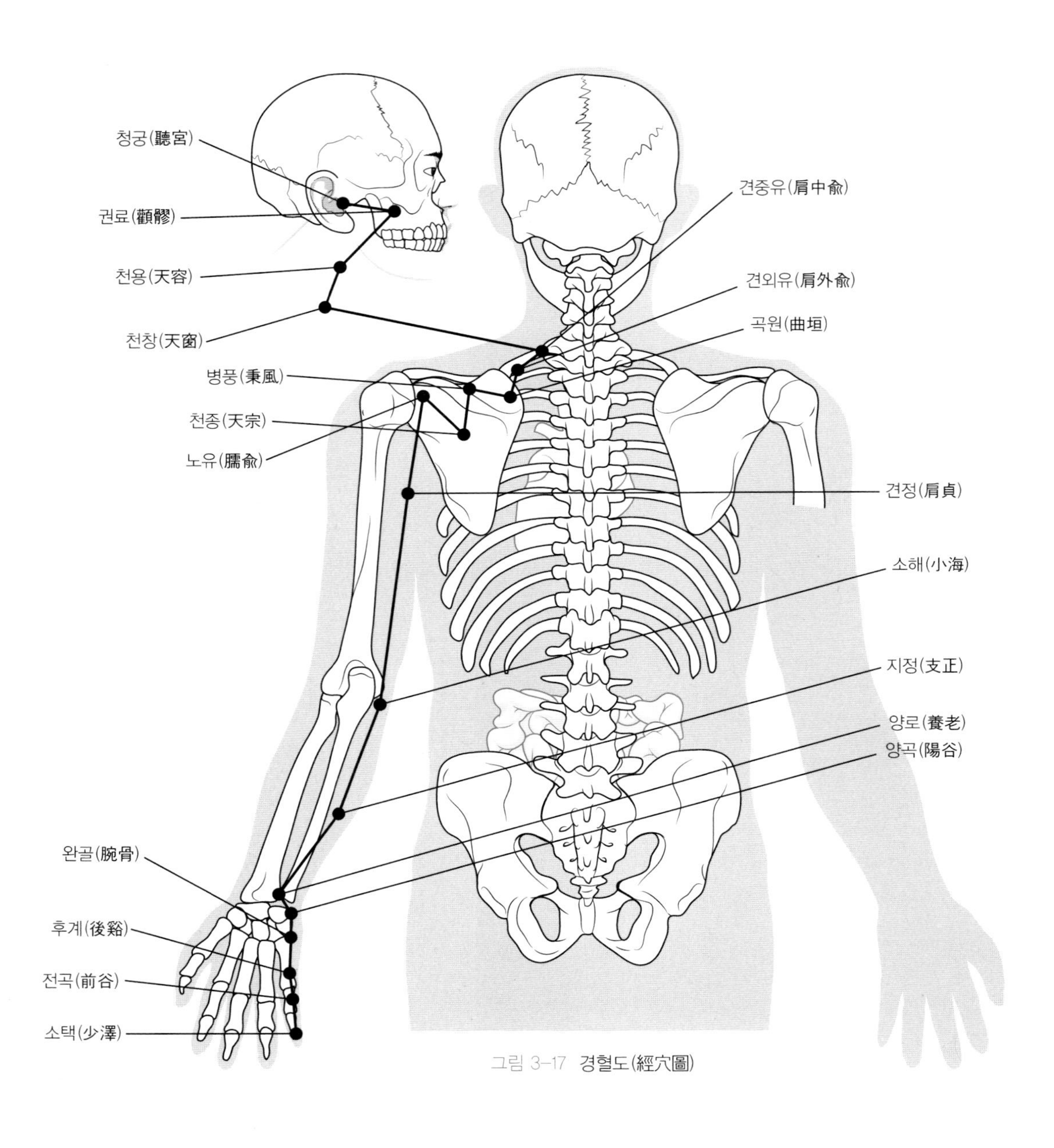

그림 3-17 경혈도(經穴圖)

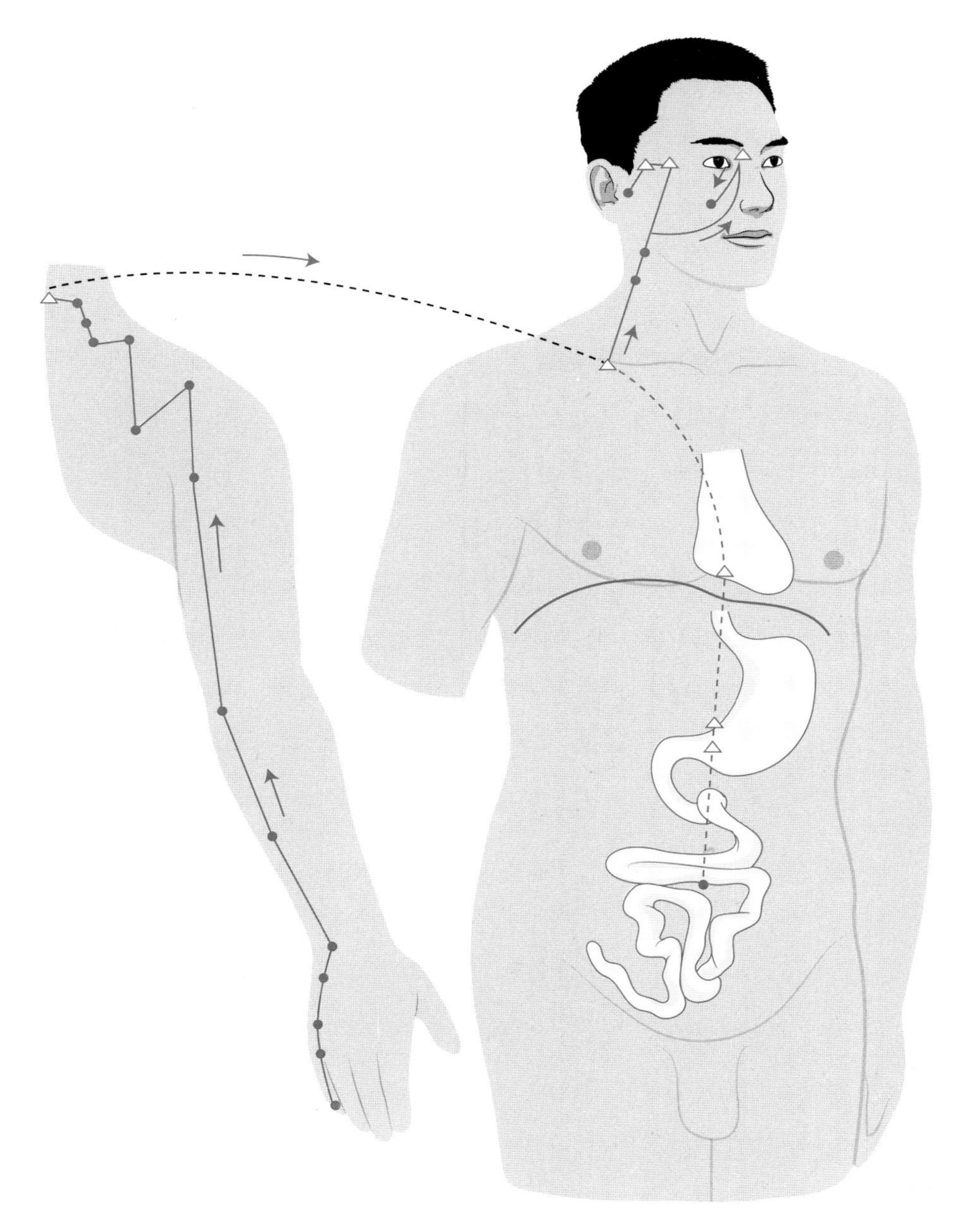

그림 3-18 유주도(流注圖)

【순행(順行)과 유주(流注)】

수태양소장경(手太陽小腸經)은 주로 상지 외측 후연에 분포한다. 약지 외측 끝의 소택(少澤)에서 시작하여 손바닥 척측(尺側)을 따라 전곡(前谷), 후계(后溪)를 지나 팔목을 향하여 완골(腕骨), 양곡(陽谷)을 지나 척골소두(尺骨小斗)로 나와서 양로(養老)를 지나 곧게 올라와 척골하면(尺骨下面)을 따라 지정(支正)을 지나 팔굽 내측의 굉골내상과(肱骨內上髁)와 척골응취(尺骨鷹嘴) 사이로 소해(小海)를 나와서 위로 향하여 상비외(上臂外) 뒤측을 따라 견관절에 견정(肩貞), 노유(臑兪)를 지나 견갑(肩胛)을 돌아서 천종(天宗), 병풍(秉風), 곡원(曲垣)을 거쳐 어깨 위로 교회(交會)된 후 견외유(肩外兪), 견중유(肩中兪)를 지나 대저(大杼), 대추(大椎)에 회하고 결분(缺盆)에 진입하여 심장에 락(絡)하고 식도를 따라 횡격을 통과하여 위(胃)에 도달한 후 상완(上脘), 중완(中脘)에서 회한다. 그리고 소장경에 속(屬)한다. 수태양경의 지맥은 쇄골에서 위로 목 옆을 따라 천창(天窗), 천용(天容)을 지나 협부(頰部)를 향하여 관료(觀髎)를 지나고 눈 외각에 도달해 동자료(瞳子髎)를 돌고 뒤쪽으로 향하여 화료(和髎)에서 회한다. 그리고 귀 속으로 진입하여 청궁(聽宮)을 지난다.

수태양의 또 다른 지맥은 협부(頰部)에서 분출되어 권골(顴骨)로 향하고 코 옆을 따라 눈의 내각에 도달하여 정명(睛明)에서 회하고 족태양방광경(足太陽膀胱經)에 접한다. 이외의 소장은 족양명위경(足陽明胃經)의 하거허(下巨虛)의 맥기와 상통(相通)된다.

【주치개요】

두(頭), 항(項), 이(耳), 목(目), 인후(咽喉), 신지병(神志病), 열병(熱病)에서 본 경 순행부위의 기타 병증. 구설미란(口舌糜亂), 경협부동통(頸脅部疼痛), 이농(耳聾), 목황(目黃), 인통(咽痛), 경항강직(頸項强直), 견비외측후록동통(肩臂外側後綠疼痛), 소복창통(小腹脹痛), 통련요부(痛連腰部), 소복통견인고환(小腹痛牽引睾丸), 대변설사(大便泄瀉), 복통변폐불통(腹痛便閉不通), 산후결유(産後缺乳), 유선염(乳腺炎), 안면색소침착(顔面色素沈着), 하악관절염, 주름제거 등.

【소속혈】 19혈 좌우 38혈

【상용혈】 소택(少澤), 후계(后溪), 관료(觀髎), 청궁(聽宮)

1) 소택(少澤)

【정위】 소지 말단의 척골측, 지갑각(指甲角)옆 0.1촌.

【주치】 산후결유(産後缺乳), 유선염(乳腺炎), 인후통(咽喉痛), 혼미(昏迷).

2) 후계(後溪)

【정위】 주먹을 쥐고 척골 측에서 위함, 제5지장(指掌)관절 횡문 끝의 적백육(赤白肉)의 오목한 곳.

【주치】 안면경련(顔面痙攣), 두항강통(頭項强痛), 인후종통(咽喉腫痛).

3) 관료(顴髎)

【정위】 눈의 외자(外眦) 바로 아래, 관골(顴骨)하연의 오목한 곳.

【주치】 구안와사(口眼渦斜), 삼차신경통, 치통, 주름제거등.

4) 청궁(聽宮)

【정위】 이주(耳珠)의 중점과 하악관절 사이, 입을 벌리고 취혈.

【주치】 이명(耳鳴), 이농(耳聾), 안면색소침착(顔面色素沈着), 하악관절염, 주름제거.

4. 족삼음경(足三陰經)

(1) 족궐음간경(足厥陰肝經)

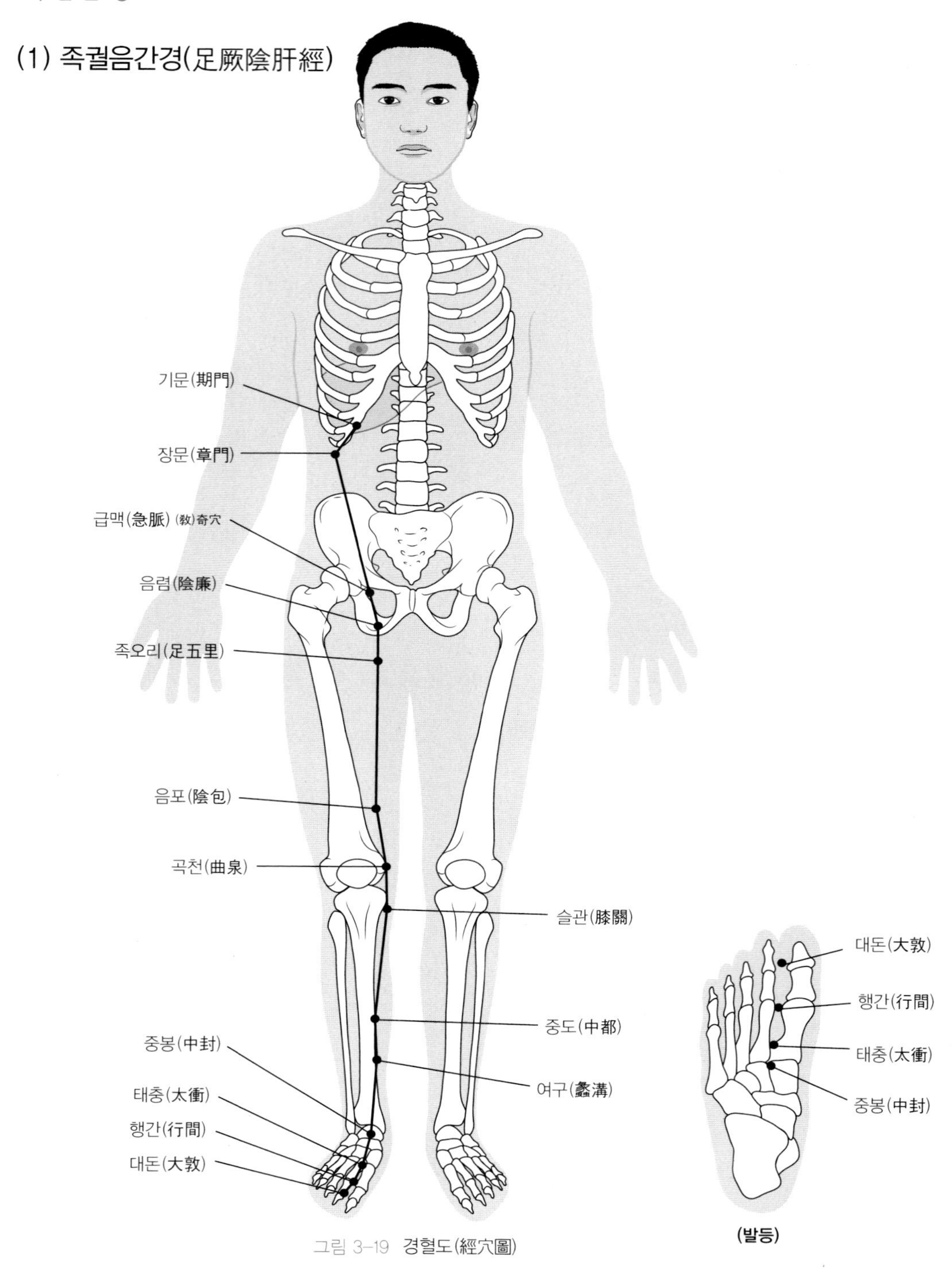

그림 3-19 경혈도(經穴圖)

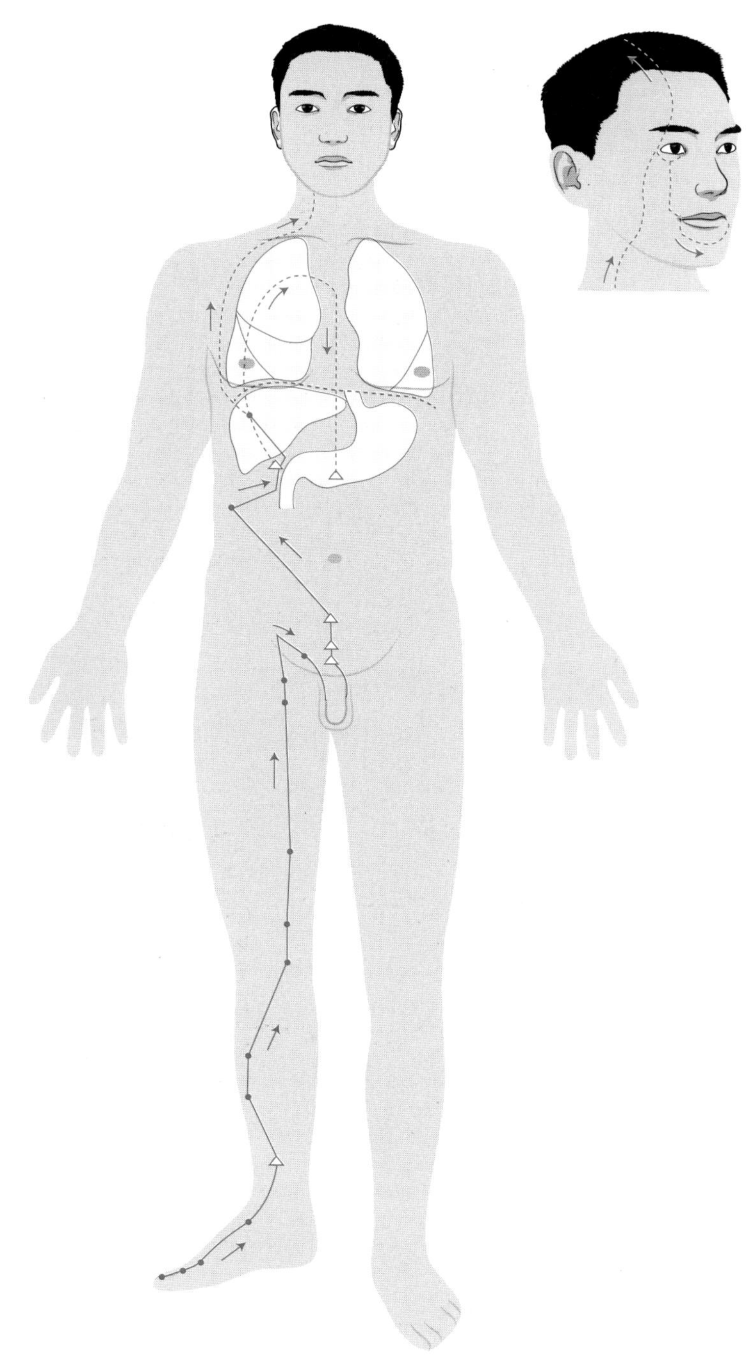

그림 3-20 유주도(流注圖)

【순행(順行)과 유주(流注)】

족궐음간경(足厥陰肝經)은 주로 하지 내측의 중간에 분포한다.

엄지발가락의 호모(毫毛)부분의 대돈(大敦)에서 시작하여 발등 내측의 행간(行間), 태충(太衝)을 따라 위쪽으로 향하여 내측 복사뼈 1촌의 중봉(中封)에 이르러 소퇴 내측으로 상행하여 삼음교(三陰交)에서 돌고 여구(蠡溝), 중도(中都), 슬관(膝關)을 지나서 내측 복사뼈 위의 8촌에서 족태음비경(足太陰脾經)의 뒤로 교차된 후 무릎 오금 내측의 곡천(曲泉)을 상행한 후 대퇴 내측의 음포(陰包), 족오리(足五里), 음렴(陰廉)을 따라 음모(陰毛)에 진입하고 음부(陰部)를 휘어 돌아 하복부의 급맥(急脈)에 이르러 충문(衝門), 부사(府舍), 곡골(曲骨), 중극(中極), 관원(關元)에서 돌아 위(胃) 옆을 끼고 장문(章門), 기문(期門)을 지나 간에 속하며 담(膽)에 락(絡)한다. 위로 향하여 격기(膈肌)를 통과한 후 옆구리에 분포되며 기관을 따라 위로 목의 비인부에 진입하여 안구 후의 맥락인 목계(目系)에 접속되며 상행하여 이마에서 나온 후 독맥(督脈)과 정수리에 교회(交會)한다. 족궐음경의 지맥은 목계(目系)에서 아래로 협(頰)을 향한 후 입술을 감아 돈다.

족궐음경의 다른 지맥은 간(肝)에서 갈라져 격기(膈肌)를 통과한 후 폐(肺)로 유주되며 수태음경폐경(手太陰肺經)과 서로 접한다.

【주치개요】

간병(肝病), 부인병(婦人病). 생식(生殖), 비뇨(泌尿), 정신질환(精神疾患)에서 본 경 순행부위의 기타 병증. 두통(頭痛), 현운(眩暈), 목시불명(目視不明), 이명(耳鳴), 발열(發熱), 수족경련(手足痙攣), 요통(腰痛), 협늑창만동통(脇肋脹滿疼痛), 흉완부만민동통(胸脘部滿悶疼痛), 애역(呃逆), 구토(嘔吐), 황달(黃疸), 소변불리(小便不利), 소복종통(小腹腫痛), 산기(疝氣), 유뇨(遺尿), 융폐(癃閉). 소변색황(小便色黃) 등.

【소속혈】 14혈 좌우 28혈

【상용혈】 행간(行間), 태충(太沖), 곡천(曲泉), 기문(期門)

1) 행간(行間)

【정위】 제1, 2발가락 관절의 적백육(赤白肉)의 오목한 곳.

【주치】 목적동통(目赤疼痛), 구고(口苦), 구안와사(口眼渦斜), 두운(頭暈), 반신불수(半身不遂), 면흑(面黑), 음부소양(陰部瘙痒).

2) 태충(太衝)

【정위】 발등의 척골(跖骨)결합 앞의 오목한 곳.

【주치】 각종 안(眼)질환, 면탄(面癱), 기미, 만성습진, 음부소양(陰部瘙痒)동통.

3) 곡천(曲泉)

【정위】 슬관절 내측 횡문의 상방, 대퇴골 내상과(돌기)의 하방, 경골(脛骨) 내과 후방의 오목한 곳.

【주치】 습진(濕疹), 음부소양(陰部瘙痒), 월경불순(月經不順), 단독(丹毒), 각종 생식기질환.

4) 기문(期門)

【정위】 유두(乳頭) 바로 아래 제 6늑간, 정중선 옆 4촌.

【주치】 기미, 습진, 소수(消瘦), 흉협창만(胸脇脹滿), 간염.

(2) 족태음비경(足太陰脾經)

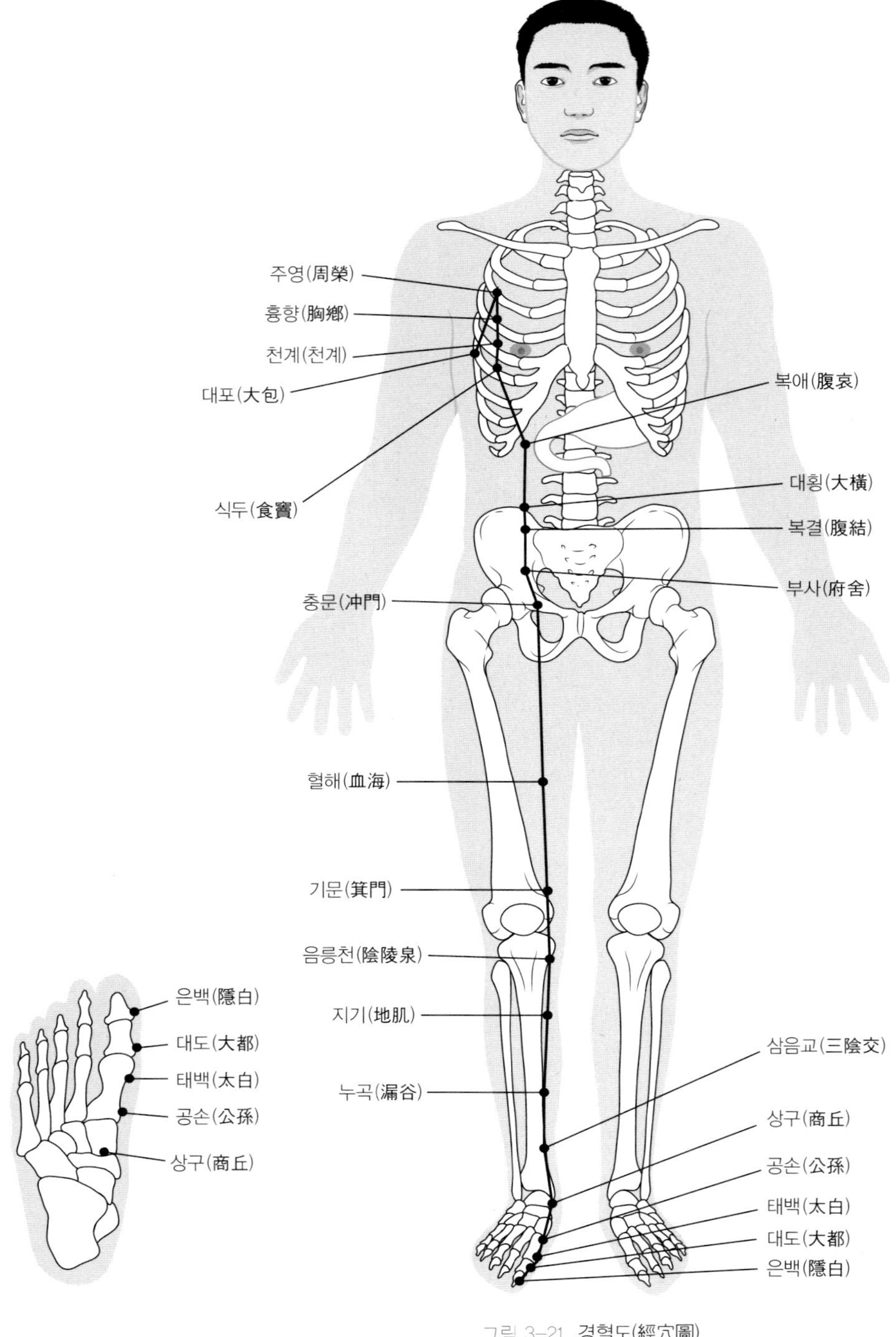

그림 3-21 경혈도(經穴圖)

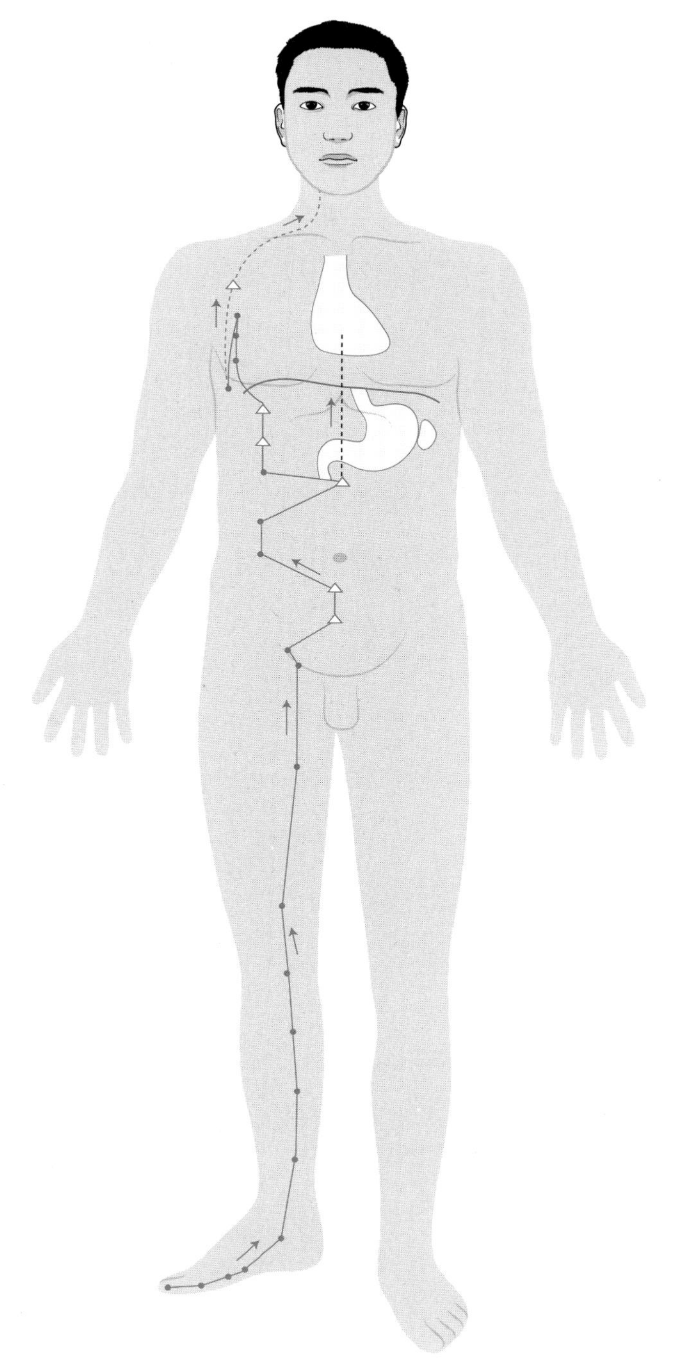

그림 3-22 유주도(流注圖)

【순행(順行)과 유주(流注)】

족태음비경(足太陰脾經)은 주로 흉복 제3측선과 하지 내측의 전연(前緣)에 분포한다.

엄지발가락 끝부분의 은백(隱白)에서 시작하여 엄지발가락 내측의 적백육제(赤白肉祭)를 따라 대도(大都)를 지나 제1 척골소두(蹠骨小斗)를 경과한 후 태백(太白), 공손(公孫)을 지나 위쪽 방향으로 내측 복사뼈 앞의 상구(商丘)를 지나서 소퇴(小腿) 내측으로 올라간 후 경골(脛骨)의 뒤를 따라 삼음교(三陰交), 누곡(漏谷)에 이른다. 족궐음간경(足厥陰肝經) 앞에서 교출(交出)되어 지기(地肌), 음릉천(陰陵泉)에 이르고 슬고(膝股)내측 앞으로 올라와서 혈해(血海), 기문(箕門)에 이른다. 그런 다음 복부로 진입되고 충문(沖門), 부사(府舍), 복결(腹結), 대횡(大橫)을 지나 중극(中極)과 관원(關元)에서 회한다. 횡격을 통과하여 식도 옆을 끼고 식두(食竇), 천계(天溪), 흉향(胸鄕), 주영(周榮)을 지나 대포(大包)에서 락(絡)하고 중부(中府)에서 회한다. 혀뿌리에 연계되어 혀 아래로 퍼진다. 족태음경의 지맥은 위(胃)에서 분출하여 횡격을 지나서 심(心)에 도달하여 수소음심경(手少陰心經)에 접한다.

【주치개요】

제복(諸腹), 비위병(脾胃病)과 부인병(婦人病), 비뇨생식계질환(泌尿生殖系疾患)에서 본경 순행부위의 기타병증. 두중(頭重), 체중(体重), 신열(身熱), 지체권태무력(肢體倦怠無力), 협부동통(脅部疼痛), 설굴신불리(舌屈伸不利), 지체기육수축(肢體肌肉收縮), 퇴슬내측한냉감(腿膝內側寒冷感), 퇴족부종(腿足浮腫), 위완통(胃脘痛), 대변당설(大便糖泄), 식불화(食不和), 장명(腸鳴), 오심구토(惡心嘔吐), 납식감소(納食減少), 황달(黃疸), 복통종창(腹痛腫脹), 퇴족부종(腿足浮腫), 하지내측종창(下肢內側腫脹), 탈발(脫髮), 피부소양증(皮膚瘙痒症), 다모증(多毛症), 면부색소침착(面部色素沈着), 안검하수(眼瞼下垂) 등

【소속혈】 21혈 좌우 42혈

【상용혈】 은백(隱白), 공손(公孫), 삼음교(三陰交), 음릉천(陰陵泉), 혈해(血海), 대횡(大橫)

1) 은백(隱白)

【정위】 엄지발가락 내측, 지갑각(指甲角)의 0.1촌.

【주치】 월경과다(月經過多), 혈변(血便), 혈뇨(血尿), 삼차신경통(三叉神經痛).

2) 공손(公孫)

【정위】 제1 척골(跖骨) 기저부의 전하방.

【주치】 비만, 구토, 설사, 위통.

3) 삼음교(三陰交)

【정위】 족부 내과첨(內踝尖) 상방 3촌, 경골 내측연의 후방.

【주치】 면부색소침착(面部色素沈着), 안검하수(眼瞼下垂), 안면경련(顔面痙攣), 목적종통(目赤腫痛), 부종(浮腫), 탈발(脫髮), 신경성(神經性)피부염.

4) 음릉천(陰陵泉)

【정위】 무릎의 경골 내측상과의 하연, 경골 내측연의 오목한 곳.

【주치】 월경불순, 복창(腹脹), 식욕부진, 슬관절염.

5) 혈해(血海)

【정위】 슬개골 내상연의 상방 2촌.

【주치】 면부색소침착(面部色素沈着), 좌창(痤瘡), 신경성피부염(神經性皮膚炎), 탈발(脫髮), 피부소양증(皮膚瘙痒症), 다모증(多毛症).

6) 대횡(大橫)

【정위】 배꼽 옆의 4촌.

【주치】 변비, 설사, 복통, 복부지방제거, 비만.

(3) 족소음신경(足少陰腎經)

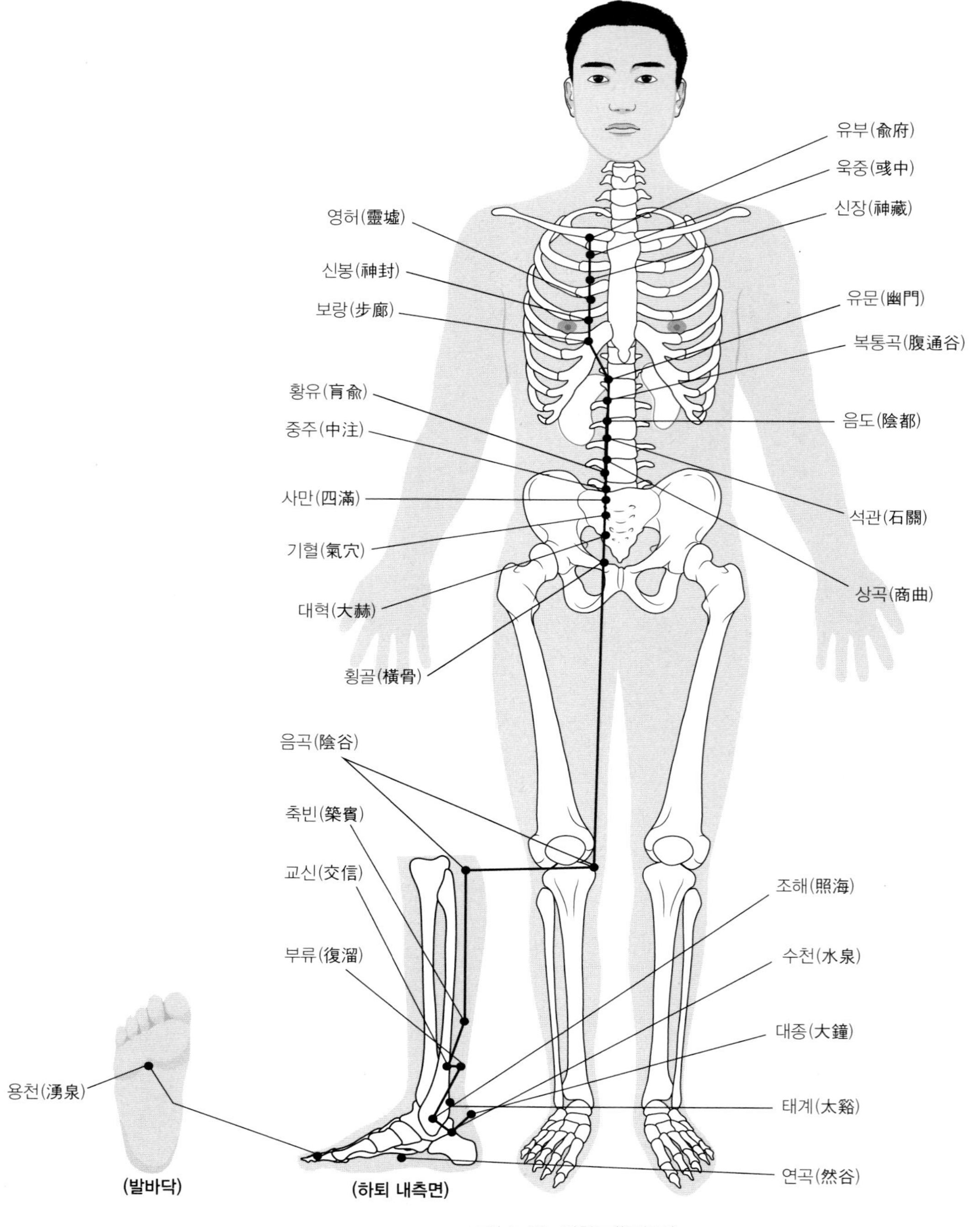

그림 3-23 경혈도(經穴圖)

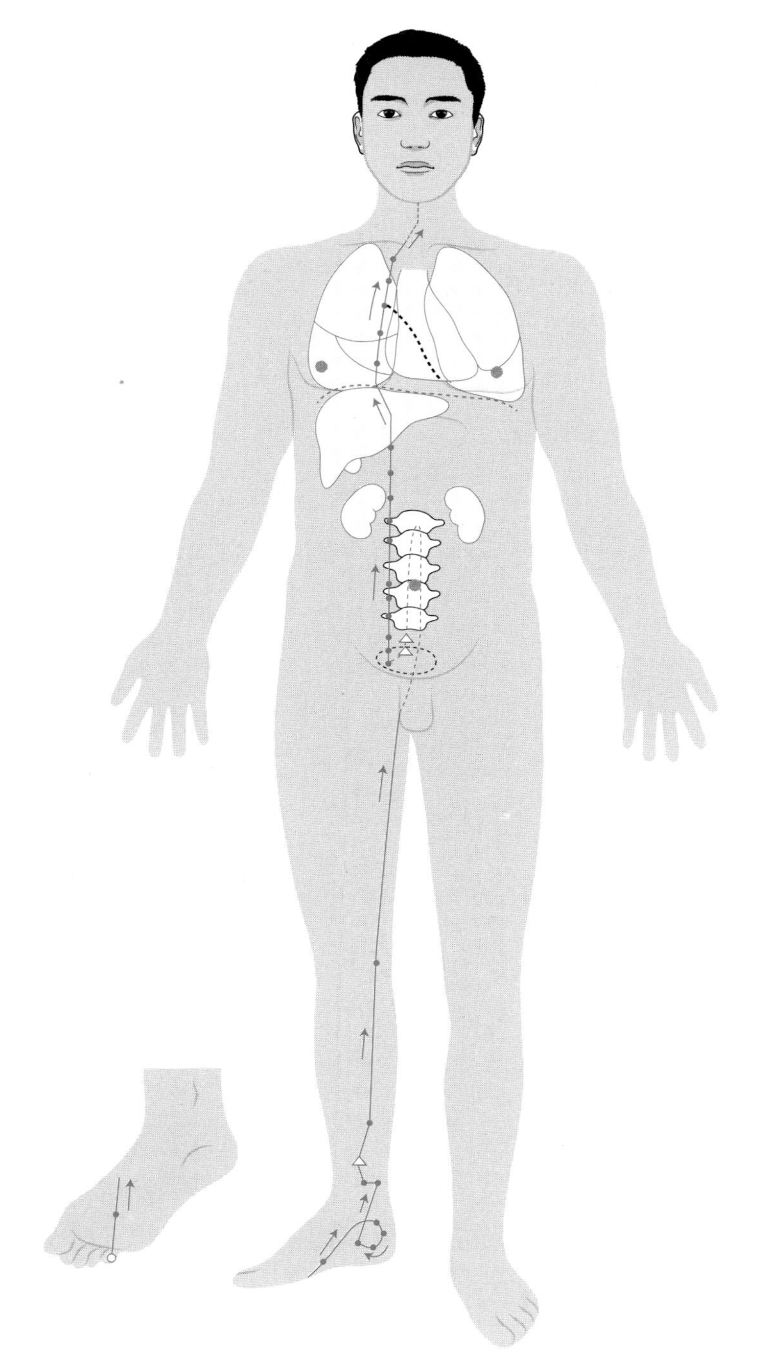

그림 3-24 유주도(流注圖)

【순행(順行)과 유주(流注)】

족소음신경(足少陰腎經)은 주로 하지내측 후연 및 가슴 복부 제 1측선에 분포되어 있다. 족소지 하단에서 시작하여 비스듬히 발바닥 중심으로 내려와서 용천(湧泉)을 지나 주상골(舟狀骨) 쪽으로 나와 연곡(然谷), 조해(照海), 수천(水泉)을 지나 내측 복사뼈 뒤를 따라 태계(太谿)를 지나 발꿈치의 대종(大鐘)을 지나 위로 소퇴 내측의 복류(复溜), 교신(交信)을 향하고 삼음교(三陰交)에서 회한 다음 오금 내측으로 나와서 축빈(築賓), 음곡(陰谷)을 지나 대퇴 내측 뒷면으로 올라와서 척주를 통과하여 장강(長强)에 외하고 신(腎)에 속하고 방광에 락(絡)한다. 즉 황유(肓兪), 중주(中注), 사만(四滿), 기혈(氣穴), 대혁(大赫), 횡골(橫骨)을 지나고 관원(關元), 중극(中極)에서 회한다.

족소음경의 직행의 맥은 신(腎)에서 위(胃)로 향하여 상곡(商曲), 석관(石關), 음도(陰都), 복통곡(腹通谷), 유문(幽門)을 지나 간(肝), 횡격(橫膈)을 통과하여 폐(肺)에 진입하기 위하여 보랑(步廊), 신봉(神封), 령허(靈墟), 신장(神藏), 욱중(彧中), 유부(兪府)을 지나 인후부(咽喉部)를 따라 설근(舌根) 옆을 끼고 염천(廉泉)에 통한다. 족소음경의 지맥은 폐(肺)에서 나와 심(心)에 락(絡)하고 가슴에 유주되어 수궐음심포(手厥陰心包)에 접한다.

【주치개요】

비뇨, 생식기계의 질환 위주, 호흡기와 신경계 질환, 부인병(婦人病), 요복(腰腹)、생식(生殖)、비뇨(泌尿)、인후(咽喉) 및 정신질환에서 본 경 순행부위의 기타 병증. 척배동통(脊背疼痛), 요통(腰痛), 양족냉통(兩足冷痛), 족위무력(足萎無力), 설건(舌乾), 구건인통(口乾咽痛), 척주(脊柱)에서 퇴부(腿部)의 후측통(後側痛), 족저통(足底痛), 족심열(足心熱), 수종(水腫), 각혈(咯血), 기천(氣喘), 현훈(眩暈), 면부종(面浮腫), 면색회암(面色灰暗), 목시모호(目視模糊), 기단(氣短), 심번(心煩), 대변당박(大便糖薄), 구사(久瀉), 대변난삽(大便難澁), 복창(腹脹), 구오(嘔惡), 양위(陽萎), 노화방지(老化防止), 안면부 주름제거 등

【소속혈】 27혈 좌우 52혈

【상용혈】 용천(湧泉), 태계(太溪), 조해(照海), 복류(復溜), 음곡(陰谷), 황유(盲兪)

1) 용천(涌泉)

【정위】 발바닥의 전(前) 3분의 1과 후(後) 3분의 1인 지점.

【주치】 실면(失眠), 구창(口瘡), 동창(凍瘡), 족군열(足皸裂).

2) 태계(太溪)

【정위】 내과후방, 내과첨(內踝尖)과 아킬레스건(腱)사이의 오목한 곳.

【주치】 면흑(面黑), 수종(水腫), 동창(凍瘡), 수족심열(手足心熱), 노화방지(老化防止), 안면부 주름제거.

3) 조해(照海)

【정위】 내과첨(尖) 하연의 오목한 곳.

【주치】 각기(脚氣), 목적종통(目赤腫痛), 실면(失眠)

4) 복류(復溜)

【정위】 태계(太溪)혈의 직상방 2촌, 건(腱)의 전방.

【주치】 도한(盜汗), 수족다한(手足多汗), 요척강통(腰脊强痛), 사지부종(四肢浮腫).

5) 음곡(陰谷)

【정위】 슬관절을 굽히고, 반건양근건과 반막양근과의 사이.

【주치】 월경불순, 소변불상(小便不爽), 음부통(陰部痛), 양위(陽萎), 산통(疝痛).

6) 황유(盲兪)

【정위】 배꼽 옆의 0.5촌.

【주치】 복통, 복창(腹脹), 변비, 신체부종, 요척강통(腰脊强痛).

5. 족삼양경(足三陽經)

(1) 족양명위경(足陽明胃經)

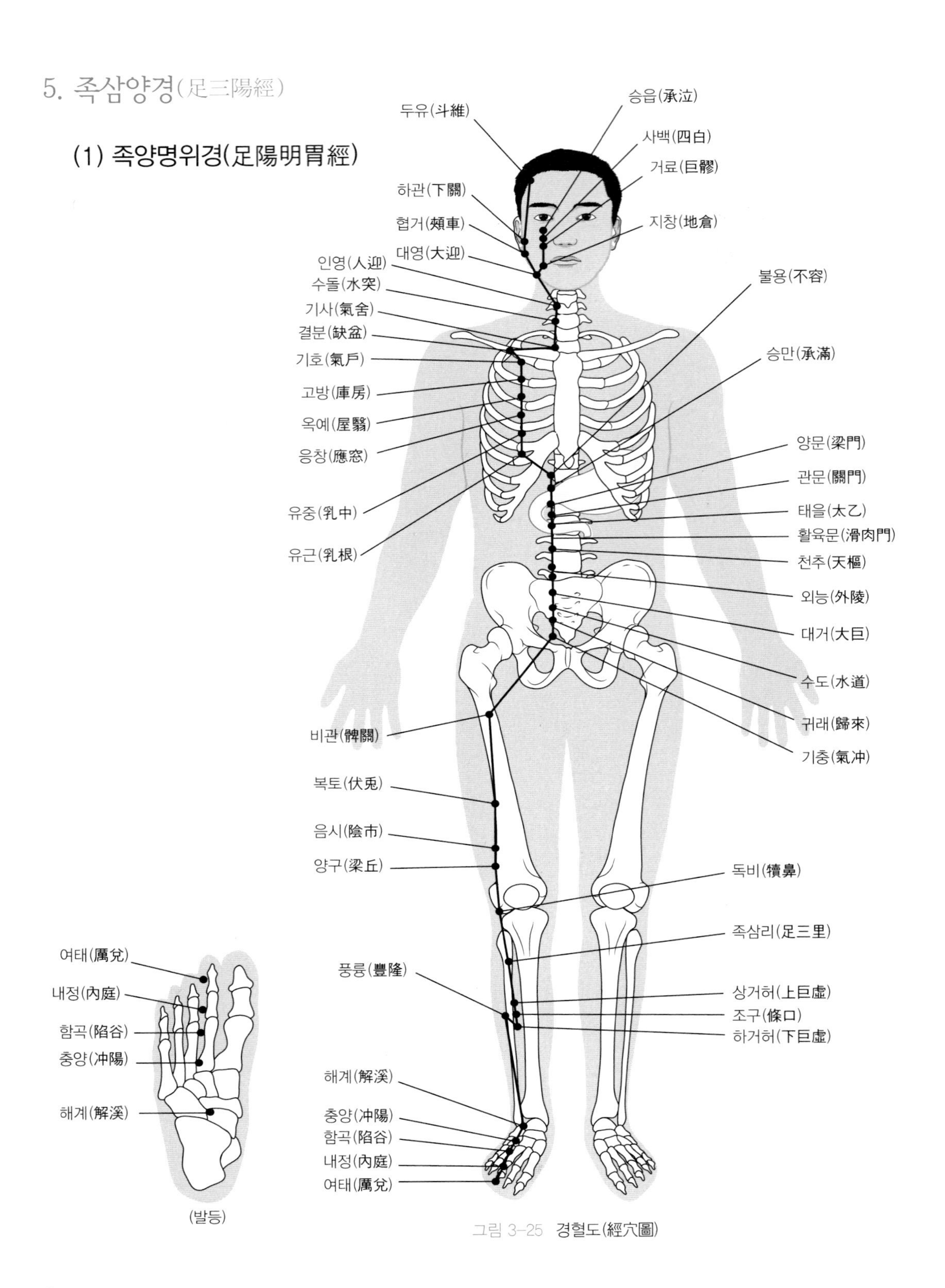

그림 3-25 경혈도(經穴圖)

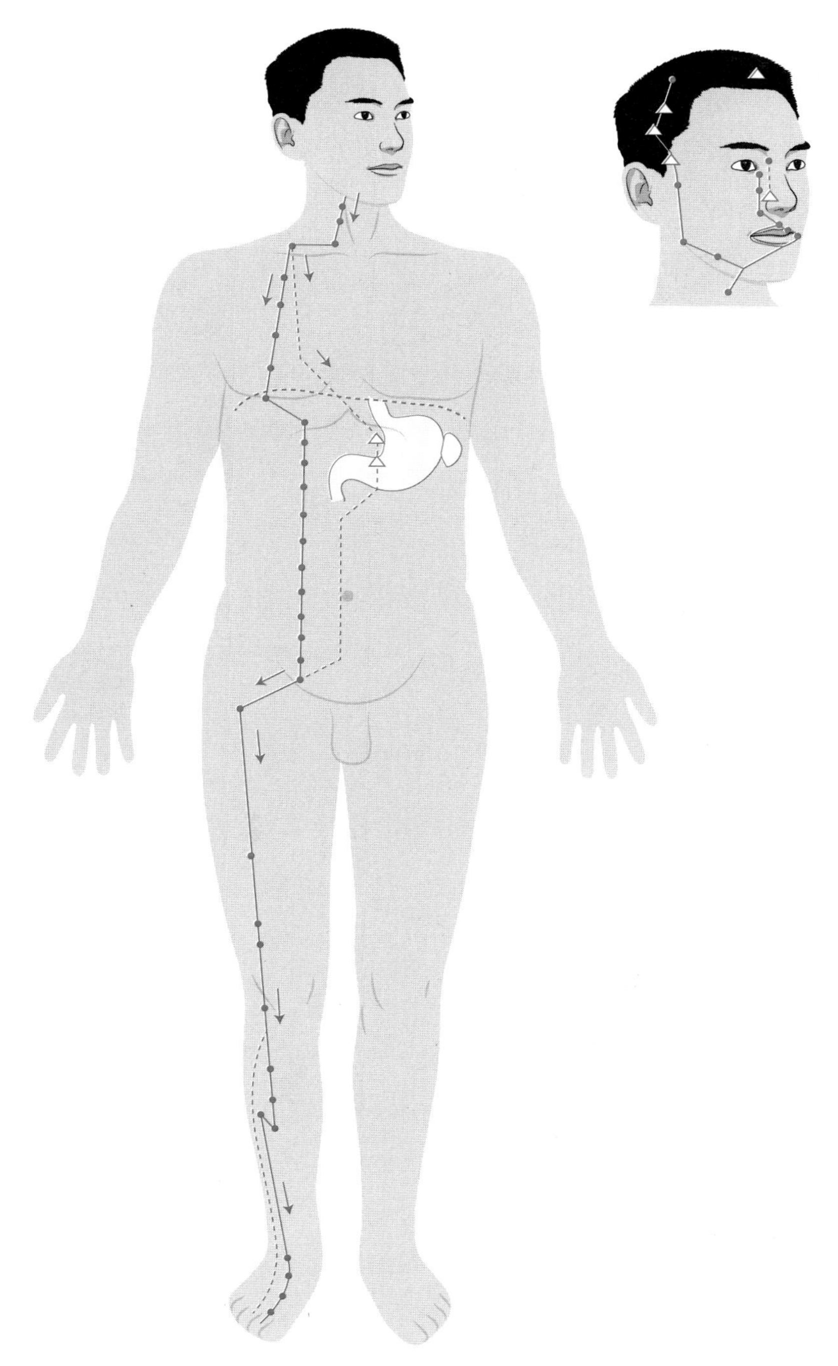

그림 3-26 유주도(流注圖)

【순행(順行)과 유주(流注)】

족양명위경(足陽明胃經)의 주요 분포는 두면(頭面), 흉복(胸腹)의 제 2측선 및 하지외측 앞면이다. 비익(鼻翼) 옆의 영향(迎香)에서 회하여 비근부(鼻根部)를 교회(交會)하여 옆으로 족태양방광경(足太陽膀胱經)에 이르고 정명(睛明)에서 돌아 아래로 향하여 비(鼻) 외측을 따라 승읍(承泣), 사백(四白)을 지나 상치(上齒)에 들어가서 거료(巨髎)를 통과하고 되돌아 나와 지창(地倉)을 끼고 입술 주위를 되돌아서 다시 상방의 인중구(人中溝)에서 교회(交會)되어 인중에 회한다음 아래로 향하여 턱의 오목한 부분 승장(承漿)에서 돌고 되돌아서 아래턱 뒤쪽의 하방을 따라 대영(大迎)을 지나 하면협부(下面頰部) 하악각의 협거(頰車)를 따라 위쪽으로 향하여 상이(上耳) 앞의 하관(下關)에 도달하며 권궁상연(顴弓上緣)을 지나서 족소양담경(足少陽膽經)의 상관(上關), 현리 (懸厘), 함염(頷厭)에 도달한다. 액각발제(額角發際)를 따라 직상하여 두유(斗維)를 따라 전액부(前額部)에 도달하여 신정(神庭)에 이른다. 족양명경의 지맥(支脈) 대영 앞에서 아래로 향하여 경동맥 부근의 인영(人迎)을 경과하여 목구멍을 따라 수돌(水突), 기사(氣舍)를 지나 쇄골 오목한 부분의 결분(缺盆)에 들어가서 횡경막을 통과 하여 위(胃)에 속하고 상완, 중완을 회하고 비(脾)에 락(絡)한다. 외행의 주간(主干)으로 쇄골위 오목한 부분의 결분(缺盆)에서 아래로 향하여 유중을 경과하며 기호(氣戶), 고방(庫房), 옥예(屋翳), 응창(應窓), 유중(乳中), 유근(乳根)을 지나 아래로 배꼽의 양옆으로 내려가서 불용(不容), 승만(承滿), 량문(梁門), 태을(太乙), 활육문(滑肉門), 천추(天樞), 외릉(外陵), 대거(大巨), 수도(水道), 귀래(歸來)에 기가 서혜부 동맥부위의 기충(氣沖)으로 진입된다.

또 하나의 족양명경의 지맥은 위구(胃口)로부터 아래로 향하여 복내부(腹內部)를 따라 서혜부 동맥 부위에서 앞의 혈과 회합하고 더 아래로 내려가서 관관절(髖關節)의 앞 비관(髀關)을 경과하여 고사두기(股四頭肌)의 높은 부위의 복토(伏兎), 음시(陰市), 량구(梁丘)에 이르고 아래로 슬개골 부근의 독비(犢鼻)에 이른다. 경골(脛骨) 외측을 따라 족삼리(足三里), 상거허(上巨虛), 조구(條口), 하거허(下巨虛),를 지나 발등으로 내려와서 해계(解溪), 충양(沖陽)을 지나 중지 내측 발가락 사이에 진입하여 함곡(陷谷), 내정(內庭)에 도달하여 둘째 발가락 끝의 여태(厲兌)에 이른다. 족양명경의 지맥으로 슬하 3촌의 족삼리(足三里)

에서 갈라져 중지외측 발가락 사이에 진입하여 중지 끝에서 나온다. 족양명경의 도 다른 지맥은 발등 부위의 충양(冲陽)에서 갈라져서 엄지발가락 사이로 들어가서 엄지발가락 끝으로 나온 후 족태음비경(足太陰脾經)에 접한다.

【주치개요】
위장병(胃腸病), 두면(頭面), 목(目), 비(鼻), 구(口), 치통(齒痛), 신지병(神志病)에서 본경 순행부위의 기타병증. 열병(熱病), 발광(發狂), 고열학질(高熱瘧疾), 면적(面赤), 한출(汗出), 신혼섬어(神魂譫語), 광조(狂燥), 외한(畏寒), 목통(目痛), 비건조비출혈(鼻乾燥鼻出血), 순구생창(脣口生瘡), 인후종통(咽喉腫痛), 경종(頸腫), 구순괴사(口脣怪斜), 흉통(胸痛), 퇴족홍종동통(腿足紅腫疼痛), 족냉(足冷), 복부창만(腹部脹滿), 위통(胃痛), 수종(水腫), 와불안(臥不安) 혹은 전광(癲狂), 소곡선기(消谷善飢), 뇨황(尿黃), 안검부종(眼瞼浮腫), 사시(斜視), 안검경련(眼瞼痙攣), 류누(流淚), 유방왜소(乳房矮小), 유선염(乳腺炎), 비만 등

【소속혈】 45혈 좌우90혈

【상용혈】
승읍(承泣), 사백(四白), 지창(地倉), 대영(大迎), 협거(頰車), 하관(下關), 기사(氣舍), 유근(乳根), 양문(梁門), 천추(天樞), 양구(梁丘), 독비(犢鼻), 족삼리(足三里), 풍륭(豐隆), 해계(解溪), 내정(內庭), 여태(厲兌)

1) 승읍(承泣)

【정위】 동공의 바로 아래, 안구와 안광연(眼眶緣)사이.

【주치】 안검부종(眼瞼浮腫), 사시(斜視), 안검경련(眼瞼痙攣), 류누(流淚), 근시 등 각종 안과 질환.

2) 사백(四白)

【정위】 승읍 바로 아래, 안광하공(眼眶下孔)의 오목한 곳.

【주치】 면탄(面癱), 삼차신경통(三叉神經痛), 기미, 안검(眼瞼)경련.

3) 지창(地倉)

【정위】 승읍 바로 아래, 구각(口角)외측.

【주치】 면탄(面癱), 안면경련(顔面痙攣), 류연(流涎), 입가주름.

4) 대영(大迎)

【정위】 하악각(下顎角) 전방, 교근(咬筋)부착부의 전연, 면(面)동맥 후방.

【주치】 면탄(面癱), 안면경련(顔面痙攣), 안면주름.

5) 협거(頰車)

【정위】 하악각(下顎角)의 전상방 약1횡지(横指), 저작(咀嚼)시에 교근의 융기부분.

【주치】 면탄(面癱), 교근(咬筋)경련, 하악관절질환, 치통, 안면주름.

6) 하관(下關)

【정위】 관골궁의 하연, 하악절흔의 전방 사이의 오목한 곳.(입을 벌리면 사라짐)

【주치】 면탄(面癱), 하악관절질환, 치통, 안면주름.

7) 기사(氣舍)

【정위】 경부(頸部), 쇄골내측단(鎖骨內側端)의 상연(上緣)(인영혈의 하방), 흉쇄유돌근의 흉골두(胸骨頭)와 쇄골두(鎖骨頭)의 사이.

【주치】 인후종통(咽喉腫痛), 갑상선종(甲狀腺腫), 임파종(淋巴腫), 경부주름.

8) 유근(乳根)

【정위】 유중선상(乳中線上)의 제5늑간.(정중선옆 4촌)

【주치】 유방왜소(乳房矮小), 각종 유방질환과 흉부질환.

9) 양문(梁門)

【정위】 중완(中脘)옆 2촌,(배꼽위 4촌, 정중선옆 2촌)

【주치】 설사, 식욕부진, 복창, 비만, 급만성 위장질환.

10) 천추(天樞)

【정위】 제중(臍中;배꼽 중심) 옆 2촌.

【주치】 복부지방제거, 설사, 복통, 변비등.

11) 양구(梁丘)

【정위】 슬개골 외상연의 위 2촌 오목한 곳.

【주치】 비만, 유선염(乳腺炎), 위통.

12) 독비(犢鼻)

【정위】 슬개골 하연, 슬개 인대 외측의 오목한 곳.

【주치】 슬관절 질환, 피부주름.

13) 족삼리(足三里)

【정위】 독비혈 아래 3촌, 경골 전연의 약 1횡지.

【주치】 위장질환, 소수(消瘦), 비만, 안면색소침착(顔面色素沈着), 안면경련(顔面痙攣), 부종(浮腫), 조로증(早老證), 탈발(脫髮), 피부과민(皮膚過敏), 안면주름.

14) 풍륭(豊隆)

【정위】 족삼리 아래 5촌, 외과첨(外踝尖) 위 8촌, 경골 전연의 2횡지.

【주치】 비만, 안면부종(顔面浮腫).

15) 해계(解溪)

【정위】 발목 횡문 중앙의 오목한 곳, 장무지신근건(長拇趾伸筋腱)과 장지신근건(長趾伸筋腱)의 사이.

【주치】 안면부종, 좌창(痤瘡), 피지과다(皮脂過多), 두통, 변비, 동창(凍瘡).

16) 내정(內庭)

【정위】 발등의 제2, 3지간, 적백육(赤白肉)의 오목한 곳.

【주치】 주조비(酒糟鼻), 치통, 구취(口臭), 구안와사(口眼渦斜), 은진(癮疹)

17) 여태(厲兌)

【정위】 제 2지의 외측, 지갑각(指甲角)의 약 0.1촌.

【주치】 안면부종, 실면(失眠), 면탄(面癱).

(2) 족소양담경(足少陽膽經)

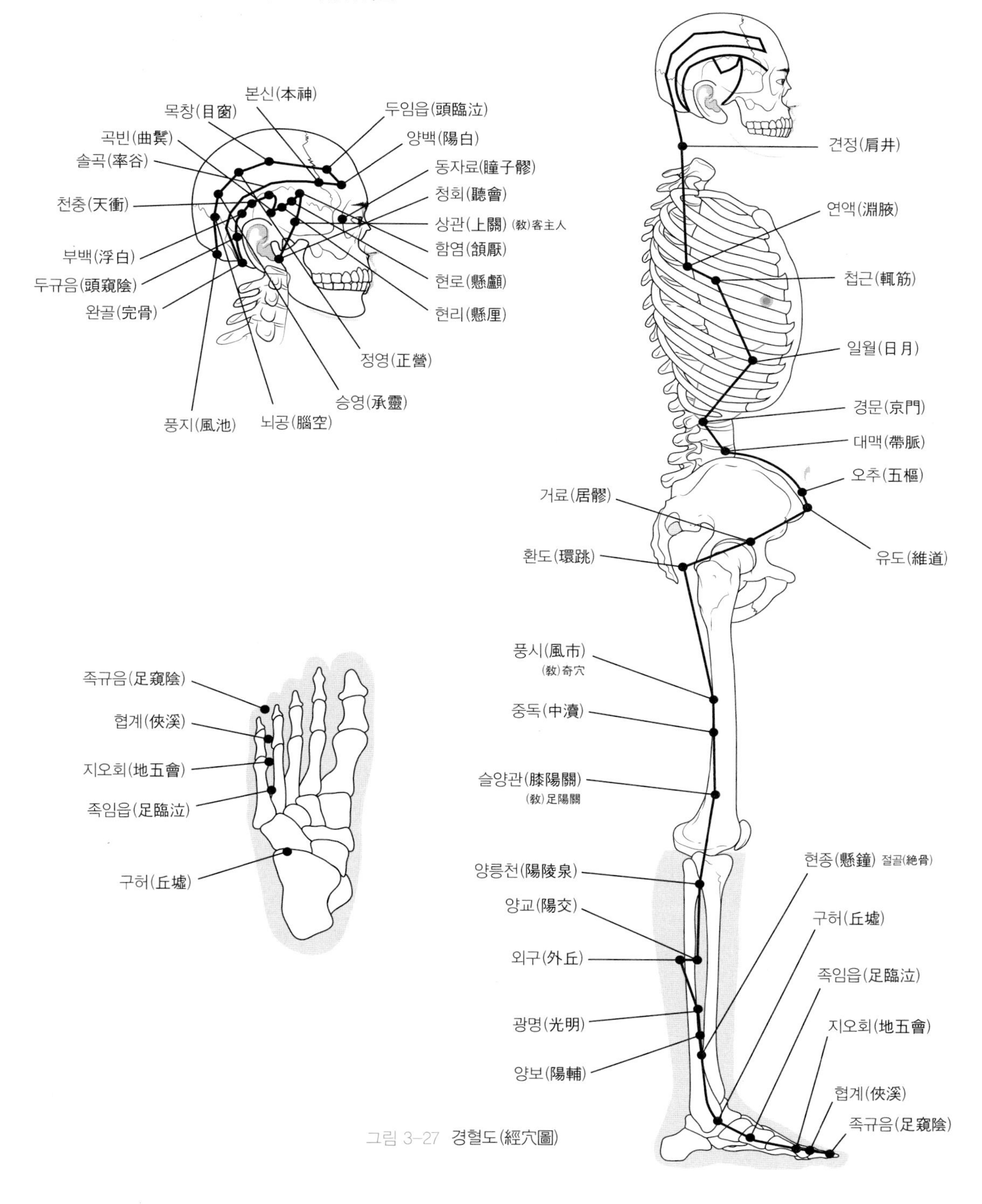

그림 3-27 경혈도(經穴圖)

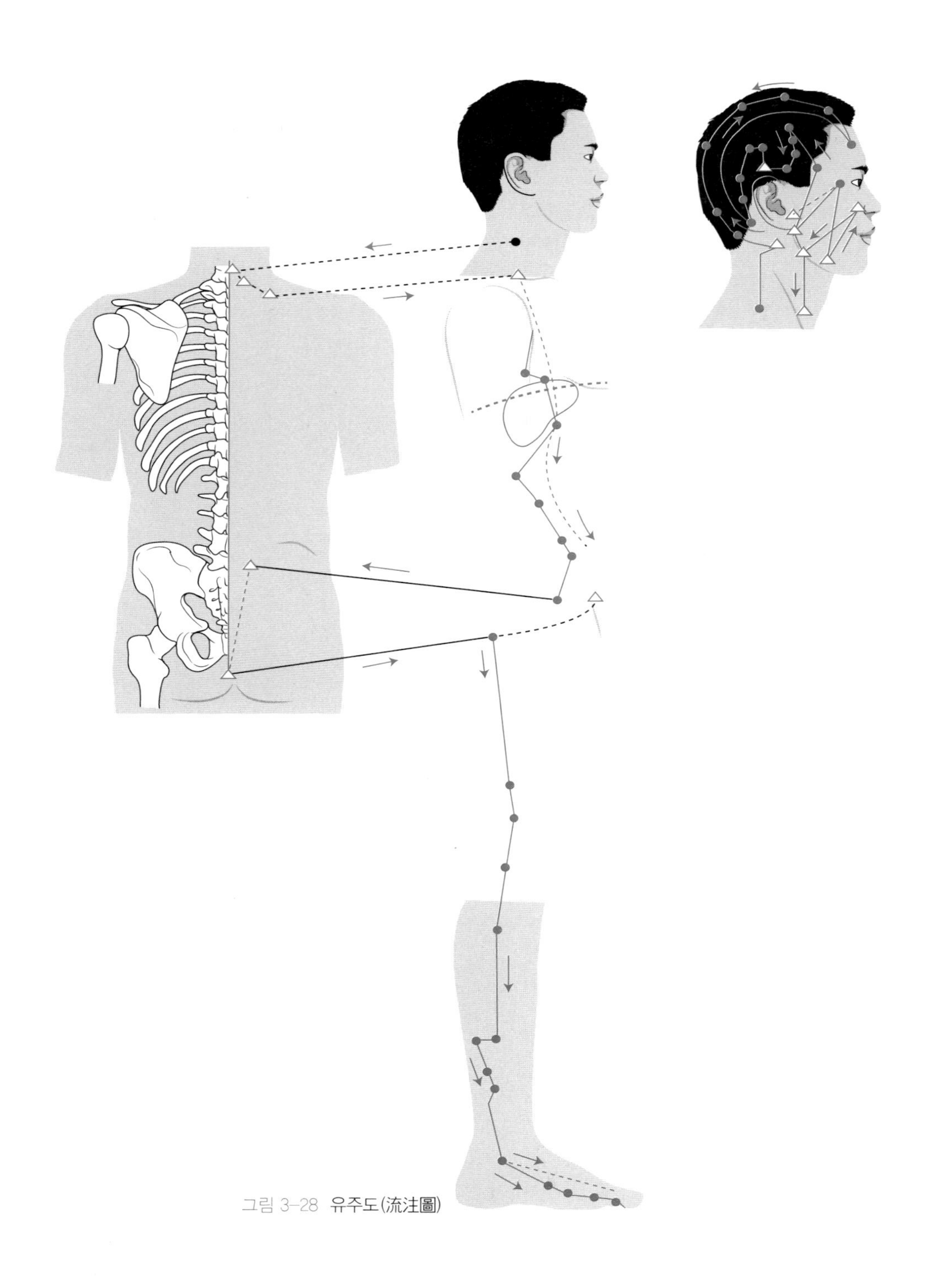

그림 3-28 유주도(流注圖)

【순행(順行)과 유주(流注)】

족소양담경(足少陽膽經)은 주로 하지 외측 중간에 분포한다. 눈외각의 동자료(瞳子髎)에서 시작하여 액각(額角)에 올라와서 두유(頭維)에서 돌고 함염(頷厭), 현로(懸顱), 현리(懸厘), 곡빈(曲鬢)을 지나 화료(和髎), 각손(角孫)에서 돌아 다시 귀 뒤로 내려와서 솔곡(率谷), 천충(天衝), 부백(浮白), 두규음(頭竅陰), 완골(完骨), 본신(本神), 양백(陽白), 두임읍(頭臨泣), 목창(目窗), 정영(正營), 승령(承靈), 뇌공(腦空), 풍지(風池)을 지나 목 옆을 따라 수소양삼초경(手少陽三焦經) 앞의 천용(天容)을 지나 어깨에 올라와서 후퇴한 후 수소양삼초경(手少陽三焦經)에 교차한 후 대추(大椎)에 회하고 견정(肩井)을 지나 병풍에 회하고 결분(缺盆)에 진입한다. 족소양경의 지맥은 귀 뒤에서 귀속에 진입하여 예풍(翳風)에서 회하고 눈 외각에 도달한다. 다른 한 지맥은 눈 외각에서 갈라져서 대영(大迎)에 내려와서 수소양삼초경(手少陽三焦經)에 회합하고 눈 아래로 이르며 아래로 협거(頰車)를 지나 완골(完骨)로 가고 경부(頸部)에서 하행하여 결분(缺盆)에 회합된다. 여기서 아래로 향하여 가슴에 이른 후 횡격을 통과한 후 간(肝)에 락(絡)하고 담(膽)에 속하며 옆구리를 따라 사타구니 동맥을 나와 음모(陰毛)를 돌아서 옆으로 관관절(髖關節)에 진입한다. 족소양경의 주간 직행 맥은 결분(缺盆)에서 겨드랑이의 연액(淵腋), 첩근(輒筋)을 지나 천지에서 회하고 내려와서 흉측을 따라 옆구리의 일월(日月), 경문(京門)을 지나 .장문(章門)에서 회하고 아래로 관관절(髖關節)에 회합되며 대맥(帶脈), 오추(五樞), 유도(維道), 거료(居髎)를 지나 상료(上髎), 하료(下髎)에서 회하고 환도(環跳)에 이른다. 이곳에서 아래로 향하여 대퇴외측을 따라 풍시(風市), 중독(中瀆)을 지나 무릎 외측의 슬양관(膝陽關)을 나와서 아래로 비골두(腓骨頭) 앞의 양릉천(陽陵泉)에서 비골하단(腓骨下端)의 양교(陽交), 외구(外丘), 광명(光明), 양보(陽輔), 현종(懸鐘)으로 내려온 다음 아래로 외측 복사뼈 앞의 구허(丘墟)로 나와서 발등을 따라 제4지 발가락의 외측의 족임읍(足臨泣), 지오회(地五會), 협계(俠溪), 족규음(足竅陰)에 진입한다. 족소양경의 또 다른 지맥은 발등에서 분출하여 엄지발가락 사이로 진입하여 제1, 2척골(跖骨) 사이를 따라 발가락 끝으로 나와서 그곳에서 다시 되돌아 나와 발톱을 통과한 후 발가락을 나와서 족궐음간경(足厥陰肝經)에 접한다.

【주치개요】

측두(側頭)、이(耳)、목(目)、인후(咽喉), 신지병(神志病), 열성질환(熱性疾患)에서 본 경순행부위의 기타 병증. 한열왕래(寒熱往來), 두통(頭痛), 함통(頷痛), 학질(瘧疾), 면색회암(面色灰暗), 목통(目痛), 액하종(腋下腫), 임파결핵(淋巴結核), 이농(耳聾), 결분부종통(缺盆部腫痛), 흉협퇴(胸脇腿)에서 하지외측통(下肢外側痛), 족외측통(足外側痛), 족외측발열(足外側發熱), 협늑동통(脇肋疼痛), 구토(嘔吐), 구고(口苦), 흉통(胸痛), 사시(斜視), 구안와사(口眼渦斜), 안면경련(顔面痙攣), 급성결막염, 편두통, 눈가주름, 안검하수(眼瞼下垂), 안검경련(眼瞼痙攣), 탈발(脫髮), 반독(斑禿), 개선(疥癬), 좌창(痤瘡), 신경성(神經性)피부염, 피부건조소양증(皮膚乾燥瘙痒症) 등

【소속혈】44혈 좌우 88혈

【상용혈】

동자료(瞳子髎), 청회(聽會), 솔곡(率谷), 상관(上關), 양백(陽白), 완골(完骨), 풍지(風池), 풍시(風市), 양릉천(陽陵泉), 족임읍(足臨泣)

1) 동자료(瞳子髎)

【정위】눈 언저리 바깥 쪽.

【주치】목적종통(目赤腫痛), 사시(斜視), 구안와사(口眼渦斜), 안면경련(顔面痙攣), 급성결막염, 편두통, 눈가주름.

2) 청회(聽會)

【정위】이주(耳珠)사이의 전방, 하악관절 돌기의 후연.

【주치】면탄(面癱), 구안와사(口眼渦斜), 치통(痔痛), 하악관절염, 이명(耳鳴), 이농(耳聾), 환청(幻聽).

3) 솔곡(率谷)

【정위】 이첨(耳尖)바로 위의 발제(髮際)에서 1.5촌, 각손(角孫) 직상방.

【주치】 탈발(脫髮), 반독(斑禿), 두선(頭癬)

4) 상관(上關)

【정위】 귀앞 하관(下關)혈의 바로 위, 관골궁 상연의 오목한 곳.

【주치】 면탄(面癱), 구안와사(口眼渦斜), 치통(齒痛).

5) 양백(陽白)

【정위】 동공의 바로 위 이마부위, 눈썹위 1촌.

【주치】 안검하수(眼瞼下垂), 안검경련(眼瞼痙攣), 구안와사(口眼渦斜), 이마주름.

6) 완골(完骨)

【정위】 후두부, 유양돌기(乳樣突起)후방 오목한 곳.

【주치】 탈발(脫髮), 반독(斑禿), 구안와사(口眼渦斜), 두설(頭屑;비듬), 소양증(瘙痒症).

7) 풍지(風池)

【정위】 후두부의 풍부(風府)혈과 평행, 흉쇄유돌근과 승모근 사이의 오목한 곳.

【주치】 면탄(面癱), 구안와사(口眼渦斜), 실면(失眠), 중풍(中風), 탈발(脫髮), 반독(斑禿), 개선(疥癬), 좌창(痤瘡), 신경성(神經性)피부염, 피부건조소양증(皮膚乾燥瘙痒症).

8) 풍시(風市)

【정위】 대퇴의 외측, 슬횡문상 7촌.

【주치】 풍진(風疹), 습진(濕疹), 각기(脚氣), 피부과민(皮膚過敏), 피부건조(皮膚乾燥).

9) 양릉천(陽陵泉)

【정위】 비골(腓骨)소두의 전하방의 오목한 곳.

【주치】 중풍(中風), 간염(肝炎), 대상포진(帶狀疱疹), 각기(脚氣), 좌골신경통, 하지 맥관염(脈管炎), 흉협통(胸脇痛).

10) 족임읍(足臨泣)

【정위】 발등외측, 제4척지(跖趾)관절의 후방, 새끼발가락의 신근건(伸筋腱)외측.

【주치】 임파결핵, 습진, 대상포진(帶狀疱疹), 각기(脚氣), 목적종통(目赤腫痛).

(3) 족태양방광경(足太陽膀胱經)

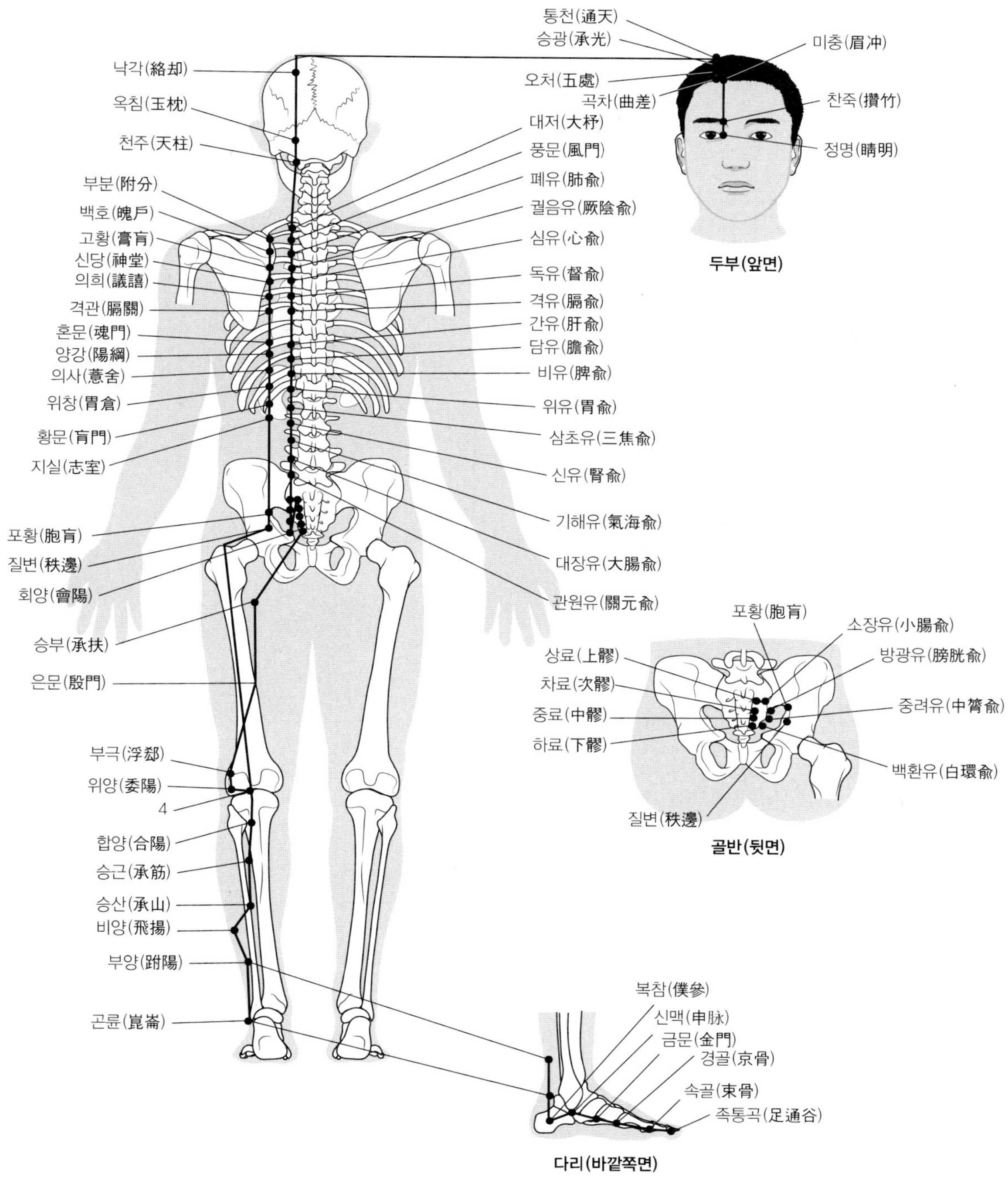

그림 3-29 경혈도(經穴圖)

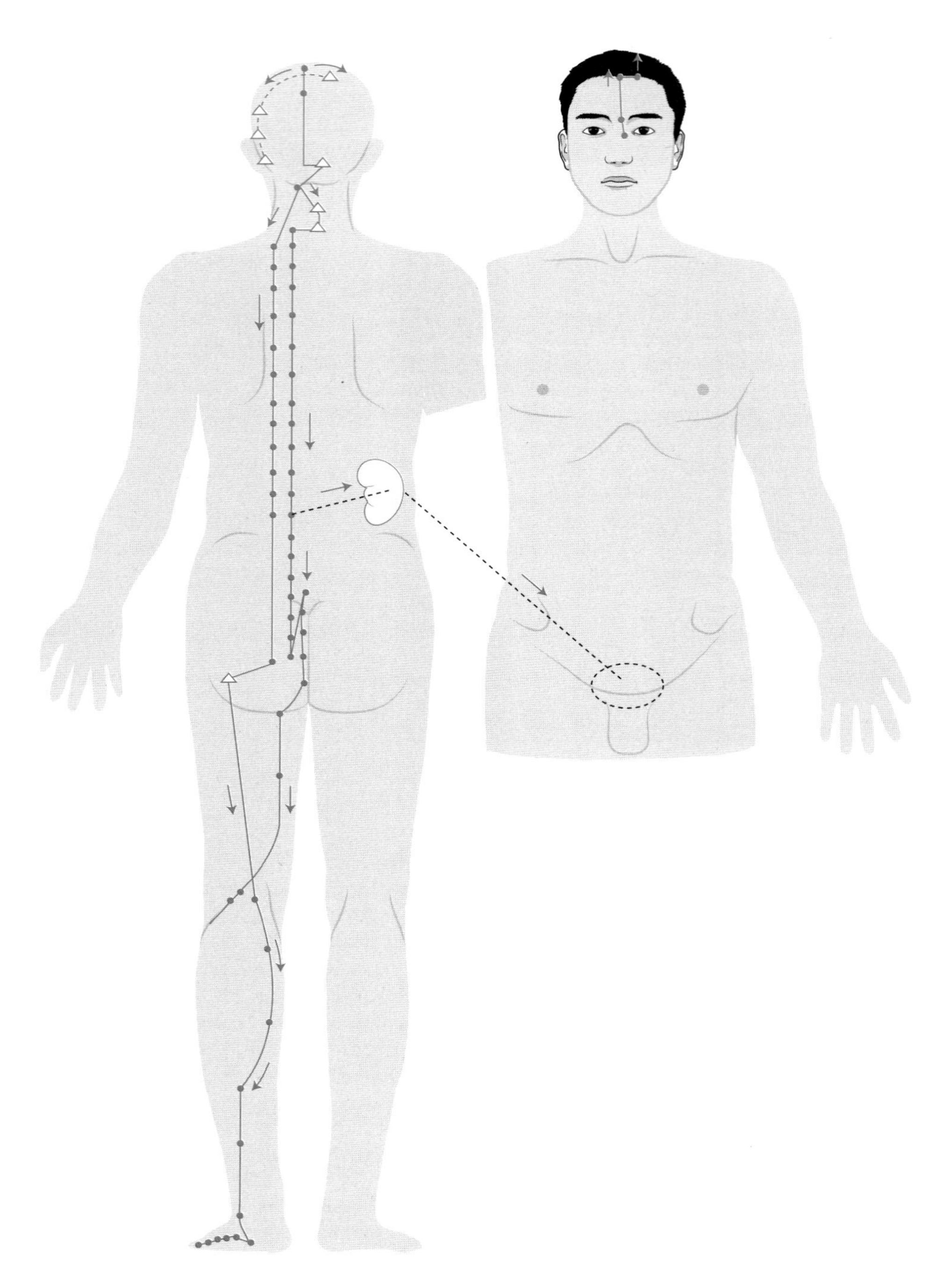

그림 3-30 유주도(流注圖)

【순행(順行)과 유주(流注)】

족태양방광경(足太陽膀胱經)은 주로 허리와 등 부위 제1, 2측선 및 하지외측 후연에 분포되어 있다. 내안각의 정명(睛明)에서 시작하여 이마에서 찬죽(攢竹), 미충(眉冲), 곡차(曲差)로 상행하며 신정(神庭), 두임읍(臨泣)에서 회한다. 그리고 머리 정수리 오처(五處), 승광(承光), 통천(通天)을 지나 백회(百會)에서 교회한다. 족태양경의 지맥은 정수리에서 분출하여 귀상각의 곡빈(曲鬢), 솔곡(率谷), 부백(浮白), 두교음(頭竅陰), 완골(完骨)에 도달한다. 족태양경의 직행 주간(主干)은 정수리에서 안으로 들어가서 뇌(腦)에 락(絡)하며 락각(絡却), 옥침(玉枕)을 거쳐 뇌호(腦戶), 풍부(風府)에서 회한다. 다시 목으로 나와서 천주(天柱)에서 갈라져 하행한다. 한 갈래는 견갑 내측을 따라 척추 옆을 끼고 대추(大椎), 도도(陶道)에서 회하고 대저(大杼), 풍문(風門), 폐유(肺兪), 궐음유(厥陰兪), 심유(心兪), 독유(督兪), 격유(膈兪)를 지나서 허리에 도달하여 간유(肝兪), 담유(膽兪), 비유(脾兪), 위유(胃兪), 삼초유(三焦兪), 신유(腎兪)를 지나 척추 옆 근육으로 진입한 후 기해유(氣海兪), 대장유(大腸兪), 관원유(關元兪), 소장유(小腸兪), 방광유(膀胱兪), 중려유(中膂兪), 백환유(白環兪)로 지나는데 신(腎)에 락(絡)하고 방광에 속(屬)한다. 또 한갈래는 허리에서 갈라져 나와서 척추 옆을 끼고 둔부(臀部)의 상료(上髎), 차료(次髎), 중료(中髎), 하료(下髎), 회양(會陽), 승부(承扶)를 거쳐 오금 부위의 은문(殷門), 위중(委中)에 진입한다. 등의 또 한 지맥은 견갑 내측에서 분리되어 하행하며 견갑을 통과하는데 부분(附分), 백호(魄戶), 고황(膏肓), 신당(神堂), 의희(譩譆), 격관(膈關), 혼문(魂門), 양강(陽綱), 의사(意舍), 위창(胃倉), 황문(肓門), 지실(志室), 포황(胞肓), 질변(秩邊)을 지나 관관절(髖關節)을 지나서 환도(環跳)에서 회하고 대퇴 외측 측면을 따라 하행하여 부극(浮郄), 위양(委陽)을 지나 오금의 위중(委中)에서 회합하고 위중에서 아래로 비장기(腓腸肌)를 통과하여 합양(合陽), 승근(承筋), 승산(承山)을 거쳐 외측 복사뼈 후방의 비양(飛揚), 부양(跗陽), 곤륜(崑崙)으로 나와서 제5척골조륭(跖骨粗隆)을 따라 복삼(僕參), 신맥(申脉), 금문(金門), 경골(京骨)을 지나 약지 발가락 외측의 속골(束骨), 족통곡(足通谷), 지음(至陰)에 도달하여 아래로 족소음신경(足少陰腎經)에 접한다.

【주치개요】

두(頭)、항(項)、목(目)、배(背)、요(腰)、하지부질병(下肢部疾病)과 신지병(神志病)에서 본 경 순행부위의 기타 병증과 관련 장부병(臟腑病)에서 관련 조직기관 병. 한열(寒熱), 두통(頭痛), 항강(項强), 요척동통(腰脊疼痛), 비색다루(鼻塞多淚), 비뉵(鼻衄), 목통(目痛), 대퇴(大腿)、슬하(膝下)、소퇴각통(小腿脚痛), 두통(頭痛)、항(項)、배(背)、요(腰)、둔(臀)에서 하지후측(下肢後側) 본 경 순환부위 동통. 소복창통(小腹脹痛), 소변불리(小便不利), 유뇨(遺尿), 전광(癲狂), 륭폐(癃閉), 신지실상(神志失傷), 각궁반장(角弓反張), 안구경련(眼球痙攣), 구안와사(口眼渦斜), 안검하수(眼瞼下垂), 눈가주름, 피부건조소양(皮膚乾燥瘙痒), 좌창(痤瘡), 황갈반(黃褐斑), 피부과민(皮膚過敏), 주조비(酒糟鼻), 신경성피염(神經性皮炎), 편평우(扁平疣), 면부색소침착, 근시, 사시, 탈발 및 다모증(多毛症), 월경불순, 월경진(月經疹), 비만 등

【소속혈】 67혈 좌우 134혈

【상용혈】

정명(睛明), 찬죽(攢竹), 폐유(肺兪), 심유(心兪), 격유(膈兪), 간유(肝兪), 비유(脾兪), 위유(胃兪), 삼초유(三焦兪), 신유(腎兪), 대장유(大腸兪), 위중(委中), 고황유(膏肓兪), 지실(志室), 신맥(申脉), 지음(至陰)

1) 정명(睛明)

【정위】 내자(內眥;눈 안 언저리)상방의 오목한 곳.

【주치】 목적종통(目赤腫痛), 류누(流淚), 눈의 피로, 눈가주름.

2) 찬죽(攢竹)

【정위】 내자(內眥)바로 위, 눈썹 내측 단.

【주치】 안구경련(眼球痙攣), 구안와사(口眼喎斜), 안검하수(眼瞼下垂), 눈가주름.

3) 폐유(肺兪)

【정위】 제3흉추 극돌기 하방(신주;身柱), 옆 1.5촌.

【주치】 피부건조(皮膚乾燥), 피부균열(皮膚皸裂), 좌창(痤瘡), 주조비(酒糟鼻), 안면색소침착(顔面色素沈着), 피부과민(皮膚過敏), 소양증(瘙痒症).

4) 심유(心兪)

【정위】 제5흉추 극돌기 하방(신도;神道), 옆 1.5촌.

【주치】 면흑(面黑), 창백(蒼白), 좌창(痤瘡), 신경성피염(神經性皮炎).

5) 격유(膈兪)

【정위】 제7흉추 극돌기 하방(지양;至陽), 옆 1.5촌.

【주치】 피부건조소양(皮膚乾燥瘙痒), 좌창(痤瘡), 황갈반(黃褐斑), 피부과민(皮膚過敏), 주조비(酒糟鼻), 신경성피염(神經性皮炎), 편평우(扁平疣).

6) 간유(肝兪)

【정위】 제9흉추 극돌기 하방(중추;中樞), 옆 1.5촌.

【주치】 면부색소침착, 안검하수(眼瞼下垂), 근시, 사시, 탈발 및 다모증(多毛症), 월경불순, 월경진(月經疹), 황갈반(黃褐斑), 편평우(扁平疣), 신경쇠약.

7) 비유(脾兪)

【정위】 제11흉추 극돌기 하방(척중;脊中), 옆 1.5촌.

【주치】 안면부종(顔面浮腫), 창백(蒼白), 안검하수(眼瞼下垂), 반독(斑禿), 탈발(脫髮), 신체비만 및 소수(消瘦), 근육쇠약, 백전풍(白癜風), 안면주름.

8) 위유(胃兪)

【정위】 제12흉추 극돌기 하방, 옆 1.5촌.

【주치】 창백(蒼白), 소화불량, 비만(肥滿) 및 소수(消瘦).

9) 삼초유(三焦兪)

【정위】 제1요추 극돌기 하방(현추;懸樞), 옆 1.5촌.

【주치】 비만(肥滿), 신경쇠약.

10) 신유(腎兪)

【정위】 제2요추 극돌기 하방(명문;命門), 옆 1.5촌.

【주치】 탈발(脫髮), 조백(早白;새치), 부종, 안면색소침착(顔面色素沈着), 안면피부탄력, 주름제거, 월경진(月經疹), 좌창(痤瘡), 황갈반(黃褐斑).

11) 대장유(大腸兪)

【정위】 제4요추 극돌기 하방(요양관;腰陽關), 옆 1.5촌.

【주치】 구취(口臭), 구창(口瘡), 좌창(痤瘡), 피지과다(皮脂過多), 비만, 변비.

12) 위중(胃中)

【정위】 슬와의 횡문의 중앙.

【주치】 후경부(後頸部)피부병, 소변불리, 하지마비.

13) 고황유(膏□兪)

【정위】 제4흉추 극돌기 하방, 옆 3촌.

【주치】 신체허약, 비만(肥滿) 및 소수(消瘦).

14) 지실(志室)

【정위】 제2요추 극돌기 하방, 옆 3촌.(신유)

【주치】 만성요통, 근시, 허리비만.

15) 신맥(伸脈)

【정위】 외과(外踝) 바로 아래의 오목한 곳.

【주치】 면탄(面癱), 비만, 변비, 구취(口臭), 실면(失眠), 두통(頭痛).

16) 지음(至陰)

【정위】 새끼발가락 지갑각(指甲角)의 0.1촌.

【주치】 비염(鼻炎), 난산(難産), 태위부정(胎位不定).

제 4 장

기공미용 (氣功美容)

4 기공미용(氣功美容)

하편 제1절 기공미용의 개요(概要)

1. 기공미용의 개념(概念)

기공(氣功)이란 일종의 자기 자신의 몸과 마음을 다스리는 방법으로, 원기(元氣)를 증강시키고, 장부(臟腑)의 기를 충실하게 하고, 경락(經絡)의 기를 활발하게 하여 면역기능을 높이고, 신체 조절기능을 개선시켜 질병을 예방하고 수명을 연장시켜준다. 기공은 사람의 몸과 마음을 조절하여 사람으로 하여금 생리적(生理的)으로나 심리적(心理的)으로도 생활에 활력을 준다. 외적으로는 신체적 노화현상(주름, 흰머리, 노안, 가는 귀, 틀니, 하지무력 등)이 늦게 나타나게 한다. 이것이 기공수련이 미용을 통해 나타나는 확실한 효과인 것인데 옛 문헌의 기록에도 있다. 《소문 · 상고천진론素問 · 上古天眞論》: "余聞上古有眞人者,提挈天地,把握陰陽,呼吸精氣,獨立守神,肌肉若一............". 이 말은 진인(眞人)이 기공수련을 연마한 뒤에 신체가 늙지가 않아 청춘과 같더라, 그 중 기육약일(肌肉若一)이라는 것은 신체가 시종일관 그대로라는 것이다.

2. 기공의 기원(起源)

기(氣)에 관한 기록은 태우의 환웅(太虞義桓雄, BC3512년) 때 백성들에게 조식법(調息法) 등으로 정기(精氣)를 보존하여 병 없이 오래 살게 하는 방법을 가르쳤다는 것이 첫 기록이다. 그러나 이 방법은 이때 처음 생겨난 것이 아니다. 그 보다 훨씬 이전인 BC3898년 환웅천황(桓雄天皇)때로 거슬러 올라가야 한다.

환웅천황 이후 기를 보존하는 장수법(長壽法)이 전해 내려와 배달나라(神市時代~단군조선 이전) 태우의 환웅(제5대)을 거쳐 제14대인 치우천황(蚩尤天皇;磁烏支桓雄, BC2707년)에 이르러서의 일이다. 이때 천문과 지리에 통달한 자부선생(紫府先生)이라는 대학자가 있었다. 그는 《삼황내문경(三皇內文經)》이란 책을 지어 치우천황께 바쳤다. 이 책에는 우리 민족 고유의 도(道)가 집대성되어 있었다. 이 책을 받아 본 치우천황은 너무나 기쁜 나머지 자부선생께 친히 큰 상을 내려 그 공을 치하했다고 한다. 당시 치우천황은 황제(黃帝~헌원 : 軒轅)와의 수차례 전쟁을 승리로 이끌었다. 치우천황은 안개를 일으켜 황제의 군사들이 방향감각을 잃도록 유도했고, 당시로서는 상상도 할 수 없었던 청동제 투구와 갑옷으로 무장한 치우천황의 군사들을 황제의 군사가 이긴다는 것은 불가능한 일이었다. 황제의 군사들은 치우천황을 구리머리와 쇠이마를 가진 사람이라며 싸우기도 전부터 벌벌 떨기만 했다. 이에 황제는 더 이상 버틸 수 없어 치우천황과 화평조약을 맺기 위해 치우천황을 만나러 가는 길에, 문득 자부선생의 명성이 생각나 가던 길을 멈추고 그를 찾아 나섰다. 자부선생의 명성에 값하는 학식을 얻기 위함이었다. 자부선생은 별다른 말없이 《삼황내문경(三皇內文經)》이라는 자신의 책을 내주며 '이 책을 읽고 마음을 다스려 다시는 무모한 싸움을 하지 말 것'을 당부했다. 《삼황내문경(三皇內文經)》에는 우리 민족 고유의 정신이 담겨져 있을 뿐 아니라, 장수의 비결, 의술에 관한 폭넓은 지식이 담겨 있었다.

자부선생으로부터 책을 건네받은 황제는 이 책에 담겨있는 내용 가운데 중요한 부분을 둘로 나눠 간추려서 후세에 남겼다. 그 하나가 노자(老子)에게로 이어져 도교(道教)의 바탕이 되었고, 또 다른 하나는 지금까지 전해 내려오는 동양 최고(最古)의 의서(醫書) 중의 하나인 《황제내경(黃帝內經)》이다.

이 밖에 《황제음부경(黃帝陰符經)》도 《삼황내문경》에서 비롯된 것이라고 전해진다. 《단기고사(檀奇古史)》에서는 황제와 《삼황내문경》에 대해 다음과 같이 기록하고 있다. "그 때에 자부선생이라는 도(道)가 높은 분이 있었다. 위로는 천문(天文)을 두루 통하고 아래로는 지리(地理)를 살피며, 특히 도덕(道德)이 고상하였다. 이에 황제 헌원(黃帝 軒轅)이 와서 수학(修學)한 후에 《삼황내문경》을 받아 가지고 귀국했다."

한편 《계원사화》와 《환단고기(桓檀古記)》는 자부선생에 대해 "선생은 태우의 환웅 때 팔괘를 만들었던 복희씨(伏羲氏)와 함께 공부한 발귀리(發貴里) 선인(仙人)의 후손"이라고 적고 있다.

자부선생은 또 나면서부터 신령한 도를 터득해 공중으로 날아오르거나, 땅을 주름잡고 다니는 비법(축지법)을 알고 있었다고 전해진다. 그의 비법은 우리 민족 고유의 도(道)와 기(氣)를 통해 얻어진 것이다.

《삼황내문경》은 녹서(鹿書)로 쓰여 졌으면 모두 3편으로 나뉘어져 있었다고 한다. 지금의 《도덕경(道德經)》이나 '황제내경'이 어느 부분을 기초로 쓰여졌는지 확실히 알 길이 없다. 다만 분명히 알 수 있는 것은 '황제내경'에 나오는 '기(氣)'는 황제가 있기 훨씬 이전부터 사용되었고, 그것이 자부선생에 의해 비로소 중국의 황제에게 전해졌다는 사실이다. 그럼에도 우리는 기는 말할 것도 없고 동양의 역, 도, 무, 술(易, 道, 武, 術) 등이 모두 중국에서 건너온 것이라는 막연한 사대주의에 빠져 있다. 다시 언급하지만 이제라도 그릇된 사대주의에서 깨어나야 한다. 분명히 기의 발상지는 우리나라이고, 그것이 자부선생에 의해 중국 땅으로 전파된 것이라고 이해하면 틀림없다. 당시 기록된 우리 강토의 범위를 바탕으로 어림잡아, 백두산을 중심으로 중국 상해 남쪽 항주(杭州) 근방을 반지름으로 이어서 원을 그린다면 그 넓이를 상상할 수 있을 것이다. 즉 중국대륙의 동쪽과 만주, 연해주, 한반도, 일본 등지가 동이족(東夷族)의 활동 무대였다. 그렇다면 황하문명(黃河文明)도 엄밀히 따지면 우리 선조인 동이족의 문명이라고 봐야 한다. 이 같은 사실은 역사학자들에 의해 하나 둘씩 밝혀지고 있다.

위에서 살펴보았듯이 기의 사적고찰에 있어 자부선생이 차지하는 비중은 실로 엄청나다. 자부선생은 자부선인(紫府仙人)이라고도 불렸다.

자부가 《삼황내문경》을 지어 치우천황께 바치니 임금은 감복하여 대풍산(大風山)의 양지 바른 곳에 삼천궁을 지어 주었고 자부선생은 그곳에서 해와 달과 별의 움직임을 살펴 칠성력(七星曆)을 만들어 내기도 했다.

그러면 《삼황내문경》의 근원은 무엇일까? 간단히 말하면 《천부경(天符經)》에서 《삼일신고(三一神誥)》가 나왔고, 이를 바탕으로 복희씨는 팔괘(八卦)를 만들고 환역(桓易~周易의 바탕)을 완성했다. 《삼황내문경》은 위의 모든 책을 근거로 집대성된 책으로 여겨진다. 오늘날 이들 《천부경(天符經)》,《삼일신고(三一神誥)》, 《환역(桓易)》, 《삼황내문경(三皇內文經)》등은 동양사상의 근간을 이루는 책으로 꼽히고 있다. 동이족으로부터 출발된 이 책들은 오늘날까지 수천 년 동안 동양의 정신세계는 물론 의학(醫學), 무도(武道), 무술(武術)까지 지배해 왔다. 또한 다가오는 21세기에는 동양사상이 과학문명으로 막다른 파멸의 위기에 봉착하게 된 서양사상에 대처하면서 더욱 발달할 것임을 예견할 수 있다.

3. 기의 개념(槪念)

(1) 기(氣)의 이상(異常)은 죽음이다.

우리 인간은 육안(肉眼)으로 볼 수 있는 것과 볼 수 없는 것으로 구성되어 있다고 믿고 있다. 육안으로 볼 수 있는 것은 당연히 우리의 생명이 깃든 틀, 즉 신체를 말할 것이다. 또한 육안으로 볼 수 없는 것은 생명 활동을 제어하는 기능이라고 말할 수 있다. 즉 생명체에 충만해 있으면서 생명체의 활동을 영위하게 하는 생체에너지(氣)를 의미한다. 기는 육체를 구성하는 물질인 동시에 몸 안에서 끊임없이 움직여 생명 현상을 일으킨다.

예부터 사람들의 기는 태어날 때부터 선천적으로 후박(厚薄)이 결정지어지는 것으로 생각해 왔다. 다시 말해 기의 두껍고, 엷음에 따라 수명이 길고 짧음이 결정된다고 믿었고, 그것은 선천적으로 부모로부터 물려받은 것이라고 생각해 왔다.

즉 기를 충분히 받고 태어나면 신체가 건강하고 수명(壽命)이 길다는 뜻이다. 이와는 반대로 받은 기가 모자라면 신체가 허약하고, 요절하거나 천수를 다하지 못하고 죽는다고 믿어왔다. 그러나 죽음이 선천적인 기에 의해 결정되는 것이 아니라고 믿는 사람들 가운데는 그에 대응해서 장수법(長壽法)을 고안해 내기도 했다. 신선(神仙)들이 그 전형적인 예라고 할 수 있다.

(2) 시간(時間)과 기(氣)의 작용

물리학(物理學)에서는 시간도 일종의 에너지, 즉 기(氣)로 본다. 이 점에 대해서는 오늘날의 과학자들도 많은 관심을 갖고 연구를 거듭해 오고 있다. 아울러 시간에 대한 새로운 이론이 러시아의 천체 물리학자 중의 한 사람인 니콜라이 코지레프 박사(Dr.Nikolai Kozyrev)에 의해 전개된 바 있다.

그의 이론에 의하면 시간 에너지를 받는 축(軸)의 근처에서는 그 밀도가 보다 높고, 에너지 작용을 보내는 축의 근처에서는 보다 희박하게 된다는 사실을 실험 기에 의해 검출해 냈다. 그는 현재 이 특이한 효과를 그래프로 표시하는 기계를 여러 관련 전문인들에게 공개했다. 그 기계의 기본적인 장치는 정밀 자이로스코프(Gyroscope), 비대칭 추(Asymmetrical Pendulmums), 그리고 비틀림(Torsion Balance) 등으로 이루어져 있다.

그렇다면 사람의 사고(思考)는 이 시간의 밀도 위에 어떠한 작용을 할 것인가가 주목거리일 것이다. 코지레프 박사는 이에 대해 다음과 같이 말하고 있다.

"사고(思考)는 분명히 시간에 영향을 줍니다. 제가 실험 중에 그러한 생각을 가지고 시(詩)와 같이 감정에 변화를 일으킬 만한 것을 깊이 생각하면 그 장치는 제가 수학적(數學的)인 계산에 대해 생각하고 있을 때보다 훨씬 큰 변화를 기록합니다. 제 실험에 의하면 우리들의 사고가 시간의 밀도를 변화시키는 것이 틀림없습니다."

이렇게 볼 때 예수의 '안수(按手)'에 대해 생각해 보지 않을 수 없을 것 같다. 예수는 나병환자를 고치는데 시간 에너지를 사용해 치유시간의 여유도 없이 나병이 생기기 이전의 모습으로, 즉 병 걸리기 전의 모습으로 환원(還元)시키는 놀라운 기적을 수차례 행하였다. 이는 다시 말해서 보통 사람이 사용하는 안수법을 행한 것이 아니라 그 환자의 시간에너지(氣)를 과거(過去)의 나병이 걸리기 이전 상태로 시간적 농축을 시켰기에 가능했다고 설명할 수 있다.

이와 같은 이론은 '석가모니'의 팔대 신통력(八大 神通力)가운데 하나에서도 찾아볼 수 있다.

우리들의 사고(思考)가 시간 에너지(氣)를 어떻게 변화시키는 가를 연구해 본 결과 사람이 과거를 생각했을 때와 미래를 생각했을 때의 생리적 힘의 반응이 현저하게 차이가 있다는 사실이 입증되고 있다.

(3) 기(氣)는 시간(時間), 장소(場所)에 따라 달라진다.

우주는 수많은 종류의 자기(磁氣)가 유동하고 있다. 자기는 별(星)과 별 사이를 유동하며 별과 공존하고 있다. 지구(地球) 역시 이 범주에 속해 있다. 지구는 목성, 화성, 토성, 금성, 수성으로부터 자기(磁氣)를 받고 있다. 지구가 받고 있는 이들의 기는 시간과 장소에 따라 수시로 그 성질(性質)이 바뀌고 있다.

옛 사람들은 바로 이러한 성질을 인식(認識)하고, 그것을 역(易)으로 풀이해, 그 사람이 태어날 때 받은 자기(磁氣)를 보고 그 사람의 건강상태, 의식(意識)과 재능(才能), 정신의 특징, 때로는 지질학적 방향의 성질까지 알아내곤 했다. 그리고 이것은 전혀 터무니없는 것이 아닐뿐더러 자신의 그것과 일치하는 경우도 많았다. 일상생활 속에서 생리학적 리듬이 시간의 변화에 따라 달라지며 기의 성질 역시 달라진다는 것은 이미 규명된 바 있다.

이와 같이 시간에 따라 그 성질이 변하고 있다. 그런가 하면 누가 어느 방향을 향해 서 있느냐에 따라서도 성질이 달라진다. 왜냐하면 그 자력의 기가 우리 몸에 영향을 미치기 때문이다.

임상 경험에 의하면, 간장(肝臟)기능이 좋지 않은 사람이 북쪽 방향이나 동쪽 방향을 보고 서 있을 때는 쉽게 피로를 느끼며, 힘의 반응이 약하게 나타났고, 그 사람이 남쪽 방향이나 서쪽방향을 보고 있을 때는 여간해서는 피로를 느끼지 않고 힘의 반응도 강해지고 있음이 나타났다. 이는 임상실험에서 알 수 있듯이 '서 있는 방향(方向)과 그 방향에 따른 생리적인 힘'에 관한 실험을 통해 얻어낸 결과이다.

이 결과는 사람이 어떤 작업을 할 때 그 작업자의 몸이 향해 있는 방향에 따라 일의 능률이 월등히 높아질 수도 있고, 반대로 현저히 저하될 수도 있다는 것을 의미한다.

(4) 기(氣)는 색깔에 따라서도 달리 반응(反應)한다.

기는 색깔에 의해서도 반응이 달라진다. 이는 기가 마음과 육체에 직접적인 영향을 주고 있다는 것을 의미한다. 앞에서 설명했듯이 색에 따라 그 사람의 성격과 감정을 알 수 있어, 예부터 우리 조상들은 주거 환경이나 식생활에 이르기까지 색깔에 대해서 깊은 관심을 가져왔다.

동양의학에서도 색을 오행(五行)으로 분류해서 그 색이 어느 장부(臟腑)와 관계가 있는지 파악했고, 그 결과에 따라 약(藥)을 분류해서 사용해 왔다. 예를 들어 청색은 간장(肝臟), 적색은 심장(心臟), 황색은 비장(脾臟), 백색은 폐장(肺臟), 흑색은 신장(腎臟)을 의미한다고 여겨 병을 진단하는 방법으로 이용해 왔다.

또 먹는 음식물의 색깔에 따라서도 기의 종류가 달라진다. 이 같은 사실은 오늘날 편식이라는 문제가 단순히 음식물의 영양소 상의 불균형이라는 문제가 아니라 오장(五臟)을 조절하는 에너지(氣)의 부족을 초래한다는 점에서 보다 시사하는 바가 크다고 할 수 있다. 색깔은 비단 우리가 먹는 음식물에만 국한되어 있는 것은 아니다. 생활환경, 즉 우리가 살고 있는 주변의 색깔에도 기가 반응하며, 따라서 우리 마음과 신체의 반응이 각각 달라진다.

예를 들어 주위에 황색이 많을 때는 마음이 특히 안정되고, 육체적 힘의 반응이 이완 상태로 나타난다. 붉은 색이 많은 환경에 있으면 마음이 흥분되기 쉬우며 육체적 반응도 긴장 상태를 보인다. 또 흑색일 경우에는 마음과 신체가 똑같이 긴장 상태를 나타낸다.

이와 같이 기는 그 본질이 실로 다양하여 물질과 정신, 그리고 마음, 시간과 공간, 형태, 색깔에까지 반응한다.

(5) 기(氣)는 의식(意識) 상태에 따라 달라진다.

기는 사람의 의식 즉 사고방식에 따라서도 달라진다. 그런 의미에서 건강 문제에 관해서도 우리는 긍정적인 사고방식을 갖고 있는 것이 좋다. 흔히 우리들이 통증을 의식하면 곧 통증이 따른다. 아니 더 격심해진다. 이것은 기가 의식에 따라 반응하기 때문에 자신이 의식하는 부위에 통증을 유발시키는 기가 집결하기 때문이다.

이러한 사실은 이미 1970년대에 의학자들이 모르핀보다 서너 배나 더 강렬한 자연적인 생체 진통제로 보이는 '엔도르핀'이란 물질이 우리의 뇌 속에 존재한다는 사실을 발견함으로써 어느 정도 실체가 인정되었다. '엔도르핀'이란 물질은 인간의 감정, 특히 격렬한 감정과 밀접한 관계가 있는 것으로 판명되었다. 한때 이것을 환자에게 적용해 신기한 효과를 보아 온 소위 '플라세보'의 신비를 푸는 열쇠가 되지 않을까 하여 관심을 모으기도 했다.

'플라세보'란 의학적으로 아무런 효험이 없는 물질, 예를 들어 염분이나 밀가루 따위를 단순한 실험용으로 쓰거나 아니면 여타의 약으로 도저히 치료가 불가능한 환자에게 심리요법으로 투여되는 '가짜 약(僞藥)'에 불과한데 이런 가짜 약이 병세의 호전을 가져온다는 것이다. 사실은 '플라세보'를 복용한 사람들의 몸에 '엔도르핀'이라는 물질이 왕성하게 활동했기 때문이라고 여겨진 것이다.

이 '플라세보'는 오늘날 의학이 고도로 발달한 현 시점에서 인간의 질병은 마음에서부터 비롯된다는 이론을 뒷받침해 주고 있다.

이러한 이론은 정신과 신체의 상관관계를 연구하는 정신신체의학(psychosomatics), 즉 행동의학의 탄생의 시발이 되었다. 그 후 행동 의학자들은 마음을 다스리는 방법을 내놓았으나 지금껏 동양의학의 근본인 기를 다스리는 방법에서 조금도 진보하지 못한 실정이다.

오늘날 중국에서 침술(針術) 마취를 통해서 말을 시켜가며 갑상선수술을 비롯 각종 대형수술을 하고 있는 것은 어느 나라 의학계에서도 부인할 수 없는 사실이다.

이상에서 설명한 것을 간략하게 정리한다면 기는 신체 기능을 조절하기도 하지만 경우에 따라서는 질병을 유발시키기도 한다는 것이다.

격렬한 분노(憤怒)나 슬픔은 체내에서 기의 균형을 깨뜨린다. 지나치게 기뻐하는 것도 마찬가지여서 희로애락(喜怒哀樂)이나 정동(情動;갑자기 일어난 일시적인 급격한 감정으로, 타오르는 듯한 애정이나 강렬한 증오 등을 말함)에 치우치는 것은 병의 내적 원인이 된다.

정동(情動)은 오행론에서 말하는 오장(五臟)의 배당에서 간장은 성남(努), 심장은 기쁨(喜), 비장은 생각(思), 폐는 근심이나 슬픔(憂悲), 신장은 두려움을 갖게 되어 병의 원인이 된다고 설명하고 있다. 정동의 치우침은 몸 안의 기의 변동을 유발시켜 갖가지 질환을 일으키는 내인(內因)이 됨과 동시에 다른 원인으로 기가 변동될 때에는 특정한 정동으로 나타나기도 한다.

여기서 우리는 기의 개념을 매개로 한 정동과 질환 즉, 의식과 생리적 질환이 서로 밀접한 관계를 갖는다는 것을 알 수 있다. 동시에 의식과 생리적 문제는 정신질환을 이해하는 데 빼놓을 수 없는 요건임을 알 수 있다. 대개 전형적인 정신질환으로 전(癲)과 광(狂)을 들 수 있다.

동양의학에서는 이와 같이 정신장애도 다른 체내의 질환과 마찬가지로 각각의 병증과 병리를 명확하게 구분하고 있다.

간질병의 병증은 하허상실(下虛上實)이다. 곧 양기가 올라가 막혔기 때문에 음기가 내려 기의 순환이 정체된 병증이라고 보고 있다.

광증(狂症;미친병)은 더욱 복잡하여 여러 가지 경우가 있다. 간질병도 미친병도 모두 몸안의 기의 통로인 경락에 이상이 생겨 나타나는 것으로, 특히 미친병은 다리의 양명위경(陽明胃經)과 깊은 관계가 있다고 본다. 동양의학에서는 정신질환도 다른 육체적 질환과 마찬가지로 기의 불균형 때문에 오는 것이라고 설명한다.

즉 동양의학의 관점에서는 신체 증상과 정신 증상을 굳이 구별하지 않는다. 이와 같이 의식과 신체가 구별되어 나타나는 것이 아니라 모두 하나의 틀로서 심, 기, 체(心, 氣, 體)의 기능적 구조를 바탕으로 일체 불가분의 관계가 있다고 이해하고 있는 것이다.

(6) 기는 마음에 따라 작용한다.

기는 마음의 상태가 긍정적일 때와 부정적일 때와 그 작용이 달라진다. 긍정적일 때는 육체적인 힘의 반응이 이완 상태로 나타나고, 부정적일 때는 육체적인 힘의 반응이 긴장 상태로 나타난다. 마음 속에 두고 있는 목적의 대상이 건강(健康)이든 사랑(愛)이든, 부(副)이든, 육체적인 힘의 반응은 비슷하게 나타난다. 사랑이나 희망, 믿음, 성취감, 호기심, 기쁨 등은 건강이나 사랑, 부를 창조하는데 효과적인 요인들이다. 이런 요인들이야말로 그것을 창조하는 기(인력)를 이끈다고 볼 수 있다. 반대로 미움이나 좌절감, 적대감, 분노 등은 건강이나 사랑, 부를 파괴하는 혐오적인 요인들이다. 이런 요인들은 그것을 파괴하는 기(반력)를 이끈다.

마음에 의한 에너지(기)의 법칙은 인간이라고 해서 예외일 수는 없다. 만물의 법칙에서 벗어날 수 없는 것이다. 인간의 행동 양식 일체는 마음에 의해 시작되고 전개되며 끝을 맺는다.

결국 마음 그 자체가 기능이 아니라 그 기능이 바로 기(氣)에 의한 것이라고 할 수 있다.

기는 성공과 실패의 갈림길에서도 마음의 상태에 따라 작용하게 된다. 즉 마음에서 '된다'고 하면 성공적인 씨앗(氣)이 형성되어 마음먹은 대로 '창조'되며, 마음에서 '안된다'고 하면 파괴적인 씨앗(氣)이 형성되어 마음먹은 대로 '혐오'하게 되는 것이다.

쉬운 예를 들면, 사람을 대할 때 처음부터 참 예쁘다고 생각하면 만나 볼수록 예쁘게 보이지만, 밉다고 생각하면 만나면 만날수록 보기 싫다고 여겨서 사랑할 수 있는 상대였는데도 끝내는 사랑을 잃고 마는 경우가 있는 것이다.

오늘날 현대의학에서도 긍정적인 생활태도는 체내의 면역체계를 증진시키고, 부정적인 생활 태도는 체내의 면역체계를 감소시켜 각종 질병의 원인이 되고 있다고 충고하고 있다. 이것은 곧 교란된 마음의 상태가 체내에서 탁한 기(氣)를 증가 시키고, 마음의 상태가 진정되었을 경우에는 체내의 맑은 기가 증가된다는 것을 의미한다. 체내에 탁한 기가 많을수록 건강상태는 나빠지고 각종 질병이 나타나며, 체내에 맑은 기가 많으면 많을수록 건강하고 장수하는 데 필요한 에너지가 증가하게 되는 것과 같은 이치이다. 그래서 건강하게 불로장생하기 위해 옛사람들은 기를 맑게 보존하기 위해 나름대로 지혜를 동원해 방법을 고안해 냈다. 그것이 오늘날 널리 보급되어 있는 호흡법이나 식이요법 등이다. 그러나 그것은 부분적인 것에 불과한 것이다.

가장 근본적인 것은 이제까지 누차 강조했듯이 마음의 관리를 잘해야 하며, 그 다음으로는 이성 간의 몸 관리가 중요하다고 할 수 있다.

4. 치유(治癒)의 약손법

손의 치유력은 오랜 옛날부터 현재에 이르기까지 인간 능력의 수수께끼로 알려져 왔다. 어린 손자가 배가 아프다고 하면 할머니께서 "내 손은 약손이다"하시며 배를 어루만져 주시면 얼마 지나지 않아 신기하게도 배아픔이 사라졌던 경험은 누구에게나 있을 것이다. 사람은 누구나 태어날 때부터 천부적으로 질병을 치유할 수 있는 능력을 가지고 태어났으며 '할머니의 약손'은 사랑하는 손자가 낫기를 바라는 간절한 마음이 외부로 능력을 나타낸 것이다. 그러나

'할머니의 약손'은 손자에게만 통하는 것이며 생판 모르는 남에게는 아무리 '내 손은 약손이다' 하며 주물러도 낫지 않는다. 사랑과 정성이 부족하기 때문이다.

'기 치료'라는 것은 명상 수련을 통하여 이러한 치유력을 인간의 자율적 기능에 맡기지 않고 의지적으로 통제 조절할 수 있도록 한 것이다. 쉽게 말하면 할머니의 손자에 대한 사랑과 정성을 시술자의 수련으로 대신하는 것이라고 말할 수 있다.

손을 칼에 베었을 때 상처가 가벼우면 가정에서 약을 바르는 것으로 족하겠지만 깊은 상처가 생겼을 때는 병원에 가서 지혈을 하고 약을 바르고 꿰매야 한다. 이때 일반인들은 의사나 약이 병을 낫게 한다고 생각하기 쉽지만 엄밀히 말해서 의사나 약, 주사 등은 병이 낫도록 도와주는 보조적 역할을 할 뿐이다. 근본적으로 병을 낫게 하는 것은 인간의 '자연 치유력'이다. 자신의 치유력이 스스로 상처를 아물게 하고 결국 원상태의 세포로 완전히 재생시키는 것이다. 명상수련을 통하여 치유기를 양생화 한 기공사는 이러한 치유력을 몸 밖으로 내보내어 타인의 질병을 치료하게 되는 것이다.

최근 서구에서는 '정신 신경 의학'이라는 새로운 학문이 대두되면서 이 방면의 연구에 박차를 가함으로써 새로운 사실들이 속속 드러나고 있다. 미국 텍사스주 텔라스시의 암 연구센터의 '칼 시몬턴'박사는 심리학자인 부인과 함께 1백 59명의 말기 암환자(1년 이내에 사망한다는 선고를 받은 사람)들을 대상으로 명상훈련을 실시했는데 그 결과 거의 모든 환자들이 최소한 20개월 이상 생존했고, 그 가운데 25%가 완치 또는 병세가 호전되었다는 놀라운 사실을 발표했다. 이 결과는 환자에게는 물론 정상인에게도 경이로운 사실로 받아들여졌고 명상에 대한 시각도 대폭 수정되는 계기가 되었다. 미국 연방 정부에서도 이와 같은 희망적인 임상결과에 고무되어 NIMH에 연간 1천1백 만 달러를 배정, 정신 신경 역학 측면에서 보다 적극적인 치료방법의 개발을 촉구하기도 했고 결과적으로 명상훈련이 면역세포, 즉 몸속의 치유력을 한층 강화시키는데 상당한 역할을 해내고 있다는 것이 증명하게 되었다. 그러나 정작 위와 같은 명상훈련만으로 병을 고친다는 것은 아주 소극적인 방법에 속하는 것이다. 예를 들어 같은 명상훈련을 한다 해도 환자 자신이 얼마나 신념에 차 있고, 의지력이 강하냐에 따라서 그 효과는 엄청난 차이를 보이게 된다.

여기서 소개하는 기공의학은 보다 적극적인 방법으로 치유력을 각성시켜 사용하는 것으로 보다 많은 환자에게, 더 많은 효과를 보게 할 수 있는 것이다.

앞에서 말한 것과 같이 우리 몸속의 기는 수련(修練)하기에 따라 자신이 마음먹은 대로 조절할 수 있다. 기를 집중적으로 신체의 어느 한 부위에 모을 수도 있고, 몸 밖으로 내보낼 수도 있다. 즉 통증 부위에 정기(精氣)를 집중시켜 그 통증을 없앨 수도 있고, 또 타인의 질병을 치료하기 위해서 손바닥이나 손가락을 통해 내보낼 수도 있는 것이다.

인간의 기가 어떻게 해서 병을 낫게 하는지 아직까지 현대의학이 뚜렷이 밝혀내지는 못했지만 그 결과에 대해서만은 동서의 학계를 망라하여 인정을 받고 있으며 그 대표적인 예가 러시아 과학 아카데미에서 명예박사학위를 수여받고 공인 심령치료사 자격까지 부여받은 러시아의 기공학자 '주노 디비다시빌 여사'일 것이다.

이렇게 양생화 된 치유기를 이용하면 오늘날 현대의학으로도 치료하기 힘든 관절염, 무혈성 괴사, 삼차신경통, 마비증, 각종 신경통 등이 쉽게 치료되며 특히 손바닥을 통해 나가는 기는 재생촉진 작용이 강렬해 무혈성 괴사증이나, 마비증, 화상 등에 놀랄만한 효과를 얻을 수 있다.

5. 의료기공(醫療氣功)과 무술기공(武術氣功)

기의 종류와 그 질(質)은 수없이 다양하지만 크게 '육체적인 기'와 '정신적인 기'로 나눌 수 있다. 육체적인 기는 우리의 몸을 조절하는 차원에서 이루어지고 있는 기의 작용을 말하고, 정신적인 기는 보이고 증명되지는 않지만 존재가 인정되는 '마음'의 차원에서 이루어지고 있는 기의 작용을 뜻한다. 생각을 물질에너지로 전환시키는 '염력'이나 아픈 사람의 고통을 없애주겠다는 간절한 '바람과 생각'만으로 병이 치유되는 것은 정신적인 기가 에너지로 발현되는 것이다.

따라서 어떤 목적을 갖고 어떤 방법으로 수련을 하느냐에 따라 기의 성질이 달라지게 된다. 예를 들어 나의 건강을 지키기 위한 수련이라면 기공체조, 무술기공, 단전호흡 등의 수련 방법을 통해 자신의 내외(內外)의 육체적인 기를 단련시킬 필요가 있으며, 본인이나 이웃의 병을 치료할 수 있는 능력을 갖고자 한다면 의료기공이라는 수련방법을 택해야 한다. 특히 무술기공의 뿌리는 무술에서 출발한 것으로 이것은 자신을 지키기 위해 상대편을 해치는 살인술(殺人術)을 말하는데 현대에 와서 그 목적이 무의미해져 살인술에서 호신술로, 호신술에서 건강목적으로 전환된 것이다. 무술기공은 이러한 무술의 어려운 동작을 현대인들에게 맞게끔 간소화하여 쉽게 배울 수 있도록 개편한 것이다. 중국의 무술기공 중 대표적인 것이 태극기공으로 이는 태극권에서 나온 것이다.

무술기의 성질은 거칠고 파괴적이어서(양적인 것을 중시) 외기(外氣)발사능력이 강해 타인이 기감(氣感)을 느끼기가 수월하다.

예를 들면 몇 미터 또는 몇 백 미터밖에 사람을 세워두고 외기를 발산하면 사람들이 쓰러지는 현상들이 무술기의 특징이다. 무술기는 물체에 닿을 때 흡수되지 못하고 부딪쳐서 충격을 주는데 이것이 무협지에 자주 나오는 장풍이라는 것이다.

기에 대한 경험이나 인식이 부족한 사람들은 심지어 기공사라고 자칭하는 사람들에게 기감을 강하게 느껴 치료가 잘 될 것이라고 생각하겠지만 이것은 기의 특성을 잘 모르기 때문이다. 우리 몸 내부 깊숙한 곳에서 생성되는 치유기는 육체적인 단련만으로는 외부로 발산시킬 수 없다. 일단 외부로 발산되면 소모성의 기운(Aura 현상)으로 바뀌기 때문에 그때는 이미 치유기가 아닌 것이다.

치유기는 마음을 움직여야 비로소 그 자체의 본질이 바뀌지 않고 그로 인해 환자의 환부로 직접 전달되어 병이 치료된다. 그래서 의료기공은 치유력을 관장하는 잠재의식을 각성 시키기 위한 명상훈련 및 덕을 쌓는 심성(心性)훈련이 필요하다. 또한 치유기의 성질은 따뜻하고 부드러우며 흡수가 잘 되기 때문에 원하는 장부, 또는 환부 깊숙이 기의 침투가 가능하지만 기가 워낙 부드러운 성질을 갖고 있기 때문에 쉽게 기를 느낄 수 없다.

무술기는 성질이 강하고 거칠며 차가워서 인체 내로 흡수되지 않고 밀어내기 때문에 기를 받는 사람이 중압감을 느끼거나 서늘한 느낌을 갖는다(때로는 부작용도 나타남).

이와 같이 기수련을 하여 건강을 지키려 하는 목적은 둘 다 같으나 수련 목적에 따라 기의 성질에 차이가 있기 때문에 '기수련'을 했다 하여 누구나 치유능력이 생기는 것이 아니다.

하편 제2절 기공미용의 수련법(手練法)

1. 의료기공(醫療氣功)과 단전호흡(丹田呼吸)

일반적으로 기공(氣功)치료하면 어떤 질병이든 기만 사용하면 치료가 되는 것으로 생각하는 경향이 있다. 이러한 생각은 잘못된 것이다. 사람의 몸에서는 기수도를 한 사람이든 하지 않은 사람이든 누구나 똑같이 기가 발산하고 있다. 그런데 어떤 사람의 기는 치료가 되고 어떤 사람의 기는 치료가 되지 않는다.

예를 들면 "엄마 손이 약손이다."라고, 어머니가 어린아이의 배를 손으로 살살 문질러 주면 배의 통증이 가라앉는 경우가 있는가 하면, 어떤 어머니는 똑같은 방법을 사용했는데도 통증이 가라앉지 않는다. 왜 통증이 가라앉지 않는가? 여기서 알 수 있는 것은 기가 똑같은 성질을 가지고 있는 것이 아니라 서로 다른 성질을 가지고 있다는 것이다.

이와 같이 서로 성질을 달리하고 있기 때문에 기를 사용했다고 해서 치유가 되는 것은 아니다. 특히 기수도를 한 사람 간에도 그러하다.

예를 들면 단전호흡을 한 사람이나 기공체조를 한 사람, 모두 기수련을 했지만 기치료가 안되는 경우를 볼 수 있다. 여기서 알아두어야 할 것은 기는 수행목적에 따라 그 성질이 달라진다. 그래서 기수련은 행법이 중요하다. 기수련 행법에는 도가(道家:도가행법에서 醫術이 나왔음)행법과 무가(武家)행법이 있고 도가행법의 단전호흡(丹田呼吸)과 기공체조(氣功體操)가 있다.

도가의 의술행법은 인술(仁術)을 위한 치유력을 각성시키는 훈련이며, 무술행법은 파괴력과 순발력을 요구하는 훈련이다. 그리고 단전호흡은 심신단련을 위한 훈련이며 기공체조는 건강을 위한 훈련이다. 따라서 단전호흡이나 기공체조는 기훈련임에는 틀림이 없으나 그것이 인술을 위한 훈련은 분명히 아니다. 의료기공의 주된 행법은 명상(瞑想)을 통해 무념무상(無念無想)의 상태로 접근하는 것과 의념(意念)을 통한 마음의 훈련이다.

따라서 명상은 엄격한 의미에서 무념무상의 상태로 입정(入靜)하는 것이다. 즉 참선에서 말하는 삼매(三昧)의 경지나 묵상에서 말하는 탈혼(脫魂)의 경지를 말한다. 명상수행은 어떤 경우라도 신체운동과 같은 제3의 방법을 동시적으로 병행하면서 입정이 불가능하다는 것이 정설이다. 탈혼이나 삼매의 경지는 육체적으로는 완전 수면상태를 유지하면서 의식(意識)은 깨어있는 상태를 말한다. 육체와 정신이 완전하게 독립된 상태가 되는 것이다.

이러한 관계로 단전호흡과 같은 육체적 활동은 오히려 수면상태에 있는 육체를 각성시키는 결과를 가져오기 때문에 단전호흡은 명상을 이끄는데 좋은 방법이 될 수 없다.

마음의 훈련은 일반적으로 화두(話頭)나 형상법(形象法)을 사용하고 있는데 이것을 일명 의념법(意念法)이라고도 한다. 무념무상 즉 탈혼상태에서 자신이 원하는 능력을 의념에 의해서 영적능력으로 각성되는 것이다. 이렇게 볼 때 단전호흡은 의념과는 조금도 연관성이 없음을 알 수 있다. 그러나 일부 몰지각한 사람들은 단전호흡이 어떠한 영적능력을 개발하는데 주된 방법으로 생각하는데 이는 잘못된 것이다. 단전호흡은 호흡일 뿐 호흡법 자체가 생각하게 하는 의념이 될 수는 없다.

그렇다면 간혹 단전호흡을 통해 영능력을 얻었다는 사람이 있는데 이것은 어떠한 경우일까?

진실된 명상은 다음 세 가지를 잊을 수 있을 때 입정이 된 것이라 했다. 그것은 거지(去知), 망식(忘息), 망아(忘我)이다.

첫째 : 거지(去知)란 머릿속에 떠오르는 잡념을 모두 없애라는 뜻이다.

머릿속에서 자율적으로 떠오르는 잡념을 의도적으로 없애는 것은 쉬운 일이 아니다. 그러나 명상을 지속하다 보면 잡념과 갈등이 일시에 정지되고 의식(意識)만 떠오르는 곳이 있다. 이것을 탈혼(脫魂)상태 또는 무념무상의 상태라 부른다. 탈혼상태에 이르게 되면 정신은 또렷해지고 반면 머릿속에는 아무 생각이 떠오르지 않는 순수 의식상태에 있게 된다. 물론 이때는 잡념도 떠오르지 않는다. 이와 같이 마음이 비워진 상태에서 영적능력이 작용하게 되므로 명상에서의 잡념극복과 무념무상의 상태를 유지하는 것은 영능력 개발에 절대적 조건이다.

둘째 : 망식(忘息)이란 무호흡(無呼吸)상태를 뜻한다.

명상을 통해 탈혼상태에 입정하게 되면 체내에서 산소 요구량이 급격하게 감소되어 호흡의 상태가 거의 없어지는 것으로 착각할 정도가 된다. 간혹 단전호흡을 하다 보면 자신도 모르는 사이에 무호흡 상태에 있게 되는 수가 있는데 여기서 주시해야 할 것은 누구나 탈혼(脫魂)상태에 입정이 되면 호흡은 무호흡 상태가 된다는 것이다. 무호흡 상태가 되었다는 것은 당연히 탈혼상태가 이루어졌다는 것을 의미한다. 여기서 영능력이 각성되는 수가 있는데 이것은 어디까지나 탈혼상태에 의한 것이지 단전호흡에 의한 것은 아니다.

셋째 : 망아(忘我)란 무아(無我)의 경지를 뜻한다.

명상을 통해 자신의 몸을 전혀 느낄 수 없는 경지까지 입정을 해야 한다. 영적능력은 정신이 육체로부터 분리되어야 그 기능이 작용한다. 때문에 명상은 반드시 무아의 경지로 입정을 해야 한다. 의식(意識)은 시종 각성상태에 있으면서 육체를 수면상태로 이끌기 위해서는 체내의 모든 기관이 수면할 수 있도록 율동이 따르지 않고 호흡자체까지도 고요하게 유지해야 한다.

호흡을 고요하게 유지하려면 자신의 호흡이 이루어지고 있는지 없는지조차 잊어버릴 수 있어야 한다. 그러함에도 의도적인 호흡을 하다 보면 배의 율동과 폐의 운동으로 인한 율동이 따르는데 이것은 곧 육체적 수면이 아니라 각성을 자극할 뿐임을 인식해야 한다. 그래서 명상에서의 호흡은 자신이 호흡을 하는지 조차 알 수 없는 경지, 즉 자신의 호흡을 잊을 수 있는 경지(무호흡상태)에 입정을 해야 한다.

2. 호흡법(呼吸法)

사람은 일반적으로 유아기에는 복식호흡(腹式呼吸)을 주로 하지만 성인이 되면 가슴으로 흉식호흡(胸式呼吸)을 하는 사람들이 많다. 흉식호흡은 복압의 하강으로 장의 활동이 저하되며, 폐활량의 감소로 이어질 수 있기 때문에 건강한 호흡이라고 할 수 없다. 그렇지만 성인들의 호흡이 깊지 못하고 흉식호흡이라고 하여 호흡을 억지로 조작해야만 문제가 해결되는 것은 아니다. 호흡을 억지로 조작하게 되면 부작용만 커질 뿐이다.

예를 들어, 100m달리기를 하고 난 직후에 호흡을 빨리 하지 않고 억지로 천천히 호흡한다면 어떤 현상이 나타날까? 당연히 산소부족으로 현기증이 생긴다. 100m달리기를 한 직후의 신체는 그만큼 많은 산소가 필요하기 때문에 빠른 호흡으로 체내의 산소부족을 막아야만 한다. 즉 호흡이 빨라져야만 할 이유가 있기 때문에 빨라지는 것이다. 시간이 조금 지나 안정이 되면 심호흡으로 정리하며 정상적인 호흡으로 돌아와야 부작용이 없는 것이다.

또 전신에 걸쳐 화상을 심하게 입은 사람은 호흡을 빠르고 급하게 하는데, 이것은 화상에 의해 피부에 의한 미세호흡이 어렵고, 상처를 치료하기 위해 많은 산소를 필요로 하기 때문이다. 이런 환자는 고압 산소실에서 충분한 산소를 공급받아야 하는데 호흡을 천천히 깊게 하는 것이 좋다고 무조건 호흡을 천천히 하라고 하면 위험한 상황이 벌어질 것은 불 보듯이 뻔한 일이다.

이렇게 원인을 제거하지 않고 결과만을 수정하려고 하는 것은 자동차바퀴를 붙잡아 매어 놓고 액셀러레이터를 계속해서 밟으면 엔진이 과열되어 고장나는 것에 비유할 수 있다.

마찬가지로 성인이 되면서 흉식호흡이 되어 호흡이 짧아진다는 것은 그럴만한 원인(100m 달리기를 한 것처럼)이 있으며, 그 원인을 제거하지 않고 무조건 호흡을 조작하여 깊은 복식호흡으로 유도한다는 것은 올바른 방법이라고 할 수 없고 부작용이 생길 수도 있다.

따라서 건강한 호흡을 되찾기 위해서는 호흡이 짧아지는 원인을 파악하고, 신체와 정신의 연관성을 이해하여 가장 자연스러운 방법으로 문제를 해결하는 것이 최선의 방법이라고 할 수 있다.

(1) 건강한 호흡(呼吸)

최근에 각종 기공수련이 유행하면서 호흡이 길면 무조건 좋다는 인식이 많은데, 이것은 잘못된 인식이다. 많은 호흡수련자들이 유아들의 자연스러운 복식호흡을 가장 좋은 호흡의 예로 들고 있지만, 엄밀히 따져 본다면 호흡의 길이는 유아의 복식호흡에 비하여 성인의 흉식호흡이 훨씬 길다고 할 수 있다.

의학적으로 성인은 1분에 8~16회, 유아는 1분에 44회까지가 정상 호흡수이다. 즉 성인은 한 호흡의 시간이 7.5~3.7초, 유아는 1.4초 정도가 정상호흡이다. 또한 같은 성인이라고 하여도 사람마다 흉곽과 폐의 용적이 다르기 때문에 호흡의 길이로 수련의 정도를 측정한다는 것은 어리석은 일이다. 남자의 경우 흉곽이 넓기 때문에 같은 조건이라면 당연히 여자보다 호흡시간이 길 수 밖에 없다. 따라서 무엇보다 중요한 것은 각자의 폐활량을 최대한 활용하고 있는가 하는 것이다. 즉 객관적인 호흡의 길이 따위는 중요한 것이 아니며 사람마다 다른 신체적 조건에 따라 폐활량을 최대한 활용할 수 있도록 하는 것이 중요하다. 그런 의미에서 본다면 성인의 경우 유아보다 호흡시간은 길지만, 자신의 폐활량을 최대한 활용하지 못하고 있다.

(2) 흉식호흡(胸式呼吸)의 원인

그렇다면 성인이 유아에 비하여 자신의 폐활량을 충분히 활용하지 못하는 원인은 어디에 있을까?

그것은 육체적, 정신적인 스트레스로 인한 긴장 때문이라고 할 수 있다.

일반적으로 성인의 호흡이 흉식호흡이라는 것은 육체적, 정신적 스트레스가 누적된 결과이지, 성인이기 때문에 당연히 흉식호흡이 되는 것은 아니다. 이것은 성인이 아닌 어린이라도 화가 나면 씩씩거리며 가슴으로 짧은 호흡하게 되고, 슬픔으로 인하여 울 때는 누구나 어깨를 들먹이며 흉식호흡을 하게 되는 것을 보면 알 수 있다. 또 불안감이 심한 노이로제 환자들의 경우도 호흡이 유난히 짧기 때문에 산소부족을 막기 위하여 연신 한숨을 내쉬는 것을 관찰할 수가 있다.

유아기나 어린이의 경우에는 내일을 걱정할 필요도 없고, 그저 배고프면 먹고, 졸리면 자는 것이 일이기 때문에 특별한 경우가 아니면 스트레스를 받을 일이 별로 없다. 그러나 사람은 누구나 유아기를 지나 성인이 되면서 많은 변화를 체험하게 되고, 그로 인하여(사회적 적응을 위하여) 스트레스를 받게 된다. 그 중에서 어떤 분은 성격이 호탕하여 스트레스를 이겨내는 저항력이 강한 사람도 있지만, 어떤 사람은 스트레스에 지나치게 민감하여 해소하지 못한 채 계속해서 쌓여가는 경우도 있다. 이러한 스트레스의 축적은 원활한 호흡을 방해하여 성인이 될수록 깊은 복식호흡을 하는 경우보다 짧은 흉식호흡을 하는 경우가 많아지게 된다.

(3) 정신적, 육체적 스트레스로 인한 호흡의 변화

스트레스에 의한 호흡의 변화는 크게 호흡구조의 변화와 체내의 산소 소모량의 변화로 나누어 볼 수 있는데, 우선 호흡구조의 변화를 살펴보자.

사람의 폐활량을 결정하는 요소 중 하나가 바로 호흡에 관여하는 근육군(갈비사이근, 속갈비사이근, 바깥갈비사이근, 갈비올림근, 가슴가로근, 가로막, 목갈비근 등 : 개정된 새 해부학용어에 따름)이라고 할 수 있다. 이러한 근육들이 수축과 이완을 교차 반복하여 흉곽을 넓혔다 좁혔다 하면서 음압과 양압을 만들어 호흡이 이루어지는 것이며, 그 활동이 원활히 이루어질 때 폐활량을 최대한 활용할 수 있는 것이다. 그러나 신체의 근육은 육체적 스트레스(추위, 충격, 질병 등)나 정신적 스트레스에 의해 그 기능(수축과 이완)이 저하되며, 호흡근육들의 기능저하가 심해지면 흉곽의 용적변화가 적어져 호흡이 짧아지게 된다.

이러한 현상은 추운 날씨에 수영을 오래하거나(육체적 스트레스), 면접을 앞두거나 갑작스러운 사고를 당하게 되면(정신적 스트레스) 호흡이 불안정해지고 짧아지며, 온 몸이 뻣뻣하게 굳어오는 것을 보면 알 수 있다. 또 스트레스를 받게 되면 체내에서 필요로 하는 산소소모량에 변화가 생기게 된다.

두뇌의 무게는 대략 1,300g으로서 몸무게의 2%정도에 불과하지만, 뇌에서 소비되는 산소량은 몸 전체가 소비하는 산소량의 20%나 차지하고 있다. 따라서 스트레스를 심하게 받거나 극심한 감정의 변화가 일어나면 뇌의 활동이 불안정해지고, 산소 소비량이 증가하여 신체의 각 장기등에 산소공급이 줄어들게 된다. 상태가 이러한 지경까지 되면 폐활량을 더욱 늘려 산소공급이 원활하도록 해야 함에도 불구하고, 오히려 신체적 긴장이 가속화되어 우리의 신체는 더더욱 산소공급의 부족으로 시달리게 되는 악순환이 계속되는 것이다. 결국 호흡이 짧아지는 원인은 여러가지로 나누어 볼 수 있지만 가장 중요한 원인(질병을 제외한)은 스트레스로 인한 두뇌의 피로와 육체적 긴장 때문이라고 할 수 있겠다.

따라서 정신적, 육체적 스트레스를 제거하여 두뇌와 육체의 긴장을 해소하면 호흡이 원활해지고 산소 소모량도 적어져 자연스럽게 느리고 깊은 호흡(복식호흡)이 이루어지는 것이다. 굳이 의식적으로 아랫배를 내밀 필요가 없는 것이다.

(4) 가장 자연스럽고 건강한 호흡을 위한 방법

단전호흡을 중요시 하는 수련자들이 흔히 예를 드는 것이 유아들의 자연스러운 복식호흡이다. 먹는 것, 자는 것, 숨쉬는 것은 누가 가르치지 않아도 누구나 자연스럽게 알고 있는 것들이고 그 중 먹는 것, 자는 것은 약간씩 취향이 다를 수 있지만 숨쉬는 것은 거의 모든 사람의 가장 원초적인 본능이다.

따라서 지금은 성인이 되어 흉식호흡을 사용하고 있지만 유아기의 자연스러운 복식호흡을 완전히 잊은 것은 아니기 때문에 호흡하는 법을 처음부터 다시 배우거나 연습해야 할 필요는 없다. 마치 어렸을 때 자전거 타는 법이나 수영하는 법을 배우면 오랫동안 사용하지 않더라도 성인이 되어서 사용할 수 있는 것처럼 비록 지금은 가슴으로 흉식호흡을 하고 있지만 누구나 유아기에는 복식호흡을 했기 때문이다. 흉식호흡을 하게 되는 원인(정신적, 육체적 긴장)을 제거하여 어린이와 같은 조건을 만들어 준다면 호흡은 의식하지 않아도 유아기의 복식호흡을 사용할 수 있게 되는 것이다. 이러한 사실은 바로 최면상태의 호흡이 근거가 될 수 있다.

많은 일반인들이 최면을 매우 영적이고 신비스러운 것으로 인식하고 있지만, 최면을 의학적으로 설명하면 피술자의 시술자에 대한 고도의 집중상태라고 말할 수 있다. 시술자는 피술자를 순간적으로 정신적, 육체적 긴장을 이완시키고, 자신(시술자)에게 모든 정신을 집중시킬 수 있는 방법을 통하여 고도의 정신집중단계로 유도하는 것이다. 즉 명상상태와 비슷한 상태를 유도할 수 있는 방법이다. 물론 타율적이기 때문에 그 효과가 극히 일시적이고 제한적이기는 하지만...... 이러한 최면에서 주목할 만한 것이 바로 최면상태에서의 호흡이다.

앞서 말한 것처럼 최면의 피술자는 정신적, 육체적 긴장이 완전히 풀리고 고도의 집중상태이므로, 의식하지 않았음에도 불구하고 저절로 호흡이 길어지고 복부근육까지 이용하는 복식호흡으로 바뀌게 된다는 것이다. 마치 아이들이 배우고 연습하지 않아도 복식호흡을 하는 것처럼 말이다. 이렇게 자연스럽고 건강한 복식호흡은 의식적으로 만들어지는 것이 아니다. 명상 또는 아주 편안한 휴식을 통하여 정신적, 육체적 긴장을 해소하여 가장 편안한 유아와 같은 상태가 되었을 때 저절로 이루어지는 것이다.

많은 단전호흡 수련자들이 자연으로의 회복, 인간의 본원적 모습으로의 회귀를 주장하면서도 인간의 가장 원초적인 본능인 호흡을 조작하도록 주장하고 있는 것은 이해하기 힘든 이율배반적인 주장이다.

사람이 건강하게 사는데 호흡이 중요한 역할을 하지만 건강한 호흡은 자연스러운 상태에서 만들어져야 하며, 억지로 조작해서는 안된다. 따라서 건강한 호흡을 만들기 위한 방법은 호흡수련(연습)에 의한 것이 아니라 명상을 통하여 심신을 이완시키고 스트레스에 대한 저항력을 키우는 것이라고 할 수 있다.

(5) 요가에서의 호흡에 대하여

국내의 많은 수련자들이 인도 요가의 예를 들며 호흡수련이 필수적임을 강조하고 있는데 이것은 요가에 대한 이해의 부족 때문이라고 할 수 있다.

국내에서는 요가라고 하면 아사나라고 하는 체조(몸을 꼬는 동작)와 요가호흡법 만을 생각하고 있는 것 같다. 이것은 국내에 보급된 요가가 주로 "하타요가" 이기 때문이다.

요가에는 72가지의 종류가 있다.

그 중 대표적인 요가를 들면

① 만트라 요가

소리(옴, 훔 등)의 힘을 이용하여 심신을 정화시키는 요가.

② 박티 요가

박티요가는 우주, 자연, 신, 절대자의 원리나 섭리와 법칙과 질서에 복종하고 헌신하는 길을 통해 구원받으며 깨달음을 얻고자 하는 요가이며 자력만이 아닌 타력적 종교관을 가진 종교로 발전.

③ 카르마 요가

카르마 요가는 고전요가의 제식주의적 신에 대한 헌신과 희생제에서 벗어나 바른 앎(깨달음:이해)을 통한 요가로 발전해 온 후에 바른 앎보다는 바른 행(이기적만이 아닌 이타행과 이전적행)을 강조한 요가.

④ 즈나나 요가

배움, 지식, 지혜의 요가 : 무지로부터 벗어나는 것이 진아(眞我)에 이르는 길. 인간의 고통은 무지와 무명으로부터 생겨나는 것이기 때문에 정지(바른 앎: 바른 이해)를 통해서 괴로움에서 벗어나서 깨달음에 도달하는 요가이며 과학적, 사상적, 철학적 요가.

⑤ 라자 요가(심리적 요가)

명상요가 : 마음의 평온을 찾고 지혜를 얻으며 해탈의 경지를 추구.

'라자'라는 말은 왕이라는 뜻을 갖고 있으며 모든 요가의 궁극적인 종점은 라자 요가로 귀결. 선, 참선, 선나, 정려, 사유수, ZEN 등 명상요가.

⑥ 탄트라 요가(밀교 요가)

인간의 근원 에너지인 쿤달리니를 각성시키는 초능력 개발의 요가.

고전요가는 인간의 근본적인 욕망을 억제하는, 다시 말해 일상조건에 대한 역조건 부여를 통한 깨달음의 길을 추구했으나, 중세에 와서 인간이 지니고 있는 무한한 잠재능력을 억압하기 보다는 최대한 개발하고 확장하여 구원의 길과 해탈의 길로 나아가는 보다 진보된 요가.

⑦ 하타 요가(생리적 요가)

몸가짐을 다스리고 숨쉬기를 훈련하며 식이요법과 단식법, 정화법으로 인간의 본성적 생명력을 회복하는 요가.

고전적인 요가(라자 요가등)는 깨달음을 추구했고, 중세요가(카르마 요가등)는 카르마가 남지 않는 바른 선행을 추구했으며, 현대에 와서는 자신의 생명성을 회복하기 위한 즉, 건강을 위한 요가로서 하타 요가가 보급된 것이다.

하타 요가는 최근에 와서 건강법과 미용법으로 활용되면서 전세계에 활발하게 보급되고 있다.

즉, 일반인들이 알고 있는 것처럼 모든 요가에서 체조와 호흡은 필수적 요소가 아니다. 현재 국내에 보급된 요가는 하타 요가를 중심으로 만트라 요가와 탄트라 요가 등이 혼합된 형태다. 라자 요가(명상요가)에 대해서는 거의 보급된 바가 없다. 그러나 앞서 요가의 종류에서 이야기했듯이 모든 요가의 궁극적인 목표는 라자 요가 즉, 명상 요가이다. 즉 호흡수련이나 체조가 아닌 선, 참선, 선나, 정려, 사유수, ZEN 등으로 불리는 명상수련이 궁극의 수련이라 할 수 있으며, 모든 수련의 핵심은 명상을 통한 입정이라고 할 수 있다.

(6) 각종 수련법이 많은 이유

그렇다면 모든 수련의 궁극적인 목표는 명상이라고 하는데 왜 호흡, 체조 등 다른 수련이 생겼을까? 그것은 사람마다 근기가 다르기 때문이다.

불교에서는 참선(명상)과 경전의 공부, 독경(염불) 등 다양한 방법들이 존재하는 이유를 다음과 같이 말하고 있다. "사람은 태어날 때부터 근기가 다르기 때문에 어떤 사람은 처음부터 참선(명상)을 잘 하지만, 워낙 어수선하여 참선(명상)이 되지 않는 사람도 있다. 따라서 근기에 따라 상근기는 참선을 하고, 중근기는 경전을 수학하고, 하근기는 염불을 하는 것이다."

고전적인 수련법을 보면 묻지도 말고, 대답하지도 말라는 논리가 지배적이었다. 마치 대하드라마 왕건에서처럼 도선대사가 왕건에게 수련법도 가르쳐주지 않고 "보이느냐?"라는 말만 반복하는 것과 같다.

따라서 타고난 자질이 없는 사람에게는 가르치지도 않았다고 하며, 미신적인 요소와 불필요한 방법들이 많이 있었기 때문에 누구나 쉽게 명상수련을 하기 어려웠다. 때문에 타고난 자질이 있는 사람들 외에는 일반적으로 접근하기 쉬운 만트라 요가, 하타 요가, 호흡법 등을 통하여 명상수련을 할 수 있는 기반을 마련하는 우회적 방법을 택했던 것인데 이것이 오랜 세월을 거치는 동안 주객이 전도되어, 다시 말하면 수단이 목적화되어 호흡법, 동작법 등을 중요시 하게 된 것이라고 할 수 있다.

(7) 현대의 명상수련법

현재에도 과거의 방식으로 명상수련을 지도한다면 명상수련을 할 사람은 아무도 없을 것이다. 현대인들은 옛 사람들과 달리 인내심도 적고, 바쁜 생활로 인해 마음의 여유도 없는 상태이기 때문에 고전적인 방법으로 명상수련을 하는 것은 애당초 무리라고 할 수 있다. 그러나 현대의 발달된 의학과 정신과학, 특히 대뇌생리학의 발달은 누구나 보다 쉽게 입정에 도달할 수 있는 방법들을 제시하고 있다.

또한 다양한 통신수단과 교통수단의 발달로 지역적 한계를 극복하여 많은 사람들의 경험과 이론을 접할 수 있기 때문에, 과거와는 달리 수련에 있어 불필요한 요소와 미신적 요소를 배제하고 보다 효과적으로 입정에 도달할 수 있는 방법이 많이 개발되었다. 본 생기기공도협회(生氣氣功道協會)에서는 발달된 정신과학과 오랜 수련, 교육을 통해 얻어진 이론을 바탕으로 가장 효과적인 명상수련법들을 개발하여 어렵게만 느껴지는 명상수련을 누구나 쉽게 배울 수 있도록 지도하고 있다. 따라서 명상할 마음이 있고 정확한 방법을 이해하고 있다면 누구나 어렵지 않게 명상수련을 할 수 있다.

3. 명상법(瞑想法)의 개념

(1) 명상의 본질(本質)

명상은 수행목적에 따라 그 행법이 모두 다르다. 그러나 이를 간단하게 설명한다면 '수도자가 어떠한 목적을 달성하기 위하여 자신의 마음을 이끄는 행법이다'라고 표현할 수 있다.

예를 들면 심신의 안정, 창의력 개발, 치유력의 각성, 영적지능과 영능력 개발 등을 들 수 있다. 일반적으로 명상은 두 부분으로 나눈다.

첫째 부류는 정신집중이나 심신의 안정을 위하여 수행하는 일반명상이 있고, 둘째 부류는 영적 지능이나 영능력 개발, 그리고 깨달음을 얻기 위해서 수행하는 본명상이 있다.

일반명상은 그 목적이 단순하기 때문에 초심자라 할지라도 쉽게 접근할 수 있다. 그러나 본명상은 마음의 심오한 경지를 유지해야 하기 때문에 그 행법이 매우 어렵다. 여기서 심오한 경지란 무념무상(無念無想)의 상태를 말한다. 이 차원을 선에서 삼매(三昧)라 하며 개신교에서는 입신(入神)상태, 그리고 천주교에서는 탈혼(脫魂)상태라 부른다. 입신상태란 신이 존재하는 영역까지 입정(入靜)한다는 뜻이며, 탈혼상태란 마음을 다스리는 기관으로부터 벗어난다는 뜻인데 쉽게 말해서 마음을 비운다는 뜻이다. 입정이란 넓은 의미에서 삼매에 있음을 뜻한다.

삼매의 경지는 인간 본성(本性)을 되찾으려 할 때 무한한 깨달음의 세계로 이끌어 줄 뿐만 아니라 의식에서 깨닫지 못했던 것을 올바르게 깨닫게 하거나 무형의 존재를 인지하는 능력을 갖게 한다. 우주만물은 생명력이란 힘의 조화에 의해 유지되고 있다. 즉 생명력이 태어나 성장하고 먹은 것이 소화되고 꽃이 색깔을 만들고 열매를 맺는 만물의 성장을 이끄는 힘의 존재를 말한다.

동양에서는 그러한 힘의 존재를 기(氣)라고 표현해 왔다. 그렇다면 생명력을 유지하는 에너지 즉, 기를 사용하는 방법이 무엇인가? 기공(氣功)이 그 방법인 것이다. 만사유심조(萬事有心造)라는 말이 있다. 이 말은 '모든 것이 마음먹기 탓이다', '모든 것은 마음으로부터 만들어 진다', '모든 것은 믿는 대로 된다.'등으로 해석되는 것이다.

즉, 사람은 마음먹기에 따라 생명력을 유지하는 기를 이용할 수 있다는 뜻이다. 명상과 의념(意念)은 자신의 마음을 다스리는 힘을 사용할 수 있는 방법인 것이다. 기공의 주된 방법은 정신적 • 영적으로 입정하는 것과 무념무상으로서의 도(道)로 접근하는 마음의 훈련이다. 이 방법을 위해서 명상의 본질은 엄격한 의미에서 삼매입정(三昧入靜)을 말한다.

명상수행은 어떤 경우라도 호흡운동이나 신체운동과 같은 방법을 동시적으로 병행하면서 입정이 불가능하다는 것이 정설이다. 삼매의 경지는 육체적으로는 완전한 수면상태를 유지하면서 정신적으로는 깨어있는 의식을 가진 상태, 즉 육체와 정신이 완전하게 독립된 상태를 유지하는 관계로 단전호흡과 같은 육체적 활동은 오히려 육체가 수면상태에 있는 것을 각성시키는 결과를 가져오기 때문이다.

명상은 바로 자신의 마음을 다스려 그 힘을 사용할 수 있는 방법인 것이다. 무공(武功)은 그 힘을 파괴력과 체력단련의 목적으로 수행하려는 수행이고, 의공(醫功)은 병을 치유하고 인술자로서의 마음을 다스리는 곳에 쓰고자 하는 것이다. 뛰어난 능력을 가진 사람들은 그 능력을 스스로 얻었다고도 하고, 혹은 신을 통해 얻었다고도 한다. 그러나 이러한 표현들은 결국 같은 귀결점을 갖고 있다.

즉, 스스로가 그렇게 생각하고 마음먹고 있다는 것뿐이다. 그렇다면 누구나 마음을 다스리는 방법을 가지고 행한다면 능력자가 될 수 있다는 것인가? 답은 한마디로 "그렇다"이다. 몸과 마음이 바른 사람이라면 누구나 자신의 마음을 다스리는 의념을 통해 생명력의 힘을 바꿀 수 있다. 따라서 명상과 의념을 통해 마음을 바꾼다면 본성대로 기의 성질과 조화로 인체의 병을 치료할 수 있는 치유력을 갖게 되는 것이다.

(2) 목표의식에 대한 강력한 의지력

기공사가 되길 원한다면 강력한 의지가 있어야 한다. 여기서 강력한 의지란 신념, 열망, 기대감이다.

신념이란 굳게 믿는 마음을 말하고, 열망이란 간절하게 바라는 마음이며, 기대감이란 어떤 일이 원하는 대로 이루어지기를 바라는 심정을 말한다. 이렇게 볼 때 동시 다발적으로 여러 목표를 성취하려는 의지는 결코 뇌에서 받아들이지 않는다. 하다 보면 어떻게 되겠지 하는 우유부단한 생각으로는 원하는 목표에 다다를 수 없다.

꼭 그렇게 될 것이라는 생각이 절실하면 기가 흐르는 방향을 설정하고, 간절하게 바라면 그때 기가 흘러가기 시작한다. 신념과 열정이 목표의식에 대한 강력한 의지력의 기본이 되는 이유가 바로 여기에 있다.

기대감(期待感) 역시 꼭 그렇게 되겠다는 확신의 수도꼭지를 열어 원하는 결과를 유출시키게 된다. 마음의 세 가지 요소가 형성되면 사고력과 상상력은 바로 정확한 형상(形相) 즉, 상상력을 보완하고 따라서 그것을 선택하도록 만들어 진다. 강력한 사고력과 상상력은 불가분의 관계에 있어 뚜렷한 상상력은 강렬한 신념(信念)을 형성하고 또 뚜렷한 형상(形相)은 생각으로 형상이 만들어지고 그 형상은 또다시 이것을 보완해 의지력(意志力)을 강화시켜 준다. 수련의 역할은 바로 형상을 그리는 역할이다. 목표가 성취된 장면이나 어떤 문제가 해결된 장면을 상상하면서 그것이 이미 이루어진 것처럼 현실감 있게 느끼고 확신(確信)을 마음 속에 심고 그리면 의지가 강화된다. 틀림없이 이렇게 된다는 확신은 무엇으로 나타나는가? 즉 형상을 그리고 나는 이렇게 된다고 느끼는 것이다. 느낌이 정확하면 확신으로 변하고 확신이 완벽하게 형성되면 이것이 신념으로 변한다. 따라서 신념이 완벽하게 형성되면 믿음이 형성된다. 이렇게 의지와 상상이 같은 방향에서 작용하게 될 때 조화가 일어나게 되는 것이다. 그러면 내가 원하는 목표가 내가 원하는 형상이 완전하게 일치되는 순간 기적이 일어나고 병(病)이 치유되게 되는 것이다. 생각은 치유되기를 바라면서 형상은 치유가 되지 않는 상상을 했다면 의지와는 다른 결과를 낳게 할 것이다. 건강이 복원되기를 바라면서 형상이 그려지면 정기(正氣)가 사기(邪氣)로 변질된다. 그래서 자신이 지금 하고 있는 수련이나 시술행위에 대하여 혹시나 잘 안되면 하는 마음 속에 그려진 의구심이나 염려는 기를 죽이는 방법이 된다.

다시 말해 좋은 생각을 져버리는 방법이 될 수 있다는 뜻이다. 그래서 좋은 형상의 상상력은 건강한 기를 강화 시키는 것이 된다. 자신이 철저하게 형상을 그리면 그 형상대로 이루어진다. 마음먹기 탓이다. "믿는 대로 되리라"이 말이 바로 형상, 그린대로 된다는 뜻이다. 그래서 프랑스의 심리학자 쿠에미는 의지와 상상력이 다투면 상상력이 이긴다고 했다. 이 말은 생각만 가지고는 안된다는 것이다. 형상이 그려져야 한다는 뜻이다.

실패(失敗)의 원인은 실패에 대한 부정적인 형상의 소산이고 또, 소극적인 사고의 형상 때문이다. 그래서 성공(成功)과 실패는 그려진 형상의 자아뿐이다. 때문에 긍정적이며 적극적인 형상은 성공의 지름길이 될 것이다.

우리는 이처럼 상상의 결과를 철저하게 인식해야 한다. 여기서 필자는 자기 건강을 목적으로 수련을 하시는 분을 위하여 부언해 두고자 한다.

미국의 암센터 연구소의 연구결과를 보면 의사가 "당신은 암에 걸렸소"하고 진단결과를 말해준 혼자 4명 중 3명이 죽어가고 그 중 1명은 암과는 관계없이 살아서 가는데 그 사람은 내가 왜 죽습니까? 하고 건강의 긍정적인 형상을 그린 결과임을 보여준다.

이와 같이 상상력은 생명을 연장시키고 건강을 창조하는 위력을 가지고 있다. 반면 증오심이나 부정적인 생각은 병을 만들고 병이 깊어지고 끝내는 죽음을 앞당긴다. 때문에 건강은 증오심을 버리고 사랑하는 마음을 가지고 진실된 사랑의 마음을 간직함이 중요하다. 이웃을 사랑하고 자비를 베푸는 것, "누구를 위하여" 그것 자체가 자기 자신에게 베푸는 것이다. 남을 미워하고 증오하면 갈등을 느끼게 되어 병이 생기며 자비를 베풀고 사랑을 간직하면 기가 살게 된다.

4. 명상수행방법(瞑想修行方法)

(1) 수행에도 정성이 따라야 한다.

명상은 마음의 수도를 위한 수단이다. 우리 마음 속에는 인간이 알 수 없는 보물창고와도 같은 마음의 밭(田)이 있다. 이 곳을 가르쳐 정신의 절대적인 경지 또는 삼매지경이라 한다. 이곳을 마음의 밭으로 비유할 수 있다.

이곳으로 입정하는 목적은 그 밭에 자신이 원하는 씨앗(목적의식)을 심겠다는 뜻이다. 즉 뇌에 목적의 씨앗을 심기 위해서는 먼저 마음의 밭으로 입정을 해야 한다.

입정 방법은 '10-1'의 방법을 통해 정신집중을 하고 명상 '100-1'을 통해 깊이 들어간다. 그 다음에는 마음의 씨앗을 가꾸는 일이다. 마음의 밭으로 입정을 했으면 심어 놓은 씨앗을 가꾸는 일이다. 가꾸는 일은 노력이다. 노력이 많으면 많을수록 치유력의 능력은 계속 커지는 것이다.

명상은 잡초를 제거하고 비료를 주는 역할도 한다. 치유력이 점차 약화될 때 마음을 비우고 명상을 하면 약화된 능력이 되살아나는데, 이것은 마치 마음의 밭에서 씨앗이 잘 성장하도록 잡초를 제거하고 비료를 주는 등의 가꾸는 일, 즉 마음의 영양분을 주고 갈등을 제거하는 역할을 한다. 이렇게 볼 때 득도(得道)를 위해 명상이 얼마나 중요한지 알 수 있다. 끝으로 수도에도 정성이 따른다. 농작물을 가꿀 때와 같이 정성이 따라야 한다. 그래야 명상을 하는데 게을리 하지 않게 되고 입정과 확신을 갖는데 필요한 자기관리가 따르는 것이다. 정성을 다하면 마음의 씨앗이 자신도 알지 못하는 사이에 성장하게 되는 것이다.

여기서 주의해야 할 것은 성장하는 것이 눈으로 확인되는 것이 아니라는 것이다. 때문에 자신이 원하는 능력이 언제 올까 조급하게 생각하지 말고 명상을 하다 보면 어느 날 갑자기 마음 속에서 그 능력이 온 것을 깨닫게 된다. 이때 조심해야 할 것은 자기 환상에 빠져 그만한 능력이 오지도 않았는데 능력이 있다는 착각에 빠질 수가 있다. 그래서 수도자는 항상 자만심을 버리고 자신을 되돌아보는 자세가 중요하다.

(2) 발공법(發功法)의 종류와 행법

발공법(發功法)이란 시술 방법을 뜻한다. 병의 종류가 여러 가지가 있듯이 시술 방법도 여러 가지이다. 어떤 병은 세포를 재생시킬 수 있도록 기를 충족시켜야 낫는 병도 있고, 어떤 병은 통증을 제거시켜야 하는 병도 있고, 또 몸의 마비 증세를 풀기 위해 기의 흐름을 잡아줘야 하는 경우도 있다.

이와 같이 병의 증상에 따라 기를 적절하고 효과적으로 사용하기 위해서 방법이 다른 것이다. 시술방법에 있어서 그 방법이 환자의 병증에 부적합하거나 기를 넣거나 빼는 양의 조절이 익숙하지 못하면 아무리 애를 써도 병이 치료되지 않는다. 그래서 특별한 방법이 없는 것처럼 보이는 기공시술에도 나름대로의 원칙과 기술이 필요하다는 사실을 알아야 한다.

시술의 발공법에는 대별해서 연공법(鍊功法), 연광법(鍊光法), 연신법(鍊神法)이 있다.

첫째, 연공법은 순수 육체의 기만 가지고 이용하는 공법이다. 사람의 몸은 육체를 다스리는 기와 마음을 다스리는 기로 구성되고 있다. 연공법은 전자의 육체적인 기만을 사용하는 공법이다.

모든 생명체에는 자생력(自生力)이 있듯이 인간에게도 자생력이 있어서 건강에 어떤 문제가 생기게 되면 치유력이라고 하는 자생력에 의해 원상대로 복원이 이루어지게 되는 것이다. 이러한 기능은 체내에서만 그 기능이 작용되며 몸 밖에서는 작용이 이루어지지 않는다. 그 이유는 체내에서 작용하고 있던 치유에너지(氣)가 몸 밖으로 피부를 빠져나가는 순간 그 에너지가 기화되기 때문이다. 연공으로 신체 외부에서 체내에서와 같이 치유력을 발현시키려면 기의 질을 거기에 합당할 만큼 두말할 여지도 없다. 따라서 기의 질을 바꾸는 것은 어디까지나 마음의 형태에 좌우되기 때문에 여기서 마음의 수행은 불가분의 관계가 있다는 것을 알 수 있다.

연공법은 타의 공법보다 가장 낮은 공법으로서 초급수(初級手)에 해당하며 중국에서는 무술가들이 많이 사용하는 공법으로 알려져 있다. 연공법 수련은 손바닥으로 치유기의 감각훈련과 마음의 수련을 통해 얻어진다. 이 행법은 기감훈련 편에서 언급된다.

둘째, 연광법은 빛의 에너지 즉, 기를 환자의 몸에다 발현시켜 시술하는 공법이다. 연광법은 마음의 수련으로 능력이 얻어진다. 시술자가 이 공법을 사용하면 시술자가 환자 옆에 있든

없든 그 기능이 30분 이상 지속적으로 작동되어야 하며 반드시 그렇게 되도록 수련을 해야 한다. 마음에는 염동(念動)을 일으키는 영역이 있다. 이 영역에서 우주공간에 존재하는 빛의 에너지를 움직이게 하는 수련이 필요하다.

현대과학은 인간의 의식구조를 현재의식과 잠재의식으로 구분하고 있다. 이 두 개의 의식은 언제나 두뇌에서 작용되는데 우리의 두뇌에는 약 1.5볼트의 전압이 흐르고 있다. 이때 두뇌에는 기파장(氣波長)이 형성된다.

두뇌의 파장(波長)은 베타(Bata;14~21cps)이상, 알파(alpha;7~14cps), 세타(Theta;4~7cps), 델타(Delta;0.5~4cps)라는 4차원의 주파수로 구분할 수 있다. 그 중 초당 주파수(cps)가 4~7cps 또는 0.5~4cps로 활동하는 주파수를 세타로 통칭하는데 이 주파수대가 명상에서 말하는 삼매경(三昧境)이다.

동양의 명상가들은 시간(時間)과 정신(精神)이란 기(氣)가 일치하는 상태인 삼매경에서 평상시의 능력을 초월하는 기적이 나타난다고 말한다. 또한 현대의 두뇌 공학가들도 "정신작용과 두뇌기능이 일치하는 세타파장이 형성되는 상태를 활용할 수 있느냐가 명상의 대가가 되는 결정적인 요인이다"는 공통된 주장을 전개하고 있다. 이처럼 명상을 통한 기적은 황당무계한 공상이 아니다. 때문에 치병의 능력자가 되려면 명상을 생활화하는 것이 필수적인 것이다.

연광법은 중급(中級)에 해당하며 연광법의 능력은 오로지 명상의 마음수련을 해야만 득도가 가능하다.

셋째, 연신법은 어떤 질병이든 치병이 되기를 원하기만 하면 치병이 이루어지는 것을 말한다. 즉 영적으로 치료하는 공법이다.

성경은 예수그리스도가 말로 병을 고치는 것을 담고 있다. "일어나라"는 한마디로 앉은뱅이가 일어나는 현상은 간절한 마음을 담은 영적 에너지가 어떤 물리적인 에너지의 작용을 일으킨 결과라고 해석한다. 영적인 기는 육체적, 정신적 기를 초월한다. 반면에 모든 물질과 생명체가 각각 내뿜는 기는 육체적인 기와 같은 속성을 갖고 있기 때문에 자기 한계를 넘어서지 못한다. 그러니까 영적인 에너지를 이용한 연신법은 시간과 공간을 초월하는 원리를 응용하여 병을 치유하는 것이다.

이 같은 연신법의 힘은 믿음으로써 얻어지는 신념(信念)의 결과인 것이다. 성경의 "믿는 대로 되리라."는 말은 자신이 생각하고 믿으면 그대로 이루어진다는 사실을 가르치고 있다.

토마스 아퀴나스도 "인간이 동의하지 않으면 하나님도 무능해 진다."는 말로 믿음의 힘만이 생명력의 조화를 이끌어낼 수 있음을 간파하였다.

따라서 연신법은 스스로가 가진 마음의 행위를 자신이 믿을 때 발현되는 생명력의 힘을 변화시키는 요법이라고 정리할 수 있다.

5. 명상에 적합한 시간과 장소

(1) 효과적인 시간

우리의 육체적 생리현상(生理現象)이나 정신기능(精神機能)은 하루 종일 언제나 똑 같은 동작으로 나타나거나 작용하는 것은 아니다. 어떤 일정한 리듬을 되풀이하면서 규칙적인 활동을 계속하고 있다. 이들 생체에서 작용하고 있는 리듬은 극히 짧은 것에서부터 긴 것은 수개월 내지 수년 걸려서까지 계속되는 것이 있다.

물론 인간뿐만이 아니라 식물이나 동물에도 각종 리듬 활동이 있다는 것이 이미 입증된 바 있다. 또한 이들의 리듬 중에는 기묘하게도 천체의 운행주기와 일치하는 것이 의외로 많다.

고대의 수도자들은 자연계의 리듬작용과 생물의 생명활동과의 사이에 서로 밀접한 관계가 있다는 것을 이미 직감적으로 느끼고 있었다. 그런 결과로 인간을 소우주로 간주하였으며 대우주와 인간은 떼려야 뗄 수 없는 불가분의 관계에 놓여있다고 보았다. 곧 우리의 몸 속에서 작용하는 에너지와 우주 공간에서 작용하고 있는 에너지는 동질의 것임을 알아낸 것이다. 이를 바탕으로 나온 것이 주역(周易)이나 오행설(五行說) 등이다. 명상의 상태도 이와 같은 리듬의 작용을 빼고는 설명할 수 없다.

인도의 요가에서는 명상의 초기단계의 효과는 외부의 영향을 많이 받는다고 말하고 있다. 그래서 효과적인 명상시간을 꼽고 있는데, 아침 해가 뜰 무렵, 정오, 저녁 때, 심야 등이 좋다고 한다.

명상이 시간대에 큰 영향을 받는 것은 지상의 기의 증감과 관계가 깊기 때문이다. 예를 들어 아침에 태양이 동쪽 지평선에 장엄한 모습을 드러낼 때 지상에서는 기(氣 :현대에서는 이온 전기라고 칭함)가 충만하고 모든 생물이 활기를 찾는 시간이다.

별(星)과 인간 생활과의 상관관계를 연구하는 점성가들도 이와 같은 사실을 발견하고 있다. 즉 태양은 모든 생명 활동의 원천이며, 태양이 동쪽 지평선 상에 있을 때 (즉 일출 시), 천저(심야)에 있을 때에는 특히 그 활동이 활발해지고 지상에서도 미지의 활기가 흘러 넘친다고 말하고 있다. 그래서 명상을 위한 수련은 하루 네 차례(일출시, 정오, 일몰시, 저녁), 일출시와 일몰시에는 반드시 실행하는 것이 좋다.

동서고금을 막론하고 대부분의 종교는 아침의 예배와 저녁의 기도를 실행하고 있는데 이는 위 사실을 근거로 한 것이다. 그러나 반드시 이 시간대가 아니면 안된다는 법은 없다. 일반적인 사항을 예를 든 것이며 보다 중요한 것은 수련자 자신이 가장 정신집중이 잘되는 평온함을 얻을 수 있는 시간을 선택하면 된다.

또한 가능한 한 날마다 같은 시각을 택해 실행하는 것이 보다 효과적인 결과를 얻을 수 있다. 마음에 일정한 습관과 리듬을 주고 규칙적으로 수련을 하면 그 시간이 되면 자연히 마음의 평정이 옴과 동시에 수련의 준비가 갖추어져 자기 암시작용으로 수련이 자율화되는 것이다.

(2) 효과적인 장소

명상의 원래 목적은 언제 어떤 장소에서도 언제나 안온하고 완성된 의식상태를 유지하는데 있지만 처음에는 아무래도 그 환경의 지배를 크게 받는다. 그러므로 장소는 조금이라도 역효과가 생기지 않을 만한 장소를 택해야 한다.

경험상으로 볼 때 수련장소는 조용하나 음산하지 않은 곳, 거기다가 신성한 분위기를 가진 실내라면 적격지이다. 사람의 출입이 너무 많지 않아야 하며 무엇보다 공기가 맑아야 한다는 것도 빼놓을 수 없는 조건이다. 실내에서는 가급적이면 붉은 빛이 나는 장식을 피하는 것이 좋으며 지나치게 밝은 조명도 과히 좋지 않다. 감정과 눈의 자극을 피하는 것이 효과적이기 때문이다. 공기는 환기가 되는 것은 좋지만 실내에 바깥바람이 들어오는 것은 좋지 않다.

6. 수련효과

(1) 심신의 안정

명상을 통한 기수련의 대표적인 효과는 불안, 초조, 강박, 의욕감퇴, 심신무기력, 불면, 두통, 기억력감퇴, 심신장애 등의 해소이다. 기수련의 핵심은 '어떻게 마음을 안정시킬 것인가' 하는 것이다. 그 중 명상을 통한 기수련은 이미 미국, 유럽 등의 선진국에서 그 효과가 수없이 검증된 바 있다. 최근 전 세계적으로 많은 사람들이 심인성, 즉 스트레스로 인하여 발생되는 정신적, 육체적 장애에 시달리고 있다.

현재 미국, 유럽 등지에서 요가나 참선법 등이 선풍적인 인기를 끌고 있는 것은 심인성질병과 기타의 모든 질병에 대하여 명상수련이 상당히 뛰어난 효과를 보이고 있기 때문이다.

(2) 건강조절과 치유력의 증진

원래 사람은 스스로 건강을 유지하려는 기능을 가지고 있다. 예를 들면 손을 베었을 때 우리의 혈액 속에 있는 혈소판이라는 세포가 그 상처를 감싸 출혈을 막고, 상처를 통해 침입하는 세균을 백혈구가 잡아먹는 등의 작용을 통하여 몇일 후에는 상처가 낫는다. 이것은 사람의 자연치유력에 의한 것이며 결코 약을 바르거나 먹어서 낫는 것은 아니다. 이러한 능력을 면역기능이라고 하는데 이 기능은 우리 몸의 항상성을 파괴하는 여러 가지 상황에 대처하는 기능이라고 할 수 있다.

현재 선진국에서 활발히 연구되고 있는 '정신 면역학'이라는 의학 분야가 바로 사람의 마음상태와 면역기능과의 관계를 밝히는 학문이다.

정신면역학의 선구자인 스탠퍼드 대학의 심리학자인 솔로몬은 쥐에게 암을 유발시키고 그들 중 일부 쥐에게 반복하여 전기 충격(스트레스)을 가한 결과, 전기충격을 받은 쥐들의 암조직이 훨씬 빨리 자랐고 이것은 스트레스에 의한 면역기능의 감소를 의미한다고 한다.

또 류마티스성 관절염의 동일한 유전적 소인을 가지고 있는 한 집안 식구들이 일부는 발병하고 일부는 발병하지 않는 원인에 대한 연구결과에서 발병자가 더욱 자기 학대적이고 자기 희생적이며 수동적인 성향을 갖고 침울하며 분노에 민감하다는 것을 발견하고 이는 감정과 개인적인 특성이 면역체계에 영향을 미친다는 것을 말해준다.

또 1983년 발표된 뉴욕 시나이 의과대학의 쉬리퍼 박사(Dr. Steven Schleifer)의 연구에서 보면 부인을 암으로 잃은 15명의 남편들을 대상으로 한 주기적인 면역 반응 측정에서 부인 사망 후 2개월 동안 면역기능은 현저하게 저하되었으며 몇몇의 경우 10개월이 경과된 후에도 회복되지 않았다는 것을 알 수 있다.

이 실험은 정신적으로 받은 큰 충격이 지속적인 스트레스 상태에 있게 함으로써 면역기능을 더욱 더 저하시키는 것이라고 볼 수 있다.

현대의 정신면역학에서는 질병을 단순히 세균의 침입으로 보는 것이 아니라 정신적 갈등, 외부의 심리적 자극 등에 의한 스트레스로 인하여 면역기능이 저하된 상태로 보는 것이다. 따라서 사람이 자신의 마음을 항상 평온하게 유지하여 스트레스에 대한 저항력을 키우고 그때그때 스트레스를 해소하여 누적되는 것을 막는다면 건강한 사람이나 질병이 있는 사람 또한 건강해 질 수 있다는 것이다. 실례로 1970년대 초 미국의 오레곤 의대의 암전문의이자 방사선학자인 시몬톤 박사(Carl Simonton)는 마음이 암을 치료하는 데 도움을 준다는 발표를 하였고, 실제로 명상을 이용한 치료법을 개발하여 시몬튼 암센터를 캘리포니아에 건립하고 명상법을 통하여 수백 명의 치명적인 암환자를 치료하였다.

(3) 두뇌개발

사고체계의 전환 및 잠재능력개발을 통해 경쟁력을 향상시키고 경영효과를 높인다. 과중한 공부와 업무량은 두뇌의 피로를 유발하여 이성과 감성기능이 마비되어 사고력을 경직시킨다. 이 때 명상이 이성과 감성을 이완시키는데 최선의 방법이다.

명상 중 심장박동은 매우 느려지고 조직의 산소 소모량도 적어지며 스트레스 수준이 현저히 감소된다. 이것은 우리 조직의 최소 단위인 개개 세포까지도 휴식, 이완 상태를 배우게 된다. 또 명상은 우리의 모든 신진대사를 연장시키고 쇠퇴를 감소시키므로 약 35세 이후에 일반적으로 나타나는 하루 십만 개 정도의 뇌세포 사망률을 현저히 줄여주고(약 1/10 정도) 몸과 마음의 모든 리듬을 조화롭게 재정립해 줌으로써 노화를 최대한 방지해 준다.

뇌는 우리 몸 중에서 가장 대사가 높게 일어나는 부위다. 그러므로 충분한 산소의 공급이 필수적이다.

명상상태에서는 조직의 휴식으로 인해 호흡의 잉여분의 산소가 뇌에서 사용되며 뇌에 충분한 산소의 공급은 스트레스를 해소하고 정신적인 균형을 유지하는 데 중요한 포인트가 된다.

(4) 신앙심의 심화

신앙의 깨달음은 영성생화, 기도와 묵상의 체험 속에서 완덕의 길을 인식시켜 줍니다.

7. 기타 수련법

(1) 기를 육안으로 보는 방법

기는 우리의 신체 주위에 안개와 같이 방사되어 있는, 보통사람의 육안(肉眼)으로는 볼 수 없는 방사선을 말한다.

이것을 볼 수 있는 사람은 선천적으로 영시(靈視)능력이 뛰어난 사람이라든가, 깊은 명상 훈련을 통하여 영안을 개발한 사람이다. 기가 보이는 영시 능력자는 기의 세계나 그 방사의 형태만 보고도 그 사람이 어떠한 질병이 있는가 또는 영적으로 문제가 있는 사람인가를 알아낼 수 있다. 그러면 기는 우리 몸 어디에서 방사되고 있는 걸까? 이에 관해서는 일치된 견해가 있다. 그러나 확실한 것은 육체에 따라다니는 또 하나의 에너지와 밀접한 관계가 있다는 것이다. 기 속에는 그 사람의 건강 상태, 심리상태, 정신적 발달 상태가 반응하는 본질이 있다. 그러므로 기는 우리의 감정이나 마음의 상태에 따라 수시로 변하고 마음이 격할 경우 붉은 섬광이 나타나기도 한다. 즉 우리의 마음은 그 작용을 여러 가지 색채를 가진 광선으로 기 속에 반영시키고 있을 뿐 아니라 그 반작용도 받아들이고 있다.

기는 또 외계에서 흘러 들어오는 여러 가지 심령적인 파동이나 에너지를 받아들이는 통로 구실도 한다. 예를 들어, 두 사람이 그냥 마주보고 앉아 말 한마디도 주고받지 않았다 해도 기가 서로 간섭을 하게 되면서 기의 색깔이 변한다.

이처럼 기는 자기 자신의 감정 상태를 예민하게 반영함과 동시에 이와 같은 외부의 상황에 따라서도 수시로 감응하고 있다. 우리는 이때 감정 상태에 따라 기(氣) 중에 있는 색채가 그 색채에 어울리는 분위기를 끌어당긴다고 말한다. 기에는 이러한 특성이 있다. 만약 사람이 어떠한 색채를 강렬하게 상상할 때 그가 그것과 같은 색깔로 변한다는 것도 관찰 결과가 말해주고 있다. 기는 앞서도 말했지만 특별한 영적 능력자나 많은 수도(修道)를 행한 사람만이 볼 수 있다고 생각해 왔다. 그러나 과학적으로 직시법(直視法)을 통하면 종래에 생각했던 것처럼 기를 육안으로 보는 것은 그리 어려운 일이 아니다.

우선 발광체가 반사되지 않는 검정색 종이를 준비해 그것을 벽에 붙인다. 그리고는 약 1m 가량 떨어진 곳에 서서 자신의 팔을 뻗어 손가락을 벌려 다섯 손가락이 검정색 배경 안에 들어가도록 한다. 이어 눈을 깜빡거리지 않고 자신의 손가락 끝에 정신을 집중시키고 눈을 가늘게 뜬 채 계속 한 방향을 응시한다. 이때의 불빛은 머리 상부 위에 두고 빛의 촉광은 1촉에서 5촉 정도가 적당하다. 처음에 손톱 끝으로 긴 줄이 생기는 착시 현상이 나타나지만 의심하지 말고 지속적으로 보다 보면 손끝과 손등으로 뽀얀 안개같은 아지랑이 현상을 보게 될 것이다. 몇일 반복하다 보면 극히 엷은 회청백(灰靑白)이나 회청자(灰靑紫)색으로 보이게 될 것이다.

심성이 아직 맑은 어린아이나 어른, 영적 잠재력이 강한 사람 등은 대체적으로 방법만 알려 주면 한 두 번에 볼 수 있게 되지만 일반인들은 여러 번 반복해서 보아야 한다. 이 직시(直視)연습은 한 번에 약 5분씩 하루 두세 번을 약 2개월에 걸쳐 연습하면 누구나 밝은 곳에서도 기를 볼 수 있다.

(2) 기의 색깔로 성격, 감정을 알아내는 방법

육안(肉眼)으로는 볼 수 없으나 선천적으로 영안이 발달된 사람이나 특별한 훈련을 통해 영안(靈眼)을 발달시킨 능력자는 기만 보고도 그 사람의 정서적 발달 상태, 성격, 건강상태, 질병 상태 등을 알 수 있다. 특히 건강 상태와 밀접한 관계를 갖는 기를 '건강 오라'라고 부르며, 질병상태와 관계가 있는 기를 '질병 오라', 그리고 통증과 관계가 깊은 기를 '통증 오라'라고 부른다. 간혹 경우에 따라서는 육체에 이상이 나타나기 수개월 전부터 기에 그 징조가 보이는 일이 있다. 때문에 사전에 오라의 색깔이 갖고 있는 특징을 잘 알아두면 그 사람의 성격, 감정의 변화, 건강, 질병, 통증의 정도를 측정하거나 그 상태를 진단하는데 많은 도움이 된다.

몸에서 발산되는 기의 기본색은 청색이며 그 가운데 여러 가지의 색이 나타난다.

적색(청백색에 적색)

밝은 적색은 정력, 힘을 뜻하며 지도자나 기업가 등의 활동가에게서 흔히 보인다. 성격적으로 본다면 자기 능동적이라 할 수 있고 다소 충동적으로 행동하는 사람이다.

적색에 검은색(청백색에 적색과 검은색)

적색에 검은색이 흐려져 있을 때는 싸움을 좋아하는 호전적인 성격이거나 때로는 비인간적이고 잔인한 성격으로 해석된다.

핑크색(백색에 핑크색)

핑크색이 섞여 있을 때는 성격적으로 인간적인 미숙함을 나타낸다.

오렌지색(백색에 오렌지색)

오렌지색은 그 색깔 자체가 주는 느낌처럼 따스함, 인도주의등을 의미한다. 때문에 성직자 같은 헌신하고 봉사하는 일을 많이 하는 사람에게 나타난다.

황금빛 오렌지색(백색에 황색 오렌지색)

황금빛 오렌지색은 자기 억제를 잘하는 절제된 사람에게서 나타난다.

갈색에 가까운 오렌지색(백색에 갈색 오렌지색)

갈색에 가까운 오렌지색은 의욕이 결핍된 사람, 별다른 목적이나 의미없이 인생을 살아가는 사람에게서 보인다.

황색(완전황색)

신체적으로 매우 건강하고 영적으로도 완성된 단계에 도달한 사람에게서 나타난다. 높은 도덕성을 가졌을 뿐 아니라 완성된 지혜의 소유자라 할 수 있다. 일반적인 황색은 지성적이며, 우호적이고 명랑하며 심신이 건전한 사람임을 말해준다.

붉은 기가 있는 황색(백색에 붉은 기의 황색)

붉은 기가 있는 황색은 정신적으로나 육체적으로 허약한 사람이다.
아울러 의지가 약하고 소극적인 사람에게서 나타난다.

다색이 섞인 황색(백색에 다색이 섞인 황색)

다색이 섞인 황색은 불건전한 생각을 가졌고 교활하고 비겁한 사람을 말해준다.

황녹색(백색에 황녹색)

탁한 황녹색은 성실하지 못하고, 불로 소득을 좋아하는 사람에게서 보인다.

청색(백색에 엷은 청색)

밝은 청색은 영적인 마음을 지닌 사람에게서 나타난다. 이들에게서 곧잘 영시 능력을 가진 사람이 나타난다.

엷은 청색(백색에 엷은 청색)

엷은 청색은 심도가 얕고 귀가 여려 남의 귀엣말이나 소문에 잘 넘어 가는 사람의 유형에 속한다.

중간 청색(백색보다 청색이 많은 것)

중간 청색은 근면한 노력가, 노력한 마큼의 수학을 원하는 성실한 사람에게서 나타난다.

짙은 청색(백색에 짙은 청색)

짙은 청색은 분위기나 기분에 따라 좌우되기 쉬운 성격이긴 하나 책임감이 강하고 성실하여 일처리도 누구보다도 뛰어난 능력가를 나타낸다. 강압적이고 독선적인 소유자에게서 나타낸다.

백색(완전 백색)

백색은 모든 색을 조화시키는 것으로서 정신상태가 완전한 균형을 이뤄 완성된 상태를 말한다. 또한 백색은 순결, 청순의 상징으로 고양된 의식 상태에 도달한 사람을 나타낸다.

회색(청백색에 회색)

회색은 대부분 다른 색 속에 섞여서 나타난다. 이 색은 신체적으로 허약하고 성격도 나약함을 나타낸다.

흐린 청색(백색에 흐린 청색)

흐린 청색은 슬픈 추억을 많이 갖고 있고, 그 추억에서 헤어 나오지 못하는 사람을 나타낸다.

자색(백색에 자색)

자색은 진리 탐구자나 종교가 등에서 많이 나타난다.

붉은 자색(백색에 붉은 자색)

붉은 자색은 성격이 까다롭고 신경 과민증인 사람을 나타낸다.

(3) 천지인 수련법(天地人 修練法)

"천지인 수련법"은 서서 수련하되 명상과 같이 정적인 상태를 유지하면서 천지(음양)의 기운을 몸으로 받아 운행하는 수련법이다. 인체에 음(陰)의 기운이 부족할 때는 지(地)의 기운을, 양(陽)의 기운이 부족할 때는 천(天)의 기운을 요구하며 음과 양의 기운이 균형을 이룰 때는 천과 지의 기운을 모두 받아 운기(運氣)를 시켜 몸 안의 음양의 조화를 이루게 한다.

수련법은 3가지 동작으로 구성되어 있으며 수련 시 각 동작마다 최소 10분 이상을 지속하여야 효과가 나타난다는 것을 유념하고 꾸준히 수련하길 바란다. 천지인 수련법의 세 동작의 공통점은 눈을 감고 가능한 한 몸 전체의 긴장을 충분히 풀어준다.

① 천(天) 자세

ⓐ 양 발의 폭은 양 발 사이가 주먹 하나가 들어갈 정도로 벌리고 무릎에 힘을 뺀 상태를 유지한다.

ⓑ 양팔은 어깨높이보다 약간 위로 올리며 이때 손바닥이 하늘을 보도록 한다.

ⓒ 마음 속으로 하늘 또는 우주에서 맑은 기운이 손과 머리 위로 쏟아져 내려오는 것을 상상한다.

② 지(地) 자세

ⓐ 천 자세의 ⓐ과 같은 상태를 유지한다.

ⓑ 천과 같이 양팔은 위로 올린 그 상태에서 손바닥의 방향을 땅을 향하도록 한다.

ⓒ 마음 속으로 땅에 있는 모든 지기를 손과 발바닥으로 빨아들이는 모습을 상상한다.

③ 인(人) 자세

ⓐ 지(地) 자세에서 손을 몸 쪽으로 끌어 당겨 무언가를 안고 있는 모습을 취한다.

ⓑ 이때는 천(天)과 지(地)의 수련법과는 달리 마음 속으로 어떤 의념도 갖지 않고 편안한 상태만을 유지한다.

하루에 한 번 정도 여유 있는 시간을 이용하여 지속적으로 수련을 한다면 건강을 유지하는 데 도움이 되리라 생각된다.

하편 제3절 기공치료의 올바른 인식

최근 기공 붐이 일어나면서 신문, 잡지, 인터넷 등 여기저기에서 기수련과 기치료라는 명칭을 접할 수 있게 되었다. 그만큼 많은 사람들이 기수련과 기치료에 관심을 가지고 있다는 증거라 할 수 있겠다. 이러한 관심은 약에 의존하지 않고 자신의 건강을 스스로 관리하겠다는 의식의 전환이라는 의미에서는 반가운 일이지만, 한편으로는 아직 일반인들이 "기치료"가 무엇인지, "기수련"이 무엇인지에 대해서 명확한 정의를 내리지 못하고 있다는 점을 이용하여 지압이나 마사지, 척추교정, 볼펜처럼 생긴 기구를 사용하면서 "기치료", "활공", "기마사지" 라는 식으로 무엇이든 "기"라는 단어를 붙여 기공을 상업화에 이용하는 문제점을 낳고 있다.

이런 것은 결코 기치료(에너지 치료)라고 할 수 없다. 진정한 기치료(에너지 치료)는 몸에 손을 대지 않거나 가볍게 얹어 놓은 상태로 시술하게 되며 지압, 침, 뜸 등 물리적인 방법을 전혀 사용하지 않는다. 지압은 지압일 뿐 기공수련을 조금 했다는 사람이 시술한다고 해서 지압이 기치료가 되는 것은 아니다. 지압, 마사지 등과 기치료는 그 수련과정과 기법에 있어 많은 차이가 있기 때문에 그렇게 쉽게 융합될 수 있는 학문이 아니며, 이러한 잘못된 인식은 반드시 고쳐져야 한다.

1. 수기법과 기공치료의 정의

수기법은 손이나 발, 기타 신체부위를 이용하여 신체의 특정한 부위에 수법을 가함으로써 치료의 효과를 거두는 방법이라고 정의할 수 있다. 이에 반하여 기치료(에너지 치료)는 시술자의 강화된 자연치유력(생체에너지, 氣)을 피술자에게 직접 주입하여 효과를 거두는 방법으로 정의할 수 있다. 따라서 피술자의 몸에 전혀 압력을 가하지 않으며, 외형상으로는 조용히 기도하는 모습과 같다.

2. 수기법과 기공치료의 효과

수기법(지압, 마사지 등)은 체표에 수법을 가함으로써 국부의 혈액순환을 원활하게 해주며 근육의 경련, 위축, 이완을 조정하거나 신경 또는 감각세포를 자극하여 자율신경의 실조(失調)를 회복하고 혈액, 임파 등의 순환을 원활히 하는 작용을 한다. 즉 원인보다는 신체이상으로 나타난 결과라고 할 수 있는 혈액순환장애, 근육의 경결, 위축, 이완 등을 타인의 힘에 의해 해소하는 타율적인 건강법이다.

그러나 기치료는 시술자의 생체에너지를 주입함으로써 손상된 세포의 재생을 직접적으로 촉진시키며, 기의 부조화를 해소하여 신체의 전반적인 기능을 정상으로 회복시키는 작용을 한다. 즉 신체의 자연치유력이 극대화됨으로서 굳이 지압과 같이 타율적인 방법을 사용하지 않더라도 그 이상의 효과를 발휘할 수 있도록 하는 자율적인 건강법이다.

기치료(에너지 치료)의 효과 중 최대 장점은 세포재생을 촉진시키는 능력이 뛰어나다는 것이며, 이것이 지압의 효과와 가장 큰 차이점이라고 할 수 있다.

예를 들어 화상을 입었을 경우 기치료는 환부에 손을 대지 않더라도 에너지 작용에 의하여 손상된 세포조직의 재생을 직접적으로 촉진시킬 수 있지만, 수기법은 세포재생 촉진력이 없으며 세포의 2차 손상과 감염의 위험이 있기 때문에 환부로부터 멀리 떨어진 부위의 혈액, 임파의 순환을 원활하게 해주는 보조적이고 간접적인 방법으로 밖에 활용할 수 없다. 또한 간경화(肝硬化)등 내장질환이 있을 경우에 간을 직접 주무를 수 없고, 주무른다고 효과가 있는 것도 아니기 때문에 전신을 시술해 혈액과 임파 순환을 원활하게 하는 보조적인 방법으로 사용하지만 중환자의 경우 함부로 지압, 마사지 등을 사용하면 오히려 위험할 수 있기 때문에 현명한 방법이라고 할 수 없다. 그러나 기치료(에너지치료)의 경우 신체에 전혀 자극을 가하지 않고 손상부위(간장)에 직접 생체에너지를 주입하여 세포의 재생능력을 극대화시키기 때문에 위험성이 없으며 직접적인 효과를 기대할 수 있는 것이다.

3. 수기법과 기치료가 상호 공존할 수 없는 이유

기치료는 자신의 치유기(治癒氣 : 생체에너지)를 이용하는 방법이다.

따라서 기치료와 지압이 상호 공존할 수 없는 이유를 이해하기 위해서는 먼저 치유기의 생성과정을 이해해야 한다. 인간의 의식(意識)은 평상시에 생각하고 말하고 행동하는 주체인 현재의식(現在意識)과 그 이면에서 본능과 생명력을 관장하는 잠재의식(潛在意識)으로 나뉘어 있다. 현재의식을 표면의식(表面意識), 잠재의식을 심층의식(深層意識) 또는 무의식(無意識)이라고도 한다. 잠재의식은 우리의 의식이면서도 우리가 조절하지 못하는 또는 조절하기 힘든 의식이며 현재의식보다 더욱 많은 일을 하는 의식이다. 즉 잠재의식은 현재의식보다 우선하며 더욱 깊은 차원에 존재하는 의식인 것이다. 현재의식은 여러분들이 생각하고 행동하는 의식이기 때문에 쉽게 인식할 수 있지만, 잠재의식은 현재의식이 잠들거나 최소화되었을 때 활발히 활동을 시작하기 때문에 스스로 인식하지 못하는 경우가 대부분이다.

즉 현재의식과 잠재의식은 시소의 양쪽에 존재하고 있기 때문에 한쪽이 깨어나면 다른 쪽은 잠들어 같은 시간에 공존할 수 없다. 예를 들면 수면 중에는 현재의식이 잠들고 잠재의식이 활동하기 때문에 꿈을 꾸게 되는 것이다. 혹시 여러분들 중에 눈뜨고 활동하면서 꿈꾸는 사람은 없을 것이다.

의학자들은 인체에 이상 현상(질병, 상처 등)이 발생했을 때, 의식이 깨어 있는 활동 상태에서 보다 의식이 잠들어 있는 수면상태에서 치유되는 속도가 빠르다고 한다. 즉 인체의 자연치유력을 관장하는 것은 현재의식이 아니라 잠재의식이라고 할 수 있다. 이처럼 치유기를 활용하는 것은 현재의식이 아닌 잠재의식이기 때문에 치유기를 사용하기 위해서는 고도의 집중력을 유지해야 하는데, 지압등의 동적행위(動的行爲)는 뇌의 시상하부(視床下部)를 자극하여 입정을 방해하는 요인이 되기 때문에 깊은 집중상태를 유지할 수 없다.

인간의 정신집중 상태는 뇌파의 상태에 따라서 Beta(활동상태)⇒ Alpha(약한 집중상태) ⇒ Theta(고도의 집중상태) ⇒ Delta(무의식 또는 수면 상태)의 4가지로 분류할 수 있다. Beta 상태는 우리가 일상생활을 하는 의식차원이고, Alpha 상태는 정신을 집중하여 공부를 한다거나 단조롭고 반복적인 동작(태극권, 바느질 등의 단순노동)을 할 때의 의식차원이다.

그러나 잠재의식을 활성화시켜 치유에너지를 활용하기 위해서는 Theta 상태 이하로 집중을 해야 하는데, 이 차원은 동적행위(動的行爲)와의 공존이 불가능한 차원이다.

이미 중국과 미국 등의 실험에서도 밝혀졌듯이 태극권등의 동공(動功)은 Alpha(약한 집중상태)상태를 유지하는 것은 가능하지만, Theta(고도의 집중상태)상태로 들어가는 것은 불가능하다고 한다. 이것은 앞서도 이야기했지만 동적행위가 뇌를 자극하여 더 이상의 입정(Theta 상태)을 방해하기 때문이다. 따라서 기공치료를 할 때에는 고도의 집중상태(Theta 상태)를 유지하기 위하여 수기법의 동적행위가 있어서는 안되며, 정적인 명상상태를 유지해야 한다.

4. 의료기공의 3대 기본치료

많은 사람들이 진정한 기공치료(에너지 치료)과 수기법(지압, 마사지 등)을 구별하는 것을 어렵게 생각하고 있다. 그러나 자신의 생체에너지를 이용하는 기공치료(에너지치료)인지 아닌지를 구별하는 방법은 의외로 간단하다. 기공치료에는 외부적으로 쉽게 확인할 수 있는 3대 기본치료 대상이 있다. 만약 시술자가 다음의 3가지를 정상화하지 못한다면 그것은 기공치료, 즉 에너지 치료가 아니라 지압 또는 심리치료일 뿐입니다.

바로 화상, 동상, 지혈이 그것이다. 화상, 동상, 지혈은 그 증상과 치료효과가 바로 눈앞에서 확인이 가능하기 때문에 거짓말을 할 수 없다. 지금까지의 방법으로 수련을 한 사람들은 누구나 2도 화상, 2도 동상, 상처의 지혈 등은 손을 대지 않고 약 20분 정도면 원상회복이 가능하게 되며, 이러한 것이 진정한 기치료(에너지 치료)라고 할 수 있는 것이다. 표피에 있는 상처도 재생시키지 못하면서 몸속 깊은 곳에 있는 장기를 재생시킨다는 것은 있을 수 없는 일이다.

5. 기공치료와 기타의 방법과의 구별법

기공에 대한 전문적인 지식이 없더라도 기치료와 기타 수기법(手技法)을 쉽게 구별할 수 있는 대표적인 외형상의 특징은 다음과 같다.

첫째, 기공치료(에너지 치료)는 약, 침, 뜸 등의 도구를 사용하지 않는다.

둘째, 기공치료는 수기법에서의 물리적 방법을 사용하지 않는다.

셋째, 기공치료는 화상, 동상, 출혈 등을 20~30분 내에 정상화할 수 있어야 한다.

넷째, 치유에너지를 활용하기 위해서는 시술자가 고도의 집중상태를 유지해야하기 때문에 정적인 자세를 유지한다. 즉 지압이나 요란한 행위를 하지 않고 외형상으로 가만히 앉아서 기도하는 모습과 같다.

다섯째, 주문을 외우거나 제사를 지내지 않는다. 주문이나 제사를 지내는 것은 무속행위 또는 종교행위이지 기치료가 아니다.

제 5 장

추나미용 (推拿美容)

5 추나미용(推拿美容)

"세상에 만일 늙지 않는 샘물이 있다면 매일 그 물을 마시며 불로장생을 할 것이다." 또는 "불로초가 있다면..." 살아가면서 가끔 많은 사람들이 이런 생각을 한다. 이것은 일종의 아름다움을 향한 염원에 지나지 않는 것이다. 중국 당나라 시대에 전해내려 오는 이야기 중에 유공(柳公)이라는 80세 노인이 있었는데, 겉보기에 너무 나이가 젊어 보여 주위 사람들이 그런 젊음을 유지하는 방법이 무엇이냐고 물으니, 평소에 기해혈(氣海穴)을 따뜻하게 유지해 준 결과라고 했다. 이처럼 우리가 사는 세상에는 늙지 않고 젊음을 유지하는 묘약(妙藥)은 없더라도 양생(養生)하고 미용하는 방법은 존재한다. 과학이나 현대의학이 발전했어도, 경험이 많은 의사라 할지라도, 사람의 나이를 쉽게 짐작할 수가 없다. 60살 된 사람이나 40살 된 사람이나 외관상으로 확실하게 구분하기가 쉽지가 않다는 것이다. 인간이 나이가 드는 것은 대자연의 규율이자 법칙이다.

시간의 흐름에 따라서 나이가 들게 되는데, 흰머리가 나고 얼굴과 눈가에 주름살이 생기며, 피부가 노화되는 것들은 사람들로 하여금 세월의 흐름이 느껴지게 한다. 그런데도 불구하고 사람들은 모두가 젊고 아름다운 육체와 심신이 건강하고 활력이 충만하기를 원한다. 이처럼 미(美)에 대한 사람들의 동경(憧憬)은 남녀노소 구별 없이 누구나 같다. 과학문명이 고도로 발전된 오늘날 사람들은 잘 먹고 잘 살자는 이전의 사고와는 달리 건강이나 아름다움에 대한 욕망들이 더 강하다. 아름다워지기 위한 많은 방법중에 성형미인을 만들어내는 성형수술이나 화장(化粧), 식물, 약물, 침구, 추나, 심리요법 등이 대표적인 방법들이다.

추나를 이용한 미용법은 중국 전통의학 중 독특한 보건방법의 하나이다. 이것을 우리는 '추나미용(推拿美容)'이라 칭한다. 일찍이 약 2천 년 전 쓰여진 《황제내경(黃帝內經)》중에 안마(按摩)를 이용해 비증(痺症) · 위증(痿症) · 구안와사(口眼歪斜) 등의 각종 질병을 치료했다는 기록이 있는데, 그 중 구안와사를 안마(按摩)로 치료를 했다는 것은 안마가 미용으로 사용된 가장 빠른 예로 들 수 있다.

지금까지의 미용방법 중에 피부 관리, 훈증요법, 주사요법, 성형수술 등이 얼굴에서부터 몸 전신까지 사용되어 왔다. 이런 방법들은 사람들이 통증을 감수해야 하는 경우도 있고, 부작용도 있을 수 있으며, 심한 경우에는 위험을 초래할 수도 있다. 그러나 추나미용은 이러한 요소들이 없는 자연의 추나수법을 사용하여 인체의 아름다움과 건강을 유지시켜 주는 미용법이다.

하편 제1절 추나미용법의 개요(槪要)

추나미용은 안마미용(按摩美容)이라고도 불리며, 추나수법이 병변부위(病變部位)나 경락혈위(經絡穴位) 상에 작용하여 주로 손미성(損美性)질병을 유발하는 요소에 영향을 미치며 노화현상을 방지하는 일종의 특수 추나요법이다. 즉 추나미용은 동양의학의 이론을 기초로 하여 알맞은 수법으로 특정한 동작에 따라 체표(體表)나 혈위(穴位), 상관되는 경락순행부위에 시술하여 경맥선통(經脈宣通), 기혈화조(氣血和調), 보허사실(補虛瀉實), 부정거사(扶正祛邪) 등을 함으로써 피부(皮膚), 모발(毛髮), 신체(身體) 등의 미용작용을 촉진시켜 노화현상의 진행을 늦추어 인체의 아름다움을 유지하는 것을 목적으로 하는 하나의 방법이다. 예) 추나(推拿)를 통해 안면부의 혈액공급을 원활하게 하여 활혈화어(活血化瘀)하게 함으로써 주름과 기미를 없애며, 두부(頭部)의 혈액 공급과 순환을 개선하여 모발영양의 흡수를 증가시켜 여러 가지 원인으로 인한 탈모(脫毛)를 방지한다.

추나미용은 얼굴과 전신의 피부를 보호하고 주름을 없애는 작용뿐만 아니라 좀 더 강한 수법으로 시술하면 근육의 혈액순환을 가속시켜 근육의 영양물질이 증가됨으로써 피로를 해소하고 부드러움을 높이고 근육 경련을 없애 점차적으로 건강한 근육과 피부가 된다. 그래서 추나미용은 얼굴근육의 경련, 안면마비, 사지근육위축, 척주측만, 비만 등 미용에 영향을 주는 근육의 병변(病變)에도 비교적 좋은 효과를 나타내고 있다.

1. 추나미용법의 개념(槪念)

추나미용은 안마미용이라고도 불리우며, 추나수법(推拿手法)이 병이 있는 부위(노화현상이 있는 부위)나 경락혈위(經絡穴位) 상에 작용하여 손미성(損美性)질병에 영향을 미치는 요소들과 노화현상을 방지하는 일종의 특수 추나요법으로 중의추나학의 중요한 구성요소이다. 즉 추나미용은 신체의 일정 부위에 추나의 여러 가지 방법으로 시술하여 경맥선통(經脈宣通), 기혈화조(氣血和調), 보허사실(補虛瀉實), 부정거사(扶正祛邪) 등을 하게 함으로써 피부의 노화현상을 늦추고, 미용작용을 촉진시키는 방법이다. 예) 추나를 통해 안면부의 혈액공급을 원활하게 하고, 활혈화어(活血化瘀)하게 함으로써 주름과 기미를 없애는 기능을 할 수 있게 한다. 추나를 통해 두부(頭部)의 혈액의 공급과 순환을 개선하여 모발영양의 흡수를 증가시켜 탈모를 방지하게 한다.

추나미용은 질병의 유무에 따라서 크게 보건(保健)미용과 치료(治療)미용으로 나눈다. 전자(前者)는 무병상태에서 노화현상을 방지하고, 보건추나를 통해 신체용모를 아름답게 하는 것이다. 후자(後者)는 치료학의 내용에 속한다. 인체의 부위로 분류를 하면 두면부 추나미용과 기타 전신부위 추나피부미용으로 나눌 수 있다.

동양의학에서는 두면부는 모든 양(陽)이 모이는 곳으로, 상지(上肢)에 있는 세 가닥의 양경(陽經)이 두면부에서 멈추고, 하지(下肢)에 있는 세 가닥의 양경(陽經)은 두면부에서 시작하기 때문이다. 그래서 두면부는 양경과 양경이 만나는 지점이다. 현대 연구 자료를 보면 장기간 두면부를 추나를 했을 때 얼굴 피부의 모세혈관을 확장하고 혈액순환을 개선하여 상피세포의 노화현상을 없애며, 한선(汗腺)과 피지선(皮脂腺)의 기능을 증강시켜 신진대사를 좋게 한다. 또한 피부의 호흡기능과 영양작용을 개선하여 피부를 윤택하게 하고 탄력을 유지시키며 얼굴의 주름을 안 생기게 또는 덜 생기게 한다. 혹은 이미 생긴 주름을 펴지게 하여 얼굴피부를 윤택하고 용모를 바르게 가꾸어 항상 청춘을 유지하게 한다.

2. 추나미용의 효과(效果)

(1) 변증시치(辨證施治)

변증(辨證)은 정체변증(整體辨證)과 국부변증(局部辨證)으로 나눈다.

정체변증(整體辨證)은 치료방법을 확정하는데 매우 중요하다. 중의미용학(中醫美容學)은 어떤 국부적인 미용결함은 정체기능의 실조(失調)와도 관계가 있다고 여긴다.

국부변증(局部辨證)은 역시 추나미용 중에서 소홀히 여겨서는 안되는 부분이며, 정체변증을 보조하고 있다.

(2) 적당한 체위(體位)

피시술자는 편안한 체위를 선택하여야 근육의 긴장도가 풀어지며, 기혈(氣血)이 잘 통하여 쉽게 피로해지지 않고, 몸에서 치료를 편안하게 받아들여 미용효과를 한층 더 좋게 한다.

(3) 정확하고 숙련된 수법(手法)

추나미용은 수법을 통해 완성이 되는데, 추나로 여러 가지 질병을 치료하는 것과 같고, 정확하고 숙련된 수법은 추나미용에서 기본적으로 요구하는 것이기 때문에 숙련된 수법이 미용효과에 직접적인 영향을 주게 된다.

(4) 혈위(穴位)의 정확한 선택

혈위(穴位)의 정확한 선택은 추나미용에서 아주 중요한 의의(意義)를 가지고 있다. 우선 정확한 변증(辨證)을 기초로 하여 알맞은 혈위(穴位)를 선택하여 그 혈위 상에 알맞은 수법을 사용하여 시술을 함으로써 필요한 작용을 일어나게 하는 것이고, 그 다음이 혈위의 정확성을 높이는 것이다.

3. 추나미용의 특징

(1) 국부(局部)를 중시하며 정체(整體)를 연계한다.

인체의 모든 조직기관은 서로 연계되어 있어 신체의 정상적인 기능 활동에 직접적으로 영향을 미치고 있다. 동양의학은 질병을 치료하거나 보건양생으로 몸을 건강하게 할 때 어떤 부위 혹은 장부에 알맞은 치료와 조절 방법 이외에, 그와 관계가 있는 장부、경락 및 기혈 등을 함께 조절하여 신체의 전면적인 치료와 보양에 이르게 한다. 이것은 추나미용에서도 마찬가지이다. 비만의 경우 수법을 사용하여 요(腰)、둔(臀)、복부(腹部)를 중점으로 시술하는 것 이외에 어떤 장부(臟腑)와 기혈(氣血)에 병(病)이 있는지 병의 위치 및 기타 불량적인 영향인소、전신의 반응 등을 근거로 하여 이에 상응하는 혈위、경락을 취하여 치료를 진행한다.

(2) 약(藥) · 침(針)의 불필요

추나미용은 중의 외치(中醫外治)의 범주(範疇)에 속한다. 수법을 통한 외부의 힘이 체표에 작용을 하여, 피부를 통해 신체내부에 침투하여 치료나 보양의 목적에 이르며 침약(鍼藥)의 고통(苦痛)에서 벗어나게 한다.

(3) 간편성(簡便性)과 안전성(安全性)

추나미용은 특별한 환경이나 복잡한 장비가 필요하지 않고, 일반적인 환경에서 바로 진행할 수 있어 시술이 비교적 간편하여 많은 사람들로부터 쉽게 다가서게 한다.

추나미용은 일종의 물리요법이며, 대부분 피부에 약물의 접촉이 없기 때문에 어떠한 부작용도 없을 뿐만 아니라 쉽게 과민반응을 일으키지 않는다. 그밖에 추나미용은 피부를 상하지 않게 하고, 침(針)이나 기타 기구가 조직으로 들어가지 않아 전염성(傳染性) 질병의 경로를 차단하여 미용시술 중에 안전성이 매우 뛰어나다.

(4) 광범위한 적응증(適應症)

추나미용은 남녀노소 모두 광범위하게 사용한다. 많은 사람들의 생각이 추나미용은 젊은 여성들의 미용법만이 아니라는 것이다. 안면부의 추나미용 시술과정 중에 화장품을 사용하지 않고 추나수법만을 통하여 치료함으로써 다양한 연령층의 환영을 받고 있다.

하편 제2절 추나미용법의 원리(原理)

추나미용과 기타 추나방법의 원리는 같다. 동양의학의 음양오행(陰陽五行), 장부경락(臟腑經絡), 영위(營衛) 등의 이론을 기초로 하여 발전되어 왔으며, 보건 양생의 수단으로 보건 추나의 범주에 속한다. 이것은 동양의학의 경락유혈기본이론과 현대의학의 해부학구조 지식이론이 결합한 것으로 전통적인 추나수법을 통해 체표의 혈위 혹은 특정부위 상에 작용하여 조화음양(調和陰陽), 소통경락(疏通經絡), 부정거사(扶正祛邪), 행기활혈(行氣活血)함으로써 신진대사를 촉진하고, 지방의 분포를 균등하게 하며, 근육의 긴장도를 일정하게 유지시켜 피부에 탄력과 광택을 준다.

1. 면부미용(面部美容)의 원리

붉고 윤택한 얼굴의 피부는 사람들에게 아름다움과 건강함을 느끼게 해준다. 얼굴 피부색의 변화는 인체 내의 장부(臟腑)、기혈(氣血) 등의 불량반응 혹은 병리변화를 나타낸다. 피부와 장부、기혈 등은 직접적으로 밀접한 관계에 있으며, 추나미용은 바로 이런 관계에 의거하여 장부와 기혈을 작용을 촉진시켜 얼굴의 피부에 영양을 유지하고, 피부질환을 치료하는 효과가 있다.

2. 추나미발(推拿美髮)의 원리

추나미발(推拿美髮)은 두발(頭髮)의 영양에 전신조절을 더하여 모발의 질(質)과 모발의 수량을 증가하게 하기 위한 것이다. 사람들은 머리카락을 제 2의 얼굴이라고 할 만큼 모발의 아름다움을 중요시 여긴다. 모발의 영양과 광택은 건강미를 나타내며, 인체의 건강을 표현하는 중요한 의의를 갖는다. "발위신지화, 혈지영(髮爲腎之華, 血之榮)" 이것은 모발이 정혈(精血)에 의존하고 필요한 영양성분을 공급받으며, 모발의 생장(生長)은 신기(腎氣)에 뿌리를 둔다.

모발은 신(腎)의 외적(外的) 표현이기 때문에 사람의 모발의 좋고 나쁨, 모발의 많고 적음은 신(腎)의 정기(精氣)와 혈(血)의 영양과 밀접한 관계가 있다. 정혈(精血)은 인체 모발의 정상적인 성장을 유지하고, 전신의 건강상태가 모발의 광택과 수명을 결정한다. 이에 두발의 변화와 병변은 대부분이 신정(腎精)과 관계가 많다.

3. 추나미형(推拿美形)의 원리

추나미형은 주로 감비(減肥;다이어트)가 주요 목적이며, 감비(減肥)는 인체 내 특정부위에 과다하게 축적된 지방(脂肪)을 없애는 것을 말한다. 추나감비(推拿減肥)는 임상표현을 기본으로 하되 변증에 알맞게 취혈(取穴)을 하여 경락 순행부위에 따라 추나수법의 자극을 통해 비위(脾胃)의 기능을 조절하여 치료한다. 지방이 많이 축적된 복부(腹部), 요부(腰部), 둔부(臀部) 등의 부위에 곤(滾)、유(揉)、나(拿)、날(捏) 등의 수법(手法)을 통해 국부 및 전신의 기혈운행(氣血運行)과 지방분해를 촉진하여 감비(減肥)의 목적에 이르게 한다.

하편 제3절 추나미용의 치료원칙(治療原則)과 법칙(法則)

1. 추나미용의 치료원칙(治療原則)

추나미용의 치료원칙은 "실즉사지(實則邪之), 허즉보지(虛則補之), 한즉열지(寒則熱之), 열즉한지(熱則寒之)"의 치법을 총강으로 하지만 또한 자기 자신만의 특징이 있다.

손미성질병의 주요한 발병요소는 풍(風), 화(火;열,熱), 습(濕), 독(毒), 어(瘀), 허(虛) 등이다.

2. 치료법칙(治療法則)

1) 소산법(疏散法) : 손미성질병에 많이 사용한다. 예) 두면부에 비교적 많다.
2) 청리법(淸利法) : 습(濕), 열(熱), 독(毒)으로 인한 손미성질병 치료에 많이 사용한다. 체질이 비교적 좋은 환자에게 사용한다.
3) 조리법(調理法) : 기혈어체(氣血瘀滯) 혹은 허실(虛實)이 불명확할 때, 허실이 겸해 있을 때의 손미성 질병.
4) 보익법(補益法) : 오래된 병 혹은 각종 허증(虛證)으로 인한 손미성질병.

이상의 방법을 임상 실제상황에 맞게 한 가지 또는 여러 가지 방법을 응용하여 선택 사용한다. 추나는 다양한 수법으로 경락순행부위 혹은 혈위를 자극하여 치료와 보건의 목적을 이루는 하나의 방법이다. 추나미용의 수법과 보통 성인의 추나안마의 수법과는 아주 큰 차이가 있다.

하편 제4절 추나미용의 효과(效果)와 적응증(適應症)

1. 추나미용의 효과(效果)

(1) 변증시치(辨證施治)

변증(辨證)은 정체변증(整體辨證)과 국부변증(局部辨證)으로 나눈다.

정체변증(整體辨證) : 치료방법을 확정하는데 매우 중요하다. 중의미용학(中醫美容學)은 어떤 국부적인 미용결함은 정체기능의 실조(失調)와도 관계가 있다고 여긴다. 예를 들면 황갈반(黃褐斑;기미) 환자는 간울기체(肝鬱氣滯)로 인해 발생하거나, 신음부족(腎陰不足)으로 발생한다; 탈발(脫髮;탈모)환자는 혈허(血虛)인 상태에서 풍사(風邪)가 침범해서 발생하거나, 기체혈어(氣滯血瘀)로 발생한다. 때문에 황갈반 환자의 경우에는 소간이기법(疏肝理氣法)이나 자음보신법(滋陰補腎法)을 선택해서 치료할 수 있고, 탈발 환자의 경우에는 양혈거풍법(養血去風法)이나 활혈거어법(活血祛瘀法) 등을 선택해서 치료할 수 있는데, 이처럼 알맞은 치료법을 선택해야 좋은 효과가 나타난다.

국부변증(局部辨證) : 역시 추나미용 중에서 소홀히 여겨서는 안되는 부분이며, 정체변증을 보조하고 있다. 예를 들면 안면부 피부질환자의 경우에는 피부 손상이 잘 발생되는 부위가 어떤 경락(經絡)이 순행하는 부위인지 알아 그 장부의 병변(病變)을 판단한다. 또한 추나수법을 선택하고 결정하는데 국부변증이 반드시 필요하게 된다. 예를 들면 안면부의 추나미용을 시술할 때 반드시 먼저 얼굴 피부의 상황을 관찰한다. 만일 얼굴에 심한 종기가 있다면 어떠한 수법이라도 사용해서는 안되며, 심각한 좌창(痤瘡;여드름)의 경우 마면수법(摩面手法)을 사용해서는 안되지만 적당한 점안혈위수법(点按穴位手法)을 사용할 수 있고; 피부가 거칠고 두꺼운 사람은 수법을 조금 무겁게, 피부가 약하고 얇은 사람에게는 수법을 가볍고 부드럽게 하는 것이다. 정체변증(整體辨證)과 국부변증(局部辨證)을 통해서 정확한 치료방법을 결정하고 정확한 경맥(經脈)、유혈(腧穴)을 선택하여 그에 알맞은 수법을 시술하여야 최고의 미용효과를 얻을 수 있다.

(2) 적당한 체위(體位)

적당한 체위는 시술자와 피시술자의 체위를 포함하고 있다. 추나미용법은 "힘(력;力)"을 통해 완성된다고 할 수 있다. 시술자는 적당한 체위를 선택하여 정확한 수법을 편안하게 힘을 구사하였을 때 자신의 피로도를 낮출 수가 있다. 피시술자는 편안한 체위를 선택하여야 근육의 긴장도가 풀어지며, 기혈(氣血)이 잘 통하여 쉽게 피로해지지 않고, 몸에서 치료를 편안하게 받아들여 미용효과를 한층 더 좋게 한다.

(3) 정확하고 숙련된 수법(手法)

추나미용은 수법을 통해 완성이 되는데, 추나로 여러 가지 질병을 치료하는 것과 같고, 정확하고 숙련된 수법은 추나미용에서 기본적으로 요구하는 것이기 때문에 숙련된 수법이 미용효과에 직접적인 영향을 주게 되는 것이다. 옛말에 "이수대약, 이지대침(以手代藥, 以指代針)" 이라는 말은 '손이 약을 대신하고, 손가락이 침을 대신한다'는 것인데, 이는 실질적으로 수법의 요구가 비교적 높다는 것을 의미한다.

(4) 혈위(穴位)의 정확한 선택

혈위(穴位)의 정확한 선택은 추나미용에서 아주 중요한 의의(意義)를 가지고 있다. 우선 정확한 변증을 기초로 하여 알맞은 혈위를 선택하여 그 혈위 상에 알맞은 수법을 사용하여 시술함으로써 필요한 작용을 일어나게 하는 것이고, 그 다음이 혈위의 정확성을 높이는 것이다. 시술 시에 국부적으로 산(酸), 마(痲), 창(脹), 통(痛) 등의 반응이 나타나는데, 침을 맞을 때 느끼는 "득기(得氣)"감과 같다. 이는 혈의 위치를 정확하게 알고 있다는 것을 설명하는 것이다.

이상의 4가지 인소(因素)가 추나미용의 효과를 결정짓게 된다. 그밖에 피시술자가 매일 적당한 운동을 하고, 치료와 보양에 필요한 주의사항을 지키는 등의 방법도 어느 정도의 영향을 미친다. 예를 들어 황갈반(黃褐斑)의 경우 치료와 동시에 자신의 마음을 안정시키고; 좌창(痤瘡)은 반드시 음식 조절하는 등의 주의가 필요하다.

2. 추나미용의 적응증(適應症)

추나미용은 황갈반(黃褐斑,기미), 안면부 색소침착을 치료하는데 있어 중의정체요법(中醫整體療法)을 이용하여 내분비를 조절하고 부녀자의 통경(痛經), 월경부조(月經不調)의 치료를 통하여 얼굴이나 전신까지 전면적인 조절작용을 한다. 여성에게는 간울기체(肝鬱氣滯), 기혈부화(氣血不和)가 대부분이다. 간기울결(肝氣鬱結)이 되면 기혈운행이 순탄치 못하여 기혈이 얼굴부위에 올라가지 못하고, 기혈이 정체되어 통하지 못하면 진액이 고루 분포되지 못하여 변비가 생길 수 있고 월경부조(月經不調), 통경(痛經)이 나타난다.

매일 발생되는 대사물질이 얼굴이나 피하에 오래도록 쌓이게 되면 반점이 생기게 되고, 모공이 넓어지며 노화현상이 진행되어 주름도 생기게 된다. 추나는 정체(整體)를 조절하고 활혈화어(活血化瘀), 서간해울(舒肝解鬱), 조화비위(調和脾胃)하여 내외(內外)를 같이 치료하고, 수법과 약물(藥物), 국부와 전체를 함께 치료한다. 기혈이 잘 통하면 체내의 울결은 자연스럽게 없어지고 얼굴의 반점도 옅어지거나 소멸되며, 얼굴의 피부가 윤택하고 주름이 감소하거나 없어진다.

추나미용은 얼굴과 전신의 피부를 보호하고 주름을 없애는 작용뿐만 아니라 비교적 강렬한 수법으로 미용안마를 시술하면 근육의 혈액순환을 가속시켜 근육의 영양물질이 증가됨으로써 피로를 해소하고 부드러움을 높이고 근육 경련을 없애 점차적으로 건강한 근육과 피부가 된다. 그래서 추나미용은 얼굴근육의 경련, 안면마비, 사지근육위축과 비위생적 생활습관으로 인한 얼굴의 이상, 비만, 체형관리 등 미용에 영향을 주는 근육의 병변에도 비교적 좋은 효과를 나타내고 있다.

하편 제5절 추나수법(推拿手法)

1. 추나미용의 수법 요구사항

"일정시간을(지구;持久), 힘이 있게(유력;有力), 부드러우며(유화;柔和), 균일하게(균균;均匀)", "바른 마음을 가지고(정심;正心)"이렇게 하여야 원하는 곳까지 수법의 작용이 전달된다. 추나의 순서는 위에서 아래로 하는데, 피부의 살결방향이 대부분 위에서 아래로 향하기 때문이다. 안에서 밖으로, 이것은 피부조직을 서로 모이게 하여 피부의 긴장도를 유지시켜 주름이 생기는 것을 방지하려는 것이다. 주름이 쉽게 생기는 곳이나 이미 주름이 형성된 곳을 중점적으로 추나시술을 한다.

2. 수법 종류

(1) 단식 수법 : 일지선추법류(一指禪推法類) = 추법(推法)

곤동류(滾動類) = 곤법(滾法)

안압류(按壓類) = 안법(按法), 점법(点法)

날장류(捏掌類) = 날법(捏法), 장법(掌法)

마찰류(摩擦類) = 마법(摩法), 찰법(擦法) 유차류(揉搓類) = 유법(揉法), 차법(搓法), 염법(捻法)

진동류(振動類) = 진법(振法), 두법(抖法)

격타류(擊打類) = 격법(擊法), 박법(拍法), 탄법(彈法)

운동관절류(運動關節類) = 요법(搖法), 반법(拌法), 발신법(拔伸法)

(2) 복식 수법

안유법(按揉法), 추말법(推抹法), 추마법(推摩法), 추유법(推揉法), 날나법(捏拿法), 유날법(揉捏法), 점안법(点按法), 격타법(擊打法) 등.

각종 추나미용 수법은 시술 전에 반드시 피부를 깨끗이 해야 한다. 건성피부와 중성피부는 자극성이 없는 소량의 영양크림을 바르고 시술하면 추나 시에 편리하며 피부에 손상을 주지 않는다. 지성피부는 적은 양의 활석분(滑石粉)을 사용하기도 하고 사용하지 않아도 된다. 추나 시에는 수법을 가볍고 부드럽게, 힘을 많이 주지 않도록 한다.

3. 추나미용의 주의사항

1) 시술자는 자신의 몸 상태를 이해하고 병증을 정확하게 진단하여 이에 알맞은 방법으로 안마를 한다. 그 밖에 금기 범주에 속해 있는 상황이나 병증에는 시술하지 않도록 한다.
2) 시술자는 경락혈위(經絡穴位)와 추나수법을 숙지하여야 한다. 먼저 수법과 수법요령을 연습하고, 기본적인 수법을 충분히 수련한 후에 추나를 한다.
3) 공기 소통이 잘 되는지, 온도가 적당한지 등 추나 환경에 주의한다. 여름철 너무 더울 때는 피하고, 겨울철 추나 시에는 보온에 신경을 쓰며, 노출부위에 찬 공기가 가까이 하지 않도록 한다.
4) 미용부위의 편안함을 원칙으로 하되, 적당한 시술 체위를 선택하여 근육의 긴장을 풀어 추나가 편하도록 한다.
5) 시술자는 손톱을 적당하게 자른다.
6) 반드시 손의 위생에 신경을 쓰고, 시술 전에 반지, 팔찌, 시계 등 액세서리를 빼 놓고, 추나 전후에 손을 청결하게 씻는다.
7) 추나미용 시에 시술부위를 충분하게 확보한다. 제일 좋은 것은 손이 피부에 직접 닿는 것이다.
8) 시술 시에 호흡은 자연스럽게 하고 정신을 집중하며, 수법의 요구사항을 성의 있게 한다.

하편 제6절 추나미용 방법

1. 두면부(頭面部)의 추나미용

안면부 추나의 작용과 방법은 일찍이 고대 문헌에 기록되어 있다. 남북조(南北朝)의 홍경 《양성연명록(養性延命錄)》에서 "......摩手熱以摩面, 從上至下, 去邪氣人面上有光彩......(마수열이마면, 종상지하, 거사기인면상유광채)"라고 하였는데 이 말은 "양 손바닥을 서로 비벼서 생긴 열을 이용해 얼굴에 위에서 아래로 안마를 하면 얼굴이 붉고 윤기가 흐르며, 광택이 난다"는 것을 말한다.

"人老皮先老(인노피선노)"는 인체의 노화현상이 가장 확실하게 나타나는 부위가 피부인데, 특히 얼굴 피부가 노화의 정도를 잘 나타낸다는 뜻이다. 안면부 미용 추나는 젊을 때 하는 것이 가장 좋으며, 만일 노년이 되었을 때를 기다린다면 안면부의 피부조직은 이미 노화현상이 생긴 후일 것이다. 노화현상이 생긴 후에 미용 추나를 하면 효과 역시 불확실하다. 그밖에 안면부 미용추나는 단기간에 효과를 볼 수도 있지만 장기간에 걸쳐 쉬지 않고 매일 아침 · 저녁으로, 15분씩 자가 추나(自我推拿)를 하면 반드시 효과를 볼 수 있다.

(1) 두면부 추나미용의 상용경맥(常用經脈)

경락학설(經絡學說)에 의하면 경락(經絡)은 안으로는 장부(臟腑)와 밖으로는 지절(肢節)에 연계하여 장부(臟腑)와 체표(體表)를 소통한다. 장부질병의 표현은 경락순행부위에 나타나게 된다. 안면부에 경락분포를 살펴보면 액노부(額顱部;이마와 두개골)의 경맥(經脈)은 족궐음간경(足厥陰肝經), 족소양담경(足少陽膽經), 족태양방광경(足太陽膀胱經)이 있다. 안면부와 섭부(顳部;관자놀이)에는 족궐음간경, 족소양담경, 족태양방광경(足太陽膀胱經), 수태음폐경(手太陰肺經)이 있고, 입 주위에는 족궐음간경, 족소양위경(足少陽胃經), 수양명대장경(手陽明大腸經)의 경맥이 있다. 액노부의 반(斑)이나 좌창(痤瘡)은 간담신(肝膽腎)과 관계가 있고,

눈언저리와 안면부 및 섭부의 반과 좌창은 간담비위(肝膽脾胃)와 관계가 있으며, 양협측부(兩頰側部;뺨)의 반과 좌창은 비위(脾胃)와 관계가 있다. 또한 입 주위의 반과 좌창은 간담비위폐대장(肝膽脾胃肺大腸)과 관계가 있다.

(2) 두면부 추나미용의 상용혈위(常用穴位)

1) 족태양방광경 : 황갈반(黃褐斑), 노년반(老年斑), 좌창을 방지하고 치료한다. 정명(睛明), 찬죽(攢竹), 미충(眉沖), 승광(承光)
2) 족양명위경 : 좌창 및 감비(減肥)(다이어트)를 방지하고 치료. 두유(頭維), 승읍(承泣), 사백(四白), 지창(地倉), 거궐(巨闕), 대영(大迎), 하관(下關), 협거(頰車)
3) 족소양담경 : 황갈반 치료. 동자료(瞳子髎), 청회(聽會), 양백(陽白), 율곡(率谷), 상관(上官).
4) 족궐음간경 : 황갈반과 좌창을 치료.
5) 수양명대장경 : 면탄(面癱), 면기경련(面肌痙攣). 영향(迎香)
6) 독맥(督脈) : 탈발(脫髮), 탈미(脫眉), 두발조백(頭髮早白), 면탄(面癱). 백회(百會), 상성(上星), 인중(人中), 소료(素髎), 신정(神庭), 인당(印堂).
7) 임맥(任脈) : 노쇠(老衰), 감비(減肥). 승장(承漿)
8) 기혈(奇穴) : 신총(神聰), 인당(印堂), 어요(魚腰), 태양(太陽)

(3) 두면부 추나미용의 상용수법(常用手法)

유법, 말법, 마법, 추법, 찰법,고법(叩法), 차안면법(搓眼面法), 소산법, 압법(壓法), 박법, 격법, 탄법, 나법, 발신법과 복합수법(추마법, 추말법, 유말법, 안유법 등등)

(4) 두면부 추나미용의 시술방법(施術方法)

: 피시술자는 앙와위(仰臥位), 시술자는 머리 앞쪽에 앉는다.

1) 유마검면(揉摩臉面) : 양손의 식, 중, 무명지의 지복면(指腹面)을 이용하여 1~2분, 수법은 가볍고 부드럽게 한다. 피시술자의 면부에 발열감 혹은 미홍(微紅)이 나타나면 된다.

2) 일지선추법(一指禪推法) : 인당(印堂) →신정(神庭) 3회, 찬죽(攢竹) →양백(陽白) →태양(太陽) →두유(頭維) 3회, 정명(睛明)에서 시작하여 눈 주위를 8자로 3회. 이때 눈동자가 다치지 않게 주의한다.

3) 안유면혈(按揉面穴) : 중지를 사용하여 양측의 혈위를 안유법을 한다.
사백(四白), 승읍(承泣), 영향(迎香), 지창(地倉), 인중(人中), 승장(承漿), 협거(頰車), 청회(聽會). 매 혈의 자극시간은 30초 정도면 충분하다.

4) 추말법(推抹法) : 인당(印堂) →승장(承漿)혈까지 내려가면서 안에서 밖으로 좌우 혹은 호형(弧形)으로 시술한다. 3회

5) 직찰면부(直擦面部) : 양손의 사지(四指)을 이용하여 양측의 면부를 위에서 아래로, 3~5회 찰법을 한다.

6) 박타법(拍打法) : 오지(五指)의 지복(指腹)을 이용하여 15~20번.

7) 소산법(疏散法;座位) : 무지(拇指)와 기타 사지(四指)를 사용하여 태양(太陽)을 지나 두유(頭維), 귀 뒤쪽을 지나 풍지(風池)혈까지, 좌우 각 3~5회

8) 나오경법(拿五經法;座位) : 전발제에서 두정부를 지나 후두부의 양측 풍지(風池)혈까지, 3~5회

9) 격타법(擊打法) : 한 손 혹은 양손의 지단(指端)으로 두부 전체를 5~10회.

(5) 두면부 추나미용의 주의사항(注意事項)

1) 영양크림이나 추나연고

2) 추나의 운행방향이나 수법의 요구사항

3) 주위 환경

(6) 두면부 추나미용의 금기증(禁忌證)

1) 배가 부르거나 배가 고픈 사람은 추나미용을 하지 않는다.

2) 심각한 호흡계통, 심혈관 계통 질환자나 임산부에는 시술하지 않는다.

3) 심각한 피부병이나 수술 후에 상처가 아물지 않은 경우.

4) 피부의 말초혈관확장, 말초혈관 위험성 피부, 혈소판감소.

2. 경부(頸部)의 추나미용

경부(頸部)의 보양(保養)은 경동맥(頸動脈)으로 하여금 두면부에 혈액을 공급하게 하기 때문에 안면부의 미관에 매우 중요한 영향을 미친다. 경동맥 운행의 정상여부가 면모, 뇌의 질환을 결정하는데 중요한 의미를 갖기도 한다. 그래서 미관과 건강의 각도에서 말하자면 당연히 경부의 보양에 주의해야 하는 것이다. 경부보양의 가장 알맞은 방법은 경부의 추나미용이다. 추나미용은 간단히 익힐 수 있으며, 오랜 시간 동안 계속할 경우에 아주 좋은 효과를 볼 수 있다. 경부의 추나 역시 경혈의 자극을 통해 소통경락(疏通經絡), 운행기혈(運行氣血)의 작용을 하게 하는 것이다. 경부는 인체 경락 운행의 주축으로서 경부의 경락이나 순행부위에 영양을 충분히 주는데, 특히 두면부에 더욱 그러하므로 경부 미용은 안면부 미용에 직접적으로 영향을 미친다.

그 밖에 경부는 여성 연령(年齡)의 기준이 되기도 한다. 경부의 피하지방은 아주 작기 때문에 만약 영양 상태가 좋지 않으면 주름이 많이 생기게 되어 나이가 조금 많아 보이고, 지방이 과다하게 쌓이게 되면 남들이 보기에 살이 쪄 보이게 되는 것이다. 그래서 우리는 경부에 대한 관리를 가볍게 여겨서는 안된다.

(1) 경부 추나미용의 시술방법

: 피시술자는 앙와위(仰臥位), 시술자는 머리 앞쪽에 앉는다.

1) 박타 하악부(拍打下顎部) : 양손 사지(四指)의 지복면(指腹面)으로 하악부의 피부

를 1~2분 정도 가볍게 두드린다. 완관절에 힘을 빼고 골고루 힘이 균일하게 가도록 탄력적으로 시술한다.

2) 안유 경부(按揉頸部) : 경부(頸部) 하단(下端)에서 외상방(外上方)으로 안유법을 시술하며, 귀 뒤쪽 유양돌기 아래쪽까지 좌우 교대로 약 1~2분 정도 시행한다.

3) 안유 하악부(按揉下顎部) : 양손 식지(食指)와 중지(中指)의 지복면(指腹面)으로 하악첨부(下顎尖部)에서 시작하여 외측(外側)방향으로 귀 뒤쪽 유양돌기까지 안유법을 시술하고, 다시 되돌아오는 순서로 1~2분 정도 반복하여 시술한다.

4) 날나 경근(捏拿頸筋) : 양손의 무지(拇指)와 식지(食指) 경부의 흉쇄유돌근에 날바법(捏拿法)을 1~2분 정도 시술한다. 이 때 수법을 비교적 가볍게 하고, 피부가 너무 당겨지지 않도록 주의한다.

5) 말 경부(抹頸部) : 양손 사지(四指)의 지복면(指腹面)으로 경부의 앞 측과 양쪽 면을 위에서 아래로 1~3분간 추말법(推抹法)을 시술한다. 양손을 동시에, 또는 교대로 하며, 가볍고 부드럽게 하여 주름이 생기지 않도록 한다.

3. 흉부(胸部)의 추나미용

흉부의 추나미용은 주로 상반신과 유방 주위의 지방을 없애고, 주위에 있는 근육과 인대들을 탄력 있게 하여 가슴이 위로 한층 더 견인되어 아래로 처지지 않게 하며, 또한 유방 주위의 지방들을 감소시켜 비대하게 보이지 않게 한다. 흉부 추나미용의 시술방법은 매우 간단하고 편리하여 혼자서도 가능하고, 부작용도 없으며 흉부의 아름다움을 유지시키는 보건미용법이다.

(1) 흉부 추나미용의 상용경맥

중의(中醫)의 장부경락학설에 근거하면 유두(乳頭)는 족궐음 간경에 속하고, 유방(乳房)은 족양명 위경의 분야이면서 수궐음경, 족궐음경, 족소양경이 천지혈(天池穴)에서 교회(交會)한다. 간경, 위경, 비경 등의 경맥이 직접 혹은 간접적으로 유방을 지나가고 있기 때문에 이런 경락의 어떤 혈위에 추나를 하면 소통경락기혈(疏通經絡氣血)을 하게 하여 충분한 기혈을 공급함으로써 아름다운 가슴을 만들어 준다.

(2) 흉부 추나미용의 상용혈위

1) 족양명 위경 : 전흉부(前胸部)의 주요 경혈(經穴). 기호(氣戶), 고방(庫房), 옥예(屋翳), 응창(膺窓), 유중(乳中), 유근(乳根), 단중(膻中)

2) 족태음 비경 : 측흉부(側胸部))의 주요 경혈(經穴). 주영(周榮), 흉향(胸鄕), 천계(天溪), 식두(食竇)

(3) 흉부 추나미용의 상용수법

박법, 격법, 안법, 점법, 날법, 마법, 찰법, 추법, 유법, 나법, 운법, 일지선추법 및 복합수법 등.

(4) 흉부 추나미용의 시술방법

1) 시술방법(一), 배부(背部)시술법 : 피시술자는 복와위(伏臥位), 시술자는 머리 앞쪽에 선다.

㉮ 추나(推拿)오일 도포 : 손을 통하여 간접적으로 도포한다.

㉯ 추마배부(推摩背部) : 양손의 손바닥을 사용하여 배부(背部)를 전체적으로 위에서 아래(요천부)까지, 다시 아래에서 위로 견배부, 상지부까지 추마법을 교대로 시술한다.

㉰ 분추배견(分推背肩) : 한쪽의 견배부부터 아래로 내려오면서 분추법을 시술한다. 배부에서 유방 쪽으로, 상지부에서 유방 쪽으로, 한 손은 고정하고 또 다른 한 손으로는 고정된 부위까지, 다시 요부에서 유방 쪽으로 나말(挪抹)법을 시술한다. 3~5 회 반복하여 시술한다.(좌, 우 교대)

㉱ 안압천종(按壓天宗) : 무지(拇指)를 사용하여 부드럽게 양쪽의 천종혈(天宗穴)을 안압하여 준다.

㉮ 점안팔유(占按八兪) : 신유(腎兪), 관원유(關元兪), 소장유(小腸兪), 방광유(膀胱兪)혈을 순서대로 일정하고 규칙적인 힘으로 점압법(點壓法)을 시술한다.

㉯ 요부횡찰법(腰部橫擦法) : 팔유혈을 위주로 요부(腰部)에 전체적으로 찰법(擦法)을 시행한다.

㉴ 추마배부(推摩背部) : 양손의 손바닥을 사용하여 배부를 전체적으로 아래(요천부)에서 위까지, 다시 위에서 아래로 견배부, 상지부까지 추마법을 교대로 시술한다.

2) 시술방법(二), 흉부(胸部)시술법 : 피시술자는 앙와위(仰臥位), 시술자는 머리앞쪽에 앉는다.

㉮ 추나(推拿)오일 도포 : 손을 통하여 간접적으로 도포한다.

㉯ 나말유방(挪抹乳房) : 우선 한쪽부터 시술하는 것을 원칙으로 한다. 양손을 교차로 나말법을 사용하여 액와(腋窩)부터 안쪽으로 유방을 끌어 올린다. 다시 복부(腹部)에서부터 위쪽으로, 액와부터 안쪽으로 나말법을 시술한다. (교대로 반대편을 시술한다)

㉰ 운추유방(運推乳房) : 양쪽의 유방을 원을 그리며 운추법을 시술한다. 5~10회.

㉱ 점안단중(占按膻中) :

㉲ 나말유방(挪抹乳房) : 양손을 교차로 나말법을 사용하여 액와(腋窩)부터 안쪽으로 유방을 끌어 올린다. (다시 반대편을 시술)

㉳ 운추유방(運推乳房) : 한쪽의 유방을 원을 그리며 운추법을 시술한다. 5~10회.(좌, 우 따로 시술한다). 양손을 동시에 운추법을 시행하면서 마친다.

㉴ 점안혈위(占按穴位) : 유근(乳根), 신봉, 천지, 응창(膺窓)

㉵ 날유유방(捏揉乳房) : 양손을 교차로 나말법을 사용하여 액와(腋窩)부터 안쪽으로 유방을 끌어 올린다. 양 손바닥을 사용하여 날유법(捏揉法)을 사용한다.(다시 반대편을 시술)

㉶ 진동유방(振動乳房) : 양 손바닥을 사용하여 밖에서 안으로 나말법으로 올리면서 진동을 준다.(다시 반대편을 시술)

㉲ 마무리 : 단중(膻中)을 안압하고 찰법으로 마무리한다.

4. 복부(腹部)의 추나미용

복부 감비(減肥;다이어트) 추나미용은 간단하면서도 효과가 좋은 방법이다. 이것은 소화계통, 신경계통과 비뇨생식기계통의 많은 질병에 사용하며, 또한 복부의 지방제거나 신체를 건강하게 하는 방법 중의 하나이다. 이 시술방법은 비교적 쉽게 배울 수 있고, 환자가 느끼기에 아주 편안하며, 효과가 아주 빠르게 나타나는 등의 특징이 있다.

(1) 복부 추나미용의 상용 경맥과 혈위

1) 족양명 위경 : 불용(不容), 승만(承滿), 양문(梁門), 관문(關門), 태을(太乙), 활육문(滑肉門), 외능(外陵), 대거(大巨), 수도(水道), 귀래(歸來), 천추(天樞)

2) 족태음 비경 : 복애(腹哀), 대횡(大橫), 복결(腹結), 부사(府舍), 충문(衝門)

3) 족소음 신경 : 유문(幽門), 복통곡(腹通谷), 음도(陰都), 석관(石關), 상곡(商曲), 황유(肓兪), 중주(中注), 사만(四滿), 기혈(氣穴), 대혁(大赫)

4) 족궐음 간경 : 기문(期門), 장문(章門), 급맥(急脈)

5) 임맥(任脈) : 상완(上脘), 중완(中脘), 하완(下脘), 신궐(神闕), 기해(氣海), 관원(關元), 곡골(曲骨)

(2) 복부 추나미용의 상용수법

마법, 찰법, 추법, 유법, 랍법, 박법, 격법, 안법, 점법, 날법, 나법

(3) 복부 추나미용의 시술방법

1) 추나(推拿)오일 도포 : 손을 통하여 간접적으로 도포한다.

2) 추나복근(推挪腹筋) : 복부(腹部)의 근육을 아래에서 위로, 위에서 측면으로 해서

서혜부로 반복해서 3회~5회 시술한다.

3) 운마전복(運摩全腹) : 일정한 압력을 줘서 시계방향으로 운마법으로 돌린다. 다시 반 시계방향으로 시술한다. 각 5회전 정도.

4) 추마임맥(推摩任脈) : 중완(中脘)에서 관원(關元)까지 일정한 압력으로 추마법을 2회 시술한다.

5) 점안혈위(占按穴位) : 신궐(神闕)주위의 혈(穴) 자리, 음도(陰都), 양문(梁門), 수분(水分), 천추(天樞), 기해(氣海), 석문(石門), 관원(關元), 수도(水道)의 순서로 각 혈마다 약 3초 정도 점안법을 시술한다.

6) 운마전복(運摩全腹) : 일정한 압력을 줘서 시계방향으로 운마법으로 5회 시술한다. 그리고 배꼽 주위로 작은 원을 그리면서 시계방향으로 마복법을 시술한다. 다시 반 시계방향으로 시술한다. 각 5회전 정도.

7) 추랍복근(推拉腹筋) :

㉮ 한쪽 복부부터, 옆구리에서부터 배꼽까지 두손을 사용하여 랍법(拉法)을 사용하여 10회 정도 잡아당기듯이 시술한다.(반대편 시술)

㉯ 다시 양손을 각기 다른 방향으로 하여, 한 손은 밀고, 다른 한 손은 당기며 역시 10회를 시술한다.

㉰ 양손을 사용하여 복부의 전체를 추랍법(推拉法)을 사용하여 10회 시술한다. ㉱ 양손을 각기 다른 방향으로, 한 손은 밀고 다른 한 손은 당기며 역시 10회를 시술한다.

㉲ 양손으로 복부의 측면에서 서혜부을 타고 당기면서 5회 시술한다.

8) 운마전복(運摩全腹) : 일정한 압력을 줘서 배꼽 주위로 작은 원을 그리면서 시계방향으로 지마복법을 2회 시술한다.

9) 진동신궐(振動神闕) : 신궐혈에 두손으로 진동을 가한다. 그리고 난 후에 양 손바닥을 비벼서 생긴 열을 이용하여 신궐혈을 덮어준다.

10) 마무리 :

㉮ 일정한 압력을 줘서 시계방향으로 운마법으로 3회 돌린다.

㉯ 복부(腹部)의 근육을 아래에서 위로, 위에서 측면으로 해서 서혜부로 반복해서 3회 시술한다.

㉰ 양손으로 복부의 측면에서 서혜부을 타고 당기면서 3회 시술한다.

5. 견배부(肩背部)의 추나미용

(1) 견배부 추나미용의 상용경맥과 혈위

1) 수태양 소장경 : 견정(肩貞), 노수(臑兪), 병풍(秉風), 견외수(肩外兪), 견중수(肩中兪)
2) 족소양 방광경 : 36개 혈위
3) 독맥(督脈) : 대추(大椎)에서 장강(長强)

(2) 견배부 추나미용의 상용수법

마법, 찰법, 추법, 유법, 일지선추법, 박법, 격법, 안법, 점법, 날법, 곤법 등.

(3) 견배부 추나미용의 시술방법

1) 박타독맥(拍打督脈) : 독맥과 방광경을 따라서 전체적으로 박타법을 시술한다.
2) 추나(推拿)오일 도포 : 양손을 통하여 간접적으로 도포한다. 위에서 아래 요천부까지 추법(推法)을 사용해서 도포하고, 다시 위로 향하여 견부, 상지부까지 2~3회. 힘과 속도는 균일하게.
3) 장유배근(掌揉背筋) : 양손의 장근(掌根)부위를 이용하여 안유법(按揉法)으로 방광경과 척추기립근 부위를 위에서 아래로 시술한다.
4) 주추배유(肘推背俞) : 주관절을 이용하여 위에서 아래로 추법을 한다.
5) 지추배유(指推背俞) : 무지를 이용하여 위에서 아래로 방광경을 따라서 지추법을 한다.
6) 점안배유(占按背俞) : 무지를 이용하여 위에서 아래로 방광경의 유혈을 차례로 내

려오면서 점안한다.

7) 권추독맥(拳推督脈) : ㉮ 양손을 가볍게 쥐어 주먹을 만들어서 소어제부위로 방광경을 따라서 위에서 아래로 일정한 압력으로 추법을 2회 시술한다.

㉯ 다시 반복하면서 공권(公權)의 장지관절면을 사용하여 위에서 아래로 3~4개의 척추간격정도를 유지하면서 2~3회씩 시술하면서 내려온다.

8) 추견(推肩) : 아래에서 위쪽으로 배부를 마법으로 쓸어 올리면서 견부를 추법으로 시술한다. 3회 반복

9) 찰독맥(擦督脈) : ㉮ 양손의 손바닥 전체를 사용하여 독맥과 방광경을 따라서 전체적으로 찰법을 시술한다. 배부에 열이 충분히 발생하도록 한다.

㉯ 요천부에도 시술한다.

10) 안유방광경(按揉膀胱經) : ㉮ 상측은 장근(掌根)부위를 사용한다.

㉯하측은 무지를 사용하여 양측의 방광경과 척추기립근을 안유한다. 이때 수법은 부드럽게 하며, 강하게 하여 통증을 느끼게 하면 안된다.

11) 권말배근(拳抹背筋) : 주먹을 쥐고 장지관절면을 사용하여 배부의 근육과 견부의 근육을 왕복으로 시술한다.

㉮아래에서 견부로 5회

㉯아래에서 천종혈 부위로 5회(한쪽을 먼저하고 난 후 다른 한쪽을 한다)

12) 쌍주분추(雙肘分推) : 양팔의 전비면(前臂面)을 사용하여 배부의 중앙에서부터 위아래로 방광경을 따라서 분추법을 2회 시술한다.

13) 쌍주안유(雙肘按揉) : 양팔의 전비면(前臂面)을 사용하여 방광경을 따라서 큰 원을 그리며 안유법을 시술한다.

14) 안유견부(按揉肩部) : 한쪽의 전비면을 이용하여 견갑골을 아래로 지긋이 눌러주고, 견부와 천종혈 부위, 상지부까지 안유한다. 3~5회 반복하고 난 후에 반대 측에 시술한다.

15) 추안항부(推按項部) : ㉮ 공권을 만들어서 지관절면으로 추안법을 한다.

㉯ 무지를 사용해서 풍지혈에서 견정혈까지 추법을 사용한다.

16) 안유견부(按揉肩部) : 양손의 무지(拇指)를 겹쳐서 견부(肩部)의 근육을 안유법을 사용해서 풀어준다.(반대편을 교대로 시술)

17) 점안항부(占按項部) : 중지(中指)와 무명지(無名指)를 사용하여 항부(項部)의 풍지(風池), 풍부(風府)혈을 약 5초 동안 눌러준다.

18) 추안견갑(推按肩胛) : 양손을 사용하여 견갑부터 상지, 전비, 손까지 내려오면서 부드럽게 추안법을 시술한다.

19) 점안심포(占按心包) : ㉮심포경을 따라서 양 무지를 사용하여 시술한다.

㉯ 분압상지(分壓上肢) : 양손을 사용하여 상지부를 위에서 아래로 일정한 압력으로 분압하여 내려온다. 3회 반복(반대편 교대 시술)

20) 횡찰요저(橫擦腰骶) : 횡찰법으로 요저부를 시술한다.

21) 마무리 : 양손의 손바닥을 사용하여 배부를 전체적으로 위에서 아래로 분추법을 시술한다.

6. 사지(四肢)의 추나미용

(1) 하지부(下肢部)

1) 박타대퇴(拍打大腿) : 박타법으로 경쾌하고 가볍게 대퇴부를 골고루 시술한다.

2) 추랍대퇴(推拉大腿) : ㉮ 횡(橫)으로 밀고 당기며 시술한다. 왕복 약 10회 정도

㉯ 상하로 밀고 당기며 시술하는데, 올라갈 때는 전면을 타고, 내려올 때는 측면으로 내려온다. 왕복 약 5회 정도 시술

㉰ 대퇴부를 횡으로, 양손을 각기 다른 방향으로 하여 한 손은 밀고, 다른 한 손은 당기며 10회를 시술한다.

3) 분압대퇴(分壓大腿) : 양손을 사용하여 대퇴부를 위에서 아래로 일정한 압력으로 분압하여 내려온다. 3회 반복, 이 때 무지(拇指)와 장근(掌根)에 힘을 고루 준다.

4) 추랍대퇴(推拉大腿) : 대퇴부를 횡으로, 양손을 각기 다른 방향으로 하여 한 손은 밀고, 다른 한 손은 당기며 10회를 시술한다.

5) 날나대퇴(捏拿大腿) : 대퇴부 전면(前面)의 근육을 고루 시술한다.

6) 추랍대퇴(推拉大腿) : ㉮ 대퇴부를 횡으로, 양손을 각기 다른 방향으로 하여 한 손은 밀고, 다른 한 손은 당기며 10회를 시술한다.

㉯ 상하(上下)로 밀고 당기며 시술하는데, 올라갈 때는 전면(前面)을 타고, 내려올 때는 측면(側面)으로 내려온다. 왕복 약 5회 정도 시술.

7) 추안대퇴(推按大腿) : 양 손바닥을 사용하여 대퇴부 아래쪽에서 서혜부까지 올린 다음에 양손을 털어주며 시술한다. 5회 반복.

8) 추찰대퇴(推擦大腿) : 대퇴부를 전체적으로 찰법을 사용하여 고루 열감(熱感)을 준다.

9) 장마쌍슬(掌摩双膝) : 슬개골을 한 손바닥으로 가볍게 덮어서 마법으로 시술한다.

10) 안유혈위(按揉穴位) : 풍시(風市), 혈해(血海)

11) 추찰소퇴(推擦小腿) : 종아리를 전체적으로 찰법을 사용하여 고루 열감을 준다.

12) 날나비근(捏拿腓筋) : 종아리 전체의 근육을 고루 시술한다. 3회 반복.

13) 안유혈위(按揉穴位) : 족삼리(足三里), 삼음교(三陰交)

14) 퇴찰족배(推察足背) : 발등을 찰법을 사용하여 고루 열감을 준다.

15) 굴슬요과(屈膝搖踝) : 슬관절과 발목관절을 요법으로 시술한다.

16) 마무리 : 발신(拔伸)과 차법(搓法), 두법(抖法)으로 마무리(반대편도 순서대로 시술)

(2) 상지부(上肢部)

1) 안유상지(按揉上肢) : 한쪽 손바닥의 장근(掌根) 부위를 사용하여 상지부 전체를 고루 안유법(按揉法)으로 시술한다. 3회 반복.

2) 날나상지(捏拿上肢) : 좌, 우의 손을 번갈아서 상지부의 내면(內面)과 외면(外面)을 고루 시술한다. 3회 반복.

3) 분압상지(分壓上肢) : 양손을 사용하여 상지부를 위에서 아래로 일정한 압력으로

분압하여 내려온다. 3회 반복, 이 때 무지(拇指)와 장근(掌根)에 힘을 고루 준다.

4) 안유상지(按揉上肢) : 한쪽 손바닥의 장근(掌根) 부위를 사용하여 상지부 전체를 고루 안유법으로 시술한다. 3회 반복.

5) 점안혈위(占按穴位) : 곡지(曲池), 내관(內關), 외관(外關), 합곡(合谷), 노궁(勞宮)

6) 날나상지(捏拿上肢) : 좌, 우의 손을 번갈아서 상지부의 내면(內面)과 외면(外面)을 고루 시술한다. 3회 반복.

7) 분압상지(分壓上肢) : 양손을 사용하여 상지부를 위에서 아래로 일정한 압력으로 분압(分壓)하여 내려온다. 3회 반복, 이 때 무지(拇指)와 장근(掌根)에 힘을 고루 준다.

8) 유념수지(揉捻手指) : 한 손은 손복을 고정시키고, 다른 한 손으로는 식지와 중이를 사용해서 손가락을 전체적으로 부드럽게 념법(捻法)과 발신(拔伸)을 고루 시술한다.

9) 날나상지(捏拿上肢) : 좌, 우의 손을 번갈아서 상지부의 내면(內面)과 외면(外面)을 고루 시술한다. 3회 반복.

10) 발신상지(拔伸上肢) : 양손으로 손목을 잡고 향하(向下), 향외(向外), 향상(向上), 향후(向後)로 발신을 한다. 이 때 힘을 너무 주어서는 안된다.

11) 날나상지(捏拿上肢) : 상지부를 위로 한 상태에서, 바깥쪽으로 뻗은 상태에서 좌(左), 우(右)의 손을 번갈아서 상지부의 내면(內面)과 외면(外面)을 고루 시술한다. 1회 씩.

12) 박타상지(拍打上肢) : 가볍게 주먹을 쥔 상태로 상지부 전체를 박타법으로 시술한다.

13) 날나상지(捏拿上肢) : 좌, 우의 손을 번갈아서 상지부의 내면(內面)과 외면(外面)을 고루 시술한다. 3회 반복.

14) 추찰상지(推擦上肢) : 상지부를 전체적으로 찰법(擦法)을 사용하여 고루 열감을 준다.

15) 마무리 : 차법(搓法), 두법(抖法)으로 마무리(반대편도 순서대로 시술)

References

참고문헌

중의미용학 / 고학민 외 / 중국과학기술출판사 / 2000

중의미용 / 전연영 / 북경과학기술출판사 / 2000

중의기초이론 / 인회하 외 / 상해과학기술출판사 / 1992

중의미용학 / 황비리 외 / 인민위생출판사 / 1997

중의미용도해 / 황비리 / 인민위생출판사 / 2007

미용중의학 / 위목신 외 / 인민군위출판사 / 2004

현대호부미용학 / 주홍혜 / 동화대학출판사 / 2002

경혈MAP / 다수 공저 / 군자출판사 / 2005

추나학 / 유대방 / 상해과학기술출판사 / 1985

중국추나대성 / 다수 공저 / 장춘출판사 / 1992

신편중국침구학 / 상해과학기술출판사 / 1992

추나학 / 엄준도 / 중국중의약출판사 / 2004

추나임상학 / 윤병한 / 군자출판사 / 2013

찾아보기

ㄱ

ㄴ

ㄷ

ㅂ

ㅅ

ㅇ

ㅈ

ㅊ

ㅋ

ㅌ

ㅍ

ㅎ